21世紀の啓蒙

理性、科学、ヒューマニズム、進歩

上巻

スティーブン・ピンカー

橘 明美・坂田雪子＝訳

草思社文庫

ENLIGHTENMENT NOW
THE CASE FOR REASON, SCIENCE, HUMANISM, AND PROGRESS
by
STEVEN PINKER

Japanese translation published by arrangement
with Brockman, Inc.

21世紀の啓蒙【上巻】目次

序文 019

第一部 啓蒙主義とは何か 025

第一章 啓蒙のモットー「知る勇気をもて」 035

第一五章 偏見・差別の減少と平等の権利 475

21世紀の啓蒙【下巻】目次

21世紀の啓蒙　上巻

［編集部注］

・本文中の番号ルビは、原注を示し、巻末に掲載した。
・〔〕の割注は、訳者による注記を示した。
・引用箇所の翻訳は、訳注のない限り、本書翻訳者によるもので、邦訳書とは異なるところもある。
・なお参考文献は、下巻巻末に収録されているが、左記のＵＲＬからもＰＤＦをダウンロードすることができる。
http://www.soshisha.com/en_references

楽天家だったハリー・ピンカー（一九二八―二〇一五）に
ソロモン・ロペス（二〇一七―　）と二二世紀に

理性に導かれる人間は、他の人々のためにも望むことしか、自分のために望まない。

バールーフ・デ・スピノザ

自然法則によって禁じられていないものは、適切な知識があれば何でも達成できる。

デイヴィッド・ドイッチュ

序文

二〇一〇年代後半は、進歩の歴史とその要因について本を出すのにいい時期だとは思えない。わたしがこの本を書いている今〔トランプ政権下の二〇一八年〕、わが国、アメリカ合衆国はこの時代を否定的に見る人々によって導かれている。つまり、「母親たちと子どもたちは貧困にあえぎ」「教育制度は若く優れた生徒たちが知識を得られるものではなく」「犯罪、ギャング、薬物があまりにも多くの命を奪ってい」て、われわれは「全面戦争」のただなかにあり、その戦争は「拡大し、かつ転移しつつ」あり、この悪夢の責任を負うべきは「グローバルな権力構造」であって、それが「キリスト教の根底にある精神的、道徳的基盤」を蝕んできた、と考える人々のことだ。(1)

わたしはこの本で、こうした希望のない現状評価が間違っていることを明らかにしようと思う。それも少々間違っているのではなく、まったく、地球は平らだというくらい、これ以上ないほどに間違っている。とはいえ、これはアメリカ合衆国第四五代大統領とその補佐官たちへの批判の書ではない。わたしが構想を練ったのはドナルド・トランプの立候補表明より何年か前のことであり、執筆も、一政権の寿命よりはるかに長く読まれることを念頭に置き、実際にもそうなってほしいと願いつつ進めた。それに、トランプ当選の素地をつくった物の見方は、実のところ右派にも左派にも、知識階層にもそれ以外にも幅広く浸透している。世界は悪化しつつあるという悲観論や、現代の諸制度に対するシニシズム、宗教より高い目標をどこにも見つけられないといった無力感は、今やどこにでもはびこっている。

一方、わたしが提示するのはそれとは異なる世界観、事実に基づき、啓蒙主義の理念から発想を得た世界観である。ここでいう啓蒙主義の理念とは、理性、科学、ヒューマニズム、そして進歩のことだが、これらが時代を超越する理念であり、今まさに、かつてないほど重要な意味をもっているということを、この本で示せればと願っている。

＊＊＊

社会学者のロバート・マートンは、科学者の四徳の一つに公有性（Communalism）を挙げている。他の三つは普遍性（Universalism）、無私性（Disinterestedness）、組織的懐疑主義（Organized Skepticism）で、四つの頭文字をとってCUDOS（クードス）[2]と呼ばれているが、まさにこの本についても称賛に値するのは、共有の精神でデータを提供してくれたり、わたしの質問に丁寧かつ迅速に答えてくれた多くの科学者たちである。なかでもマックス・ローザーには大いに助けられた。彼はわたしたちの目を見開かせるようなウェブサイト〈Our World in Data〉の運営者で、彼の洞察力と度量の広さがなかったら、進歩の詳細を述べる第二部の多くの論述が成り立たなかっただろう。また、〈HumanProgress〉のマリアン・トゥーピーと、〈Gapminder〉のオーラ・ロスリングとハンス・ロスリングにも感謝している。この二つのウェブサイトも人類の現状を理解するために欠かせない貴重なものだ。ハンスは豊かな発想力の持ち主で、彼が二〇一七年にこの世を去ったことは、啓蒙主義の理念に積極的にかかわるすべての人にとって悲しい出来事だった。

ほかにも多くのデータサイエンティストにしつこく質問し、彼らの手を煩わせた。次の各氏と、そのデータを収集・管理している諸機関に感謝の意を表したい。カーリン・ボウマン、ダニエル・コックス（PRRI）、タマル・エプナー（Social Progress Index）、クリストファー・ファリス、チェルシー・フォレット（HumanProgress）、アンドリュー・ゲルマン、ヤイル・ギツァ、エイプリル・イングラム（Science Heroes）、ジル・ジャノカ（Bureau of Labor Statistics）、ゲイル・ケルチ（U.S. Fire Administration/FEMA）、アライナ・コロシュ（National Safety Council）、カレブ・リータル（Global Database of Events, Language, and Tone）、モンティ・マーシャル（Polity Ⅳ Project）、ブルース・マイヤー、ブランコ・ミラノヴィッチ（World Bank）、ロバート・マガー（Homicide Monitor）、ピッパ・ノリス（World Values Survey）、トーマス・オルシャンスキー（U.S. Fire Administration/FEMA）、エイミー・ピアース（Science Heroes）、マーク・ペリー、テルエス・ペッテション（Uppsala Conflict Data Program）、レアンドロ・プラドス・デ・ラ・エスコスラ、スティーヴン・ラデレット、アウケ・リプマ（OECD/Clio Infra）、ハンナ・リッチー（Our World in Data）、セス・スティーヴンズ＝ダヴィドウィッツ（Google Trends）、ジェームズ・X・サリヴァン、サム・タウブ（Uppsala Conflict Data Program）、カイラ・トーマス、ジェニファー・トルーマン（Bureau of Justice Statistics）、ジーン・トウェンギ、バス・ファン・レーヴェン（OECD/Clio Infra）、カルロス・ビラルタ、クリスチャン・ヴェルツェル（World Values Survey）、ジャスティン・ウォルファーズ、そしてビリー・ウッドワード（Science Heroes）。

デイヴィッド・ドイッチュ、レベッカ・ニューバーガー・ゴールドスタイン、ケヴィン・ケリー、ジョン・ミューラー、ロズリン・ピンカー、マックス・ローザー、そしてブルース・シュナイアーは草稿の全体を読み、かけがえのない助言をくれた。また次の各氏は一部の章や抜粋に目を通し、専門分野に関する重要な意見をくれた。スコット・アーロンソン、レダ・コスミデス、ジェレミー・イングランド、ポール・イーワルド、ジョシュア・ゴールドスタイン、A・C・グレイリング、ジョシュア・グリーン、セザー・ヒダルゴ、ジョディ・ジャクソン、ローレンス・クラウス、ブランコ・ミラノヴィッチ、ロバート・マガー、ジェイソン・ネミロウ、マシュー・ノック、テッド・ノードハウス、アンソニー・パグデン、ロバート・ピンカー、スーザン・ピンカー、スティーヴン・ラデレット、ピーター・スコブリック、マーティン・セリグマン、マイケル・シェレンバーガー、そしてクリスチャン・ヴェルツェル。

友人や同僚である次の各氏も質問に答えてくれ、また大事なアドバイスをくれた。チャーリーン・アダムス、ロザリンド・アーデン、アンドリュー・バルムフォード、ニコラ・ボーマール、ブライアン・ブートウェル、スチュアート・ブランド、デイヴィッド・バーン、リチャード・ドーキンス、ダニエル・デネット、グレッグ・イースターブルック、エミリー＝ローズ・イーストップ、ニルス・ペター・グレディッチ、ジェニファー・ジャケ、バリー・ラッツァー、マーク・リラ、カレン・ロング、アンドリュー・マック、マイケル・マカロウ、ハイナー・リンダーマン、ジム・ロッシ、スコット・セーガン、サリー・サテル、マイケル・シャーマー。そしてハーバードの同僚である次の各氏にも心から感謝する。マーザリン・バナジ、メルセ・クロサス、ジェームズ・エンジェル、ダニエル・ギルバート、リチャード・マクナリー、キャスリン・シッキンク、そしてローレンス・サマーズ。

データの入手、分析、グラフ化に大奮闘してくれたリア・ハワードとルツ・ロペスに、そしていくつもの回帰分析を引き受けてくれたキハップ・ヨンに感謝する。また、グラフを見やすくレイアウトし、形式と内容について意見をくれたイラヴェニル・サビアにも感謝する。

このプロジェクトの最初から最後まで、アドバイスと励ましで支えつづけてくれた編集者のウェンディ・ウルフとトーマス・ペン、そしてわたしのエージェントのジョン・ブロックマン、校閲してくれたカーチャ・ライスに心から感謝する。カーチャはわたしの本を八冊も担当してくれたのだが、毎回彼女の丁寧な仕事から学ぶことが多い。

そしてもちろん家族にも。ロズリン、スーザン、マーティン、エヴァ、カール、エリック、ロバート、クリス、デイヴィッド、ヤエル、ソロモン、ダニエル、そしてとりわけ、啓蒙主義の理念を理解するための教師兼パートナーになってくれたレベッカに、心から感謝する。

第一部

啓蒙主義とは何か

一八世紀の常識は、そしてこの世紀が人間の苦難という明らかな事実と、人間の本性の明らかな要求を理解したことは、心の浄化作用のような効果を世界にもたらした。

アルフレッド・ノース・ホワイトヘッド

言語や心、人間の本性について公開講座で話をするようになって数十年になるが、そのあいだにはずいぶん奇妙な質問も受けてきた。「最良の言語は何語ですか？」「貝に意識はあるんですか？」「いつになったら自分の心をインターネットにアップロードできるようになりますか？」「肥満は暴力の一種ですか？」

だが、これまで講義のあとで答えてきた数々の質問のなかで最も印象に残っているのは、心は脳の活動パターンで決まるという（科学者のあいだではもう常識だが）話をしたときに寄せられたものだ。講義が終わると一人の女子学生が手を挙げて、こう訊いた。

「なぜわたしは生きなければならないんですか？」

その無邪気な口調から、自殺したいわけでも皮肉をいっているわけでもないのは明らかだった。つまり彼女は、不滅の魂についての伝統的かつ宗教的信念が最新科学によって崩れつつある今、どうやって人生に意味と目的を見出したらいいのかという純粋な好奇心を抱いたわけだ。わたしはこの世に愚かな質問などないという方針で臨んでいるので、このときも思いつくまま話しはじめてみたところ、その学生も、他の受講生も、何よりわたし自身が驚いたことに、そこそこまともな答えになった。わたしがいったのはおおむね次のようなことである――もちろん正確に覚えているわけではないし、〝後知恵〟による尾ひれもついて、少し違ってしまっていると思うが。

そういう質問をされたということは、あなたは自分が納得できる「合理的な理由」を探しているということです。それはあなたが、自分にとって大事なものを見つけたり、その正当性を示したりする手段として、「理性」を頼りにしているということです。そして生きるための合理的な理由ならたくさんあります！「感覚をもつ存在」であるあなたは〝わくわくするような人生〟を送る力をもっています。たとえば、学んだり考えたりすることで、理性の力そのものを磨くことができます。科学を通して自然界の真相究明に努めることも、芸術と人文科学を通して人間のありようについて探究することもできます。喜びや欲求充足のために自分の力を存分に発揮することもできます。あなたの先祖もそうすることで繁栄し、だからこそあなたも存在しているわけです。あなたはこの世界の自然の美しさや文化の豊かさを愛でることができる。数十億年も続いてきた生命の継承者として、あなたもまた命をつなぐことができる。あなたには「共感」を抱く能力――好ましく思い、愛し、尊敬し、助け、そして思いやりを示す能力――があり、その共感を友人、家族、同僚と分け合うことができます。

そしてこれらのどれ一つとして、あなただけに特有のものではないことが理性によってわかるのですから、あなたには自分が得られて当然だと思うものを、他の人々に提供する義務があります。あなたは他の「感覚をもつ存在」の生活の質、健康、知識、自由、豊かさ、安全、美、そして平和をより高めることによって、彼らの幸福を育むことができます。歴史を見ればわかるように、他の人々に共感し、自ら創意を凝らして人間のありようを改善しようとするとき、わたしたちは進歩できるのです。そしてあなたも、その進歩の継続に力を貸すことができます。

人生の意味を説くことは、認知科学の教授職の一般的な職務には含まれない。だからもし、難解な専門知識や心もとない個人的見解だけを頼りにするしかなかったとしたら、彼女の質問に答えるのは傲慢だからと、避けていただろう。だがあのときわたしには、自分が説いているのが実は二世紀以上も前に練り上げられ、しかも今再び、かつてないほど今日的な意味を帯びている信念や価値観であることがわかっていた。すなわち、啓蒙主義の理念である。

啓蒙主義の理念は今こそ擁護を必要としている

「わたしたちは理性と共感によって人類の繁栄を促すことができる」という啓蒙主義の原則は、あまりにも当然で、ありふれた、古くさいものに思えるかもしれない。だが実はそうではないとわたしは気づき、それでこの本を書くことにした。古くさいどころか、理性、科学、ヒューマニズム、進歩といった啓蒙主義の理念は、今かつてないほど強力な擁護を必要としている。わたしたちは啓蒙主義の恩恵に浴していながら、あまりにも慣れすぎてしまった。たとえば、今生まれる子どもたちは八〇年以上の寿命を期待でき、市場には食料品があふれていて、指をちょっと動かすだけで清浄な水が流れ、同じく指をちょっと動かすだけでごみが消え、痛みを伴う感染症も錠剤で治癒し、息子たちを戦場に送り出さずにすみ、娘たちが通りに出ても危険がなく、権力者を批判しても投獄されたり撃たれたりせず、世界の知識と文化がシャツのポケットに入ってしまうといったことを、わたしたちは当たり前だと思っている。

しかしこれらはすべて人類が可能にしたことであって、当たり前の生得権ではない。読者の皆さんの多くも、戦争、食糧難、病気の蔓延、無知、命の危険などが日常の一部だった時代のことを記憶にとどめているだろうし、恵まれない国の人々なら体験してもいるだろう。しかもわたしたちは、国というものがそうした昔の状態に逆戻りしうることを知っている。つまり啓蒙主義の成果を無視するのは、自ら危険を招くようなものである。

その女子学生の質問に答えて以来、「啓蒙主義の理念」（ヒューマニズム、開かれた社会、コスモポリタン自由主義、古典的自由主義など、いろいろないわれ方をする）について改めて語るべきではないかと思うことが何度もあった。いや、たんに同じような質問のメールがよく送られてくるからではない（「ピンカー先生、ご著書の内容と科学を重く受けとめ、自分を原子の集合体としか思えなくなっている人に、何かアドバイスをいただけませんか？　つまり自分が、利己的な遺伝子からこの時空に飛び出してきた、限られた知性しかもたない機械だとしか思えない人のことです」）。それ以上に、人類の進歩という視点を忘れてしまうと、実存的不安よりもっと悪い状態に陥りかねないと思うからだ。たとえば、自由民主主義や国際協力機関といった、啓蒙思想から発想を得て生まれた諸制度に対して人々が冷笑的な態度をとり（そうした制度が人類の進歩を支えているにもかかわらず）、まるで先祖返りのように大昔の制度に引き戻してしまう恐れがある。

啓蒙主義の理念は理性が生み出した。しかし人間の本性は二本の糸を縒り合わせたようなもので、その一本である理性は常にもう一本の糸と戦っている。もう一本の糸とはすなわち、部族への忠誠、権力への服従、呪術的思考、不運を何者かのせいにすることなどだ。現に、二〇一〇年代に入ってから、自国が悪の派閥によって地獄さながらのディストピアに引きずり込まれつつあり、それに抵抗できるのは「再び偉大な国に」引き戻してくれる強い指導者だけだと考える政治運動が高まりを見せている。しかもその運動は、対抗勢力のリーダーたちがよく口にする話に煽られて勢いづいてきた。つまり、現代の諸制度は破綻したとか、生活のあらゆる面で危機が深まっているといった話である。

結局のところ「今ある制度を壊せば世界は良くなる」という点では両陣営が声を揃えているわけで、これはなんとも恐ろしい事態である。人類の長い進歩のなかで、その流れに反する諸問題が起こったときに、それらを解決することでますます進歩を重ねられると考えるような前向きなビジョンをもつ人々の声は、今は小さくなってしまっていてあまり聞こえない。

啓蒙主義の理念は繰り返し語られねばならない

これでもまだ啓蒙主義の理念に強力な擁護が必要だと思えないなら、イスラム過激派について研究しているシラーズ・マハーの言葉に耳を傾けてもらいたい。「西洋は自分たちの文明に対する評価が低すぎる。古典的自由主義をはっきりと主張しない。

これらの価値に自信がないのだ。何やら居心地悪く感じている」。これに対してIS（イスラム国）のほうはというと、自分たちの価値に自信満々で、「ISが支持しているものが何なのかを正確に理解している」。それは間違いなく、「信じがたいほど魅惑的なもの（incredibly seductive）であり、その頭文字もまたISなのだ」。このような鋭い指摘は、以前、ジハーディスト・グループの「ヒズブ・タフリール」の地区リーダーだったことがあるマハーならではのものだ[1]。

一九六〇年、自由主義の理想がその最大の試練であった第二次世界大戦を耐えしのいでからさほど経たないころ、経済学者のフリードリヒ・ハイエク〔反ナチ、反共産主義の自由主義思想家でもあった〕は、自由主義についての考えをこう述べた。「古くからの真実を人々の心（men's minds）にとどめておきたいなら、世代ごとにその言語と概念で語り直さなければならない」（men's minds〔「男たちの心」の意味にもなる〕という現在は不適切とされる表現そのものが、図らずも彼の「世代ごとにその言語と概念で……」という主張の正しさを証明している点に注意）。「かつては最もふさわしい表現だったものも、やがて使い古されて摩耗し、明確な意味を伝えられなくなってしまう。根底にある考えは古びていないかもしれないのに、言葉のほうはそうはいかず、現在にもかかわりのある問題を語るときでさえ、もはや同じ信念を伝えはしない[2]」

本書は、啓蒙主義の理念を二一世紀の言語と概念で語り直そうとする試みである。

まず、現代科学が教えてくれる人間のありようについて、これを理解する枠組み——わたしたちが何者で、どこから来て、どういう課題を抱えていて、どうすれば対処できるのか——を提示する。その後は、つまりこの本の大部分は、啓蒙主義の理念を二一世紀ならではのやり方で、つまりデータを使って擁護することに充てる。

こうして改めて証拠を挙げて啓蒙主義という事業の成果を見てみると、啓蒙主義の理念がたんなる甘い希望ではなかったことがよくわかる。啓蒙主義という事業は間違いなくわたしたちの**役に立ってきた**。だが、「偉大な物語はめったに語られない」ということなのか、啓蒙主義の勝利は語られてこなかった。そのせいで、勝利を可能にした理性、科学、ヒューマニズムといった理念も正しく評価されていない。それも、何らかの合意された過小評価がなされているというのではなく、もっとひどいことに、今日の知識人はこれらの理念を無視し、あるいは疑いの目を向け、時には軽蔑さえする。だが、わたしがこれから提示するような適切な評価がなされれば、啓蒙主義の理念は実のところ感動的であり、刺激的であり、崇高でさえあり、つまり生きる理由と呼ぶにふさわしいものだとわかるはずである。

第一章　啓蒙のモットー「知る勇気をもて」

啓蒙とは何か。啓蒙主義とは何か

啓蒙とは何か。この問い『啓蒙とは何か』をタイトルに掲げた一七八四年の小論で、イマヌエル・カントはこう答えている。それは「人間が自ら招いた未成年状態から抜け出ること」〔『カント全集14』福田喜一郎訳、岩波書店より〕であり、宗教的・政治的権力の「ドグマと因襲」への「怠惰で臆病な」服従から抜け出ることである。[1] そして啓蒙のモットーは「知る勇気をもて（サペーレ・アウデ）！」であり、その基礎をなす要求は思想と言論の自由である。「のちの時代が洞察を深め、知識を広げ、誤りを正すことを妨げる（中略）ような契約を、ある時代が結んではならない。人間の本来の定めはそのような進歩にこそあるのだから、それを妨げるのは人間の本性に対する犯罪といえよう[2]」

同じ発想を二一世紀に探すとしたら、物理学者のデイヴィッド・ドイッチュによる啓蒙擁護論、『無限の始まり』（熊谷玲美・田沢恭子・松井信彦訳、インターシフト）のなかの一節になるだろうか。ドイッチュは、わたしたちが知る勇気をもてば、科学、政治、道徳のいずれの分野でも進歩できると述べている。

（わたしが提唱するのは）すべての失敗——すべての悪——を知識の不足によるものと考えるような楽観主義である。（中略）問題は必ず起きる。なぜならわれわれの知識はいつでも完全にはほど遠いのだから。なかには難しい問題もある。しかし難しい問題と解決不可能な問題を混同してはならない。問題は解決可能であり、個々の悪は解決可能な問題である。楽観的な文明は開かれていて、革新を恐れず、批判精神に根ざしている。そのような文明の諸制度は改良されつづけるし、その諸制度が体現する最も重要な知識は、誤りを見つけて正す方法である。[3]

では、いわゆる啓蒙主義とは何か。あの一八世紀西洋の啓蒙主義運動とは何だったのか。[4] 公式の答えといえるようなものはない。カントの小論の名がついた啓蒙時代は、オリンピックのように開会式と閉会式で明確に区切られたものではなかったし、その思想が宣誓や綱領として明示されたわけでもない。一般的には一八世紀中頃からその世紀末までとされているが、実際には、一七世紀の科学革命と理性の時代に湧き出て、一八世紀を通して流れつづけ、一九世紀前半の古典的自由主義の全盛期へと流れ込んでいった。啓蒙思想家たちは、それまでの常識に対して科学と探検が異議申し立てを行ったことに触発され、少し前の血なまぐさい宗教戦争の記憶に苛まれ、また思想と人の移動が容易になったことに助けられて、人間のありようについての新しい理解を探し求めた。この時代にはさまざまな考えが花開き、なかには相矛盾するものもあったが、次の四つのテーマで全体を括ることができる。すなわち理性、科学、ヒューマニズム、進歩である。

「理性」とは本来、交渉や駆け引きとは無縁のもの

まずは「理性」から始めよう。理性とは本来、交渉や駆け引きとは無縁のものだ。[5]あなたが「人は何のために生きるか」といった問題を（ほかの問題でもいいのだが）論じるとする。そのとき「わたしの意見は理に適っているので（あるいは根拠があるので、真実なので）、あなた方も皆これを信じるべきです」と主張するなら、あなたはもっぱら理性を用いており、自分の意見を客観的基準に照らして説明できると約束したことになる。啓蒙思想家たちに共通点があるとすれば、それはあくまでも理性の基準に照らして世界を理解しようとし、信仰、ドグマ、啓示、権威、カリスマ、神秘主義、占い、幻影、第六感、聖典解釈といった妄想の源に頼らなかったことだ。

多くの啓蒙思想家が、人間の姿をして人間の問題に口をはさむ神を信じなかったのも、理性で考えたからだった[6]。理性を使ったからこそ、奇跡の報告が疑わしいことも、聖典の著者がいずれも正真正銘の人間であることも、自然現象には人間の幸福への配慮など一切見られないことも、信じる神が文化によって異なり矛盾が生じているが、そのどれもが等しく想像の産物にすぎないことも明らかにできた（モンテスキューがいうように、「三角形たちが神をつくったら、その神は三角形になる」）。もちろん彼らが全員無神論者だったわけではなく、一部は無神論者の対語としての理神論者だった。理神論とは、神はこの宇宙を創造したところで身を引き、あとの展開を自然法則に任せたとする考えだ。また「神」を自然法則と同義と考える汎神論者もいた。しかしながら、戒律を定め、奇跡を起こし、子をもうけるという、聖典に書かれているような神を信じた啓蒙思想家はほとんどいなかった。

現代の多くの著述家は、啓蒙主義による理性の是認と、「人間は完全に合理的な主体だ」というばかげた主張とを、混同している。これほどひどい誤解があるだろうか。カント、スピノザ、トマス・ホッブズ、デイヴィッド・ヒューム、アダム・スミスといった啓蒙思想家たちは好奇心旺盛な心理学者でもあり、人間が非合理な感情や弱点をもつことを十二分に承知していた。そのうえで、弱点を乗り越えるには、数々の愚行の共通要因を突きとめて対処するしかないと考えた。理性を使うとき、意識的にそうする必要があるのは、間違いなく人間の普段の思考があまり理性的ではないからだ。

「科学」による無知と迷信からの脱却

こうした考え方は啓蒙主義の第二の理念である「科学」——理性を磨いて世界を理解すること——につながる。科学革命は文字どおり革命的な出来事だった。しかし当時の発見は今では当たり前のものになってしまい、わたしたちにはそれがどれほど驚くべきものだったのか想像しにくい。というわけで、歴史学者のデイヴィッド・ウートンの助けを借りることにしよう。ウートンは一六〇〇年の、つまり科学革命前夜の典型的な教養あるイングランド人が、この世界をどう見ていたかについてこう記している。

彼は魔女が嵐を呼び、船を沈めることができると信じている（中略）。オオカミ人間を信じているが、幸いなことにイングランドにはおらず、見つかるとしたらベルギーだと思っている（中略）。魔女が本当にオデュッセウスの部下たちをブタに変えたと信じている。ネズミは藁の山から自然発生すると信じている。当時行われていた奇術を本物だと信じている（中略）。ユニコーンは見たことがないが、ユニコーンの角（つの）は見たことがある。

他殺死体は犯人が近くに来ると血を流すと信じている。短剣で傷を負った場合、その短剣に擦り込むと傷が治る塗り薬があると信じている。植物の形、色、視覚的構造を見れば、薬としてどう使えるか推測できると信じている。神は人間が理解しやすいように自然をつくられたからである。卑金属を金（きん）に変えられると信じているが、その方法を知る人はいないかもしれないと思っている。自然は真空を嫌うと信じている。虹は神のお告げであり、彗星は凶兆だと信じている。夢は予言なので、解釈の方法さえ知っていれば未来がわかると信じている。そしてもちろん、地球は動かず、太陽や星々がその周りを回っていて、二四時間で一周すると信じている。[7]

だが一三〇年後には、このイングランド人の子孫はこれらのどれ一つとして信じていなかったわけで、大きな変化だったことがよくわかる。またこの革命は無知からの解放であるとともに、恐怖からの解放でもあった。社会学者のロバート・スコットによれば、中世には「日々の暮らしは外からの力〔神の怒りなど〕に左右されると誰もが信じていて、それが集団的妄想を生んでいた」。

豪雨、雷、稲妻、突風、日食あるいは月食、寒波、熱波、日照り、そして地震。

これらはすべて一様に神の怒りの表れだと信じられていた。そして当然のことながら、生活のあらゆる領域に〝邪悪な鬼〟が棲みついていた。海は悪魔の領分とされ、森には肉食獣、人食い鬼、魔女、悪霊、そして（こちらは現実の）盗人や人殺しが巣くっていた（中略）。日没後もまた恐怖の世界で、彗星、隕石、流れ星、月食、野獣の遠吠えなど、ありとあらゆる危険の前兆に満ちていた。[8]

啓蒙思想家たちは、科学革命による無知と迷信からの脱却を目にして、一般通念がとんでもない間違いを犯しうることを、そして科学の手法――懐疑主義、可謬主義〔あらゆる知識は原理的に、将来間違いであると判明し修正される可能性をもつという考え〕、開かれた議論、経験的検証――こそ、確かな知識を得るための頼りであることをはっきり理解した。

その知識にはわたしたち人間に関する理解も含まれる。モンテスキュー、ヒューム、スミス、カント、ニコラ・ド・コンドルセ、ドゥニ・ディドロ、ジャン＝バティスト・ダランベール、ジャン＝ジャック・ルソー、ジャンバッティスタ・ヴィーコといった思想家たちは、多くの点で意見を異にしながらも、「人間の科学」の必要性というテーマは共有していた。彼らは普遍的な人間性というものがあると信じ、それは科学で探求できると考えた。そして実際、数々の科学の先駆者となったのだが、それらに何々学という名がついたのは数世紀のちのことである。[9]

たとえば、彼らは今日いうところの認知神経科学者となり、思考、感情、精神疾患を脳の物理的現象という観点から説明しようとした。また進化心理学者となり、自然状態の生について記述しようとし、「わたしたちの胸に注入されている」〔ヒューム〕動物本能を識別しようとした。あるいは社会心理学者となり、人間同士を近づける道徳的感情、人間同士を遠ざける利己的情念、最善を尽くした計画をだめにしてしまう人間の近視眼的な弱点などについて書いた。さらに文化人類学者になって旅行家や探検家の記述を読みあさり、人間の普遍的特性と、世界の諸文化の慣習やモーレス〔道徳観〕の多様性についての資料を掘り起こした。

感覚をもつ者への共感が「ヒューマニズム」を支持する

次いで、こうした普遍的な人間性の探求が、わたしたちを啓蒙主義の第三の理念である「ヒューマニズム」に導く。理性の時代の思想家も、啓蒙時代の思想家も、宗教以外の道徳基盤を懸命に探し求めた。十字軍、異端審問、魔女狩り、宗教戦争と、数世紀に及んだ宗教上の殺戮の歴史が記憶に深く刻まれていたからだ。彼らは新たな道徳基盤を、今日「ヒューマニズム」と呼ばれるものに置くことにした。部族、種族、国家、宗教の栄光よりも、個々の男性、女性、子どもの幸福を重視する考え方である。

なにしろ喜び、痛み、満足、苦しみを感じるのは集団ではなく、「感覚をもつ存在」である個人なのだから。それは「最大多数の最大幸福」(ベンサム)と表現されることもあれば、「他者をただの手段としてではなく目的としても扱え」(カント)という定言命法で表現されることもあるが、いずれにせよ、人間なら誰もがもつ苦しんだり喜んだりできる能力が、わたしたちの道徳的関心を呼び起こすと彼らは述べた。

幸い、人間の本性のおかげで、わたしたちはこのように呼び起こされることに応じる準備ができている。それは「共感」という感情を生まれながらにもっているからで、啓蒙思想家たちもこれを善意、憐憫、同情などと呼んだ。そして他者に共感できるとなれば、その共感の輪が家族や部族から、やがて人類全体へと広がっていくのは当然の成り行きである。とりわけ理性によって否応なく、「自分についても、自分が属するいかなる集団についても、特別扱いを受けられるものはない」ことがわかるとなれば、なおさらのことである[10]。つまり、わたしたちはコスモポリタニズムにたどり着かざるをえず、自分たちが世界市民であることを受け入れざるをえない[11]。

このヒューマニズムの感性ゆえに、啓蒙思想家たちは宗教上の暴力だけではなく、奴隷制度、専制政治、窃盗や密猟などの軽罪での死刑執行、加虐的な刑罰(鞭打ち、切断、串刺し、腹裂き、車裂き、火あぶり)など、当時の世俗の残虐行為も糾弾した。啓蒙主義運動が時に人道主義革命とも呼ばれるのは、どの文明でも何千年も前から普通に行われていた野蛮な慣行が、この運動によって廃止されたからだ。[12]

啓蒙主義の「進歩」の理念とは何か

奴隷制度や残虐な刑罰の廃止が進歩ではないとしたら、進歩などどこにもないことになってしまう。というわけで、わたしたちは啓蒙主義の第四の理念、「進歩」にたどり着く。科学によって世界の理解が進み、理性とコスモポリタニズムによって共感の輪が広がったことで、人類は知的にも精神的にも進歩することができた。現代もなお悲劇や不合理があるからといって、わたしたちはそれに甘んじる必要はないし、失われた黄金時代に逆戻りしようとする必要もない。

一九世紀のロマン主義は、神秘的な力、神秘的な法、弁証法、闘争、神秘の発現、運命、人間の時代、進化力といった、人類をユートピアへと絶えず押し上げる力に関する価値観をもっていたが、それらを啓蒙主義運動の進歩の価値観と混同してはならない。[13]カントの「知識を広げ、誤りを正す」といった指摘からわかるように、後者が意味するのはもっと淡々とした、理性とヒューマニズムの組み合わせから生まれる進歩のことである。法や慣習がうまくいっているかどうかを絶えず見張り、改善方法を考え、その方法を試し、そのなかから人々の暮らしを良くするものだけを保持していけば、わたしたちは少しずつ世界を良くすることができる。科学も同じように理論と実験の繰り返しで少しずつ前進する。もちろん一時的に後退したり理論がひっくり返ったりすることはあるが、それでも歩みを止めなければ進歩できると科学が示してくれている。

もう一つ、啓蒙主義の進歩の理念と混同してはならないのは、社会をテクノクラートとプランナーの都合のいいように再構築しようとする二〇世紀の運動で、政治学者のジェームズ・スコットはこれを「権威主義的ハイモダニズム」と呼んだ[14]。この運動は人間に本性があることを否定し、美、自然、伝統、社会的親密性をむやみに求める[15]。土地を「汚れのないテーブルクロス」〔建築家ル・コルビュジェの言葉とされる。彼が都市開発計画をするさいに求めた、既存住民に配慮する必要がないまっさらな土地を表すたとえ〕にしてから始めることで、モダニストたちは何もかもデザインして都市開発計画を推進し、活気のあった界隈を、高速道路と高層ビルと吹きさらしの広場とブルータリズム建築〔コンクリート打ちっぱなしやブロックのような四角い形状を特徴とする機能主義的な建築様式〕の空間に改造してしまった。「人類は生まれ変わるだろう」という理論を彼らは打ち立てた。「誰もが全体との秩序ある関係のなかで生きるだろう」と[16]。これらの開発計画を語るさいに「進歩」という言葉が使われることもあったが、それは皮肉でしかない。ヒューマニズムに導かれない進歩など、進歩とはいえない。

一方、啓蒙主義運動は、人間の本性の形を変えることではなく、人類の諸制度の形を変えることに、進歩への期待をかけた。理性を何かに適用して人類をより良くしようと思うとき、政府、法律、学校、市場、国際組織といった、人間がつくり出した制度・機関がその対象となるのは当然のことだ。

そう考えた場合の「政府」は、神から授かった支配権でもなければ、「社会」の同義語でも、国家・宗教・民族精神が具体化したものでもない。政府とは人間が考え出したものであり、暗黙のうちに社会契約にまとめられた合意である。人間の幸福のために互いの振る舞いを調整し、利己的行動――個々人には魅力的でも、結局は全員にツケが回ってくるような行動――を抑制しようとする合意のことだ。啓蒙主義の最も有名な成果といえばアメリカ独立宣言だが、そこには政府のことがこう表現されている。「生命、自由、および幸福の追求の権利を確保するために、人々のあいだに政府が樹立され、その正当な権力は、統治される人々の合意に基づいている」

政府の権限のなかには刑罰権もあるが、モンテスキューやチェーザレ・ベッカリーアなどの啓蒙思想家も、アメリカの建国の父たちも、政府が市民に危害を加える権利をもつことについて改めて考えた[17]。そして、刑罰は宇宙的正義の実践ではなく、「必要以上の苦痛をもたらすことなく、反社会的行為を抑止するための動機システムの一部」だと論じた。そして刑罰が犯罪に見合ったものでなければならない理由も、宇宙的正義の天秤にかけるためではなく、軽犯罪者がさらにエスカレートして大きい犯罪を犯すことを抑止するためだとした。また残酷な刑罰は、それがある意味で犯罪に見合っていてもいなくても、その抑止力はより穏やかで確実な刑罰と変わらないうえに、見物人を残虐性に対して鈍感にし、ひいては社会を残忍にすると考えた。

いかに富は創造され、「繁栄」が実現するか

繁栄について初めて理論的分析を試みたのも啓蒙思想家で、その分析の出発点は富がどのように配分されるかではなく、そもそも富はどうやって生まれるかだった。[18] アダム・スミスは出生地スコットランドはもちろん、フランスやオランダからも影響を受け、それらを足がかりにこう考えた。何か有用なものが豊富に出回っているとしたら、それは単独で働く農民あるいは職人が魔法のように生み出したのではなく、各人が効率的なつくり方を学べて、各人の創意工夫、スキル、労働の成果を互いに組み合わせたり交換したりできるような専門家のネットワークが生み出したのだと。

有名な例だが、スミスはピン製造についてこんな計算をした。作業員が一人で、周囲から何の助けもなく作業するとすれば、一日にピンを一本つくれればいいほうだが、「一人が針金を引き出し、もう一人がそれをまっすぐにし、三人目がそれを切り、四人目が先を尖らせ、五人目がその上部を研磨して頭をつけられるようにする」ような

作業場なら、一日に五〇〇〇本近くつくれる。

このような分業は、専門家同士がモノとサービスを交換できる市場でなければ機能しないので、経済活動は一種の互恵的協力（今風にいえばポジティブサム・ゲーム〔非ゼロ和ゲーム、ウィン－ウィンゲームとも。誰かの勝ちが、必ずしも他の誰かの負けを意味しないゲーム〕）だとスミスは述べた。つまりそこでは誰もが、差し出したもの以上に自分にとって価値あるものを手に入れられる。そして自発的交換で自分の利益を図ることが、他者の利益にもつながる。「わたしたちが今夜の食事にありつけるのは、肉屋や酒屋やパン屋の好意によってではなく、彼らが彼ら自身の利益を図るからだ。わたしたちが訴えかけるのは、彼らの慈悲心ではなく利己心である」。スミスは人間がひどく利己的だとか、利己的であるべきだといっているのではない。それどころか、人間の共感についてこれほど鋭い指摘をした人間はいなかったというべきだろう。スミスが説いたのは、市場では人々がどれほど家族や自分のことを気にかけようと、それが全体のためになりうるということにほかならないのだから。

交換市場は社会全体を豊かにするだけではなく、より良いものにする。なぜなら、効率的市場においては物を盗むより買うほうが安く上がるし、誰かが死ぬより生きていてくれるほうがあなたのためになる（このことを、経済学者のルートヴィヒ・フォン・ミーゼスは数世紀後に「仕立て屋がパン屋と戦争を始めたら、そのときから自分でパンを焼かなければならなくなる」と表現した）。こうした考えから、モンテスキュー、カント、ヴォルテール、ディドロ、アベ・ド・サン＝ピエールなど、多くの啓蒙思想家が「温和な商業（doux commerce）」という理想を支持した[19]。アメリカの建国の父たちも――ジョージ・ワシントン、ジェームズ・マディソン、とりわけアレクサンダー・ハミルトン――生まれたての国のために、この理想を育むような諸制度を考えた。

「平和」は実現不可能なものではない

これらはもう一つの啓蒙主義の理念、「平和」にもつながる。かつては戦争があまりにも頻繁に起こったので、これはもう手の施しようがない人間の性であり、メシアの時代にならないかぎり平和は来ないと思われていた。しかし今日では、戦争は耐え忍んで嘆くしかない天罰でもなければ、何としてでも勝って祝うべき名誉をかけた試練でもなく、軽減されるべき実際的問題で、いつかは解決されるべきものだと考えられている。カントは『永遠平和のために』（中山元訳、光文社）のなかで、自国を戦争に引きずり込まないために、為政者はどうするべきかを論じた[20]。そして自由貿易とともに、代表共和制（わたしたちが民主主義と呼ぶようなもの）、相互透明性、征服と干渉を防ぐ規範、移動・移民の自由、紛争解決のための国際的な連合などを推奨している。

さて、建国の父祖たちや合衆国憲法の起草者、啓蒙思想家たちに先見の明があったことは確かだが、本書は当時の啓蒙主義運動を崇拝する書ではない。啓蒙思想家たちは一八世紀に生きた人々で、そのなかには人種差別主義者もいれば、性差別主義者も、反ユダヤ主義者も、奴隷所有者もいたし、決闘騒ぎを起こした人物もいた。彼らが思い悩んだ問題の一部は、現代のわたしたちにはほとんど理解できないし、彼らが生み出した考えにはすばらしいものがある一方で、ばかげたものも山ほどある。要するに、現代のわたしたちが知る世界の根本原理をすべて理解するには、彼らは早く生まれすぎた。

だがほかならぬ彼らなら、次のことを率先して認めただろう。「理性を褒めたたえるなら、そのとき大事なのは思想家の人となりではなく、思想そのものの整合性である」「進歩の一端なりとも担うつもりなら、進歩とはどういうものかすべてわかったなどと断言できるはずがない」。そう、人間のありようや進歩の本質について、彼らが知らなかった大事なことをわたしたちが知ったからといって、それで彼らの価値が損なわれることはない。そして、彼らは知らなかったが今のわたしたちは知っていること、それがエントロピー、進化、そして情報の概念だとわたしは思う。

第二章

人間を理解する鍵「エントロピー」「進化」「情報」

人間を理解する第一の鍵「エントロピー」

人間のありようを理解するための第一の鍵は、「エントロピー」ないし無秩序の概念である。これは一九世紀の物理学から生まれ、物理学者のルートヴィヒ・ボルツマン[1]によって現在の形に定式化された。彼が導き出した熱力学の第二法則によれば、孤立系（外界との相互作用がない系）におけるエントロピーは決して減少しない（熱力学第一法則は「エネルギーは保存される」、第三法則は「絶対零度には到達できない」）。この法則により閉鎖系は否応なく徐々に構造や秩序を失い、有意味で有用な結果を得られる可能性も減っていき、やがて特徴も活気もない均質な平衡に至り、そこに落ち着く。

当初の第二法則は、二つの物体間に温度差がある場合、温度の高いほうから低いほうへ熱が伝わるにつれて、温度差という形で蓄えられていた使用可能エネルギーが必然的に消散していく過程を論じるものだった（コミックソングのフランダース&スワンもこれについて、「冷たいほうから熱いほうへ熱を渡すことはできないんだよ。やってみたけりゃやってごらん。おれは勧めないけど」と歌っていた〔『第一・第二法則』という題名の歌〕）。カップのなかのホットコーヒーも、電源の入った保温器にでも載せておかないかぎり、やがて冷めてしまう。蒸気機関も熱を供給する石炭が切れてしまったら、ピストンの片側の蒸気は冷えていき、もはやピストンを動かすことができなくなる。ピストンの両側から、蒸気が押す力と空気が押す力とが、釣り合ってしまうからだ。

その後、熱は目に見えない流体ではなく動きまわる分子の運動エネルギーであることがわかり、さらに二つの物体間の温度差はそれぞれの分子の平均速度の差だとわかったことによって、より一般的で統計力学的な形式のエントロピーの概念と第二法則が確立された。そして秩序や無秩序というものを、ある系のミクロに異なる状態〔ただし系のエネルギー総量や分子数などの条件は同じとする〕をすべて考え合わせた総体（前述の熱の例でいえば、二つの物体を構成する全分子の可能な速度と位置の組み合わせの総体）という観点から考えられるようになった。そのすべての状態のうちで、わたしたちから見て大局的に有用で秩序ある状態（たとえばある物体が別の物体より熱い状態。つまり、その物体の分子の平均速度が別の物体のものより速い状態）が偶然に発生する確率は、全可能性のなかのごくわずかな部分しか占めておらず、残りの圧倒的大部分を、それ以外の無秩序で利活用できない状態（たとえば二つの物体の温度差がなく、分子の平均速度が同じであることなど）

が占めている。

したがって、ある系に少しでも変化が生じると、それが何であろうと（その系の一部のランダムな揺れだろうが、外部からの強い刺激だろうが）、確率の法則によって、その系は無秩序ないし利用不能な状態へ向かうことになる。それは自然が無秩序を求めているからではなく、秩序のあるあり方より、秩序のないあり方のほうがはるかに数が多いからである。せっかくつくった砂の城も翌日になればもう形が崩れているものだが、それは砂粒の配置の組み合わせは無数にあるが、城に見える組み合わせよりも城に見えない組み合わせのほうが圧倒的に多いので、風、波、カモメ、幼い子どもなどが砂粒に変化を加えるさいに、後者になる可能性が高いからである。

このあとも何度か「エントロピーの法則」という言葉を使うことになるが、わたしがいいたいのはこの統計力学的な第二法則のこと、つまり温度差の減少に限定した話ではなく、秩序の消失の話だと思っていただきたい。

ではエントロピーは人間とどうかかわるのだろうか。それは、わたしたちの人生も幸福も、天文学的な数に上る可能性のなかの、ほんのわずかな〝秩序立った物質の配置〟を頼りにしているということである。ヒトの体は、無数の分子がおよそありえないような秩序立った集合体を形成したものであり、しかもその秩序は、これまたありえないような外部の数々の助けを得て維持されている。助けというのは、たとえば、ごく限られた物質が栄養になることや、ごく限られた材料がごく限られた形となって、衣服として包んだり、家屋として守ったり、道具として助けになってくれたりすることなどだ。

一方、地球上にははるかに多くの〝物質の配置〟があり、そのなかには人間のためにならないものが山ほどある。したがって、人間が引き起こしたものは別として、何か変化があれば、それは人間にとって悪いほうへの変化であることが多い。エントロピーの法則が日々の暮らしのなかでも広く認識されていることは、こんな言葉からもわかる。「形あるものはいつか壊れる」「錆は眠らない」「トラブルは誰にでも起きる」「故障する可能性があるものはすべて、いずれ故障する」、あるいは「納屋を壊すのはどんなバカでもできるが、建てるとなったら腕のいい大工に頼むべきだ」（元テキサス州選出下院議員、サム・レイバーンの言葉）。

だが科学者は、第二法則が日常の煩わしいトラブルを説明するだけではなく、それをはるかに超える大事なことを教えてくれると知っている。実はこの法則こそ、宇宙と、そこに人類が占める位置を理解するための土台だといってもいい。一九二八年に天体物理学者のアーサー・エディントンはこう述べた。

エントロピーは増大するというこの法則は、自然の法則のなかでも最上位に位置づけられるとわたしは考えている。あなたが誰かに「あなたの宇宙論はマクスウェル方程式に矛盾しますよ」といわれたら、それはあなたの理論ではなくマクスウェル方程式の間違いのせいかもしれない。もし観察によってマクスウェル方程式が否定されたのならば。まあ、実験家たちも時にしくじるものだが。しかし、あなたの理論が熱力学第二法則に反しているとわかったら、そのときはあなたに勝ち目はない。涙をのんで引き下がるしかない。[2]

科学者であり小説家でもあったC・P・スノーは、有名な一九五九年のリード講演で——『二つの文化と科学革命』（松井巻之助訳、みすず書房）という本にもなった——当時の教養あるイギリス人に見られた科学軽視の姿勢についてこう述べた。

わたしはしばしば、伝統文化の基準からは高い教育を受けたといえる人々の会合に顔を出してきたが、彼らはよく嬉々として、科学者は人文学を知らないと不信感をあらわにしてみせるのだった。一度か二度、わたしは我慢できなくなり、ではあなた方のなかに熱力学の第二法則を説明できる人が何人いますかと尋ねてみたが、彼らの返事は素っ気なく、また否定的だった。わたしが投げかけた質問は、人文学でいえば「あなたはシェイクスピアの作品を読んだことがありますか？」と同等のものでしかなかったのに。[3]

また化学者のピーター・アトキンスは、その著書のタイトルを『万物を駆動する四つの法則』（斉藤隆央訳、早川書房）とし、その一つである熱力学第二法則の重要性を暗に示した。わたしの専門である心理学に近いところでは、進化心理学者のジョン・トゥービー、レダ・コスミデス、クラーク・バレットが、最近発表した心の科学の基礎論に「熱力学の第二法則＝心理学の第一法則」というタイトルをつけている。[4]

科学者たちはなぜそこまで第二法則に畏敬の念を抱くのだろうか。それは、オリュンポス山の高みに立っていうなら、この法則が宇宙の定めを示し、生命と精神、そして人間の努力の究極の目的を示しているからである。その目的とはすなわち、エネルギーと知識をうまく使ってエントロピーの流れに逆らい、わたしたちにとって有益な秩序という避難所をつくり上げることだ。もう少し低いところまで降りればもっと詳しく説明できるのだが、馴染みのある地上の話に移る前に、あと二つの〝理解の鍵〟についても説明しておくことにしよう。

人間を理解する第二の鍵「進化」

人間のありようを理解するための第二の鍵は「進化」である。

一見すると、エントロピーの法則があるかぎり、わたしたちには悲劇的な歴史と憂鬱な未来しか描けないように思えるだろう。宇宙はビッグバンという超高密度のエネルギー状態、すなわちエントロピーの低い〔数値が小さい〕状態から始まった。そこからすべてが低密度へと坂を下っていき、宇宙は拡散し――今後も拡散しつづけるが――希薄な霧状の粒子が宇宙全体にむらなく、まばらに広がった状態となった。しかしもちろん、実際にわたしたちが知る宇宙は特徴のない粒子の霧などではない。そこには銀河があり、惑星があり、山、雲、雪があり、またわたしたちを含む動植物が繁栄するなど、数々のものが息づいている。

宇宙がこれほど興味深いもので満たされている理由の一つは、自己組織化と呼ばれる一連のプロセスが、ある限られた範囲の秩序を生み出していることにある。[5] エネルギーがある系に注ぎ込まれ、その系がエネルギーを消散しながらエントロピーを増大させていくときに、何らかの秩序ある、そして美しい構造――球、らせん、星、渦、波、結晶、フラクタルなど――に落ち着くことがある。ちなみに、わたしたちがそうした構造を美しいと思うとき、それは見る人が勝手にそう感じているだけではないかもしれない。脳が美に関するこのような反応をするのは、もしかしたら脳に、自然から時折湧き出てくる反エントロピー的形状に対する感受性があるからかもしれない。

だが自然にはもう一つ別種の秩序があり、ここで説明しておきたいのはそちらのほうである。つまり、物質界のあの優雅なシンメトリーやリズムではなく、生物界の機能的なデザインのことだ。生物は複数の器官から成り、各器官はまたそれぞれ異なる部分から構成されているが、それらが奇妙な形状、奇妙な配置になっているのは、生命体の生存に必要不可欠な役割を果たすため（エントロピーに抵抗するべくエネルギーを吸収しつづけるため）である[6]。

生物のデザインを説明するのによく使われるのは「目」だが、わたしは目の次に「耳」を使うことにする。人間の耳は、空気の振動を受けて自ら振動する弾力性のある膜、その振動を増幅させる小さい梃子のような骨、増幅された振動を液体で満たされた長いトンネル（側頭骨のなかに納まるように丸められている）に伝えるピストン、物理的に音波を周波数分解するためにそのトンネルの長さ方向に幅を広くしながら伸びる薄膜、その薄膜の振動に応じて前後にしなる微細な毛によって一連の電気信号に変換し脳に伝える細胞の列、などからでき上がっている。これらの薄膜や小骨や液体や毛が、なぜこんなありえないほど都合のいい具合に配置されているのか、それを説明するには、まずこの構造が音のパターンを脳に認識させるためにあることから始めるべきで、そうでなければとうてい説明できない。外から見える外耳があんな奇妙な形——上下、前後ともに非対称で、波打つような凹凸がある——をしている理由も、あの形状で入ってくる音を変えて、音源が上下、前後のどこにあるかを脳に伝えるためだとわからないかぎり、理解のしようがない。

生物は目だの耳だの心臓だの胃だのと、ありえないほど都合がいい構造でいっぱいで、そのどれもが「これを何とか説明してくれ！」と訴えてくる。一八五九年にチャールズ・ダーウィンとアルフレッド・ラッセル・ウォレスがその答えを一つ提示するまでは、そうしたものをすべて神の御業だと考えるのが理に適ったことだった。啓蒙思想家の多くが無神論者というよりむしろ理神論者だった理由の一つは、これではないだろうか。だがダーウィンとウォレスによって神の御手は要らなくなった。

では何がそれに代わったのかというと、自己組織化プロセスである。物理的、化学的な自己組織化プロセスが、ひとたび自らを複製できる構造を生み出すと、その複製がまた複製をつくり、複製の複製がまた複製をつくりといった具合に指数関数的に増えていく。この複製システムは、複製に必要な物質とエネルギーを求めて他のシステムと争うことになる。またどんな複製プロセスも完璧ではなく（エントロピーの法則による）、不意にエラーが起こることがあり、それが突然変異を生む。突然変異のほとんどは自己複製システムを退化させるが（これもエントロピーの法則）、時にはまぐれで、より有効なシステムを生み出すことがあり、するとその子孫は競争相手に勝てるようになる。システムの安定性と複製能力を強化するエラーが何世代にもわたって積み重なれば、その結果できるシステムは――これをわたしたちは生物と呼ぶ――まるで生存と生殖のためにゼロから設計されたもののように見えるだろうが、実際には、過去にそのシステムを生存と生殖に導いた数々のエラーが保存されてきたにすぎない。

創造論者はだいたい熱力学第二法則を曲説し、生物進化は時とともに秩序が増大するのだからこの法則に反し、物理的に不可能だと主張する。しかし彼らはこの法則の「孤立系〔外部とエネルギーや物質の交換を行わない系〕においては」という部分を忘れている。生物は開放系〔外部とエネルギーや物質の交換を行う系〕であり、太陽や食物、海底の噴出孔などからエネルギーを得て、体内や群れのなかに一時的なちょっとした秩序のまとまりをつくり上げる。だがその一方で、熱と廃棄物を放出し、全体としては世界の無秩序を増大させる。生物はエネルギーを使い、エントロピーに抗して自らの完全性を維持しようとしている、という表現は、スピノザのコナトゥス概念の定義、すなわち「自己を保存し繁栄させる努力」を現代風に説明したものだといってもいい。この概念は啓蒙時代の生命と精神に関する複数の理論の基盤でもあった。[7]

環境からエネルギーを得なければ自己保存できないことは、生物が背負う悲劇の一つを生んでいる。植物は太陽エネルギーを吸収し、一部の海洋生物は海底の亀裂から噴き出す化学物質を吸収しているが、それ以外の動物は生まれながらに搾取者とならざるをえない。植物や他の動物が苦労して体内に蓄えたエネルギーを、その命を奪うことでわが物としなければ生き延びることができないのだから。ウイルス、バクテリア、その他の病原菌や寄生生物も同様で、他の生物を体内から蝕んでいる。果実は別として、わたしたちが「食物」と呼んでいるものはすべて他の生物の体の一部か貯蔵エネルギーで、本来ならその生物が自らのためにとっておくべき貴重なものだ〔植物が果実の栄養価を高めているのは、それを動物に食べさせることで種子を拡散できるからだと考えられている〕。

したがって自然は戦いであり、自然界でわたしたちの目を引くものの多くは、生き物同士の軍拡競争にほかならない。被食動物は殻、棘、爪、角、毒、擬態、飛行、あるいは護身によって自分を守る。植物も棘、外皮、樹皮、あるいは組織に蓄えた刺激物や毒をもっている。捕食動物のほうはこれらの防御を突き破る武器を進化させる。肉食動物は速い脚、鋭い爪、優れた眼力などに磨きをかけてきたし、草食動物は餌をすりつぶす歯や毒を中和する肝臓をもつようになった。

人間を理解する第三の鍵「情報」

そして最後が第三の鍵、「情報」である。[8] 情報はエントロピー減少の一つと考えていいだろう。膨大な数の無作為で無用な系から、秩序ある構造化された系を区別する要素と考えられるからだ。[9] 猿がタイプライターででたらめに打った何ページもの文字列、ラジオのチューニング中に局の周波数から外れたところで聞こえるホワイトノイズ、コンピューターファイルが壊れたときのぐちゃぐちゃな画面を思い浮かべてほしい。これらの文字や音や画素の配列には、同じように意味をなさないうんざりするような組み合わせが膨大にある。だがそこで、これらの装置が何らかの信号によって制御され、文字、音、画素を世界の何かと関連づけるような配列に並べ替えられたとする。すると、たとえば文字列は独立宣言に、音列は『ヘイ・ジュード』に、画素列はサングラスをかけた猫になる。このときわたしたちは、「その信号は独立宣言やヒットソングや猫に関する〝情報〟を伝えている」という。[10]

あるパターンにどういう情報が含まれているかは、わたしたちがどの程度細かく、あるいは粗く世界を見ているかによって決まる。たとえば、猿がタイプした文字列の一文字一文字や、雑音の一音一音の微妙な違いや、たまたま表示されたぐちゃぐちゃな画面の厳密な画素列にこだわるのなら、どのパターンも同等の情報を含んでいるといわざるをえなくなる。いやむしろ、場合によっては興味深いパターンは情報が少ないということになるかもしれない。なぜなら、興味深いパターンの場合、一部を見ただけで（たとえばqという文字）、信号がなくても他の部分を推測できるからである（次の文字がuになるなど〔文字配列のパターンが英単語なら、qの後にはほとんどの場合、uが並ぶ〕）。

　だが一般的には、わたしたちは一見無作為に見える膨大な数のパターンを「つまらないもの」と一括りにして同じように扱い、世界の何かと関係があるほんの一握りのパターンだけを区別する。その観点からいうと、猫の写真はぐちゃぐちゃな画面より多くの情報を含んでいることになる。なぜなら、同じように無秩序な膨大な数のパターンのなかから、秩序立ったごくまれなパターンをピンポイントで指し示すには、かなり饒舌なメッセージが必要になるからだ。そして、宇宙にはそのような意味での情報が含まれているため、宇宙は無秩序というよりむしろ秩序立っているということができる。物理学者のなかには、情報をとりわけ重視し、物質やエネルギーに並ぶ宇宙の構成要素だと考える人もいる[11]。

　情報は、生物が進化の過程でゲノムのなかに蓄積してきたものでもある。DNAの塩基配列は体を構成するタンパク質のアミノ酸配列と関連しているが、その配列は、その生物の祖先の構造がありえないほど都合がいい構造につくり変えられたときに

――エントロピーが減少したときに――得られたもので、そのありえないほど都合がいい構造のおかげで、祖先はエネルギーを吸収して成長や繁殖に使えるようになったわけだ。

また情報は、生きている動物が神経系で受け取るものでもある。耳は音をニューロンの発火に変換するが、この二つの物理過程――空気を振動させることとイオンを拡散すること――は似ても似つかない。しかしこの二つのあいだに関連があるおかげで、脳内の活動パターンに世界の音の情報が伝わる。さらに情報は、電気的なものから化学的なものに置き換えられてまた電気的なものに戻るということを、あるニューロンからシナプスを越えて次のニューロンに伝えられるときに行う。そうした数々の物理的変換を経ていくあいだも、情報は維持されている。

二〇世紀の理論神経科学がもたらした重要な成果として、神経回路網が情報を保存するだけではなく変換し、その結果脳が「知性」をもったと説明できるようになったことが挙げられる。二つの入力ニューロンが一つの出力ニューロンにつながると、発火パターンはAND（論理積）、OR（論理和）、NOT（論理否定）といった論理的関係や、得られた証拠に対する重み付けによって決まる統計的判断に応じたものになる。すると神経回路網は情報処理や計算を行えるようになる。やがて論理的回路と統計的回路が紡ぎ出すネットワークが十分に大きくなると、脳は知性の前提条件となる、かなり複雑な計算もこなせるようになる。そうなれば、感覚器官から入ってきた世界に関する情報を、その世界を支配する法則を反映するように変換できるようになり、すると今度は、有益な推論や予測を引き出すこともできるようになる。[12]その段階での心的表示（internal representations：心に描く像、表象）——世界のありようと正確に関連し、正しい前提に立った正しい推論を可能にするような心的表示——は、知識と呼んでいいのではないだろうか。[13]たとえば、誰かがコマドリを見るたびに「コマドリだ」と思い、しかもそれが春に姿を見せ、土のなかから虫を引っぱり出す鳥だと推測できるとき、わたしたちは「あの人はコマドリを知っている」ということができる。

進化の話に戻るが、脳がゲノム情報に基づいて配線され、感覚器官から入ってくる情報を計算するようになったことで、ヒトは動物の行動を体系化し、それを手がかりにしてエネルギーを得たりエントロピーに抵抗したりできるようになった。たとえば、「相手が鳴いたら追い、吠えたら逃げろ」といった法則を立てて行動できるようになった。

この「追う」と「逃げる」は、ただの筋肉収縮運動ではなく、目標指向行動でもある。「追う」は状況に応じて、走る、よじ登る、跳ぶ、待ち伏せするなど、捕食の可能性を高めるあらゆる行動になりうるし、「逃げる」も同様に、隠れる、じっとする、ジグザグ走行するといった行動になりうる。このことは、二〇世紀のもう一つの重要な成果、時にサイバネティクス理論、フィードバック理論、制御理論などと呼ばれる考えを想起させる。この理論は物理的な系がなぜ目的論的に、つまり目的や目標によって支配されているように見えるかを説明してくれる。そのために系に必要なのは四つだけ、すなわち「自分とその環境の状態を感知する方法」「目標状態（何が欲しいのか、何を得ようとしているのか）の表明」「現状と目標状態の〝ずれ〟を計算する能力」「どういう結果になるかがおおよそわかっている行動の選択肢リスト」があればいい。そしてその系が、現状と目標状態の〝ずれ〟を概して減らす行動をとるように配線されているなら、それは目標を追求するためにあるといえる（そして世界が十分に予測可能なら、目標を達成するだろう）。

生物は自然淘汰の過程で、「恒常性」という形でこの原理を自分のものにした。わたしたちが震えや発汗によって体温調節するのもその例である。そして人類はこの原理を発見すると、まずサーモスタットや巡航制御〔船舶や航空機、ミサイルなど〕といったアナログシステムに、次いでチェスゲーム・プログラムや自律ロボットといったようなデジタルシステムに応用した。

情報、計算、制御の原理は、因果関係が支配する物理世界と、知識、知性、目的からなる心的世界のあいだの架け橋になる。思考しだいで世界を変えていけるというのはたんなる修辞的願望ではなく、脳の物理的構造の事実である。啓蒙思想家たちも、思考が何らかの物質のパターンで成り立っていることにうすうす感づいていて、蠟に押された印影とか、弦の振動とか、船のうしろにできる波模様などに例えた。またホッブズをはじめとする何人かは、「論理的思考は計算にほかならない」と考えた。しかし情報や計算の概念が今のように明らかになっていなかった時代には、心身二元論を唱え、精神生活を非物質的な魂によるものと考えるのは理に適ったことだった（進化の概念が明らかになるまで、創造論者となり、自然をこのようにつくったのは神だと考えることが理に適っていたように）。これが、啓蒙思想家の多くが理神論者だったもう一つの理由ではないだろうか。

もちろん、あなたの携帯電話はよくかける番号を本当に知っているのか、カーナビは最短の帰宅経路を本当にわかっているのか、ルンバは家を本当にきれいにしようとしているのかと首をかしげるのは当然のことである。しかし情報処理システムが洗練されるにつれ――つまりシステム内の世界の縮図がより豊かなものになり、目標が次々と階層化され、目標達成のための行動が多様化して予測しにくくなるにつれ――これらの疑問に「絶対違う」と答えるのは、ヒトの優越性を根拠なく主張しているだけに思えてきそうだ（知識、知性、目的に加えて、意識もまた情報と計算で説明できるのかという問題については、改めて最終章で取り上げる）。

だがいずれにせよ、人間の知能は人工知能にとっての基準でありつづけるし、またホモ・サピエンスが他とかなり異なる種の一つになったのは、わたしたちの祖先が大きな脳に投資したからにほかならない。彼らはその脳を使って世界についてより多くの情報を集め、より精緻な方法で推論し、目標のためにより多様な行動をとるようになった。そして認知的ニッチ、あるいは文化的ニッチ、狩猟採集民ニッチとも呼ばれる生態的地位に座を占めた。[14] そのさいに一連の新たな適応が追加され、そこには世界に関するメンタルモデル〔行動の結果を予測したり、結論を導いたりするときに利用される、経験や知識をもとにした前提〕を操作することで新しいことを試みるとき何が起こるか予測する能力や、一人では無理なことをチームでやり遂げるために他者と力を合わせる能力、そして行動を調整し、経験から得たものを文化という技能と規範の集積にまとめ上げることを可能にした言語能力なども含まれていた。[15] これらの能力に投資したおかげで、初期のヒト科はさまざまな動植物の防御を打ち破ってエネルギーを存分に獲得し、それが栄養となって脳の膨張を支え、ひいてはノウハウの増加を支え、その結果さらに多くのエネルギーを得られるようになった。

研究対象としても有名な現存する狩猟採集民、タンザニアのハッザ族は、現生人類が誕生したときと同じような生態系のなかで暮らしていて、おそらくはその当初の生活様式の多くを維持していると思われるが、[16] なんと八八〇〇を超える種から一日一人当たり三〇〇〇キロカロリーを獲得している。彼らは大型動物を毒矢で倒す、ハチを煙で巣から追い出して蜜を採るといった、人間ならではの巧みな採集狩猟で材料を手に入れ、さらに調理することで動物の肉や植物の塊茎の栄養価を高め、この立派な食事を賄っている。

知識によって獲得したエネルギーはエントロピーに抵抗する特効薬となり、エネルギー獲得効率の向上は人類の運命の向上につながった。約一万年前に農業が発明され、植物栽培と家畜からさらに多くのエネルギーが得られるようになると、人類の一部は狩猟採集以外にも目を向ける余裕を得て、しだいに書いたり、考えたり、考えたことを蓄積したりするようになった。そして哲学者のカール・ヤスパースが「枢軸時代」と呼んだ紀元前五〇〇年頃、各地に分散したいくつかの文化圏で、ただ儀式と生贄で不運を逃れようとする文化から、無私無欲を奨励し、精神的超越へと導く哲学的・宗教的信念の文化への転換が起こった。[17] 実際この時代には、ほんの数世紀のあいだに、中国の道教と儒教、インドのヒンドゥー教と仏教とジャイナ教、古代ペルシアのゾロアスター教、ユダヤの第二神殿時代のユダヤ教、古代ギリシャの哲学と演劇などが次々と出現している（孔子、ブッダ、ピタゴラス、アイスキュロス、そしてヘブライの最後の預言者は、同時代にこの地上を歩いていた）。

ごく最近、ある学際的研究チームがこれらの転換に共通する誘因を明らかにした。[18] それは何か霊的なものが地上に降りてきたといったことではなく、もっと素っ気ないもの、すなわちエネルギーの獲得だった。枢軸時代には農業の進歩と経済の発達によって獲得エネルギーが急増し、食物、飼料、燃料、原材料全体での一日一人当たりの獲得エネルギーが二万キロカロリーを超えていたのだ。この急増により、諸文明に大きな都市や学者・聖職者階級が生まれ、短期的生存から長期的調和への優先順位の変更もなされた。つまり数千年後に劇作家のベルトルト・ブレヒトが『三文オペラ』でいったように、やはり「まず食うこと、それから道徳[19]」という順序だった。

さらに産業革命を機に、石炭、石油、水力の利用により使用可能エネルギーが飛躍的に増加すると、貧困、疾病、飢餓、非識字、早死にからの「大脱出」がまず西洋で始まり、徐々に他の地域にも広がった（第五章から第八章にかけて説明する）。今後、人間の幸福にまた次の飛躍――極度の貧困の撲滅と、豊かさの、そしてその道徳的利益の伝播――がありうるかどうかも、経済的・環境的に許容しうるコストで、エネルギーを世界全体に供給できるような技術革新が可能かどうかにかかってくるだろう（第一〇章）。

三つの鍵で人類は呪術的世界観を葬った

エントロピー、進化、情報。この三つは人類の進歩の過程を明らかにしてくれる。

つまりわたしたちがどんな悲劇を背負い、そこからどうやってより良い状態を手に入れようとしてきたかを説明してくれる。

これらの概念からわたしたちが最初に得た知恵のかけらは、「不幸は誰のせいでもないかもしれない」という気づきだった。科学革命がもたらした重要な、そしておそらくは最大のブレークスルーは、「宇宙は目的に満ちている」という直観を論破できたことだ。この直観は稚拙なものだが、あらゆるところにはびこっていて、「何事にも意味があるので、悪いこと——事故、疾病、飢饉、貧困——が起こるのは何者かがそれを望んだからにほかならない」と考える。すると、その不幸を誰かのせいにして、その人間を罰したり賠償しろと責め立てるといったことが起こりうる。うまく誰かのせいにできなければ、身近にいる種族的・宗教的マイノリティに矛先を向け、リンチや虐殺に走る。もっともな理由で告発できる相手が見つからなければ、魔女を探し出して火あぶりだの水責めだのにする。それもうまくいかないときは怒れる神のせいだと考え、こればかりは罰することができないので、祈りや生贄によってなだめようとする。しかもそこには、「何事にも意味がある」という直観の保証として、カルマ、宿命、霊的なメッセージ、宇宙の正義といった実体のない力がつきまとう。

ガリレオ、ニュートン、ラプラスは、この道徳的な宇宙を「時計仕掛けの宇宙」に置き換えた。[20] つまり、物事は現在の条件に起因して起こるのであり、何者かの目標によってではないと考えた。わたしたち人間はもちろん目標をもつが、自然の営みに目標があると考えるのは幻想である。自然界で物事が起こるとき、人間の幸福に与える影響を誰かが考慮しているわけではない。

科学革命と啓蒙主義のこの洞察は、エントロピーの理解によって深められた。宇宙はわたしたちの願いを気にかけていないばかりか、自然の成り行きを見るかぎり妨害しているようにさえ思える。物事が良い方向に進むことより、悪い方向に進むことのほうがはるかに多いのだから。家は焼け落ち、船は沈み、「釘が足りずに戦に負けて」〔マザーグース〕しまう。

次いで、宇宙は人間に無関心だというこの洞察は、進化を理解することによってさらに深められた。肉食動物や寄生生物や病原菌は常にわたしたちを食べようとしているし、害虫や腐敗細菌はわたしたちの食物を食べようとしている。そのせいでわたしたちが不幸になろうがどうしようが、彼らの知ったことではない。

貧困も説明する必要がなくなった。エントロピーと進化が支配する世界では、貧困は人類のデフォルト状態でしかない。物質は勝手に家や衣服に姿を変えてはくれないし、生物はわたしたちに食べられまいとあらゆる手を尽くす。アダム・スミスが指摘したように、説明が必要なのはむしろ富のほうである。今日では、天災や疾病を誰かのせいだと決めつける人はさすがに少なくなったが、ひとたび貧困問題となると、ほとんどの場合犯人捜しに時間が費やされ、肝心の議論がなされない。

　ここまでに述べたことは、自然界に悪意がないという意味ではない。それどころか進化はまさに悪意との戦いのようなものだ。自然淘汰は次世代に受け継がれる遺伝子同士の競争であって、わたしたちが今日目にする生物はすべて、交尾、餌、縄張りをめぐる争いでライバルを押しのけた個体の子孫である。しかしすべての生物が強奪者になるわけではない。現代の進化論は、利己的な遺伝子が利他的な生物を生み出しうることも説明してくれている。ただしその利他性は限定的なものでしかない。体を構成する細胞や、群体生物を構成する個体とは違って、人間の遺伝子は一人ひとり唯一無二のものであり、それぞれが、祖先からの何世代にもわたる複製（エントロピーを増大させることになりやすい）の繰り返しを経て、異なる組み合わせの突然変異が蓄積され、組み換えられてきた結果である。こうして遺伝子が異なることで、わたしたちはそれぞれに好みもニーズも異なるのだが、それは争いの元にもなる。家族でもカップルでも友人同士でも、協力者同士でも、社会のなかでも、人間はちょっとした利害の対立で苛立ち、それが緊張関係や口論、時には暴力といった形で表に出る。

　またエントロピーの法則がもう一つ教えてくれるのは、生物のように複雑なシステムは、あまりにも多くの、しかもかなり特殊な条件が同時に満たされないかぎり機能しないので、簡単に機能停止に陥るということである。石で頭を殴る、手で首を絞める、毒矢を命中させるといったことで、競争相手を無力化できてしまう。しかも言葉を話す生物にはもっといい方法があり、暴力をほのめかす「脅し」を使ってライバルを抑えつけることが可能で、これは圧政と搾取の始まりでもある。

進化がわたしたちにはめた足枷はもう一つある。わたしたちの認知能力、感情機能、道徳性は、あくまでも原始の環境で個々人が生存、繁殖するのに適したものであって、現代の環境で世界全体が繁栄しようとするのに適したものではない。だからといって、なにも自分たちが時代遅れの穴居人だなどと思う必要はないが、この足枷を正しく理解するためには、進化の速度に限界があり、幾世代という単位でしか変われないので、わたしたちの脳はもしかしたら現代の技術と制度に適応できていないかもしれないと考えてみる必要がある。わたしたちが頼りにしている認知能力は、従来の伝統的社会ではうまく機能したかもしれないが、今ではもうバグだらけだと思ったほうがいい。

人間は自然のままであれば読み書きも計算もできず、「一つ、二つ、たくさん」程度の区別と、あとは当て推量で世界を測る。[21]物質の目に見えない本質を、物理学や生物学の法則ではなく、共感呪術やブードゥー教の法則に従うものと考える。たとえば物質は類似のもの、あるいは過去に接触したものと時空を超えて通じ合うと考える(科学革命前夜のイングランド人のことを思い出してほしい[22])。祈ったり呪ったりするとき、言葉や思考が物質界に作用しうると考える。偶然の一致がこんなに多いはずはないと考える。[23] 自分の経験というごく限られたものを一般化し、固定観念で推論し、ある集団の代表的な特徴を、そこに属する個々人に例外なく当てはめる。相関関係から因果関係を推論する。白か黒かを決めてそれを全体に当てはめる。抽象的なつながりを実体のあるものと考える。直観的科学者というより直観的法律家・政治家であり、自分の確信を裏づける証拠は集めるが、矛盾する証拠は無視する。[24] 自分の知識、理解、正当性、能力、運を過大評価する。[25]

人間の道徳感覚もわたしたちを幸福に導くとは限らない。[26] 人は意見の合わない相手を悪者にし、意見が食い違うのは相手が愚かで不誠実だからだと考える。またあらゆる不運に生贄を求める。ライバルを糾弾し、人々の怒りをそのライバルに向けさせるために道徳を利用する。[27] そうした非難の根拠は、誰かに危害を加えたといった理由にとどまらず、慣習を守らない、権威を疑問視する、部族の結束を乱す、食や性のタブーに触れるなど、何でも根拠にしてしまう。そして人間は暴力を不道徳ではなく道徳とみなしている。その証拠に、世界のどこでも、またどの時代でも、欲を満たすために殺された人より正義の鉄槌を下すために殺された人のほうが多い。[28]

認知力と規範・制度が、人間の不完全さを補う

とはいえ、人間はもうどうしようもないというわけでもない。人間の認知力は、その限界を超える手段となりうる特性を二つ備えている。[29] 一つは抽象化能力をもつことだ。わたしたちはある「場所」に置かれた「物体」についての概念を、ある「状況」に置かれた人のような「存在」の概念化に転用することができる。たとえば、The deer ran from the pond to the hill.（鹿が池のほとりから丘へ駆け上がった）という思考パターンを取り出してきて、The child went from sick to well.（子どもが病気から快方に向かった）に転用できる。また、ある「主体」が何かに力を及ぼすという概念を、ほかの因果関係の概念化に使うこともできる。たとえば、She forced the door to open.（彼女は無理やりドアを開けた）というイメージを、She forced Lisa to join her.（彼女は無理やりリサを付き合わせた）や、She forced herself to be polite.（彼女は無理して礼儀正しく振る舞った）に膨らませることができる。

こうした定型的な方法のおかげで、わたしたちは値をもつ変数や原因と結果について考える手段——理論や法則を組み立てるのにまさに必要な概念機構——を手に入れた。また思考の要素のレベルにとどまらず、もっと複雑な考えの集合でも同じことができ

可能なので、たとえば熱は流体、メッセージは箱、社会は家族、義務は束縛といったように、メタファーやアナロジーで考えることもできるようになった。

人間の認知力のもう一つの特性は、組み合わせたり繰り返したりする力をもつことである。人間の心は、物、場所、経路、動作主、理由、目的といった基本概念を組み合わせて命題にすることで、驚くほど多種多様な考えを生み出す。それも一つの命題で終わらず、命題の命題、命題の命題の命題と膨らませていくことができる。「体内には体液がある」「病気は体内にある体液の不調和である」「わたしは病気が体内にある体液の不調和だという説をもはや信じていない」といった具合に。

また言語のおかげで、アイデアは誰か一人が頭のなかで概念化したり組み合わせたりするだけではなく、コミュニティで蓄えて共有できるようになった。トマス・ジェファソンは言語のもつ力をこう例えている。「わたしからアイデアを受け取る人は、わたしのアイデアを減らすことなくそれを自分のものにできる。わたしの蠟燭で自分の蠟燭に火をつけるようなもので、わたしを暗くすることなく自分を照らすことができるからである」[30]。新しい共有アプリとなった言語の可能性は、文字の発明によってさらに広がった（その後の印刷の発明、識字率向上、電子メディアの誕生によっていっそう広がることになる）。人口が増え、人の移動が増え、都市への集中も進むにつれて、言葉をやりとりして考える人々のネットワークも拡大していった。そして、使用可能エネルギーが生存のための必要最低限のレベルを超えたことで、より多くの人が考えたり話したりする余裕をもつようになった。

規模が大きく、しかもよくまとまったコミュニティが形成されるようになると、メンバーの相互利益のために物事を整理しよう、体系化しようという動きが出て、その方法も編み出される。また、たとえ誰もが正しくありたいと願っても、相矛盾する意見が出はじめるとすぐに、各人がすべてについて同時に正しいことなどありえないとわかってくる。さらに、正しくありたいという願望が、真実を知りたいという第二の願望とぶつかるケースが出てきて、特に議論の勝ち負けに利害関係のない第三者はこの第二の願望を強めていく。するとコミュニティは、紛糾するばかりの議論ではなく、どちらの信念が真実かが明らかになるように議論を行うべきだと考え、ルールをつくろうとする。たとえば、「自分の意見の根拠を示さなければならない」「他者の意見の間違いを指摘することができる」「同意しない人を力ずくで黙らせることは許されない」といったルールである。そこへもう一つ、「自分の考えが正しいかどうかを実世界で試してみなければならない」が加われば、これらのルールを科学と呼ぶことができる。適切なルールがあれば、必ずしも合理的とはいえない人々のコミュニティであっても、合理的な思考を育むことができる。[31]

集団の知恵によって道徳的感情も育まれうる。大人数が集まって、互いにどう接するべきか相談するようになると、話し合いは自然にある方向へ収束していく。誰かの最初の提案が、「わたしはあなたとあなたの仲間に対して盗んだり殴ったり奴隷にしたり殺したりできるが、あなたはわたしやわたしの仲間に対して盗んだり殴ったり奴隷にしたり殺したりできない」というものだったとすると、いわれた相手はもちろん同意しないし、第三者も認めないだろう。わたしがわたしで、あなたはわたしではないというだけで、わたしに特権が認められるわけがない。[32] 次に誰かが、「わたしはあなたとあなたの仲間に対して盗んだり殴ったり奴隷にしたり殺したりできるし、あなたもわたしやわたしの仲間に対して盗んだり殴ったり奴隷にしたり殺したりできる」と提案したとしても、これまた誰も同意しないだろう。なぜなら、これで釣り合いはとれるものの、人を傷つけることによって得る利益よりも、人に傷つけられることによって被る不利益のほうがはるかに大きいからである（これもエントロピーの法則から導き出せる――破壊は創造よりたやすいが、その結果得られる利益より、もたらされる不利益のほうが大きい）。したがって、社会契約を結び、自分たちの状態をポジティブサム・ゲームにもっていくのが賢明な策ということになる。そうなれば、誰も相手を傷つけられないばかりか、誰もが互いを助けようとするだろう。

人間に数多くの欠点があることは否めないものの、わたしたちの関心を偏狭な利益から普遍的利益へと切り替える規範と制度を生み出していけるかぎりにおいては、人間の本性は自らの改善の種を宿しているといっていい。そうした規範には、言論の自由、非暴力、協力、コスモポリタニズム、人権、人間の可謬性の自覚が含まれ、制度には、科学、教育、メディア、民主国家、国際組織、市場が含まれる。これらが啓蒙主義の理念から生まれてきたということは、決して偶然の一致ではない。

第三章　西洋を二分する反啓蒙主義

西洋生まれの啓蒙主義を批判したのも西洋

理性、科学、ヒューマニズム、進歩といったものに、いったい誰が異を唱えられるだろうか。これらは甘美な言葉で、文句などつけようがないと思える。現に学校、病院、慈善団体、通信社、民主国家、国際組織など、現代のあらゆる機関がその使命としてこうした理念を掲げている。それなのに、わざわざ擁護する必要があるのだろうか。

もちろんその必要がある。一九六〇年代以降、現代の諸制度への信頼は低下し、二〇一〇年代には啓蒙主義の理念をあからさまに否定するポピュリスト運動も台頭した。[1] この運動を繰り広げる人々は、コスモポリタニズムより部族主義、民主主義より権威主義を掲げ、知識を尊重することなく専門家を蔑視し、よりよい未来を期待するより素朴な昔を懐かしむ。とはいえ、そうした反応はなにも二一世紀の政治的ポピュリズム（第二〇章と第二三章で取り上げる）に限ったことではない。理性、科学、ヒューマニズム、進歩の軽視は、一般大衆から生まれたわけでも、無知な人々の怒りが形をとったわけでもなく、実は知的エリート層と芸術文化のなかに長い歴史をもっている。

啓蒙主義のプロジェクトは西洋が考え出したものであって、多様性に満ちた世界全体には向かないという声がよく聞かれる。だがこの批判は二つの意味で間違っている。一つは、どんな思想もどこかで生まれるしかない。もう一つは、生まれた場所は思想そのものの価値とは関係がない。多くの啓蒙思想が最も明確かつ影響力のある形で表現されたのは一八世紀のヨーロッパとアメリカだが、その内容は理性と人間の本性に根ざしたもので、理性的な人間なら誰でも向き合うことができる。啓蒙主義の理念が西洋以外の文明でも繰り返し表明されてきた理由は、まさにそこにある。[2]

しかし、啓蒙主義は西洋を導いてきた理想だと聞いてわたしの頭にまっさきに浮かぶのは、その批判のことではなく、むしろ「そうだったらいいのに！」という思いである。なにしろ、実際には啓蒙主義運動に続いてすぐ反啓蒙主義運動が起こり、以来、西洋は二分されたままになっているのだから。[3] つまり光のなかに一歩踏み出したと思ったら、いやいや闇もそれほど悪くありませんよといわれ、無理してそれほど多くのことを知ろうとしなくていいんですよといわれ、ドグマや因襲にもいいところがありますよといわれ、人間の本性が向かう先は進歩ではなく衰退ですよといわれてしまった。

現在もなお続くロマン主義による抵抗

啓蒙主義の理念にとりわけ激しく抵抗したのはロマン主義運動だった。ルソー、ヨハン・ヘルダー、フリードリヒ・シェリングなどは、「理性は感情と区別できる」「個人をその文化から切り離して考えることができる」「人は自らの行動の根拠を示すべきである」「時代や地域を超えて通用する価値がある」「平和と繁栄こそ望ましい目標である」といった考えを否定し、こう主張した。人間は文化、民族、国家、宗教、時代の精神、歴史を動かす力といった有機的統一体の一部であり、自分が属するその統一体を創造的に超越的調和へと導かなければならない。問題の解決ではなく英雄的な闘争こそが最大の大義であり、また暴力は自然に内在するのだから、それを抑えると必ず活力を奪うことにつながるのだと。シャルル・ボードレールはこう書いている。「尊敬に値する人間は三種類しかいない。司祭、戦士、詩人。つまり知り、殺し、創作する人々」

そんなばかなと思うかもしれないが、二一世紀になってもなお、こうした反啓蒙主義の考え方が驚くほど広範囲のエリート文化や知的運動に見られる。いっそうの繁栄をもたらすため、そして人類の苦しみを軽減するためにこそ集団の理性を生かすべきだという考えは、粗野で、未熟で、軟弱で、頑愚だとみなされている。ではどのようなものが理性、科学、ヒューマニズム、進歩の代わりに広まっているのか、ここでいくつか紹介しておこう。いずれも他の章で再び取り上げ、また第三部で正面からじっくり取り組むことになるものだ。

最もわかりやすいのは宗教的信仰である。何かを信仰するというのはもっともな理由もなく信じることであり、超自然的存在への信仰はそもそもの定義からして理性と相容れない。また、宗教は道徳的善を人の幸福より上に置こうとする点で、ヒューマニズムともぶつかることが多い。たとえば聖なる救世主を受け入れる、神聖な物語を公式なものと認める、儀式や禁忌を強要する、改宗を強要する、それに従わない人を罰したり悪魔とみなしたりするといった場合である。さらに宗教は、命より魂を重んじる点でもヒューマニズムとぶつかる（死後の魂と聞けば気持ちが高ぶるが、そのわりには救いにならない）。来世を信じることは、現世は人生のほんの一部にすぎないから健康や幸福などたいしたものではないとか、人々に救済を受け入れさせるのは恩恵の施しであるとか、殉教こそわが身に起こりうる最良の出来事かもしれない、などと考えることに通じる。では科学との相性はどうかというと、これまた同様で、相性の悪さを示す事例ならガリレオ、進化論裁判、幹細胞研究、気候変動と、歴史上の語り草から最近の出来事に至るまで枚挙にいとまがない。

所属する集合体の栄光を優先する人々

次に挙げておくべき反啓蒙思想は、人間を超個体——氏族、部族、民族、宗教、人種、階級、国家など——を形成する使い捨ての一細胞とみなすもので、至上の善は集合体の栄光にあり、その集合体を形成する人間の幸福ではないと考える。わかりやすい例がナショナリズムで、その場合の超個体は国民国家、すなわち一つの政府をもつ民族集団である。ナショナリズムとヒューマニズムが相容れないことは、「祖国のために死ねるとは、なんと喜ばしく名誉なことか」とか「燃える信仰を胸に、死と勝利を一度に抱きしめる者は幸いなるかな」[4]といったぞっとするほど愛国的なスローガンを見ればわかる。また、そこまで恐ろしくはないものの、ジョン・F・ケネディの演説の「国があなたのために何をしてくれるかではなく、あなたには国のために何ができるかを考えてみてください」といったフレーズにも、国と個人の緊張関係が表れている。

ナショナリズムを市民価値、公共心、社会的責任、文化の誇りなどと混同してはいけない。もちろんヒトは社会的な種であり、個々人の幸福は所属するコミュニティとどのような協調関係が築かれるかにかかっている。「国家」がそのメンバーの繁栄に欠かせないものの一つであることは、たとえばこれをマンションの管理組合のような、テリトリーの共有者同士の暗黙の社会契約だと考えればわかるだろう。そして、いうまでもないことながら、そのなかの一人が他の多数のために自分の利益を犠牲にするのは、称賛に値する立派な行為である。しかしながら、個人がカリスマ指導者のために、あるいは国旗の名誉や領土争いのために大きな犠牲を強いられるのはまったく別の話である。一地方の分離阻止や、勢力圏拡大や、領土回復運動のために死を〝抱きしめる〟のは、〝喜ばしく〟もなければ〝名誉なこと〟でもない。

　宗教とナショナリズムは政治的右派に特徴的に見られるもので、今日もなお、その影響下にある何十億人の命運を左右している。わたしが理性とヒューマニズムに関する本を書いていると知って、多くの左派の同僚が、だったら右派の連中にいってやれることが山ほどあるだろうと発破をかけてきたのはそのせいだ。しかしながら、ナショナリズムがマルクス主義的解放運動と融合したことで、左派がナショナリズムに共感を示したのはそれほど昔の話ではない。また左派の多くがアイデンティティ政治〔不公正に扱われることの多い、特定のアイデンティティに基づく集団の利益を代表する政治活動〕の政治家や社会正義の戦士（ソーシャル・ジャスティス・ウォリアー）を後押ししているが、これらの政治家や戦士たちは人種、階級、ジェンダーなどの不平等問題をゼロサム競争のように考え、その是正推進のために個人の権利を軽視している。

宗教も同じことで、政治的スペクトラムのどちら側にも擁護者がいる。そのなかには、宗教の教えそのものは擁護しないものの、実は熱烈な宗教擁護者で、科学と理性が道徳について語ることを認めない著述家もいる(彼らの多くはヒューマニズムというものが存在することさえ認識していないようだ)[5]。そうした人々は、重要な問題に答えを出せるのは宗教だけだと主張する。あるいは、自分たちのような教養人は宗教がなくても道徳的に生きられるが、一般大衆はそうはいかないので宗教が必要だと主張する。仮に誰もが信仰がないほうが幸せだとしても、この世界における宗教の地位について論じるのは無意味だとも主張する。なぜなら宗教は人間の本性の一部であり、だからこそ今こうして(啓蒙主義者の願いをあざ笑うかのように)、かつてないほど強固なものになっているのだと。これらの主張は第二三章で取り上げる。

左派にもう一つ見られる傾向は、人間の利益をまた別の超越的存在——生態系——に従属させようとする運動への共感である。現実離れしたグリーンムーブメントは、人類によるエネルギー獲得を、エントロピーに抵抗して人類の繁栄を促す手段ではなく、自然に対する悪質な犯罪ととらえている。そのせいでわたしたちは、資源戦争、環境汚染、気候変動による文明破壊といった恐ろしい報いを受けるだろうという。それを免れるためには悔い改め、科学技術と経済成長を捨て、素朴で自然な暮らしに立ち返るしかないと。いうまでもないが、現状を知る人なら、人間の活動が自然体系に害を及ぼしてきたこと、何も手を打たなければ壊滅的な被害が出かねないことを否定できるはずがない。だが問題は、これほど複合的で技術的に進んでいる現代社会が、それに対して本当に何の手も打てないのかというところにある。第一〇章では、時にエコモダニズムとかエコプラグマティズムと呼ばれる、ロマン主義的というより啓蒙主義的な、ヒューマニスティックな環境主義について考えていく[6]。

一方、政治的イデオロギーは右派も左派もそれ自体が世俗の宗教と化していて、同じ考えの信者仲間のような集まりや、宗教の公教要理に当たるものや、忌まわしい悪魔（政敵）をずらりと挙げたリストや、信仰（信条）の正しさに対する至福の信頼といったものを人々に提供している。第二一章で、そうしたイデオロギーがいかに理性と科学を蝕んでいるかを見ていく[7]。それは人々の分別を狂わせ、昔ながらの同族優先の考え方を煽るので、世界を良くしていこうにも、そのためのまともな判断ができなくなってしまう。わたしたちの最大の敵は政敵ではなく、エントロピー、進化（人間の本性が損なわれるような進化）、そして何よりも無知（問題解決の最善の道を知らない無知）だというのに。

進歩あるいは平和を批判する衰退主義

残り二つの反啓蒙主義は左派か右派かを問わない。一つは衰退主義で、ほぼ二世紀前から多様な分野の著述家たちが、現代文明は進歩を享受するどころか衰退の一途をたどっていて、もはや崩壊寸前だと断言してきた。歴史家のアーサー・ハーマンが『西洋史における衰退の思想（The Idea of Decline in Western History）』のなかで、この二世紀のあいだに、人種的、文化的、政治的、生態学的な衰退に警鐘を鳴らした悲観論者を詳しく紹介している。どうやら世界はずいぶん長いこと終わりつづけているようだ[8]。

衰退主義はさらに二派に分けることができ、片方は、人類はプロメテウスよろしく禁断の科学技術に手を出してしまったと嘆く[9]。神々から火を盗んだことは、結局のところ自滅の手段を得たことにしかならなかった。環境汚染のみならず、人類は核兵器、ナノテクノロジー、サイバーテロ、バイオテロ、人工知能等々、自らの存続を脅かすものを次々とこの世に解き放ってしまった（第一九章）。たとえ滅亡に至らずにすむとしても、この技術文明が暴力と不正に満ちたディストピアへ落ちていくことは避けられず、テロ、ドローン、ブラック企業、ギャング、密売、難民、不平等、ネットいじめ、性的暴力、ヘイトクライムが日常茶飯事の別世界がやってくるのだと。

もう片方の衰退主義はその逆を嘆くもので、現代の問題は人生を過酷で危険なものにしたことではなく、過度に快適で安全なものにしたことだと考える。その提唱者によれば、健康、平和、そして繁栄は、人生にとって本当に大事なことから目を逸らすためのブルジョア的な気晴らしにすぎない。そうした低俗な気晴らしをもちだして、技術資本主義が人々をどこへ導いたかというと、個々人がバラバラで、体制順応的で、消費主義で、物質主義で、自主性がなく、浮き草的で、マンネリの、うんざりするような混乱状態だという。この不条理な生活のなかで、人々は疎外感、不安、アノミー〔社会的価値観の崩壊による混沌状態〕、アパシー〔無気力な状態〕、不誠実、倦怠、危機感、嫌悪感に苛まれている。彼らは「荒地で、ゴドーを待ちながら、裸のランチを食べている虚ろな人々」[10]と化している（これらの主張については第一七章、第一八章で考える）。そして、退廃し、堕落した文明の衰退期において、人間の真の解放を見出せるのは、無益な合理性や疲弊したヒューマニズムではなく、本物の、英雄的で、全体論的で、有機的で、神聖で、活力に満ちた即自存在と力への意志のなかだという。ではそのような神聖なる英雄性とは具体的にどういうものなのか。「力への意志」という言葉の生みの親であるフリードリヒ・ニーチェは、「金髪のゲルマンの野獣」、サムライ、ヴァイキング、ホメロスの英雄たちの誇り高き暴力を挙げた。すなわち「激しく、冷酷で、凄まじい、感情も良心もなく、何もかもを押しつぶして血に染める」[11]暴力である（このような考え方については第二三章で詳述する）。

ハーマンによれば、文明崩壊を予言する知識人や芸術家は、その予言に対して次の二つの態度のどちらかをとるという。歴史悲観論者は崩壊を恐れながらも、それを阻止する手立てはないと嘆く。文化悲観論者は「病的なシャーデンフロイデ〔他人の不幸を喜ぶ感情〕」で崩壊を歓迎する。彼らがいうには、現代は破綻しきっているので改善のしようがなく、あとは超越する以外にない。そして崩壊後の瓦礫のなかから新たな秩序が生まれ、それこそ必ずや優れたものになると。

科学批判による反啓蒙主義

最後の反啓蒙主義は、啓蒙主義が科学を受け入れることを非難する。C・P・スノーに倣い、これを「第二の文化」と呼んでもいいだろう。多くの文系知識人や文化批評家が抱く世界観のことで、「第一の文化」である科学と区別される[12]。スノーは二つの文化が鉄のカーテンで仕切られていることを問題視し、知的生活にもっと科学を取り込むべきだと訴えた。それは科学がたんに「深く、複雑で、明確に述べられた知性だという意味で、人間の心の最も美しく、見事な共同作業[13]」だからではない。科学知識は道徳的要請でもあるとスノーは述べている。病を癒し、飢えた人々に食料を提供し、乳児と母親の命を救い、女性の受胎調節を可能にするなど、地球規模で人々の苦しみを軽減できるからである。

スノーの主張は今なら先見の明があると思えるが、当時はそうではなく、一九六二年に文芸評論家のF・R・リーヴィスが書いた反論はあまりにも辛辣で、掲載元の『ザ・スペクテイター』誌が事前に「名誉棄損で訴えることはしない」というスノーの確約をとらざるをえないほどだった。[14]リーヴィスはスノーの主張を「知性のかけらも見られないし、あきれるほど俗な文章である」とこき下ろしたうえで、「〝生活水準〟が究極の基準で、その向上が究極の目的である」[15]ような価値観を一蹴し、代わりにこう提言した。

「偉大な文学を受け入れれば、わたしたちが心から信じているものがわかる。何のためか――究極の目的は何か、人は何によって生きるのか――といった問いは、わたしが思考と感情の宗教的深淵としか呼べないものにおいてこそ意味をもつ」(貧しい国では、生活水準向上のおかげで産褥死を免れ、子どもの顔を見ることができる母親が増えた。自らの〝思考と感情の深淵〟によって、そういう女性の存在を心にとめ、その共感を数億人規模に広げて考えるような人なら誰でも、リーヴィスの主張に首をかしげるはずである。〝わたしたちが心から信じているもの〟の基準として、〝生活水準の向上〟よりも〝偉大な文

学を受け入れること〟のほうが道徳的に勝っているとはどういうことなのか。いや、そもそもなぜこの二つが二者択一なのかと）

第二二章で述べるように、リーヴィスのような考え方は今日の「第二の文化」にも浸透しているようだ。知識人や批評家の多くが科学を見下し、日常のつまらない問題の解決手段としか思っていない。彼らは優れた芸術の消費こそが究極の道徳的善であるかのように語る。また彼らの真理探究方法は仮説を立てて検証することではなく、幅広い蘊蓄（うんちく）と生来の読書習慣をフル活用することでしかない。総合雑誌はごく当たり前のように、政治や芸術といった文系の領域に科学が口を出すことを「科学主義」と非難する。大学も、科学を正しい説明の追求としてではなく、物語か神話の一つであるかのように扱うことが多い。また一般に、人種差別、帝国主義、世界大戦、そしてホロコーストは科学のせいだとみなされているし、科学は人生からその魅力を、人間から自由と尊厳を奪うものだともいわれている。

こうした事情から、啓蒙主義ヒューマニズムにはまるで人気がない。知識を使って人々をより幸福にすることが究極の善だという考えは、人々の興味をそそらない。「宇宙、惑星、生命、脳に関する奥深い説明？　魔法でも使ってみせてくれないかぎり、そんなものは信じられないな」「何十億人の命を救い、病気を根絶し、飢えた人々に食料を提供する？　もううんざり」「人類全体を思いやる？　そんなんじゃだめだ。物理法則のほうがわれわれを気遣ってくれるんでなきゃ」「長寿、健康、思いやり、美、自由、愛？　人生にはもっと大事なことがあるんじゃないの？」というわけである。

なかでもとりわけ疎まれているのが「進歩」である。知識を使って人々を幸福にするという考えは悪くないと思う人々でさえ、それはあくまで理論上のことであって、現実的には絶対にうまくいかないと断言する。そしてこの世の悲哀、苦悩、絶望に言葉を尽くす日々のニュースが、そうした人々のシニシズムを後押しする。だが確かに、啓蒙時代から二五〇年を経た今、わたしたちの暮らしが暗黒時代と変わらず、少しも良くなっていないとしたら、理性、科学、ヒューマニズムをいくら擁護したところで何の意味もないだろう。したがって、まずは人類の「進歩」の評価から始めるしかない。

第二部 進歩

皆さんがもし、自分が歴史上のいつ生まれるかを選ばなくてはならないとしたら、でも自分がどこの誰に生まれるかはわからないとしたら、裕福な家に生まれるか、それとも貧しい家か、どこの国に生まれるか、男なのか女なのかもわからず、ただやみくもに時だけを選ばなくてはならないとしたら、今を選ぶのではないでしょうか。

二〇一六年　バラク・オバマ

第四章 世にはびこる進歩恐怖症

世界が良くなっていることを認めない人々

知識階級は進歩を嫌っている。「進歩主義者」を標榜する知識人が、進歩を心底嫌っている。とはいえ進歩の〝成果〟を嫌っているわけではない。そう、もちろんどんな専門家も批評家も、彼らの保守的な読者でさえも、たいていは羽根ペンとインク壺ではなくコンピューターを使っているし、麻酔なしの手術より麻酔ありの手術のほうがいいと思っている。ではいったい何が〝おしゃべり階級〟の癇に障るかというと、それは進歩という考えそのもの、すなわち世界を理解することで人間のありようを改善できるという啓蒙主義の信念のことだ。

彼らが軽蔑の表現として使う言葉は、毒舌語彙集としてまとめられそうなほどに増えた。知識は問題解決の役に立つと考える人はこういわれてしまう。あなたは「盲目的で半ば宗教的な信仰」を抱いて、「時代遅れの迷信」「空約束」と成り果てた「何事も前へ進みつづけるという神話」を信じている。あなたは「アメリカの通俗的な〝やればできる主義〟」の「応援団員」で、「役員室のイデオロギー」や「シリコンバレー」や「商工会議所」を熱狂的に応援している。あなたは「ホイッグ史観」〔歴史は不可避的に進歩・自由・啓蒙の方向へ進んできたと捉える歴史観〕の実践者であり、「世間知らずな楽観主義者」すなわち「ポリアンナ」〔アメリカの児童小説の主人公で、極端な楽天家〕であり、もちろんヴォルテールの風刺小説『カンディード』に出てくるあの哲学者、「この最善の可能世界においてはすべてのものが最善である」と説く「パングロス」の現代版でもあると。

しかしパングロス博士は、実は今わたしたちが悲観論者と呼ぶ存在だ。現代の本当の楽観主義者は、世界は今よりずっと、ずっと良くなりうると信じている。ヴォルテールが皮肉ったのは啓蒙主義が進歩に期待していることではなく、むしろその逆の、苦しみを宗教的に正当化する「弁神論」と呼ばれるもののほうだ。その考え方によれば、神が伝染病の蔓延や大虐殺を認めざるをえなかったのは、それらがない世界は形而上学的に存在しえないからである。

進歩への毒舌はさておき、「世界は過去より良くなっていて、今後もさらに良くなりうる」という考えは、知識人のあいだではとっくの昔に流行遅れになっている。アーサー・ハーマンは『西洋史における衰退の思想』のなかで、大学の一般教養課程に必ず登場する著名人たちがいずれも悲観論者だったことを示していて、そのなかにはニーチェ、アルトゥール・ショーペンハウアー、マルティン・ハイデガー、テオドール・アドルノ、ヴァルター・ベンヤミン、ヘルベルト・マルクーゼ、ジャン＝ポール・サルトル、フランツ・ファノン、ミシェル・フーコー、エドワード・サイード、コーネル・ウェスト、そして一群の環境悲観論者が含まれている。[1]またハーマンは二〇世紀末の知的風景を見渡して、「社会の対立と問題を生み出したのは人間なのだから、それらを解決することもできる」と信じていた啓蒙主義ヒューマニズムの「聡明な擁護者」たちが、「揃って姿を消した」ことを嘆いた。社会学者のロバート・ニスベットも『進歩の概念の歴史（History of the Idea of Progress）』のなかでこう述べている。「西洋の進歩に対する懐疑論は、一九世紀にはごく一部の知識人に限られたものだったが、その後拡大し、二〇世紀第四・四半世紀の現在では、知識人の大多数はもちろんのこと、欧米の何百万という人々に広まっている」[2]

ニスベットのいうとおり、世界は衰退の一途をたどっていると考えるのは職業知識人だけではない。それ以外の人々も知的活動に訴えるとなると同じように悲観的になる。人は自分の人生をバラ色の眼鏡で（楽観的に）見がちだというのは、かなり前から心理学者が指摘していることで、ほとんどの人は自分が離婚する、解雇される、事故に遭う、病気になる、犯罪の被害者になるといった可能性は平均より低いと思っている。ところが、問題が自分ではなく自分が属している社会になったとたん、ポリアンナからイーヨー〔『くまのプーさん』に登場する悲観的なロバ〕に変身してしまう。

これを世論研究者は「楽観主義バイアス」[3]と呼んでいる。ヨーロッパの過去二〇年以上にわたる世論調査分析によると、その間には好況も不況もあったにもかかわらず、「あなたの経済状況は来年好転しそうですか、悪化しそうですか」という質問に対して、一貫して多くの人が「好転すると思う」と答えていて、一方自国の経済状況については多くの人が「悪化すると思う」と答えていた。[4]イギリスでは、移民、一〇代の妊娠、ごみ、失業、犯罪、ヴァンダリズム〔公共物などに対する破壊行為〕、薬物などの問題について、国民の大多数が国全体の問題だと考えている一方で、自分が暮らす地域の問題だと認識している人は少なかった。[5]環境問題についても、ほとんどの国の人々が[6]、自分が住む地域よりも国のほうが、国よりも世界のほうが状況が悪いと考えている。犯罪については、一九九二年から二〇一五年にかけて暴力犯罪率が下がっていたにもかかわらず、その間のどの年をとっても、アメリカ人の多くが「犯罪は増えていると思う」と回答していた。[7]二〇一五年後半には、先進一一カ国の国民の大多数が「世界は悪くなっている」と答えたし、過去四〇年のほとんどの年に、アメリカ人の大多数が「アメリカは間違った方向に進んでいる」と答えてきた。[8]

彼らのいうとおりなのだろうか。悲観論が正解なのだろうか。理髪店のサインポールの縞模様のように、世界の状況は下へ下へと向かっているのだろうか。いや、考えてみれば、多くの人がそう感じるのは当然ではないだろうか。日々目にするニュースが戦争、テロ、犯罪、環境汚染、不平等、薬物乱用、迫害といった話題であふれているのだから。大見出しだけではなく、論説や長文記事もそうなっている。雑誌の表紙を見ても、混乱、災厄、蔓延、崩壊、ほかにも数々の危機（農業、医療、老後、福祉、エネルギー、財政等々の危機）が迫っていると警鐘を鳴らすものがあまりにも多くて、コピーライターも表現を強めるため、「深刻な危機」という言葉を繰り返し使わざるをえなくなっている。

世界の状況が実際悪いほうに向かっているかどうかはさておき、ニュースというものはそもそも、人間の認知機能と相互作用することによって、わたしたちに「世界は悪いほうに向かっている」と思わせるようにできている。ニュースは何かが起こるから報じるのであって、何も起こらなければ報じない。キャスターがカメラに向かって「戦争が起こっていない国から生中継でお伝えしています」ということなどありえないし、爆撃されていない都市や、銃撃されていない学校も同じことだ。地球上から悪い出来事がなくならないかぎり、ニュースで取り上げるべき話題が尽きることはない。今や何十億台ものスマートフォンが世界中に出回っていて、それを手にした人々を事件記者や従軍記者に変えてしまうのだから、なおさらのことである。

また、実際には良いことも悪いことも起こっているとしても、この二つは異なる時間軸で展開する。その意味で、ニュースは「歴史の最初の草稿」[9]というより、むしろスポーツの実況放送に近い。ニュースが焦点を合わせるのは個別の出来事であり、またほとんどの場合その前に報道された以降の出来事である（昔なら前日の報道以降、今では数秒前の報道以降の出来事だ）。悪いことは一瞬で起こりうるが、良いことは一朝一夕では成し遂げられず、ゆっくり展開するあいだにニュースの時間軸から外れてしまう。平和研究者のヨハン・ガルトゥングは、新聞が半世紀ごとにしか発行されないとしたら、有名人のゴシップだの政治スキャンダルだのではなく、平均寿命の延びといった、もっと重要で地球規模の変化を報じるだろうといっている。[10]

ニュースと認知バイアスが誤った悲観的世界観を生む

このように、ニュースは性質上、人々の世界観を歪める恐れがあるのだが、その原因は人間の脳のバグの一つにあるようだ。心理学者のエイモス・トベルスキーとダニエル・カーネマンが「利用可能性バイアス」と呼んだバグ〔「可用性バイアス」と呼ばれることもある〕で、そのせいで人間は、何かを考えようとしたときに頭に浮かんできやすい情報を優先し、それを基にして、その何か、あるいは同種のことが起こる頻度を推測しようとする。[11]これはバグといっても、多くの場面で実際に役に立つ経験則である。よく起こる出来事はより強く記憶に残るので、何かが強く記憶に残っていれば、だいたいの場合それはよく起こる出来事だと考えることができるからだ。

たとえばあなたが、都会ではムクドリモドキよりハトのほうが多いと推測したとする。この場合、なにも個体数調査の結果を見たわけではなく、鳥を見かけた記憶から導き出したにすぎないとしても、あなたの推測は正しい。だがそこで、脳の検索エンジンが頻度以外の要素を手がかりに記憶をランク付けしたらどうなるだろうか。たとえば、ごく最近あったことだから、強い印象を受けたから、不愉快な思いをしたから、独特だったから、動揺したからといった理由である記憶が上位表示されるとしたら、それについては確率を過大評価することになる。わかりやすい例を挙げると、「英語にはkで始まる単語と三文字目がkである単語のどちらが多いと思いますか?」という問いに対して、ほとんどの人が前者だと答える。実際には後者（ankle, ask, awkward, bake, cake, make, take など）のほうが三倍多いのだが、わたしたちは言葉を思い出そうとするとき最初の音で探すので、前者（keep, kind, kill, kid, king など）のほうが頭に浮かびやすく、それで前者だと思ってしまう。

利用可能性バイアスによる誤りは、しばしば人間をばかげた推論へと導く。アメリカの医学部一年生は発疹を見るとすぐ外来病だと思うし、バカンス客はサメ襲撃の記事を見たあとや『ジョーズ』を観たあとは海に入ろうとしない。[12] 飛行機事故は必ずニュースになるが、それよりはるかに多くの命を奪っている自動車事故はほとんどニュースにならない。それはもちろん、空を飛ぶのは怖いと思う人が多いのに対して、車の運転を怖いと思う人は圧倒的に少ないからだ。また、アメリカ人は竜巻のほうが喘息より多くの命を奪うと思っているが（実際は米国の年間死者数は前者が五〇人で、後者が四〇〇〇人以上）、これもおそらく竜巻のほうがテレビ映えするからだろう。

利用可能性バイアスが、「血が流れたらトップ記事[13]」という報道方針に煽られ、世界の状況について人々を憂鬱な気分へと誘導する仕組みはとてもわかりやすい。メディア研究者も、各種の記事の統計をとったり、あるいは編集者に記事のリストを見せ、彼らがどれを選んでどう表示させるかを見ることによって、記事の選定者が一貫してポジティブな記事よりネガティブな記事を優先することを確認している。次いでその傾向が、社説を書く悲観論者に安易な慣例的手法を提供する。つまり、その週に世界各地で起こった最悪の出来事を集めてきて、そこからいかにも重要そうな問題をあぶり出し、われわれの文明がかつて直面したことがない危機について書くのである。

ネガティブなニュースがもたらす結果は、それ自体がネガティブだ。ニュースを見れば見るほど、正しい情報が得られるどころか、誤った方向に誘導されかねない。そうなると、犯罪率が低下しているときでさえ犯罪をますます恐れるようになり、時には現実にすっかり背を向けてしまうこともある。二〇一六年のある世論調査によれば、アメリカ人の大多数がイスラム過激派組織（ＩＳＩＳ）のニュースを熱心に見ていて、なんと七七パーセントもの回答者が、「イラクとシリアで活動するイスラム過激派は、アメリカの存在と存続にとって深刻な脅威になっている」という、もはや妄想としかいえない考えをもっていた。[14]

ネガティブなニュースを目にすると、当然のことながら暗澹たる気分になる。最近のある文献レビューによれば、「リスクでないものをリスクと認識すること、不安、気分の低下、学習性無力感、他人に対する軽蔑と敵意、感覚の鈍麻、そして時には極端な報道アレルギー」も見られるという。[15] そしてそういう人々は運命論者になり、「投票する意味なんかない。どうせ役に立たないんだから」とか、「いくら寄付しても、来週にはまた別の子どもが飢えていますってことになるわけで、きりがない」と考えるようになる。[16]

世界を正しく認識するには「数えること」が大事

このように、ジャーナリズムの性質と認知バイアスが組み合わさると、相互に最悪の部分を引き出してしまうわけだが、だとしたら世界の状況を正しく評価するにはどうしたらいいのだろうか。答えは「数えること」である。今生きている人が何人で、そのなかの何人が暴力の犠牲になっているのか。何人が病気にかかり、何人が飢えていて、何人が貧困にあえぎ、何人が抑圧されていて、何人が読み書きができず、何人が不幸なのか。そしてその人数は増えつつあるのか、減りつつあるのか。定量的な考え方というと、なんだか生真面目でオタクっぽい感じがするかもしれないが、これは実は道義的にも賢明な方法だといえる。なぜなら、身近な人を優先するわけでも、テレビ受けする人を特別扱いするわけでもなく、一人ひとりの価値を平等に扱う取り組みだからだ。しかもこの方法なら問題の原因を特定できるかもしれず、ひいては問題解決の最善策もわかるかもしれないという期待を抱かせてくれる。

わたしが二〇一一年の『暴力の人類史』（幾島幸子・塩原通緒訳、青土社）で目指したのがまさにそれで、グラフや図を一〇〇ほども使い、暴力と、暴力を生む諸条件が、長い歴史のなかでいかに減ってきたかを明らかにした。そしてその減少が異なる時代に異なる要因で起きたことをはっきりさせるため、それぞれに名前をつけた。「平和化のプロセス」とは、事実上の国家がある地域を支配するようになり、部族間の襲撃や決闘で暴力死を遂げる確率が五分の一に減ったことをいう。「文明化のプロセス」とは、近代初期ヨーロッパにおける法の支配と、自制の規範の確立により、殺人その他の暴力犯罪が四〇分の一に減ったことをいう。「人道主義革命」とは、啓蒙主義時代に奴隷制、宗教迫害、残忍な刑罰などが廃止・消滅へと向かったことを意味する。

「長い平和」とは、歴史学者が第二次世界大戦後の大国と国家間戦争の減少を指していう言葉である。そして冷戦終結後には内戦、ジェノサイド、専制国家が減少し、世界は「新しい平和」を享受するようになった。また一九五〇年代以降には、公民権、女性の権利、同性愛者の権利、子どもの権利、動物の権利などを求める一連の「権利革命」の波が世界に広がった。

以上の暴力の減少について、こうした数字に詳しい専門家からはほとんど反論がなかった。たとえば、歴史犯罪学者たちは近世に入ってから殺人が激減したことを認めているし、国際関係学者のあいだでは、一九四五年以降、大規模な戦争が徐々に減ったというのが常識になっている。[17] だがそれ以外の多くの人々はこれらの数字に驚いたようだ。

時間を横軸に、死者数その他の暴力の指標を縦軸にとり、左上から右下へ向かって線が蛇行するグラフをこれだけ並べれば、読者の利用可能性バイアスを修正できるだろう、少なくとも暴力については、世界の進歩に納得してもらえるだろうとわたしは信じていた。だがその期待は裏切られ、読者から寄せられた質問や反論によって、彼らの進歩への拒否反応は統計上の誤謬云々よりずっと根深いのだと思い知らされた。もちろん現実を完璧に反映したデータセットなどありえないので、使われている数値がどこまで正確で代表的なものなのかを問いただそうとするのは理解できる。だが実際に寄せられた反論から明らかになったのは、彼らはデータを疑問視しているだけでなく、人間のありようが改善されてきた可能性そのものを受け入れる準備ができていないということだった。多くの人々が、進歩が起きてきたかどうかを確かめる概念ツールをもちあわせていない。物事はよくなりうるという考えそのものをたんに勘定に入れないのだ。実際にどんなやりとりがあったのか、典型的な例をいくつか挙げておこう。

前著『暴力の人類史』への反論の典型

「つまり暴力は歴史が始まって以来ずっと直線的に減ってきたってわけだ。そりゃすごい！」

いや、「直線的に」減少したわけではない。人間の行動はとんでもなく変化に富むものなのに、そのどれかの量ないし程度が単位時間ごとに――一〇年ごと、世紀ごとなど――一定の比率で減少したとしたら、それこそ驚きだ。また「一方向に」減少したわけでもない（おそらく質問者がいいたいのはこちらだろう）。ここでいう一方向とは、基本的に減少の一途をたどり、同レベルで推移する時期があるとしても、増加することは決してないという意味である。だが実際には小刻みな変動や上昇、急上昇もあり、時にはめまいがしそうな乱高下も見られる。近い例では、二度の世界大戦、一九六〇年代半ばから一九九〇年代初頭にかけての欧米での犯罪急増、一九六〇、七〇年代の植民地解放に続く内戦の急増などが挙げられる。暴力の減少という進歩も、さまざまな変動――急激な減少もあれば停滞もあり、一時的に上昇してグラフが山を描くこともある――を含めたうえでの長期的な傾向から成り立っている。進歩は一定の変化ではありえず、一つの問題を解決すると、その解決策から新たな問題が生じるのが常なので、後退や停滞を伴う[18]。しかしその新たな問題も解決されれば、再び前進する。

ところで、このように社会的データが単調な減少でないことが、報道機関に安易な慣習的方法を提供することになり、物事の悪い面を強調したニュースが流れることになる。ある問題の指標を見て、それが減少しているあいだは無視し、増加したときだけ報道すればいい（そもそもそれが「ニュース」というものなのだ）。すると購読者や視聴者は、実際には生活がよくなっていても悪くなっているという印象を受ける。『ニューヨーク・タイムズ』は二〇一六年上半期に、このトリックを計三回、自殺、寿命、交通事故死について使った。

「なるほど、暴力は常に下降線をたどるわけじゃないんですね。つまり周期的ということで、だったら今たまたま少ないとしても、いずれまた増えますよね？」

いや、予測できない変動があるからといって周期的――両極のあいだを振り子のように行ったり来たりする動き――とは限らず、長期的な変化が一定の傾向をもつこともある。つまり、どこかの時点で逆転することはありうるが、その可能性が時とともに増大するわけではない（「景気循環」も実際には予測不能な変動の結果でしかなく、その〝循環〟に賭けて無一文になった投資家が大勢いる）。ある好ましい方向への変化に対して、逆転の頻度が減るとき、あるいは逆転の幅が小さくなるとき、場合によってはまったく逆転しなくなるとき、進歩が起こりうる。

「暴力が減ったなんて、よくそんなことがいえますね。学校で銃乱射事件（あるいは爆弾テロ、砲弾による攻撃、サッカー暴動、酒場で殺傷事件）があったっていう今朝の記事を読んでいないんですか？」

「減少」は「消滅」とは違う（「x＞y」は「y＝0」ではない）。だがたとえ完全にはなくならなくても、何かが大幅に減少することはありうる。つまり、現在の暴力の程度がどうかという問題と、人類の歴史を通して暴力は減少したのかという問題はまったく別のものだ。後者に答えるには、現在の暴力の程度と過去の暴力の程度を比べる以外に方法はない。そして過去の暴力に目を向けさえすれば――今朝の記事ほど記憶に鮮明に残ってはいないだろうが――それが甚だしかったことが誰にでもわかるはずである。

「統計を駆使して暴力が減りつつあると示してみたところで、自分がその犠牲になったら何の意味もないじゃありませんか」

それはそうだが、暴力が減りつつあると示す統計は、あなたがその犠牲になる可能性も低くなりつつあることを示している。言い換えれば、暴力の程度が過去と同じだったらその犠牲になっていたかもしれないのに、今そうなっていない人が何百万人もいるということを示している。

「だったら何もせずに安心していればいいんですね？　暴力は自然に減っていくんでしょう？」

船長、それは非論理的です〔テレビシリーズ『スタートレック』の登場人物・スポックの台詞〕。それは洗濯物の山が小さくなったのを見て、洗濯物が勝手にきれいになったと思うようなものである。洗濯物は誰かが洗濯しなければ減らない。暴力も同じことで、ある種の暴力が減少したとしたら、それは社会的、文化的、物質的環境の何らかの変化がもたらした結果にほかならない。そしてその状態が続けば、暴力はそのレベルにとどまり、あるいはさらに減少すると考えられるが、続かなければその逆もありうる。だからこそ減少の要因を探ることが大事で、要因を見つけてそれを強化、拡大していけば、暴力をさらに減らせるかもしれない。

「暴力が減ったなんて、そんなことをいうのは甘っちょろい人間か、おセンチか、理想家、ロマンチスト、夢想家、ホイッグ史観、空想家、ポリアンナ、パングロスに決まってますよ」

いや、暴力の減少を示すデータを見て「暴力が減った」というのは、事実を述べているにすぎない。逆に暴力の減少を示すデータを見て「暴力が増えた」というのは妄想で、暴力に関するデータを無視して「暴力が増えた」というのは無知である。

ロマン主義者だとの批判については、ある程度自信をもって答えることができる。わたしは『人間の本性を考える』（山下篤子訳、NHK出版）という本の著者でもあるが、これは断固たる反ロマン主義、反ユートピアの立場から書いたものだ。そのなかでわたしは、人間が進化の過程で強欲、色欲、支配欲、復讐心、自己欺瞞等々、多くの破壊的な動機を身につけてきたことを説明した。しかし同時にわたしたちは、同情心、自分たちの窮状を顧みて熟考する能力、新たな発想を思いついて共有する能力――エイブラハム・リンカーンの言葉を借りるなら、「わたしたちのなかにあるより善き天使」（『暴力の人類史』の原題でもある）――も身につけてきた。そして、ある期間とある地理的範囲において、人間の内なる天使が内なる悪魔にどこまで打ち勝つことができたかを知るには、事実を調べるしかない。

過去の進歩の実績を認識することはなぜ重要か

「なぜ暴力が減りつづけると予測できるんです？　明日戦争になったら、あなたの理論なんかすぐ崩れてしまうのに」

暴力を示すある指標が減少したと述べることは、「学説」の披露ではなく、事実の観察である。そして、もちろん、ある期間にある指標の数値が変化したという事実を述べることと、その変化がこれからもずっと同じように続くと予測することは話が別だ。投資広告に表示が義務づけられているように、「過去の実績は、将来の結果を保証するものではない」のだから。

「だとしたら、これらのグラフや分析はいったい何の役に立つんですか？　科学理論というのは検証可能な予測のためにあるのでは？」

科学理論が予測できるのは、原因となる諸要素の影響が制御された「実験」の枠内でのことである。わたしたちの世界には今や七〇億人もの人間がいて、その各人がグローバル・ネットワークのなかで口コミによって考えを拡散させたり、気候や資源のカオス的循環に翻弄されたりしているというのに、その世界全体について予測できる理論などあるはずもない。制御不能な世界について、そこで起こるさまざまな出来事がなぜこのように展開しているのか説明もせずに、その世界の未来はこうだと語るのは、予測ではなく「予言」である。デイヴィッド・ドイッチュはこう述べている。「知識の創造のあらゆる制約のなかで最も重要なのは、わたしたちには予言はできないということである。まだ生まれてもいないアイデアの内容や効果を予言することなどできはしない。この制約は知識の限りない成長と矛盾しないどころか、それに必然的に伴うものである」[19]

いうまでもないことだが、予言ができないからといって事実を無視していいことにはならない。人間の幸福を示す指標のある程度の改善が示しているのは、全体的に見て悪化する方向に働いてきた力より好転する方向に働いてきた力のほうが多いということだ。その場合、進歩の継続が期待できるかどうかを判断するには、それらの力にはどういう種類のものがあって、それらはどれくらい続きうるかをわたしたちが知っていなければならない。様相はそれぞれに異なるだろう。あるものはムーアの法則（半導体の集積率は二年ごとに倍増する）のようなものだと判明するかもしれず、だとすれば「人間の知恵の成果が蓄積されていくことで進歩も継続する」と考える足がかり（確実なものではないが）になりうる。またあるものは株式市場のようなもので、その場合は短期的には不安定に変動すると予測されるが、長期的には利得を得ると予測できるだろう。なかにはファットテール（厚い裾野）をもつ統計分布〔分布の端（テール）にある極端な事象の頻度が無視できないほど大きい分布〉[20]を示すものもあるかもしれず、その場合は想定外の極端な値も無視できなくなる。さらに、循環変動やカオス的変動を示すものもあるだろう。

不確実な世界の合理的予測については第一九章と第二一章で検討するが、とりあえず心にとめてほしいのは次の点である。何か良い傾向が見られたら、それが示唆（証明ではない）するのは、わたしたちが何か正しいことを行ってきたということ、そしてわたしたちはそれが何かを明らかにし、もっと行うようにするべきだということである。

これらのすべての反論のタネが尽きたとき、人々が次にどうするかというと、ニュースが統計データほど良くはなりえない理由を見つけようと躍起になることが多い。そしてそれも行き詰まると、最後は意味論に走る。「ネット荒らしは一種の暴力じゃないんですか？　露天採鉱だって暴力じゃありませんか？　不平等だってそうでしょう？　環境汚染は？　貧困は？　消費主義は？　離婚は？　広告は？　暴力に関する統計をとるのだってある種の暴力じゃないですか？」

メタファーはレトリックの手法としてはすばらしいが、人類の状況を評価するやり方としてはお粗末だ。道徳的推論には釣り合いが求められる。ツイッターで悪口をいわれたら動揺するだろうが、それを奴隷貿易やホロコーストと同列に語ることはできない。また道徳的推論にはレトリックと現実の区別も求められる。レイプ被害者支援センターへ駆け込んで、環境破壊（レイプ）については何をしてきたんですかと問い詰めたところで意味がない。レイプ被害者のためにもならないし、環境のためにもならない。さらに、世界を改善するには因果関係の理解が欠かせない。未熟な道徳的直観は悪い事柄を十把一絡げにし、その元凶を一つ見つけ出してすべての責任をなすりつけようとする傾向があるが、実際には、わたしたちが気づいて排除できるような種々の「悪いこと」（エントロピーと進化によって次々と生まれる）について、それらを一括りにできる現象など存在しない。戦争、犯罪、環境汚染、貧困、疾病、野蛮な振る舞いといった悪には共通点などほとんどないのだから、そういう悪を減らしたいなら個別に議論するべきで、言葉遊びは妨げになるだけだ。

悪いことを想像するほうが簡単なのはなぜか

本書で暴力以外の進歩を説明するに当たって、わたしはこうした反論にも一通り目を通したうえで方法を考えた。『暴力の人類史』への懐疑的な反応を見れば、人々が進歩について運命論者になるのは、利用可能性バイアスのせいばかりではないとわかる。メディアが悪いニュースを好むのも、ウェブの訪問者数やクリック数を追い求めるシニカルな姿勢だけが原因とはいいきれない。そう、進歩恐怖症の心理的な根はもっと深く張っている。

最も深いところには、「悪は善より強い」という標語に要約されたバイアス「ネガティビティ・バイアス」がある。[21] これについてはトベルスキーが教えてくれた一連の思考実験がわかりやすいので、紹介しておこう。[22]「あなたは今感じているのより良い気分をどれくらい想像できますか？」「あなたは今感じているのより嫌な気分をどれくらい想像できますか？」。前者に対して多くの人が想像するのは、足取りが軽いとか、目が輝くといった、今より少しいい気分のことだが、後者に対する答えとなると……底なしだ。この気分の非対称性は、生命の非対称性（エントロピーの法則の当然の帰結）によって説明できる。「あなたの状態を今より良くする出来事は、今日いくつ起こりうると思いますか？」「あなたの状態を今より悪くする出来事は、今日いくつ起こりうると思いますか？」。前の二つの質問と同様に、ここでも前者に対しては誰もがいくつかの棚ぼたやツキを思い浮かべる程度だが、後者の答えとなると……きりがない。しかし、これについては、想像に頼る必要はない。心理学の研究論文によって、人は得を期待する以上に損を恐れ、幸運を楽しむ以上に不運を嘆き、称賛に励まされる以上に批判に傷つくと確証されている（心理言語学者として追記させてもらえるなら、英語の語彙には肯定的感情を表す単語より、否定的感情を表す単語のほうがはるかに多い[23]。

ただし例外があり、自伝的記憶にはこのネガティビティ・バイアスがかからない。わたしたちは基本的には良いことも悪いことも同じように記憶するが、後者の否定的な色合いは、とりわけ自分自身が経験した出来事の場合、時とともに薄れていく[24]。わたしたちは郷愁を抱くようにできていて、記憶のなかの傷はだいたい時が癒してくれる。ほかにも二つ、物事が以前とは違ってしまったように思える錯覚がある。一つは、大人になり、親になることによる負担の増大を、世界が純粋性を失ったせいだと錯覚することで、もう一つは、年齢に伴う自分の能力の低下を時代の衰退と取り違えることである[25]。コラムニストのフランクリン・ピアース・アダムスがいうように、「古き良き時代とは、記憶の悪さの産物にほかならない」。

知識人とメディアが過度な悲観論に傾く理由

インテリ文化は、本来こうした認知バイアスの修正に努めるべきものなのに、実は往々にして強化してしまう。すでに述べたように、利用可能性バイアスを修正するには定量的思考が有効だが、文学者のスティーヴン・コナーによれば、「芸術と人文科学の領域では、誰もが例外なく数の領域が侵略してくることを恐れている[26]」。そしてこの「たまたま数字に弱いというより、イデオロギー的な数字嫌い」のせいで、インテリたちはたとえばこんなふうに考える。過去に戦争があり、今も戦争があるのだから、「何も変わっていない」。つまり数回の戦争で数千人が命を落とす時代と、数十の戦争で数百万人が命を落とす時代の違いを認識しようとしない。だがそれでは、なんとかして長期的に改善を図ろうとする漸進的なプロセスを評価できるはずもない。

インテリ文化はネガティビティ・バイアスに対処することもできていない。対処するどころか、ネガティビティ・バイアスに便乗して得をしている。誰もが警戒心を研ぎ澄ましているのに乗じて、実はこんな悪いことがあるんですよと眉をひそめて注意を促すインテリのために、新たな市場が生まれている始末だ。本を称賛する書評家より、酷評する書評家のほうが有能だとみなされることが実験でわかっているが、[27]社会の批評も同じことだろう。風刺ソングを歌う大学教授、トム・レーラーが、前にこんな皮肉を口にした。「いつも最悪の事態を予言しておけばいい。そうすれば偉大な予言者としてもてはやされる」

少なくとも古代ヘブライの預言者たちが社会批判と大災害の警告を混ぜこぜにして以来、悲観主義は道徳的誠実さと同一視されてきた。ジャーナリストは悪い面を強調することが自分たちの職務だと、つまり番犬となり、悪事を暴き、告発し、鈍い人々の目を覚まさせることにつながるのだと信じている。そして知識人は、未解決の問題を掘り起こし、これこそ社会が病んでいる証拠だと主張すれば、すぐに耳を傾けてもらえると知っている。

受け手の側も同じである。金融ライターのモーガン・ハウゼルによれば、人々は往々にして、「悲観論は自分たちを助けようとするもの」「楽観論は自分たちに何かを売りつけようとするもの」と感じているという。[28]そのせいで、誰かが解決策を提案するとすぐに批判が出て、それは万能薬でも特効薬でもないし、汎用性のある薬でもないといわれてしまう。それはバンドエイドや応急処置のようなもので、根本的原因の解明にはならず、副作用や予期せぬ結果が出て困ったことになるだろうと。だがそもそもこの世に万能薬などないし、どんな解決策もそれなりの副作用を伴うのだから（純粋に一つのことだけを達成するのは不可能だ）、こうした中身のない批判は、物事の改善の可能性を頭から否定するのと同じである。[29]

知識人の悲観主義は、人より一歩先んじる手段にもなっている。現代社会は政界、産業界、財界、技術界、軍事および学界のエリートの集まりで成り立っていて、そこでは誰もが名声と威光を求めて競争しながら、それぞれの分野を背負って社会を動かしている。そういう場で現代社会を批判すれば、間接的にライバルを引きずり下ろすことができる――つまり学者は実業家を貶め、実業家は政治家を貶め、政治家は……と続く。トマス・ホッブズは一六五一年にこう書いた。「称賛を求めて争う場合には、古代を崇めることになりやすい。というのも争う相手は生者であって死者ではないので、死者を崇めることで生者を貶めることができるからだ」

もちろん悲観主義にもいい面はある。同情の輪が広がることで、今より無情だった時代には誰もが見逃していた悪にも、人々が関心を寄せるようになる。今日、わたしたちはシリア内戦を人道的悲劇だと考えているが、それより多くの死者や強制移住者を出した半世紀ほど前の戦争や紛争――中国の国共内戦、印パ分離独立に伴う大混乱、朝鮮戦争など――を人道的悲劇と認識していた人は少ない。わたしが子どものころには、いじめは少年期につきものの普通のことと思われていて、いつの日かアメリカ合衆国大統領がいじめについてスピーチする日が来るとは（二〇一一年のオバマ大統領のスピーチ）夢にも思わなかった。どうやらわたしたちは、人道に配慮するようになればなるほど、身の回りの害悪を見たときに自分たちの水準が上がったのではなく、世界の水準が下がったと思い込んでしまうようだ。

しかし行き過ぎた悲観主義は意図せぬ結果を招くこともあり、最近ではジャーナリスト自身からも問題が提起されるようになってきた。『ニューヨーク・タイムズ』のデービッド・ボーンステインとティナ・ローゼンバーグは、二〇一六年のアメリカ大統領選挙を振り返り、その衝撃的な結果にメディアが一役買ったと述べている。

トランプは、アメリカのジャーナリズムにほぼ行き渡っているある考え方の受益者だった。すなわち、「重大なニュース」とは基本的に「何かがうまくいっていないこと」だという考え方である。（中略）何十年も前から、ジャーナリズムが一貫してこの国の「諸問題と治癒不能と思われる病状」に焦点を当ててきたことが土壌となり、そこにトランプが蒔いた不満と絶望の種が根を下ろした。（中略）その結果、今のアメリカ人の多くは、漸進的な制度改革が可能だと想像することも、それを評価することも、いや、信じることさえできなくなり、その代わりに革命的な、「一気にぶち壊せ」という破壊的な変化を望むしかなくなった。[30]

ボーンスティインとローゼンバーグは、いつも槍玉に挙げられているもの（ケーブルテレビ、ソーシャルメディア、深夜番組のコメディアンなど）を安易に責めるのではなく、ジャーナリズムの歴史をさかのぼって原因を追究した。そしてベトナム戦争やウォーターゲート事件の時代に、ジャーナリズムの基調が指導者の賛美からその権力の抑制へとシフトしたことを突きとめ、そのシフトが行き過ぎて見境のないシニシズムに走ったために、国の指導者や市民活動家に関する何もかもが、称賛ではなく攻撃的なこき下ろしの対象になったと分析している。

ところで、進歩恐怖症が人間の本性から生じているのだとしたら、その症状がます

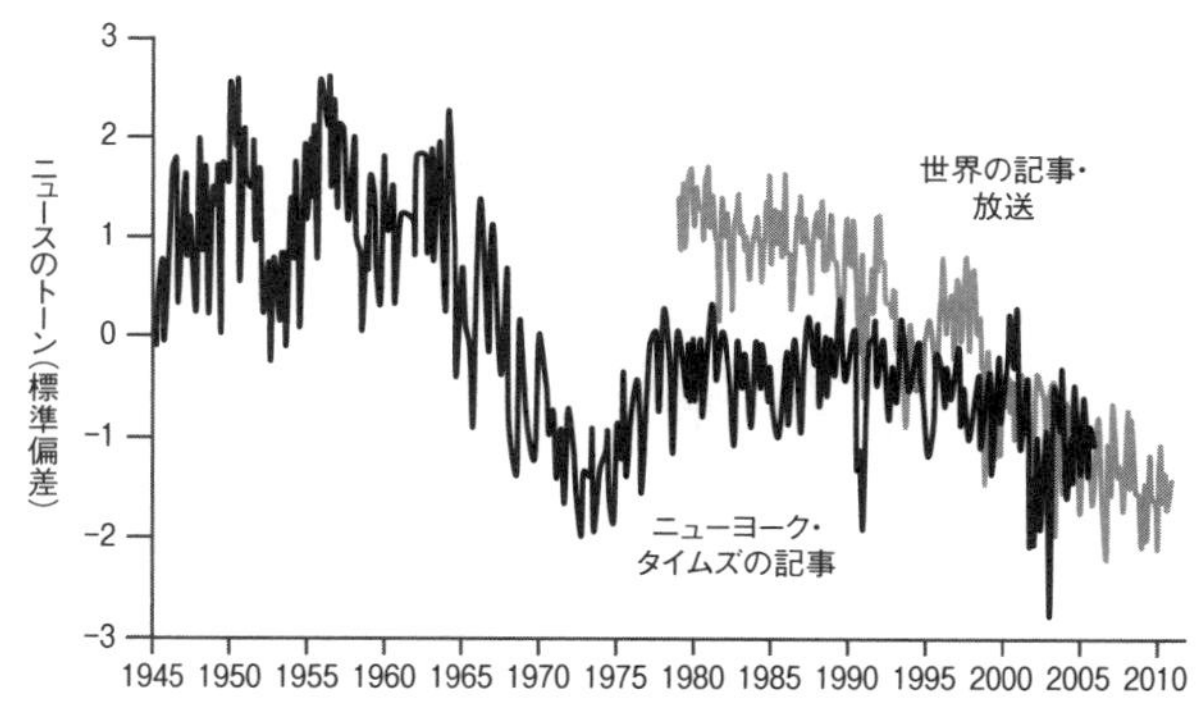

［図4－1］ニュースのトーン（1945–2010）
情報源：Leetaru 2010. 入力データは各月。

ますひどくなってきたというわたしの指摘そのものが、利用可能性バイアスによる幻想ということもありうるのだろうか。ここでその点を客観的に――つまり次章以降で使う手法を先取りして――見ておくことにしよう。

データサイエンティストのカレブ・リータルは、「感情マイニング」と呼ばれるテクニックを用いて、一九四五年から二〇〇五年までに『ニューヨーク・タイムズ』に掲載された記事と、一九七九年から二〇一〇年までに世界一三〇カ国で発信された記事や放送の英訳を分析した。感情マイニングは、「良い、すてき、ひどい、恐ろしい」といった肯定的あるいは否定的な言葉の数と文脈を集計することで文章のトーンを評価する。［図4―1］がその結果で、個別の有事に伴う細かい上下動を別にすると、ニュースのトーンが時とともにより悲観的になってきたことがわかる。つまりこの傾向はわたしの個人的な印象にとどまらず、現実だったということだ。『ニューヨーク・タイムズ』は一九六〇年代前半から一九七〇年代前半にかけてどんどん悲観的になり、一九八〇年代と一九九〇年代に少し（ほんの少し）持ち直したものの、二一世紀に入ってからまた徐々に暗いトーンになってきている。他国の報道機関も一九七〇年代から今日まで暗くなる一方だ。

では、この期間に世界は、人類の状態は、本当に悪化してきたのだろうか。それを次章以降で具体的に見ていくので、［図4―1］を覚えておいていただきたい。

事実、世界は目を瞠る進歩を遂げてきた

進歩とは何だろうか。この質問はあまりに主観的で、文化しだいでもあるので、答えようがないと思うかもしれない。だが実は、これほど答えるのが簡単な質問もない。ほとんどの人は死より生がいいと思っているはずだ。同様に、病気より健康が、飢餓より満腹が、貧困より裕福が、戦争より平和が、危険より安全が、専制政治より自由が、偏見や差別より平等が、文字が読めないより読めるほうが、無知より知が、愚鈍より明敏が、不幸より幸福がいいと思っているはずだ。さらに、単調な重労働を強

いられるより、家族や友人と過ごしたり文化や自然を楽しんだりする機会があるほうがいいと思うだろう。

これらの項目はすべて測ることができる。そして測った結果、時とともに後者が増えていれば、それが進歩である。

もちろん誰もがこのリストに丸ごと賛成するわけではないだろう。ここに挙げたのは明らかに人間尊重の価値観に基づくもので、宗教的救済、恩寵、神聖性、勇壮さ、名誉、栄光、真正性といった宗教的、ロマン主義的、貴族的価値は外してある。しかし出発点として欠かせないリストだということは、多くの人が認めるのではないだろうか。超越的価値の賛美は理屈のうえではいくらでもできるが、多くの人はそれよりまず生きること、健康であること、安全であること、文字が読めること、食べ物があること、生活に刺激があることのほうが大事だと思っている。これらの善はすべての前提なのだから、当然のことだ。今この本を読んでいるということは、あなたは死んでいないし、飢えていないし、極貧でもなく、瀕死の状態でもなく、恐怖におののいているわけでもなく、奴隷になっているわけでもなく、文字が読めないわけでもない。ということは、あなたがこれらの価値をばかにするはずはないし、ほかの人々がこれらの価値を共有することに異を唱えるはずもない。

実際、これらの価値には世界が同意している。二〇〇〇年に国連加盟国一八九カ国ものである。[31]

と二〇以上の国際組織が「ミレニアム開発目標」と呼ばれる八つの目標を掲げ、二〇一五年までの達成を目指すことに合意したが、これらの目標はまさにこのリストその

ここで衝撃的な事実を一つ。「人間の幸福を測るこれらの指標のすべてにおいて、世界は目を瞠るほどの進歩を遂げている」。そしてもう一つ。「それを知る人はほとんどいない」

人類の進歩に関する情報は大手報道機関も有識者フォーラムも取り上げないが、見ようと思えば誰もがすぐ見られるようになっている。それも、面白みのない報告書に埋没しているのではなく、よくできたウェブサイトにわかりやすくまとめられている。とりわけマックス・ローザーの〈Our World in Data〉、マリアン・トゥーピーの〈HumanProgress〉、ハンス・ロスリングの〈Gapminder〉はすばらしい（ロスリングは二〇〇七年にTEDで講演したさい、最後に剣飲みまでやってみせたが、それでも世界の関心を十分集めることはできなかった）。

人類の進歩を見事に論じた本も数々出版されていて、なかにはノーベル賞受賞者が手がけたものもある。いずれも進歩をタイトルに掲げ、事実を訴えようとしている。たとえば、『進歩——人類の未来が明るい10の理由』（ヨハン・ノルベリ著、山形浩生訳、晶文社）、『進歩のパラドックス——暮らしがよくなっているのに悪くなっていると感

じるのはなぜか（The Progress Paradox）』（グレッグ・イースターブルック著）、『無限の進歩――インターネットとテクノロジーが無知、疾病、貧困、飢餓、戦争に終止符を打つ（Infinite Progress）』（バイロン・リース著）、『無限の資源――有限の地球における発想の力（The Infinite Resource）』（ラメズ・ナム著）、『繁栄――明日を切り拓くための人類10万年史』（マット・リドレー著、大田直子・鍛原多惠子・柴田裕之訳、早川書房）、『合理的楽観主義擁護論（The Case for Rational Optimism）』（フランク・ロビンソン著）、『隷属なき道――AIとの競争に勝つベーシックインカムと一日三時間労働』（ルトガー・ブレグマン著、野中香方子訳、文藝春秋）、『なぜ近代は繁栄したのか――草の根が生みだすイノベーション』（エドマンド・S・フェルプス著、小坂恵理訳、みすず書房）、『楽観主義者の未来予測――テクノロジーの爆発的進化が世界を豊かにする』（ピーター・H・ディアマンディス＆スティーヴン・コトラー著、熊谷玲美訳、早川書房）、『向上しつつある世界――わたしたちがこの星で以前より長く、健康に、快適に、清潔に暮らせているのはなぜか（The Improving State of the World）』（インドゥル・M・ゴクラニー著）、『ゲッティング・ベター――グローバル開発はなぜ成功しているのか、どうすれば世界をもっとよくできるのか（Getting Better）』（チャールズ・ケニー著）、『悲劇の終わり――二一世紀の環境再生（The End of Doom）』（ロナルド・ベイリー著）、『道徳の弧（アーク）――科学と理性はいかにして人類を真実、正義、自由へ導くか（The Moral

Arc)』(マイケル・シャーマー著)、『食糧と人類——飢餓を克服した大増産の文明史』(ルース・ドフリース著、小川敏子訳、日本経済新聞出版社)、『大脱出——健康、お金、格差の起源』(アンガス・ディートン著、松本裕訳、みすず書房)、『大上昇——発展途上世界の上昇(The Great Surge)』(スティーヴン・ラデレット著)、『大収斂——膨張する中産階級が世界を変える』(キショール・マブバニ著、山本文史訳、中央公論新社)など[32](このなかに主要な賞を受けたものがない一方で、これらが刊行されたのと同時期に、ノンフィクション部門のピューリッツァー賞が、ジェノサイドに関する本四冊、テロに関する本三冊、癌に関する本二冊、人種差別に関する本二冊、絶滅に関する本一冊に授与された)。

また、リスト記事を見るのが好きなら、ここ数年のものではこんなコンテンツがあるので覗いてみてほしい。〈5 Amazing Pieces of Good News Nobody Is Reporting(誰も報じない五つの朗報)〉、〈5 Reasons Why 2013 Was the Best Year In Human History(二〇一三年が人類史上最良の年となった五つの理由)〉、〈7 Reasons the World Looks Worse Than It Really Is(世界が実際より悪く見える七つの理由)〉、〈23 Charts and Maps that Show the World Is Getting Much, Much Better(世界はどんどん良くなっている——二三の図表が示す世界の現状)〉、〈40 Ways the World Is Getting Better(世界がいいほうに向かっている四〇項目)〉、そしてわたしのお気に入り、〈50 Reasons We're Living Through the Greatest Period in World History(わたしたちが世界史上

最も偉大な時代を生きているといえる五〇の理由〉。では、その五〇の理由のうちのいくつかを、これから具体的に見ていくことにしよう。

第五章

寿命は大きく延びている

平均寿命は世界的に延びている

生き残ろうともがくのは生物の基本的な衝動で、人間も創意や意志を総動員してできるかぎり死を免れようとする。「あなたは命を選び、あなたもあなたの子孫も命を得るようにし（中略）なさい」（旧約聖書、新共同訳）とヘブライの神はいった。「怒れ、消えゆく光に怒れ」と詩人ディラン・トマスは死にゆく者に呼びかけた。つまり長寿はこのうえない恵みと考えられている。

では、今日の世界の平均寿命は何歳だろうか。当ててみてほしい。平均寿命を語るとき忘れてはならないのは、人口の多い発展途上国で飢餓や疾病による早死にの率（特に乳幼児死亡率）が高いと、平均寿命がかなり引き下げられるということだ。

答えは二〇一五年に七一・四歳だった[1]。あなたの推測は近かっただろうか。それとも大きく外れてしまった？　ハンス・ロスリングが最近の調査の一環として自国（スウェーデン）の人々に訊いてみたところ、人類がこれほど長寿だと推測した人は四人に一人もいなかった。ロスリングは他の国々でも寿命、識字率、貧困に関する調査を行っているが、そこでの結果も同じようなものだ。彼はこの調査活動を「無知解消プロジェクト」と呼んでいて、チンパンジーをロゴマークにしている。なぜかというと、「どの質問も、何本かのバナナに違う答えを書いて動物園のチンパンジーに選ばせたとしたら、その正解率のほうが人間の正解率より高くなる」からだ〔つまり人間の答えはランダムな答えより正解率が低い〕。しかも調査対象のなかには世界の健康問題に取り組む研究者や学生もいて、誤って悲観主義に陥るほど無学な人たちだったわけではない[2]。

〔図5―1〕は、この数世紀の平均寿命をマックス・ローザーがグラフにしたもので、世界全体の推移がよくわかる。グラフの始まりの一八世紀中頃には、ヨーロッパとアメリカの平均寿命はおよそ三五歳で、それ以前の二二五年間もずっとこのレベルだったことが既存のデータからわかっている[3]。世界の平均は二九歳で、実は人類史のほとんどにおいて、平均寿命はだいたいこんなものだった。

狩猟採集民の平均寿命は三二・五歳前後とされているが、農耕定住生活を始めた時点で、栄養のデンプン質への偏りや家畜および人間同士の感染症などから少し短くなったと考えられる。だが青銅器時代までには三〇代前半に回復し[4]、時代や地域により多少の変動はあるものの、数千年間そのレベルにとどまっていた。つまりそのあたり

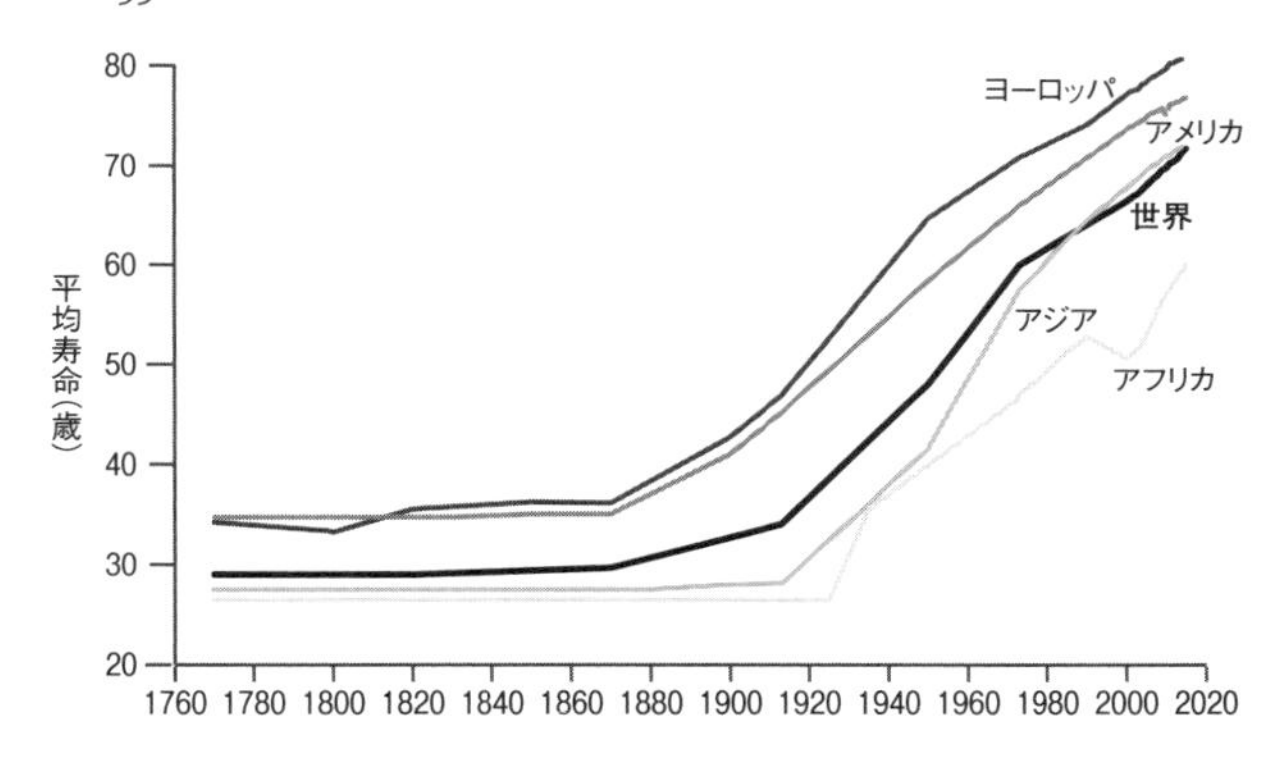

［図 5 - 1］ **平均寿命（1771-2015）**
情報源：*Our World in Data,* Roser 2016n. 2000年以前については Riley 2005、その後については WHO と世界銀行のデータに基づく。マックス・ローザーから受け取った追加データで更新した最新版。

までは、農業や健康面で何らかの前進が見られても、それによる人口増で問題が出て前進が打ち消され、結局のところ寿命が延びなかったので、「マルサス時代」と呼んでもいいかもしれない（その期間がわたしたちの種の存続期間の九九・九パーセントを占めているのだから、「時代」と呼ぶのもおかしなものだが）。

だが一九世紀になると、人類の「大脱出（the Great Escape）」――経済学者のアンガス・ディートンの言葉で、長く続いた貧困、疾病、早すぎる死からの人類の解放を指す――が始まる。平均寿命が延びはじめ、二〇世紀に入ると延長速度も上がり、その勢いが鈍る気配はない。経済歴史学者のヨハン・ノルベリがいうように、「一歳年をとれば一年死に近づく」とわたしたちは思っているが、「二〇世紀のあいだはそうではなく、平均でいうと一歳年をとっても七カ月しか死に近づいていなかった」。興奮を覚えるほどのスピードで、長寿という恵みが人類に広がりつつあり、最貧国でさえ例外ではなく、しかもそちらのほうが豊かな国々より延び率が高い。ノルベリによれば、「ケニア人の寿命は二〇〇三年から二〇一三年までに一〇歳近く延びた。丸々一〇年間生き、愛し、戦ったのに、平均的なケニア人の余命は一年も縮んでいなかった。誰もが死に一歩も近づくことなく、一〇歳年をとったのだ[5]」。

つまり、「大脱出」の当初は、少数の恵まれた国が先に脱出して寿命格差が広がったが、その後他の国々が追い上げ、格差は縮小しつつある。一八〇〇年には平均寿命が四〇歳を超える国はどこにもなかった。一九五〇年には欧米の平均寿命は約六〇歳に達していたが、アフリカやアジアは大きく取り残されていた。だがその後、アジアではヨーロッパの二倍、アフリカでは一・五倍の速さで平均寿命が延びた。今アフリカで生まれる子どもたちは、一九五〇年のアメリカや一九三〇年代のヨーロッパで生まれた人々と同程度の寿命を期待できる。一九九〇年代に猛威をふるったエイズの蔓延がなければ、アフリカの平均寿命はもっと延びていただろう。

[図5―1]からわかるように、アフリカの平均寿命はエイズ蔓延で一時的に下がり、その後の抗レトロウイルス薬の普及により再び上昇に転じた。進歩が、エスカレータ

ーのようにいつでもどこでも着々と上に向かっていくわけではないことが改めてわかる例である。もしエスカレーター式だったら、それは魔法だ。だが実際の進歩は魔法などではなく、問題を解決した結果である。わたしたちは問題を避けて通ることはできない。人類は数々の問題に直面してきたし、時には人類の一部が急激に寿命を縮めることもあった。アフリカのエイズ蔓延もその例だが、一九一八〜一九一九年のスペイン風邪の大流行では世界各地の若い成人の死亡率が急上昇し、二一世紀初頭にも、アメリカの非ヒスパニック系白人労働者階級の中年層がインフルエンザで大勢命を落とした(6)〔新型コロナウイルス感染症（COVID−19）の影響が最終的にどの程度になるかはまだわからないが、二〇二二年春時点の分析によると、二〇二〇年にはほとんどの国で死亡率が上昇して平均寿命が縮んだが、二〇二一年にはさらに縮んだ国と、反転して再び延びはじめた国があるという〕。だが問題は解決できる。西洋諸国のどの国をとっても平均寿命が延びつづけているという事実は、人類の寿命を縮めるような諸問題にも必ず解決策があることの証拠である。

乳幼児死亡率と妊産婦死亡率は著しく低下

平均寿命の延びに最も貢献するのは乳幼児死亡率の低下である。それは一つには子どもが大人より弱いからだが、もう一つには、子どもの死亡と大人の死亡では、前者のほうが大きく平均寿命を下げるからだ。［図5―2］は啓蒙時代以降の乳幼児死亡

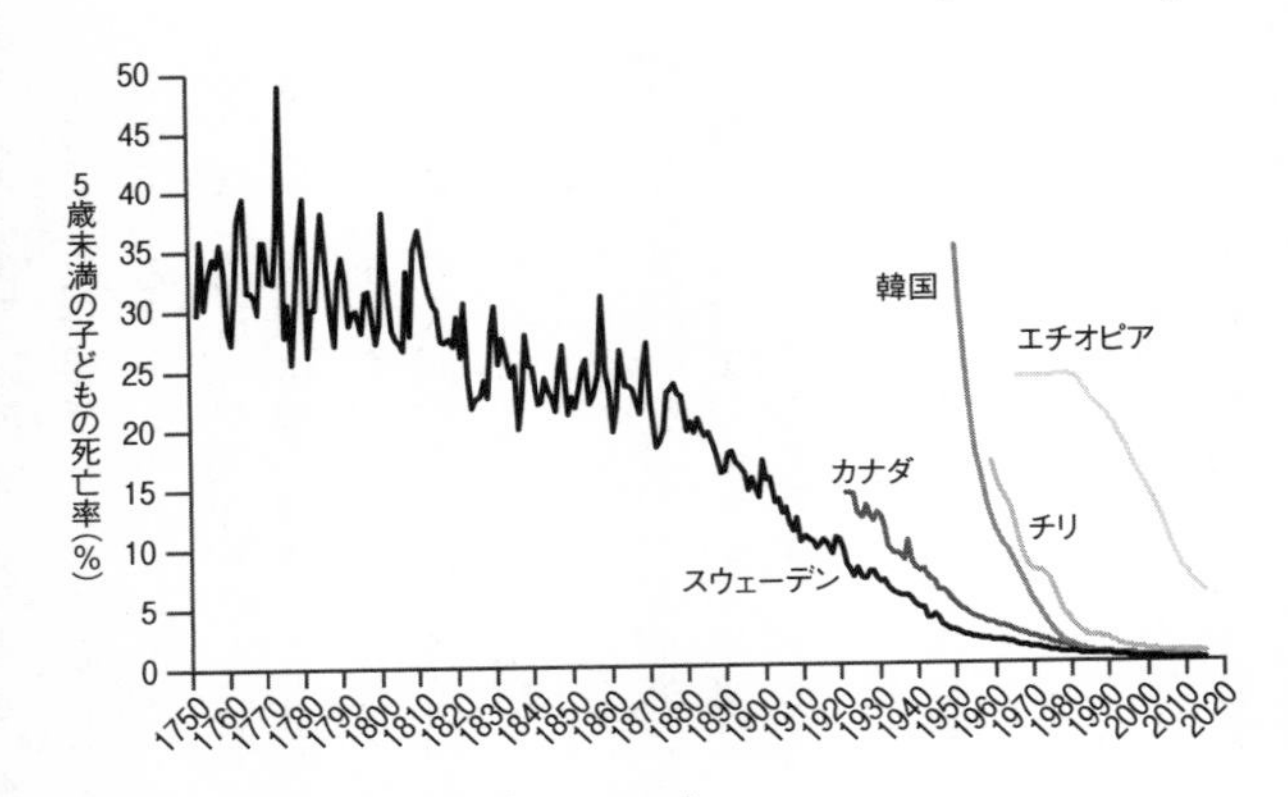

［図5－2］**乳幼児死亡率（1751-2013）**
情報源：*Our World in Data*, Roser 2016a. 国連の子どもの死亡率推計〈http://www.childmortality.org/〉および死亡データベース〈http://www.mortality.org/〉に基づく。

率の推移で、五大陸それぞれのほぼ代表といっていい国々の例である。

縦軸の数値は五歳未満で死亡した子どもの割合で、一九世紀に入ってもなお、しかもスウェーデンのような豊かな国でさえ、乳幼児の四分の一から三分の一が五歳の誕生日を迎えられずに死んでいたことがわかる。その少し前には、半数近くが死亡した年もある。だが人類史上ではむしろこのあたりの数字が普通だったようで、狩猟採集民の子どもは生まれて一年以内に五分の一が、成人になるまでにほぼ半数が命を落とす。[7]一九世紀末までグラフが激しく上下しているが、これはデータのノイズだけではなく、人生が危険に満ちていたことを反映している。伝染病、戦争、あるいは飢饉で、誰がいつ命を落としてもおかしくなかった。富裕層も例外ではなく、投資家として成功を収めたチャールズ・ダーウィンも二人の子どもを幼いうちに、愛娘の長女アニーを一〇歳のときに亡くしている。

ところがその後、急激な変化が表れた。先進国の乳幼児死亡率がおよそ一〇〇分の一になって一パーセントを切り、その後世界の他の地域でも同様の急低下が見られた。ディートンも二〇一三年に「現在の乳幼児・小児死亡率が一九五〇年より低くなっていない国など、世界中のどこにもない」[8]と指摘した。サハラ以南のアフリカでも、乳幼児死亡率が一九六〇年代の二五パーセント前後から、二〇一五年の一〇パーセント未満へと下がり、世界全体では一八パーセントから四パーセントに下がった。四パーセントでもまだ高いとはいえ、今のような健康増進策が世界中で続けられれば、さらに下がることは間違いない。

こうした数字の裏に二つの事実があることを心にとめてほしい。一つは人口問題で、子どもの死亡率が低下すると、人々は以前ほど多くの子どもを望まなくなる。家族の人数が減ってしまわないようにリスクヘッジをとる必要がなくなるからだ。アメリカでは一時、子どもの命を救うことは「人口爆弾」〔ポール・エーリックの著書のタイトル。第七章に説明がある〕に火をつけるだけではないかという懸念が高まった（一九六〇～一九七〇年代に見られた環境大パニックで、発展途上国の保健活動レベルを下げろという声まで上がった）[9]。だが実際には、

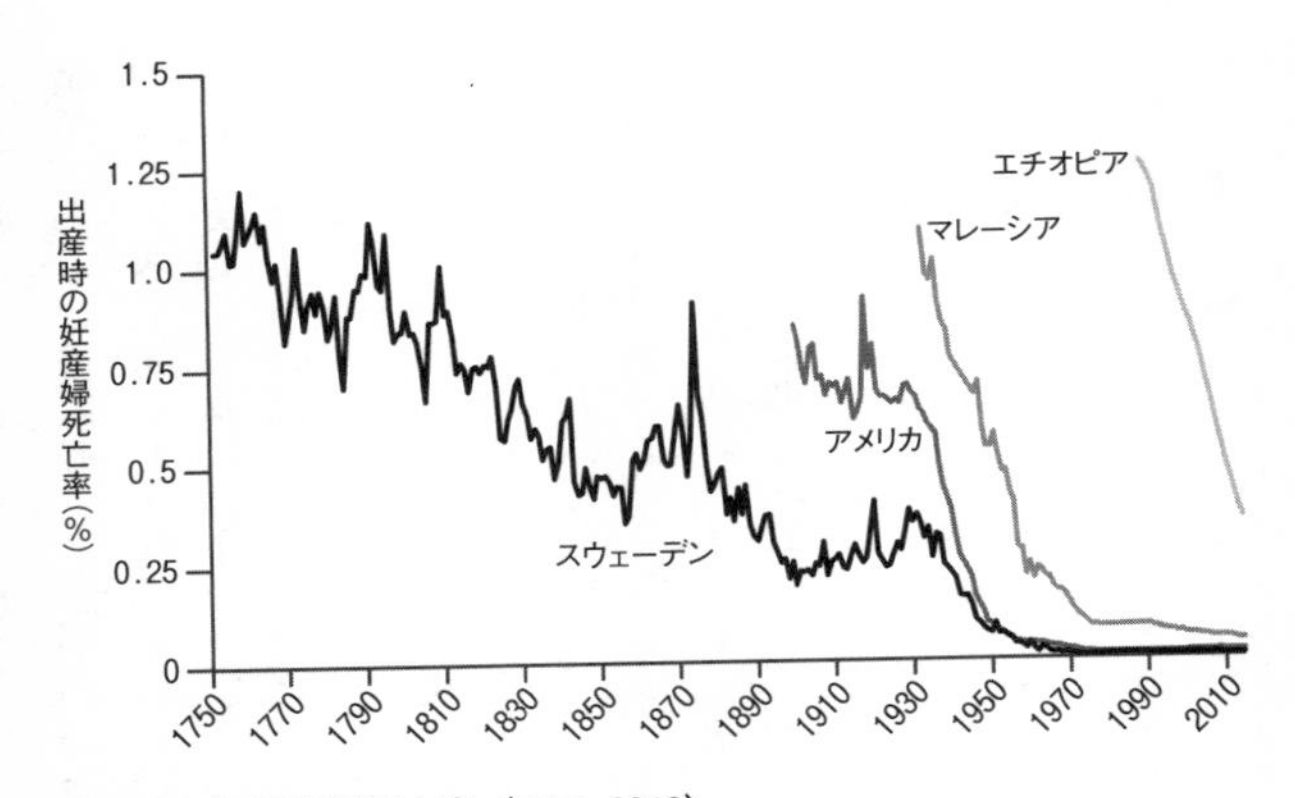

［図 5－3］ **妊産婦死亡率（1751-2013）**
情報源：*Our World in Data*, Roser 2016p. 一部は*Gapminder*のクラウディア・ハンソンのデータ〈http://gapminder.org/data/documentation/gd010〉に基づく。

乳幼児死亡率の低下によって人口爆弾から信管が取り除かれたのだった。

もう一つは個人に関することで、人間にとって子どもを失うことほどつらい出来事はないという事実である。どういう悲しみか想像してみてほしい。そしてそれを四〇〇万人分想像できるかどうかやってみてほしい。それが、一五年前との比較で考えた場合の、「昨年一年間に助かった乳幼児の人数」である（昨年の乳幼児死亡率がもし一五年前のレベルだったとしたら、実際の死亡者数より四〇〇万人も多くの乳幼児が死亡していた計算になる）。もう一度いうが、乳幼児死亡率の低下が始まって以来、その数値はおよそ一〇〇分の一、いや二〇〇分の一近くまで下がった。

つまり［図5—2］は人類の勝利のグラフであり、わたしたちにはとうてい想像がつかないほどの幸せを示すグラフだということだ。

無慈悲な自然に対する人類の勝利で、同じく認知度の低いものがもう一つある。妊産婦死亡率の低下である。〝慈悲深き〟ヘブライの神は、人類最初の女性にこういった。「おまえのはらみの苦しみを大きなものにする。おまえは、苦しんで子を産む」〔旧約聖書、新共同訳〕。最近まで、妊産婦の約一パーセントが出産で命を落としていた。一世紀前のアメリカでは、妊娠の危険度は今日において乳癌を患うのと同じくらいだった。[10]［図5—3］は各地域を代表する四カ国の、一七五一年以降の妊産婦死亡率の推移である。

ヨーロッパの例でいうと、妊産婦死亡率は一八世紀後半の一・二パーセントから現在の〇・〇〇四パーセントへと、三〇〇分の一にまで減少している。他の地域もこれに続いた。最貧国は追随が遅れたものの、その分短期間で急降下している。世界全体ではこの二五年間でほぼ半減し、現在約〇・二パーセントである。これは一九四一年のスウェーデンの数値に匹敵する。[11]

長生きする人も増加、健康寿命も延びている

　ところで、ここで首をかしげる人もいるだろう。乳幼児死亡率の低下で［図5―1］の寿命の延長がすべて説明できてしまうのではないか。だとしたら乳幼児期を生き残る人数が増えただけで、わたしたちが本当に長寿になったとはいえないのではないかと。そもそも、一九世紀以前の人の平均寿命が三〇歳前後だったからといって、誰もが三〇歳の誕生日に死んだわけではない。幼くして死亡する例が多いことで、長寿の人がいてもその分が帳消しになっていたということであって、当然のことながらどの時代にも、どの社会にも、長生きする人はいた。聖書の時代にも人生七〇年といわれていたし、ソクラテスも紀元前三九九年にちょうど七〇歳で死んだ。しかも彼の場合は自然死ではなく毒杯をあおったのだから、もっと長生きできたかもしれない。狩猟採集民族も同じことで、ほとんどの部族に七〇代がたくさんいるし、八〇代さえいる。たとえばタンザニアのハッザ族の女性の場合、出生時の平均余命は三二・五年だが、四五歳まで生き延びられれば長寿が期待でき、その時点での平均余命は二一年である。[12]

　だとしたら、乳幼児期と出産という二つの試練を乗り越えた人々だけで比べた場合、

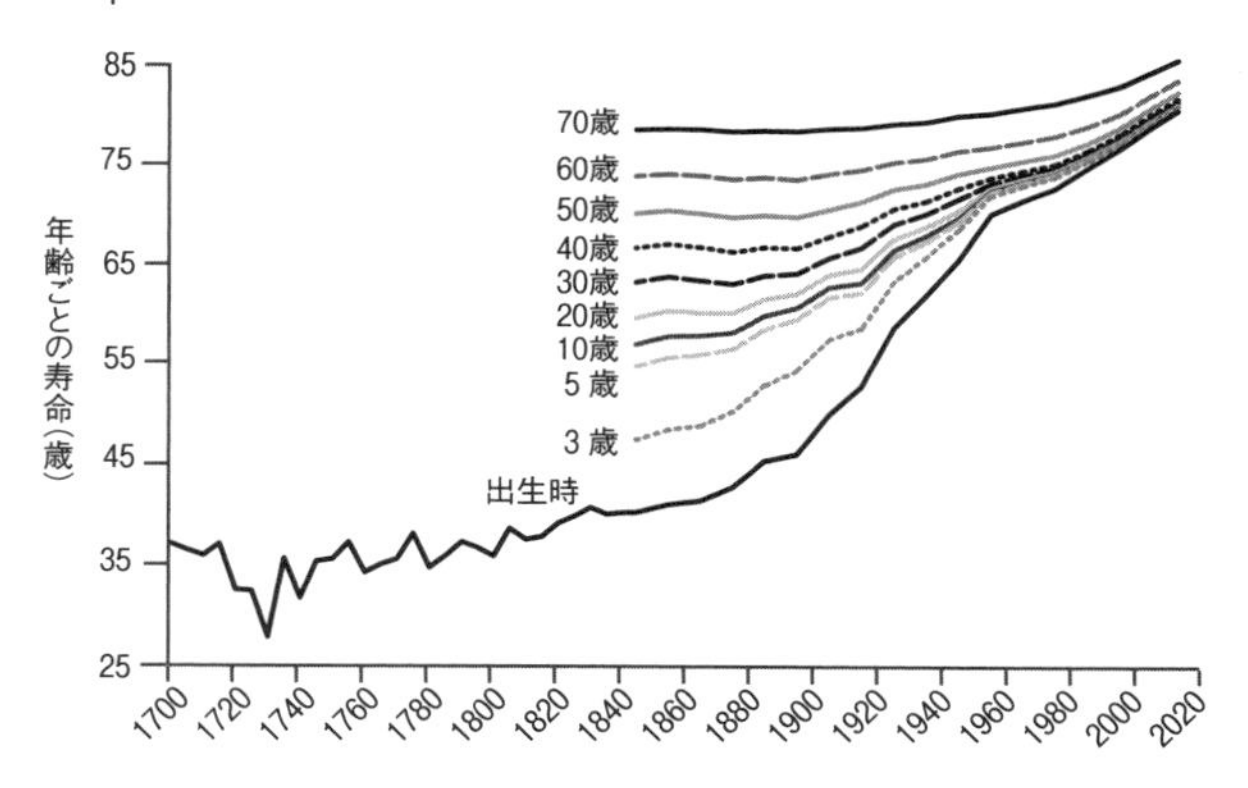

［図５－４］ イギリス人の平均余命（1701-2013）
情報源：*Our World in Data*, Roser 2016n. 1845年まではイングランドとウェールズのデータで、OECD Clio Infra, van Zanden et al, 2014に、1845年以降は10年ごとに最後の桁が５の年のデータをつないだもので、死亡データベース〈http://www.mortality.org/〉に基づく。

現在のわたしたちは過去の人々より長寿になったとはいえないのでは？　そういう疑問も浮かぶだろう。しかしながら、そんなことはない。現代人は昔の人より長く生きられる。［図５―４］は、過去三世紀にわたるイギリス人の平均余命の推移を年齢別にグラフ化したものだ。

あなたが今何歳でも、あなたの余命は数十年前や数百年前の同い年の人より長い。最初の危険な一年を生き延びたイギリスの乳児は、一八四五年には四七歳まで生きると考えられたが、それが一九〇五年には五七歳、一九五五年には七二歳、二〇一一年には八一歳と延びてきた。同様に三〇歳のイギリス人は、一八四五年にはあと三三年生きると考えられたが、それが一九〇五年に三六年、一九五五年に四三年、二〇一一年に五二年と延びた。もしソクラテスが一九〇五年に七〇歳で釈放されたとしたら、あと九年生きられたかもしれないし、それが一九五五年だったらあと一〇年生きられたかもしれず、さらに二〇一一年だったらあとまだ一六年も生きられると期待できたことになる。グラフには入っていないが、八〇歳のイギリス人の平均余命は一八四五年では五年、二〇一一年には九年になっていた。

世界の他の地域でも、イギリスより年数が少ないとはいえ（今のところは）、同じような傾向が見られる。たとえば一〇歳のエチオピア人は、一九五〇年には四四歳まで生きると考えられたが、今日では六一歳まで期待できる。経済学者のスティーヴン・ラデレットはこう指摘する。「この数十年で世界の低所得層の健康状態が大幅に、広範囲に改善されたことは、人類史上最大の偉業の一つである。世界中のこれほど多くの人々の基本的福祉が、これほど大幅かつ迅速に改善されたことはかつてなかった。ところが、ほとんどの人はこのことに気づいてさえいない」[13]

さて、もう一つ疑問が浮かぶとしたら、寿命が延びたといっても結局はその年月、心身が衰えた状態でロッキングチェアに揺られて過ごすだけではないかというものだろう。だがこれに対しても、そんなことはないと答えられる。もちろん長寿になればなるほど老年期が長くなるわけで、体のあちこちに痛みやうずきを抱えて生きることになるのはしかたがない。だが寿命が延びた体、つまり以前より生死に関わる一撃に抵抗できるようになった体は、死に至らない病気、怪我、消耗といった諸問題に対しても抵抗力がついている。実際、寿命の延長に伴って、延びた分全部とまではいかないものの、健康に過ごせる期間も延びている。

その度合いについては、「世界の疾病負担研究プロジェクト（the Global Burden of Disease）」という大規模な健康調査プロジェクトが測定を試みていて、二九一の病気や傷害について、死者数のみならず、それが健康な生活を送れる長さに何年分の影響を与えているかを、重篤度の重みづけによって調整を行ったうえではじき出している。たとえば一九九〇年には、世界の平均寿命が六四・五歳だったのに対して、健康寿命は五六・八歳だったと推測されている。そして、二〇一〇年の数値予測ができている先進国については、この二〇年間で平均寿命が四・七年延びたうちの三・八年は健康寿命に相当することがわかっている[14]。

これらの数字から、今生きているわたしたちは、祖先の寿命（健康な期間と健康ではない期間の合計）よりもはるかに長く元気に暮らせることがわかる。寿命が延びるとともに多くの人が心配している認知症についても朗報がある。二〇〇〇年と二〇一二年を比べると、アメリカの六五歳以上の認知症発症率は二五パーセント減少し、認知症と診断される平均年齢も八〇・七歳から八二・四歳へと上がっている[15]。

朗報はもう一つある。ギリシャ神話においては、寿命は運命の三女神がそれぞれ紡ぎ、測り、断ち切るといわれたが、［図5―4］のグラフの線はそのような類いのものではない。これらの線は今日の人口動態統計から計算された確かなものであり、しかも医学知識が現在の水準のまま変わらないという控えめな前提に立っている。医学水準がもう上がらないとは誰も思っていないが、未来が正確に予知できない以上、前提はこうするしかない。ということは、あなたはこのグラフの数値よりも長く――それもかなり長く――生きられると思っていいわけだ。

寿命が延びることに文句をつける人たち

しかし人間は何にでも文句をつけたがる。二〇〇一年にジョージ・W・ブッシュは、長寿と健康を約束する生物医学の進歩によって危機が迫っているとして、これに対処する目的で大統領生命倫理諮問委員会を設立した。[16] 委員長に任命されたのは有識者としても名の知られた医師のレオン・カスだが、このカスは、「若々しく長生きしたいと望むのは幼稚でナルシシスティックな願望で、子孫への献身と相容れない」、また他の人に与えられるかもしれない年月を自分のものにして生きるなど、意味のないことだと主張した（「プロのテニスプレーヤーがあと二五パーセント多く試合に臨めるとして、そんなことを本当に喜ぶだろうか?」とカスは問う)。だが多くの人はそうしたいと望むだろうし、「死があるから生に意味がある」という彼の言い分はもっともだとしても、長寿と不死を混同していいわけはない。[17]

一方、専門家が主張する寿命の限界が再三塗り替えられてきたという事実があるので(発表後平均五年で覆されている)[18]、もしかしたら寿命はこのまま無限に延びつづけ、いずれ死の束縛から自由になるのではと思う人がいてもおかしくない。だとしたらわたしたちは、数百歳の古風きわまりない老人たちに支配され、その集団が九〇代の〝生意気な連中〟のイノベーションに抵抗したり、うるさいからと子どもをもつことを禁じたりする、そんな世界になってしまわないかと案じるべきなのだろうか?

多くのシリコンバレーの夢想家たちが、そういう世界を現実のものにしようとしている。[19]彼らが資金を投じている数々の研究所は、病を一つずつ克服して寿命を延ばすのではなく、老化のプロセスを解析して、わたしたちの細胞を老化という〝バグ〟のないものにすることを目指している。そして最終的には、人間の寿命をあと五〇年、いや一〇〇年、場合によっては一〇〇〇年延ばしたいと考えている。発明家のレイ・カーツワイルは、二〇〇六年のベストセラー『ポスト・ヒューマン誕生』(井上健ほか訳、NHK出版)のなかで、二〇四五年まで生き延びた人は、そのあと永遠に生きつづけるだろうとまでいっている。なぜなら遺伝学、ナノテクノロジー(血流中を動きまわって内部から人体を修復するナノロボットなど)、AIが進歩するからで、そのAIはこれをどうやって実現するか考え出すばかりか、自分自身を際限なく改良しつづけるという。

一方、医学情報に目を通すような心配性の人々には、不死の可能性はまたずいぶんと違って見えるだろう。喜ばしい前進が見られるのは確かで、たとえば癌による死亡率は、過去二五年間、毎年ほぼ一パーセントずつ減ってきていて、アメリカだけでも一〇〇万人の命が救われた。[20] しかしながら、特効薬といわれるものが実は気休めにしかならなかったり、期待した治療法の副作用が病気そのものよりひどかったり、大々的にもてはやされた効用がメタ分析の結果否定されたりと、失望させられることが多いのも事実である。つまり今日でも、医学の進歩はカーツワイル式というよりギリシャ神話のシーシュポスに近い。

はたして科学者は不死の薬を見つけられるのか? 予言は別として、これは誰にもわからない。しかし進化とエントロピーから考えるなら、見つかるとは思えない。体の組織のどの階層においても、老化はゲノムに織り込み済みであり、それは自然淘汰が「できるだけ長生きさせる遺伝子」よりも「若いときを頑健にする遺伝子」を好むからだ。そしてその理由は時間の非対称性にある。いくら老いない体をつくっても、落雷や地滑りなどの思いがけない災難で命を落とす可能性をゼロにすることはできず、となるとエネルギーの大半を長寿に注ぎ込むような遺伝子には実質的なメリットがないことになる。しかも不死に挑戦するには、何千もの遺伝子や分子経路を――個々の寿命への影響は小さいうえに不確かなのに――いじってプログラムを書き換える必要がある[21]。

また、たとえ「生物学的ハードウェア」をいったん完璧に調整できたとしても、エントロピーがそれを劣化させていくのは止められない。物理学者のピーター・ホフマンも「生命は生死をかけて生物学を物理学と闘わせる」といっている。激しく運動する分子は細胞内のさまざまな構造と絶えず衝突していて、エラー修正と損傷修復でエントロピーに抵抗しようとしている構造も、そうした衝突を免れない。そしてさまざまな修復システムへのダメージが積み重なれば、細胞崩壊のリスクは指数関数的に増大し、たとえ生物医学の力で癌や臓器障害といった恒常的リスクへの防御はできたとしても、遅かれ早かれ負かされてしまうことに変わりはない[22]。

結局のところ、数世紀にわたる死との闘いの成果は何だと訊かれたら、スタインの法則〔経済学者ハーバート・スタインの言葉〕の修正版で答えるのがせいぜいだとわたしは思う。スタインの法則は「永遠に続けることができないものはいつか終わる」だが、それに修正を加えたデイヴィスの推定というものがある〔経済系ブロガー、ダニエル・デイヴィスの言葉〕。いわく「永遠に続けることができないものも、思ったより長く続くことがある」。

第六章 健康の改善と医学の進歩

医学の進歩が一つずつ問題を解決してきた

一八世紀末以降、長寿の恵みを受ける人が増えつづけてきたことをどう説明したらいいだろうか。その答えのヒントはタイミングにある。アンガス・ディートンは『大脱出』でこう書いている。「啓蒙主義時代に、人々が権力に反抗し、生活改善のために理性の力を使うようになって以来、彼らはそのための手段を見出してきたので、これからも死の脅威に対して勝利を収めつづけることはまず間違いないだろう」[1]。前章で紹介した寿命の延びは、そうした脅威——疾病、飢餓、戦争、殺人、事故など——に打ち勝って人類が手にした戦利品にほかならない。本章以降でそれらを個別に論じていく。

人類史の大半において、最大の脅威は感染症だった。質(たち)の悪い進化とでもいいたくなるが、微小で増殖率が高く、進化も速い生物が宿主の体を食いものにし、昆虫や他の微生物、宿主の分泌物や排泄物などを利用して体から体へと乗り移っていく。伝染病ともなると何百万という単位で人命を奪い、文明を丸ごと消滅させたり、ある地域の人口を激減させたりしてきた。ここでは一例を挙げるにとどめるが、たとえば蚊が媒介する黄熱病は、黄疸で皮膚が黄色くなってから悶え死にするのでこの名がつけられ、一八七八年にメンフィスで大流行したときはこんな様子だった。「病人の多くは身をよじって暗い隅にもぐり込んでいて、後から腐敗臭でようやく遺体が発見されるという始末だった。（中略）母親はベッドの上で大の字になって死んでいて……コーヒー色の吐瀉物があたり一面に飛び散っていた。床の上では子どもたちがうめきながらのたうちまわっていた[2]」

富裕層も例外ではなく、一八三六年には、当時世界一の富豪だったネイサン・メイアー・ロスチャイルドが細菌感染による膿瘍で死亡している。権力者も同様で、英国王も赤痢、天然痘、肺炎、腸チフス、結核、マラリアなどで命を落としている。アメリカ大統領も犠牲になっていて、ウィリアム・ヘンリー・ハリソンは一八四一年の就任後ほどなく体調を崩し、三一日後に敗血性ショックで死亡。ジェームズ・ポークも一八四九年の退任後三カ月でコレラに罹って死亡した。もっと新しい例では、一九二四年に当時の大統領、カルビン・クーリッジの一六歳の息子が、テニスをしていて感染した発疹症で死亡している。

創造力豊かなホモ・サピエンスは、長いあいだ祈禱、生贄、瀉血、吸角法〔ガラス容器で皮膚を吸引する民間療法〕、有毒金属〔梅毒治療に使われた水銀軟膏など〕、ホメオパシー、あるいは患部に雌鶏を押し当てて絞め殺すといった方法で病と闘ってきた。だが一八世紀末のワクチンの発明をきっかけに、また一九世紀の細菌学の進展に後押しされて、闘いの形勢が変わりはじめた。手洗いの習慣、助産術、蚊の駆除、とりわけ公共下水道の整備と塩素殺菌による飲料水の保護に力を入れたことで、何十億人もの命が救われることになった。なにしろ二〇世紀になるまで、都市は糞便の山だらけ、周辺の川も湖もごみでどろどろで、住民は悪臭を放つ茶色い水を飲み、そこで洗濯していたのだから。(3)

疫学の父とされるジョン・スノー（一八一三―一八五八）が、ロンドンのコレラ患者の感染経路――下水の下流にある取水管から飲み水をとっていた――を突きとめるまでは、伝染病は瘴気、つまり悪臭に満ちた気体のせいだと考えられていた。また、イグナーツ・ゼンメルワイス（一八一八―一八六五）とジョゼフ・リスター（一八二七―一九一二）のおかげで医師が手や医療器具を消毒するようになるまでは、医師自身が感染の元凶になっていた。なにしろ解剖のあとで〔家庭医も解剖をすることがあった〕血や膿がこびりついた黒いコートを羽織ったまま診察室にやってきて、手も洗わずに患者の傷を調べ、ボタン穴に引っかけておいた糸で縫合していたのである。だが消毒法、麻酔法、輸血法の進歩によって、それまで拷問同然、あるいはただ手足を切断するしかなかった手術も治療らしいものになり、抗生物質、血清療法、その他数えきれないほどの医学の進歩によって、感染症を食い止めることもできるようになった。

疾病制圧の功労者たちを忘れてはならない

忘恩は七つの大罪には入っていないが、ダンテは「忘恩の裏切り」を地獄の最下層の第九圏に値する罪とした。ということは、疾病制圧の功労者たちを忘れてしまった罪で、一九六〇年代以降のインテリ文化は地獄の第九圏に送り込まれるかもしれない。それ以前は、たとえばわたしが子どものころには、エドワード・ジェンナー、ルイ・パスツール、ジョセフ・リスター、フレデリック・バンティング、チャールズ・ベスト、ウィリアム・オスラー、アレクサンダー・フレミングといった医療の先駆者たちがヒーローで、子ども向けの彼らの伝記は広く読まれていた。

ポリオワクチンを開発したジョナス・ソークも、当時の人々から大いに称えられた。ポリオは年間数千人の死者を出していた感染症で、フランクリン・ルーズベルトが車椅子生活を強いられたのも、多くの子どもたちが「鉄の肺」と呼ばれる大きな人工呼吸装置に入らざるをえなかったのも、これが原因である。

発見の歴史に関するリチャード・カーターの著書によれば、一九五五年四月一二日、科学者チームがソークのワクチンの安全性が確認されたと発表したこの日、「人々はしばし黙禱を捧げたあと、いっせいに鐘やクラクションを鳴らし、工場はサイレンを鳴らし、祝砲を撃ち（中略）そこで仕事を切り上げ、学校を休校にし、あるいは集まって祝杯を上げ、子どもたちを抱きしめ、教会へ行き、見知らぬ人にも微笑みかけ、敵を許した」(4)。ニューヨーク市はソークを称えるために紙吹雪のパレードまでやろうとしたが、これは本人が丁重に辞退した。

ところが今はどうだろう。最近カール・ラントシュタイナーのことを考えた人がどれほどいるだろうか。カールって誰？——ABO式の血液型を発見し、一〇億人の命を救った病理学者だ。忘れてしまったのは、救われたのがたった一〇億人だから？だとしたら次の人々もとっくに忘れられているのだろう。

【科学者】	【発明・開発】	【救われた命】
アベル・ウォルマン（一八九二―一九八九）と リン・エンスロー（一八九一―一九五七）	水道水の塩素処理	一億七七〇〇万人
ウィリアム・フォージ（一九三六―　）	天然痘撲滅戦略	一億三一〇〇万人
モーリス・ハイルマン（一九一九―二〇〇五）	八種類のワクチン	一億二九〇〇万人
ジョン・エンダース（一八九七―一九八五）	麻疹ワクチン	一億二〇〇〇万人
ハワード・フローリー（一八九八―一九六八）	ペニシリン	八二〇〇万人
ガストン・ラモン（一八八六―一九六三）	ジフテリアと破傷風のワクチン	六〇〇〇万人
デイヴィッド・ナリン（一九四一―　）	経口補水療法	五四〇〇万人
パウル・エールリヒ（一八五四―一九一五）	ジフテリアと破傷風の血清	四二〇〇万人
アンドレアス・グルンツィッヒ（一九三九―八五）	血管形成術	一五〇〇万人
グレース・エルダリング（一九〇〇―八八）と パール・ケンドリック（一八九〇―一九八〇）	百日咳ワクチン	一四〇〇万人
ガートルード・エリオン（一九一八―九九）	合理的な薬物の設計法	五〇〇万人

ある研究グループがこうした数字をそれぞれ控えめに見積もったうえで集計したところ、わずか一〇〇人ほどの科学者の功績によって（これまでだけですでに）五〇億人を上回る人々の命が救われたことがわかった。[5] もちろん一〇〇人といっても実際は違う。いうまでもないことだが、科学というのはたった一人のヒーローが成し遂げるものではない。科学者たちは「巨人の肩の上に立ち」〔ニュートンの言葉。巨人は先人・先行研究のこと〕、チームで力を合わせ、人知れず努力を重ね、また世界中と情報をやりとりして仕事をまとめ上げていく。ということで、無視されているのが科学者なのか科学そのものなのかわからないが、それはさておくとしても、人生をより良いものに変えたこれらの発明を顧みないということは、その結果である現在のわたしたちの状況をまったく評価していないことになる。

さてここで、かつて動詞の過去形について丸々一冊の本を書いた心理言語学者として、[6] 英語史上のお気に入りの英文を一つ紹介させてもらいたい。ウィキペディアの「天然痘」の冒頭の一文だ。

天然痘とは、大痘瘡（とうそう）と小痘瘡の二種類のウイルス変種のどちらかによって引き起こされる感染症のことだった。

そう、「感染症のことだった」と過去形になっている。痛みを伴う膿疱が患者の皮膚、口、目を覆うことから疱瘡（ほうそう）〔天然痘の別称〕とも呼ばれ、二〇世紀だけでも三億人以上の命を奪ったこの感染症は、すでに根絶された（一九七七年にソマリアで報告された例が最後）。この画期的な勝利の貢献者としてわたしたちがとりわけ感謝すべきなのは、一七九六年に初めて天然痘の予防接種を成功させたエドワード・ジェンナーと、一九五九年に天然痘根絶という壮大な目標を掲げた世界保健機関（WHO）と、そのための効果的な撲滅戦略――感染予備軍と考えられる人々に狙いを定めて種痘を行う封じ込め作戦――を考案したウィリアム・フォージである。経済学者のチャールズ・ケニーは『ゲッティング・ベター』のなかでこう述べている。

一〇年間でこの計画にかかった総費用はおよそ三億一二〇〇万ドルで、感染国の国民一人当たり三二セント程度と考えられる。つまりこの根絶計画の費用は、最近のハリウッドのヒット作の製作費でいえば五本分、B-2ステルス爆撃機の価格でいえば片翼分、近年の大規模なボストン道路整備計画「ビッグ・ディグ」でいえば総コストの一〇分の一に満たない。もちろんボストンのウォーターフロントの景観は一新されたし、ステルス爆撃機のシルエットには目を瞠るし、『パイレーツ・オブ・カリビアン』のキーラ・ナイトレイや『キングコング』の巨大ゴリラの演技力には感動するが、それでもなお、これらに比べてこの根絶計画はずいぶん安上がりではないだろうか。[7]

ボストンのウォーターフロントに住んでいるわたしも、この意見には同意せざるをえない。しかも天然痘根絶は第一歩にすぎなかった。牛疫（家畜の伝染病）もウィキペディアの説明がすでに過去形になっているが、これははるか昔から家畜を全滅させることで無数の人々を飢餓に追い込んだ伝染病である。ほかにも、発展途上国で悲劇の源になってきた感染症で、すでに根絶の目途が立っているものが四グループある。

まずポリオは、「世界ポリオ撲滅推進活動」が目標達成まであと一歩というところまで来ている。二〇一六年までに三カ国（アフガニスタン、パキスタン、ナイジェリア）に絞り込まれ、発症例も三七件と、史上最も低くなり、二〇一七年はさらに減少したものと考えられる。[8] 残念ながら、ポリオワクチンを開発したジョナス・ソークは、こうした状況を見ることなくこの世を去った。

ギニア虫症も同様である。ギニア虫は体長が一メートル近くにもなる寄生虫で、人の体内で受精してから下肢に移動し、そこで痛みを伴う水疱を形成する。患者が痛みを和らげようと足を水に浸すと、破れた水疱から何千もの幼虫が水中に放出される。

するとその水を飲んだ人の体内でまたギニア虫が成長し……という悪循環が生じる。治すには数日から数週間かけてギニア虫を引っ張り出すしかない。しかしながら、三〇年に及ぶカーターセンターの教育キャンペーンと水処理のおかげで、一九八六年に二一カ国三五〇万例もあった症例数が、二〇一六年にはわずか三カ国二五例にまで減少した（二〇一七年の第一・四半期には一カ国三例しか報告されていない[9]）。

象皮病、河川盲目症、そして失明に至るトラコーマは病名どおりの悲惨な症状を伴うが、これらにも進展が見られ、二〇三〇年までには過去形で語れるようになるかもしれない〔象皮病および河川盲目症に効果ある抗寄生虫薬を発見・開発した大村智は、二〇一五年のノーベル生理学・医学賞を受賞した〕。さらに麻疹（はしか）、風疹、フランベジア〔イチゴ腫。人から人へ接触により感染。皮膚や軟骨、骨を冒す。抗生物質で治療〕、アフリカ睡眠病〔ツエツエバエが媒介する原虫の寄生が原因。強い頭痛と眠気が生じる。抗寄生虫薬で治療〕、鉤虫症（おうちゅうしょう）〔寄生虫の幼虫を含む糞便の接触で罹る。鉄欠乏性貧血を起こす〕もすでに根絶が視野に入ってきている[10]（これらが根絶される日に、その偉業を称えて人々がしばし黙禱を捧げ、鐘やクラクションを鳴らし、見知らぬ人に微笑みかけ、敵を許す、などということになるだろうか？）。

今も感染症根絶の努力が続けられている

そのほかにも、根絶には至っていないが、患者数が大幅に減少している感染症がある。たとえばマラリアは、過去においては人口の半分の命を奪ったこともある恐ろしい感染症だが、二〇〇〇年から二〇一五年までに死亡数が六〇パーセントも減少した。WHOは二〇三〇年までにさらに九〇パーセント減らし、現在流行している九七の国のうちの三五カ国で排除しようと計画している（アメリカでもかつては流行していたが、撲滅作戦により一九五一年に排除された）[11]。ビル＆メリンダ・ゲイツ財団もマラリア根絶を目標の一つに掲げている[12]。第五章で紹介したエイズも同様で、一九九〇年代にはアフリカで多くの死者を出し、寿命延長という人類の進歩を阻む要因となっていた。だがその後の一〇年で状況が変わり、世界全体でのエイズによる子どもの死亡率が半減し、二〇一六年には国連が「二〇三〇年までの流行の終息」（必ずしもウイルスの根絶を意味しない）に向けて対策強化を宣言した[13]。

次ページの［図6―1］は、二〇〇〇年から二〇一三年までの世界五大感染症による乳幼児死亡数の推移である。このように全体的に大幅な減少傾向が見られ、合計すると、一九九〇年以降の感染症コントロールによって一億人以上の子どもの命が救われたことになる[14]。

ほかにも意欲的な計画が進行中だ。現時点で最も意欲的といえるのは、経済学者のディーン・ジャミソンとローレンス・サマーズが率いる国際的な専門家チームが提示した「グローバルヘルス二〇三五」だろう。これは二〇三五年までにグランド・コン

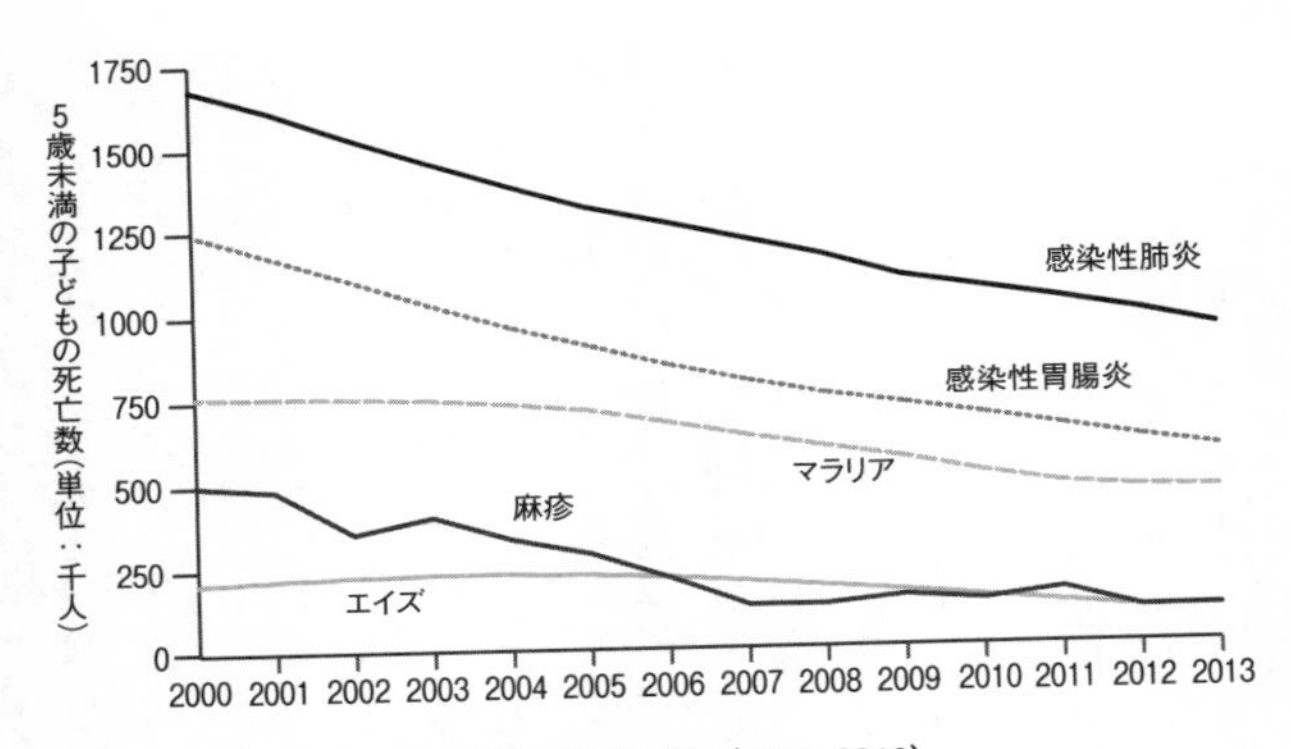

［図6－1］**感染症による乳幼児死亡数（2000–2013）**
情報源：WHOのChild Health Epidemiology Reference Group（CHERG）〔低・中所得国の14の出生コホート〕のデータ、Liu et al. 2014の別表。

バージェンス〔全世界的に感染症死亡率を最低水準に近づけようという「大収束」〕を実現するためのロードマップで、具体的には世界の感染症による母子の死亡率を、現在の中所得国で最も健康状態のいい国のレベルまで下げることを目標としている(15)。

欧米諸国における感染症克服は見事なものだったが、発展途上国で今まさに進行中の努力と成果にはもっと驚かされる。その成果は、一つには経済発展で説明できる（第八章）。つまり国が豊かになればなるほど、その国民は健康になれる。そしてもう一つ、共感の輪の広がりでも説明できる。だからこそ、ビル・ゲイツ、ジミー・カーター、ビル・クリントンといった世界的なリーダーが、自分たちが後世に遺すべきは、近くに建てるガラス張りのビルではなく、遠く離れた国の貧しい人々の健康だと思ったのだから。アフリカの数百万人の命を救ったジョージ・W・ブッシュのエイズ救済計画は、最も手厳しい政敵からも称賛された。

しかしながら、最大の貢献者は科学である。ディートンも「鍵は知識にある。所得ももちろん幸福の一要素として重要だが（中略）幸福の最大要因ではない」[16]といっている。科学のおかげで、わたしたちはワクチン、抗生物質、抗レトロウイルス薬、駆虫薬といった最先端の医薬品を手に入れた。だがそれだけではなく、科学は知識という重要な成果も生んでいる。知識のなかにはほとんど金をかけずに実行できるものや、あとから考えるとばかばかしいほど当たり前のものもあるが、それが数百万人を救う。たとえば煮沸、濾過、水道水の塩素消毒、手洗い、妊婦への葉酸サプリの摂取推奨、母乳育児や幼児を抱擁すること、野原や道や川ではなくトイレで用を足すこと、子どもは殺虫剤を染み込ませた蚊帳のなかで寝かせること、下痢にはきれいな水に食塩と砂糖を溶かした経口補水液で対処すること、といった知恵である。

その逆に、間違った知識に頼ると進歩するどころか退歩してしまう。たとえばタリバンやボコ・ハラムが広めた「ワクチンはイスラム教徒の女性を不妊にするためのものだ」という陰謀説や、裕福なアメリカの活動家たちが広めた「ワクチンは自閉症を引き起こす」といった説である。ディートンがいうように、人々が不健康をしかたのないものとして受け入れ、制度や規範の変更で健康が増進されるとは夢にも思っていないような地域においては、「知識によってわたしたちの暮らしはより良いものになりうる」という啓蒙主義の根幹さえ知られておらず、むしろ驚くべきことと受けとめられるのかもしれない。[17]

第七章

人口が増えても食糧事情は改善

飢餓は長いあいだ当たり前の出来事だった

進化とエントロピーはわたしたちに対して数々の罠をしかけている。老化、出産、病原菌もそうだが、「わたしたちが常にエネルギーを必要とすること」も罠の一つである。長いあいだ飢えは人間のありようの一部であり、人類はいつも飢餓とともにあった。旧約聖書はエジプトの七年間の大飢饉について語っているし、新約聖書のヨハネの黙示録に記された四騎士の一人は飢饉の象徴である。一九世紀になってもなお、それも比較的恵まれた地域でさえ、穀物の不作で予期せぬ悲劇に見舞われることがあった。ヨハン・ノルベリは、彼の祖先も経験した一八六八年冬のスウェーデンでの出来事を、同時代の人が子どものころの思い出として記した文章を著書に引用している。

母はよくひとりで泣いていた。子どもたちが腹を空かせているのに何も食卓に出してやれないのは、母親にとってさぞかしつらいことだったろう。痩せこけた子どもたちが、パンのひとかけらでももらえないかと農家の戸を叩いて回る姿がよく見かけられた。ある日うちにも三人の子どもがやってきて、お腹が空いて死にそうなので何かもらえませんかと泣いて訴えた。母は顔を歪め、目に涙をためながらも、うちにもパンがほんの数かけらあるだけで、わたしたち家族もそれしか食べるものがないからと断った。だがわたしたち子どもは、その三人のよその子が目で訴えてくる苦しみを見て、耐えきれずに泣きだし、うちにあるパン切れをこの子たちにあげてと母に泣きついた。母は困った顔をしていたが、それでもわたしたちの願いを聞き入れた。三人はパン切れを貪るように呑み込むと、すぐ次の家——うちからかなり離れたところにある隣家——へと向かった。翌日、その隣家に向かう道の途中で子どもが三人死んでいるのが見つかった。[1]

歴史学者のフェルナン・ブローデルによれば、近代以前のヨーロッパは数十年ごとに飢饉に見舞われていた。[2]飢えに苦しむ農民たちはまだ熟していない穀物を刈り、雑草を食べ、人肉さえ食らい、町に押しかけて物乞いをした。飢饉でないときでさえ、多くの人は摂取カロリーの大半をパンか粥に頼っていて、それも十分に食べられたわけではなかった。経済学者のロバート・フォーゲルは、『飢えと早すぎる死からの脱出（The Escape from Hunger and Premature Death, 1700-2100)』にこう書いている。「一八世紀初頭のフランスの日常食のエネルギー価は、一九六五年のルワンダ――この年に世界で最も栄養状態が悪かった――と同じくらい低かった[3]」。つまり、餓死するほどではない人々も、多くの場合栄養不足で弱っていて働くことができず、貧困を余儀なくされた。

そのように飢えていたからこそ、ヨーロッパ人は「コカーニュの国」の物語のような一種のフードポルノで気をまぎらせていたわけだ。この国では木々にパンケーキが実り、通りにはパイが敷きつめられ、豚の丸焼きが歩きまわり、その背中にはナイフが刺さっていていつでも切り分けることができ、川には調理済みの魚がいて、それが跳ね上がって足元に落ちる。

今日のわたしたちはコカーニュの国で暮らしていて、カロリー不足ではなくカロリー過多が問題になっている。コメディアンのクリス・ロックにいわせれば、「貧しい人たちが太っている社会なんて史上初だよ」となる。これもまた先進国の〝忘恩〟の例だが、現代の社会評論家は肥満の蔓延に憤慨している。それも少々ではなく、激怒といってもいいレベルなのだが、そのような怒りは本来なら飢餓に向けられて然るべきものではないだろうか（彼らは肥満を辱める言動や、痩せすぎのファッションモデル、摂食障害などは気にしない）。確かに肥満は公衆衛生上の問題ではあるが、歴史の観点からいえば〝うれしい悩み〟だ。

ヨーロッパ以外の歴史にも目を向けよう。飢餓といえば多くの西洋人はアフリカとアジアを思い浮かべるだろうが、それもはや過去のことである。確かに過去においては、インドと中国は飢饉に陥りやすかった。人口が多く、そのほとんどがコメを主食としていて、そのコメの栽培に必要な水は気まぐれな季節風と脆弱な灌漑システムが頼りで、しかも収穫してから遠距離を運ばなければならなかったからだ。ブローデルが、一六三〇〜一六三一年のインドの飢饉を目の当たりにしたオランダ商人の記述を引用している。

「人々は自分の町や村を捨て、なすすべもなくさまよっていた。どれほど飢えているかはひと目でわかる。目が深く窪み、血の気のない唇は粘液で覆われ、皮膚は干からび、骨が浮き出ていて、腹部は空の袋のように垂れている。空腹のあまり泣き喚く者もいれば、地面に倒れ伏して死を待つだけの者もいる」。そしてお決まりの悲劇が続く。夫は妻子を捨て、親は子どもを売り、でなければ生き延びるために自らを売り、さもなければ一家心中する。その後さらに状況が悪化すると、飢えた者が死者や死にかけている人間の腹を裂き、「内臓を引きずり出して空腹を満たそうとする」までになったという。「何十万人も餓死したため、埋葬されずに放置された死体が国中にあふれ、耐えがたい異臭を放つので、とうとう大気が腐臭で汚染されてしまった。スサントラ村では、市場で人肉が売られていた」[4]

急激な人口増加でも飢餓率は減少した

しかし近年、この点でも世界は驚くべき前進を遂げているのだが、これもまたほとんど知られていない。急激な人口増加にもかかわらず、発展途上世界はその人口を養うに至っている。最も顕著な例が中国で、一三億人が、一日一人当たり平均三一〇〇キロカロリーを摂取できるまでになっている。アメリカでいえば連邦政府のガイドラインで「大いに活動的な若い男性」の必要量とされているカロリー量である。[5] またインドの一〇億人も、一日一人当たり平均二四〇〇キロカロリーを摂取しており、これは「大いに活動的な若い女性」ないし「活動的な中年男性」の必要量に相当する。アフリカ大陸も二六〇〇キロカロリーと、中国とインドのあいだにつけている。[6]

次ページの［図7―1］は、先進国と発展途上国それぞれの代表的な国々と、世界全体について、供給カロリーの推移を示したものだが、これまでのグラフと似たような傾向が見てとれる。すなわち、一九世紀になるまでは厳しい状況にあったが、その後の二世紀で欧米諸国に大幅な改善が見られ、次いでここ数十年で発展途上世界が急

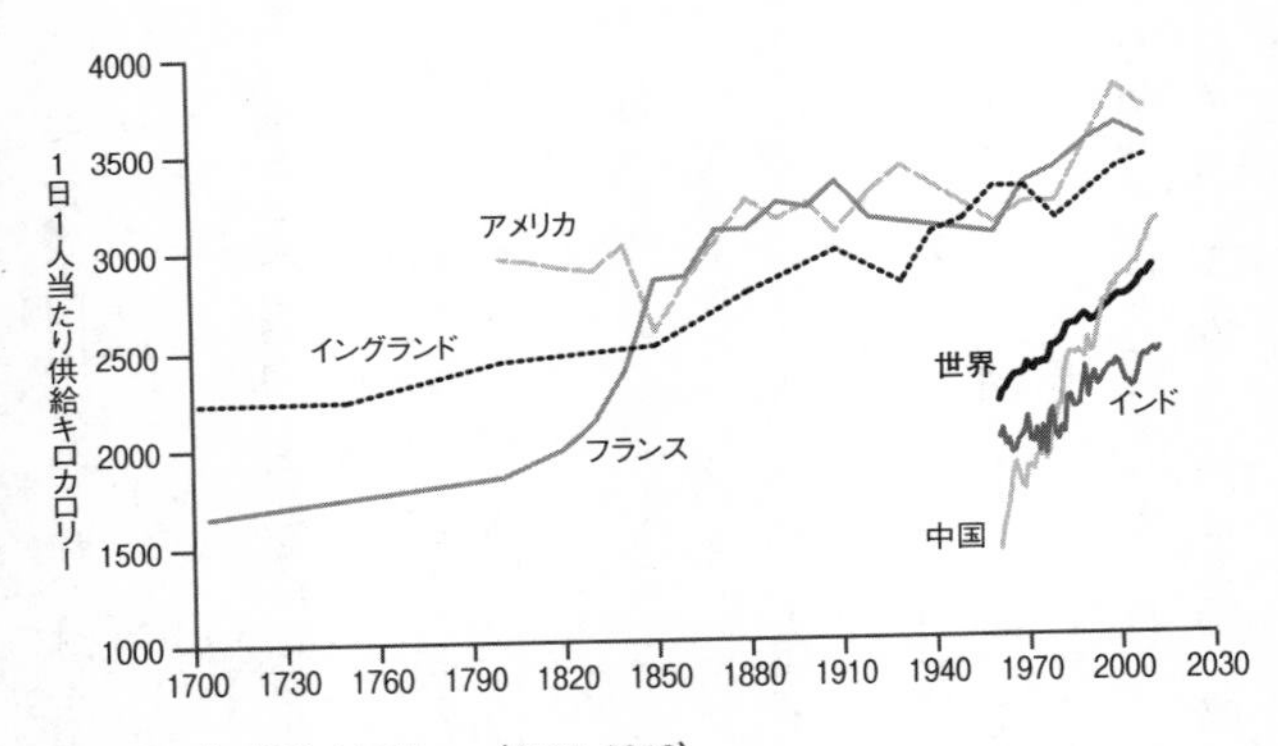

［図7－1］**供給カロリー（1700-2013）**
情報源：アメリカ、イングランド、フランスは *Our World in Data*, Roser 2016d, Fogel 2004のデータに、中国、インド、世界はFAO〈http://www.fao.org/faostat/en/#data〉のデータに基づく。

速に追い上げている。

［図7―1］はあくまでも平均値であり、富裕層がやたらに食べて数値を上げていたのだとしたら（ママ・キャス〔アメリカの歌手〕しか太っていなかったとしたら）、幸福の指標としては使えない。だが幸いなことに、このグラフの平均値は、底辺も含めてどの階層でも入手可能カロリー量が増加してきた結果である。

続いて子どもの発育不全についても見ておこう。子どもは栄養が不足すると発育不全になるが、その場合生涯にわたって病気にかかりやすくなり、死亡率も高くなる。［図7―2］は発育不全の子どもの割合の推移で、長期にわたるデータが入手可能な国々のなかの代表サンプルの数値である。ケニア、バングラデシュ

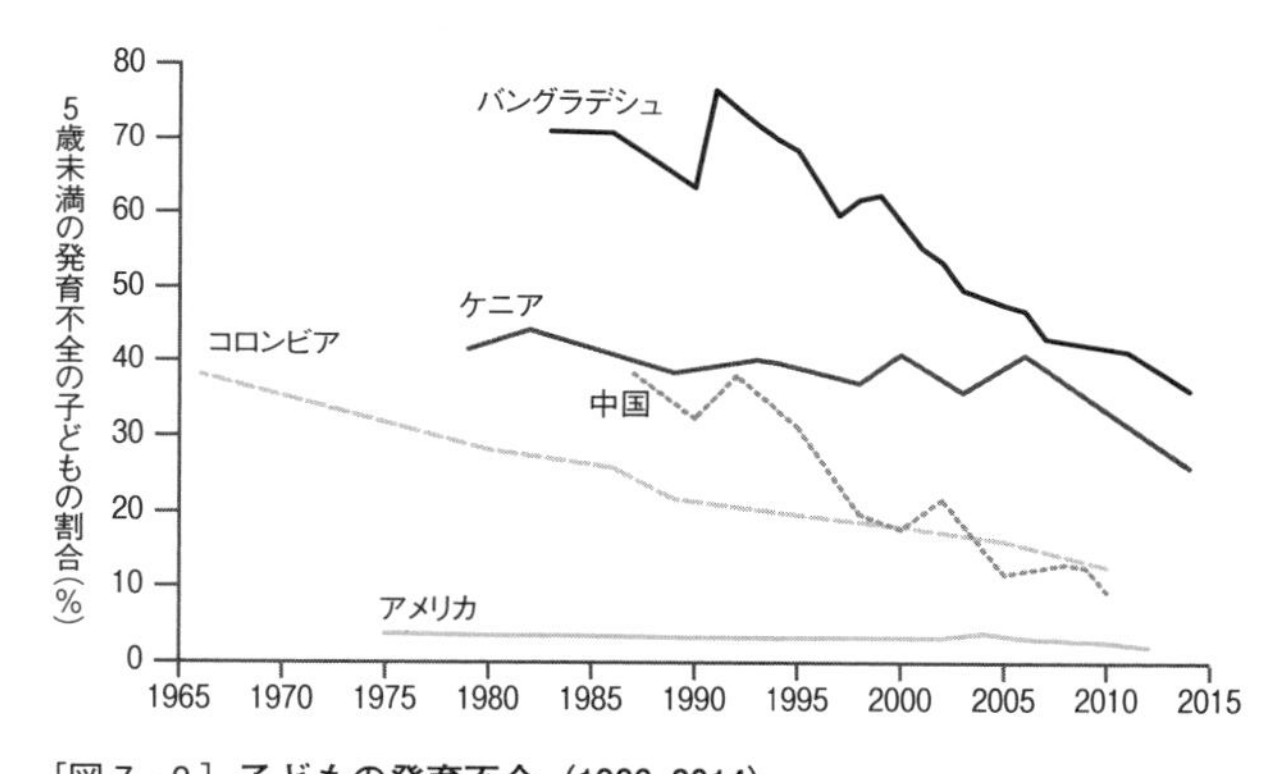

[図7-2] 子どもの発育不全 (1966-2014)
情報源:*Our World in Data*, Roser 2016j. WHOの栄養状況情報システム〈http://www.who.int/nutrition/nlis/en/〉のデータに基づく。

など貧しい国々ではかなり割合が高く、嘆かわしいかぎりだが、この二〇年ほどで半減していることに注目してほしい。コロンビアや中国といった国々も少し前まで割合が高かったが、こちらも着実に下がってきている。

次ページの[図7―3]は、また別の角度から、世界が栄養不足と取り組んできた様子を伝えてくれる。発展途上の五地域と、発展途上世界全体について、栄養不足人口(一年以上にわたって十分な栄養がとれていない人々)の割合の推移を示したものである。先進国が含まれていないのは、この間ずっと栄養不足人口が五パーセントに満たず、統計学的に無視できるからだ。発展途上世界では今でも人口の一三パーセントが栄養不足の状態

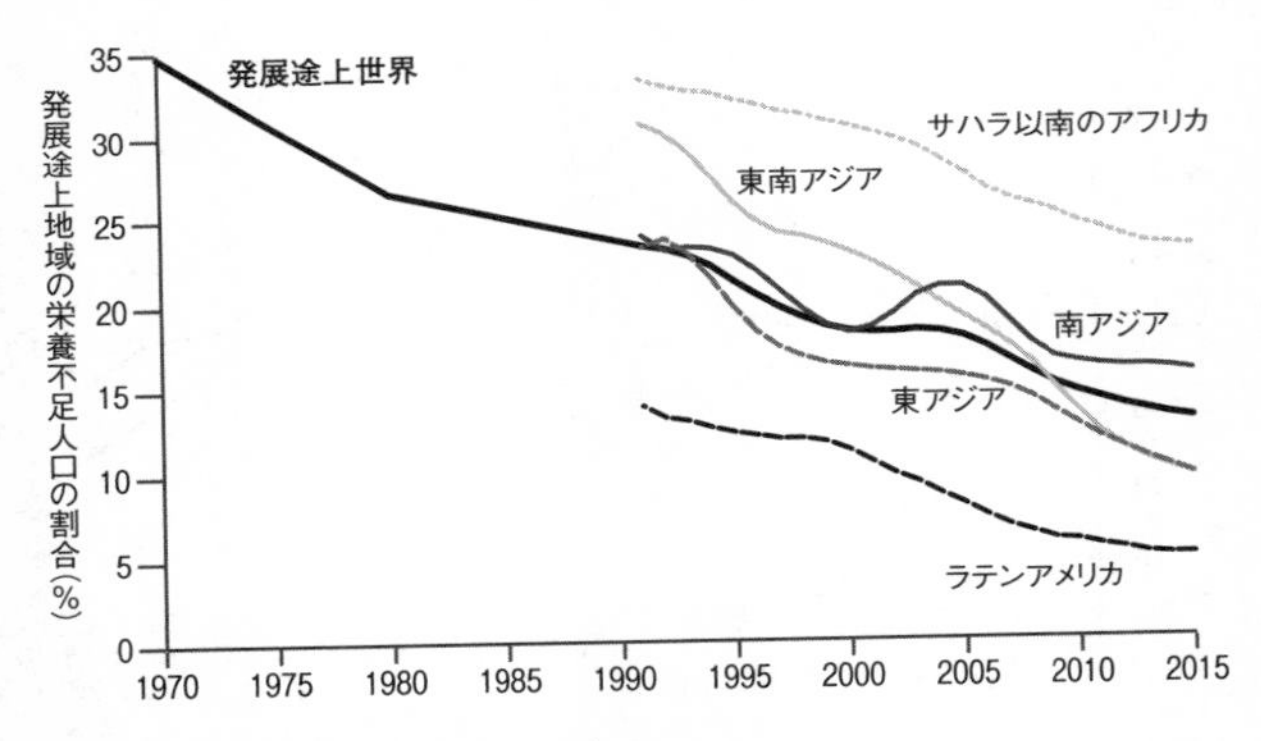

［図 7－3］ **栄養不足（1970-2015）**
情報源：*Our World in Data*, Roser 2016j. FAO 2014のデータに基づく。〈http://www.fao.org/economic/ess/ess-fs/ess-fadata/en/〉でも報告されている。

にあり、これは憂うべき数字である。とはいえ四五年前の三五パーセントよりはずっといい。もっと前のデータとしては一九四七年の世界全体の推計値があるが（グラフには入っていない）、それが五〇パーセントだったことを考えると、見事な改善ぶりといえるだろう。[7] しかもこれらは絶対数ではなく、比率である。この七〇年間で世界の人口はほぼ五〇億人増えたのだから、世界は飢餓率を減らしながら、増えた五〇億人分の口も養ってきたことになる。

慢性的な栄養不足だけではなく、大規模な飢饉——多くの死者を出し、さらに多くの人々を衰弱やクワシオルコルに追い込むような飢饉——も減少している（「衰弱」は予想体重を二標準偏差以上下回る状態を、「クワシオルコル」は極度のタンパク質欠乏状

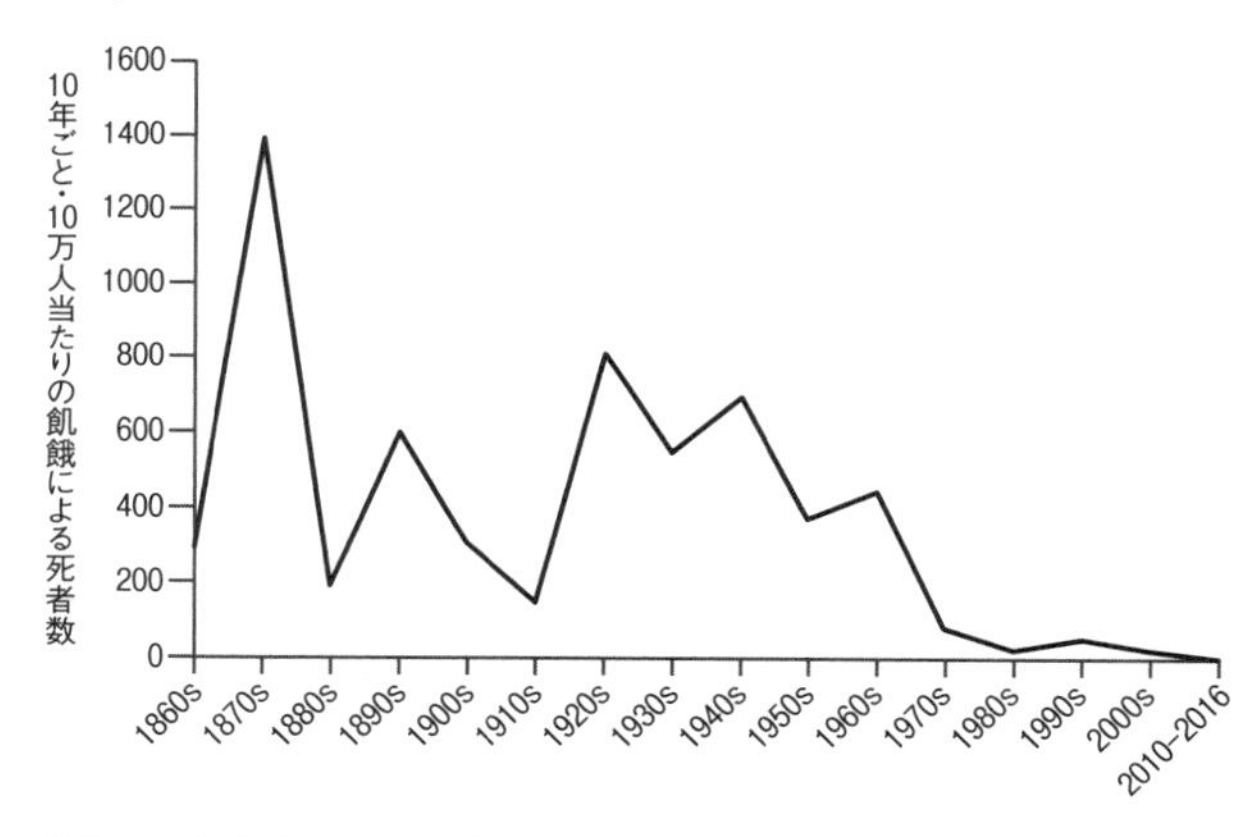

［図７－４］**飢餓による死者数（1860–2016）**
情報源：*Our World in Data*, Hasell & Roser 2017. Devereux 2000; Ó Gráda 2009; White 2011, EM-DAT（国際災害データベース）〈http://www.emdat.be/〉, その他のデータに基づく。「飢餓」の定義は Ó Grada 2009による。

態をいう。飢饉の象徴になっている子どもたちの腹部の膨張は後者の症状の一つ[8]。

［図７—４］は、過去一五〇年間の大飢饉による死者数を一〇年ごとに集計し、当時の世界人口との比で表したものである。

経済学者のスティーヴン・デヴルーは、二〇〇〇年に、二〇世紀の世界の進歩を振り返ってこうまとめた。

飢饉に対する脆弱性は、どうやら事実上、アフリカ以外のすべての地域で克服されたようだ。（中略）その土地の定常的な問題としての飢饉は、アジアとヨーロッパからはすでに消えたものと思われない。

る。「飢餓の地」という不快なレッテルも、中国、ロシア、インド、バングラデシュではすでにはがされ、一九七〇年代以降はエチオピアとスーダンにしか残っていない。

（また）穀物の不作が飢餓に直結することもなくなった。最近では、干魃(かんばつ)や洪水によって食糧危機に陥ると、地元の救援と国際的人道支援の組み合わせで適切な対応がとられるようになってきた（後略）。

この傾向が続けば、食糧不足で何千人も死亡したのは二〇世紀が最後だったということになるだろう。(9)

そして今のところ、その傾向は続いている。もちろん飢えはいまだに存在する（先進国の低所得層にも見られる）。二〇一一年には東アフリカで、二〇一二年にはサヘル〔サハラ以南〕で、二〇一六年には南スーダンで飢饉が発生し、ソマリア、ナイジェリア、イエメンも飢饉に近い状態に陥った。しかしながら、二〇世紀以前に繰り返し見られた飢饉のように、壊滅的な被害を出すには至っていない。

科学技術の進歩がマルサス人口論を無効化した

　このような状況は誰も予想していなかった。トマス・マルサスは一七九八年に、当時頻繁に見られた飢饉は避けられないもので、今後も悪化するだけだと主張した。なぜなら、「人口は抑制しないかぎり幾何級数的に増加するが、食糧は算術級数的にしか増加しない。少しでも数学を知っていれば、前者が後者をはるかに凌ぐことがわかる」からである。つまり当時は、飢えた人々に食糧を回したところで悲劇が拡大するだけだと考えられていた。食糧を得て生き延びた人々が、子どもをもつことでますます人口が増え、次はその子どもたちが飢えるという悪循環になると思われていた。

　マルサスの時代だけではなく、半世紀ほど前にも、このマルサス主義の考え方が復活して大いに力をもったことがある。パドック兄弟（ウィリアムとポール）が『一九七五年に飢饉！（Famine 1975!）』を書いたのが一九六七年、生物学者のポール・R・エーリックが『人口爆弾』（宮川毅訳、河出書房新社）を書いたのが一九六八年で、エーリックはそのなかで、「全人類に食糧を供給しようとする闘いは終わった」と宣言し、一九八〇年代までに、アメリカだけでも六五〇〇万人、その他の国では四〇億人が餓死するだろうと予測した。『ニューヨーク・タイムズ・マガジン』誌にも、「トリアージ」（負傷兵の救急対応にさいし、助かるか助からないかを見極めて優先順位をつけること）という戦場用語だの、哲学セミナーで議論されている「救命ボートの倫理」（人が多すぎて救命ボートの転覆・全員溺死の恐れがあるときに、誰かを海中に放り出すことは道義的に許されるかといった問題）だのが紹介されるようになった。[10]

エーリックをはじめとする環境問題の専門家たちは、手の打ちようがない国への食糧援助は打ち切るべきだと主張し、[11]一九六八年から一九八一年まで世界銀行の総裁を務めたロバート・マクナマラも、「厳しい人口抑制策と一体のものでないかぎり」、ヘルスケアへの資金援助は控えるべきだと述べた。「一般的に医療施設は死亡率低下につながり、結果的に人口爆発を招く」からである。またインドや中国の人口抑制計画（なかでも中国の一人っ子政策）では、女性が避妊手術、堕胎、避妊リング（ＩＵＤ）の装着（苦痛を伴ううえに感染症にかかりやすくなる）などを強要された。[12]

ではマルサスの計算のどこが間違っていたのだろうか。まずマルサスモデルが描く「人口」の上昇線については、あのように人口がいつまでも幾何級数的に増えるわけではないことがすでに明らかになっている。豊かになるにつれ、また子どもの生存率が高まるにつれ、人々は以前ほど多くの子どもを望まなくなる（二八一ページの「図10―1」も参照）。逆に、飢饉をあえて放置したからといって、長期的に人口を抑制できるわけではない。飢餓で死亡するのは子どもや高齢者が多く、飢饉が終われば、生き残った人々（子どもを産める世代）が人口減の埋め合わせをする。[13] ハンス・ロスリングがいうように、「貧しい子どもたちを死に追いやっても、人口増を食い止めることはできない」[14]。

次にマルサスモデルの「食糧」の緩やかな上昇線については、わたしたちはすでに〝知識〟を生かして単位面積当たりの収穫量を増やせば、食糧供給を幾何級数的に増やすことも不可能ではないと知っている。一万年ほど前の農業誕生以来、人類はカロリーが高いもの、毒性が低いもの、栽培・収穫が容易なものを選んで繁殖させるという方法で、植物や動物を遺伝的に操作してきた。トウモロコシの原種は固い実をいくつかつけるだけの草にすぎなかったし、ニンジンの原種は見た目も味もタンポポの根のようなものだったし、多くの果物の原種は苦く、渋く、果肉より種のほうが大きかった。また人類は知恵を絞り、灌漑、鋤（すき）などの農具、堆肥の利用など、さまざまな工夫を重ねてきた。それでもある時期まで、マルサスの理論は揺るがなかった。

食糧供給のグラフをどうしたらもっと上向きにできるかわかったのは、啓蒙主義と産業革命の時代になってからである。[15] 一七二六年のジョナサン・スウィフトの小説『ガリヴァー旅行記』（平井正穂訳、岩波文庫）のなかで、巨人の国ブロブディンナグの王はガリヴァーに、この国の倫理規範をこう説いた。「以前は一本だった麦の穂を二本にし、一枚だった草の葉を二枚にする者がいれば、その者はこの国のために、政治家を全員合わせたよりもっと大きな貢献をしているわけで、人々の敬愛を受けるにふさわしかろう」。そしてその後まもなく、実際に穂の数が多い麦を栽培できるようになり、イギリス農業革命と呼ばれる変革が始まった（［図7―1］にもその成果が表れている）[16]。また輪作、鋤や種蒔き機の改良、さらに機械化の波も起こり、人力・馬力に代わって化石燃料が使われるようになっていった。一九世紀中頃には、一トンの穀物の収穫・脱穀に二五人で丸一日かかったが、今日では一人が六分間コンバインハーベスターを動かせば終わる[17]。

食物固有の問題も機械が解決した。たとえばズッキーニは、栽培者なら誰でも知っていることだが、初夏から夏にかけて多くの実がいっせいに熟し、そのままにしておくとすぐに傷んだり虫にやられたりする。この問題を解決したのは鉄道、運河、トラック、倉庫、冷凍技術などで、これらによって供給量の増減をならし、価格という情報を頼りに供給を需要に合わせることが可能になった。

しかし真の飛躍を可能にしたのは化学である。学校で人体を構成する主要な化学元素を教えるとき、子どもたちに覚えやすいように頭文字を並べてSPONCHという が、そのなかのNは〈nitrogen〉すなわち「窒素」のことで、これはタンパク質、DNA、葉緑素、そして生体エネルギーキャリアであるATP（アデノシン三リン酸）の主成分である。窒素原子は大気中に豊富に存在するが、二原子分子を形成していて

（だから化学式ではN_2と表記される）分離が難しく、そのままでは植物が吸収しにくい。この難問を解決したのがフリッツ・ハーバーとカール・ボッシュで、一九〇九年に完成したハーバーの発明を、その後ボッシュが工業化し、メタンと蒸気を使って大気中の窒素を単離してから肥料に合成するという方法での肥料の大量生産が可能になった。この化学肥料が、それまで痩せた土地に窒素を戻すために必要だった大量の鶏糞肥料に取って代わり、農作物の生産量が飛躍的に伸びた。この二人は二〇世紀の科学者の上位に常に名前が挙がるが、彼らによって二七億人という史上最大規模の人命が救われたのだから当然である。[18]

したがって、「算術級数的」云々はもう忘れてほしい。この一世紀で、穀物の単位面積当たりの収量は大幅に増加し、実質価格は大幅に下落した。それがわたしたちにどれほどの恵みをもたらしたか考えると、気が遠くなりそうだ。今日わたしたちが手にしている農作物を窒素肥料なしで栽培するとしたら、ロシアと同じくらいの面積を新たに農地として開拓しなければならないだろう。[19]

一九〇一年のアメリカでは、一時間の賃金でミルクを約三クオート〔三リットル弱〕買うことができたが、一世紀後には一六クオート〔一五リットル強〕買えるようになっていた。他の食料品も同様で、一時間の労働で購入できる量が軒並み増えている。バターは一ポンド〔〇・五キロ弱〕から五ポンド〔二キロ強〕に、卵は一ダースから一二ダースに、ポークチョップは二ポンドから五ポンドに、小麦粉は九ポンドから四九ポンドに増えた。[20]

ハーバーとボッシュに続いてもう一人、一九五〇年代、六〇年代に大勢の命を救ったのがノーマン・ボーローグである。彼は発展途上世界で〝進化〟に挑戦して「緑の革命」を成し遂げた。[21]野生の植物は多くのエネルギーと栄養を茎に注ぎ込み、これを堅く長くして周囲の草より上に葉を伸ばしたり花をつけたりしようとする。すると結局は、ロックコンサートで観客の誰もが立ち上がり、誰もよく見えないのと同じことになる。進化とはそういうもので、生物は近視眼的に個の利益のために選択するのであって、その種の大義のためでも、ましてや他の種のためでもない。しかしこれを食用にする人間の立場からすれば、やたらに伸びたコムギは好ましくない。食べられない茎のために栄養をとられるうえに、肥料で発育がよくなると穂の重さで倒れてしまう。

そこでボーローグはなんとかして〝進化〟に手を加えようと、何千という交配種をつくってそのなかから茎が短く、実が多く、サビ病に強く、日照時間に左右されにくいものを選別することにした。そして〝気が遠くなりそうな退屈な作業〟を何年も続け、収量が以前の何倍にもなる品種を開発した（コムギに続いてトウモロコシ、コメでも）。品種改良に加えて灌漑、施肥、作物管理の新しい技術も導入し、メキシコを、次いでインドやパキスタンなど、飢饉の多かった国々を次々と穀物輸出国に変えていった。「緑の革命」はソルガム〔モロコシ類〕やミレット〔雑穀類〕、キャッサバなどのイモ類の品種改良を中心に今も続けられていて、「アフリカの秘密の切り札」と呼ばれるようになっている。[22]

「緑の革命」のおかげで、わたしたち人類は以前の三分の一以下の面積で同じ量の食糧を得られるようになった。[23] 言葉を換えれば、一九六一年から二〇〇九年までに世界の農地面積は一二パーセント増えたが、収穫量のほうは三〇〇パーセント増えた。[24] より多くの食物をより少ない農地面積で育てられるようになったことは、飢餓対策として有効なのはもちろん、広い視野でいえば地球にとっても好ましい。農地には牧歌的な魅力があるものの、実体は森林や草原を犠牲にして広がった生物学的砂漠である。その農地が今や一部の地域で縮小し、温帯林が復活しつつある（第一〇章でまた触れる[25]）。もし農業効率が五〇年前と同じままだったら、今日の農産物収穫量を確保するためには、人類は米国、カナダ、中国を合わせた面積〔ロシアの約一・七倍〕の土地を追加で開墾しなければならなかった。[26] 環境科学者のジェシー・オースベルは、すでに世界は「最大農地面積」に達したと考えている。つまりわたしたちが必要とする農地面積はこれ以上増えることはなく、むしろ減っていくと思われる。[27]

農業の技術革新は不当に攻撃されている

だが案の定、他の進歩と同じように、「緑の革命」も開始直後から攻撃の的となった。どう批判されているかというと、ハイテク農業は化石燃料と地下水を多用し、除草剤と殺虫剤を使用し、伝統的な自給自足農業を破壊し、生物学的に自然に反し、企業に利益をもたらすだけのものだという。だがこの革命が一〇億人の命を救い、大飢饉の克服に大きな役割を果たしたことを考えると、それらの問題は対価として妥当なものだとわたしには思える。しかもその対価を永遠に払いつづけるわけではない。科学の進歩のすばらしいところは、人類を一つの技術に閉じ込めたりしないことだ。わたしたちは常に新しい技術を、以前より問題の少ない技術を開発することができる（この点にも第一〇章でもう一度触れる）。

遺伝子組み換え技術を使えば、これまで人間が数千年かけてようやく成し遂げたこと、そしてボーローグが〝気が遠くなりそうな退屈な作業〟に何年も費やして成し遂げたことを、何日という単位で実現できる。遺伝子組み換え作物が開発されつつあるのは、高収量、命を救うビタミンの追加、耐乾性・耐塩性、病害虫抵抗性・耐腐敗性、栽培面積・肥料の節約、耕作労力の軽減などを可能とするためだ。そして安全性については、何百もの研究、主要な保健・科学機関のすべて、一〇〇人以上のノーベル賞受賞者が保証してきた（それも当然のことで、そもそも遺伝的に改良の手が加えられていない作物など存在しないのだから）[28]。

しかし伝統的な環境保護団体は、環境運動家で作家のスチュアート・ブランドがいうように、「飢餓への常習的な無関心」を保ちつづけて、遺伝子組み換え作物を人々から遠ざけようと――それも富裕国の自然食愛好家だけではなく、発展途上国の貧しい農家からも遠ざけようと――狂信的な反対運動を繰り広げてきた[29]。彼らの主張はまず「自然性」という、神聖な響きをもちながら中身のない価値観への肩入れから始まり、次いで「遺伝子汚染」や「自然をもてあそぶこと」への非難へ、そして「エコロジカル農業」による「自然食品」の奨励へと進む。そして科学を知らない人々の原始的直感（本質主義や汚染に関するもの）につけ込んで利用する。遺伝子に関する人々の無知については気の滅入るような研究結果が報告されている。一般の人々の約半分が「普通のトマトには遺伝子がないが、遺伝子組み換えトマトにはある」とか、「食物に挿入された遺伝子は、それを食べた人のゲノムに移動する」とか、「オレンジにホウレンソウの遺伝子を挿入すると、ホウレンソウ味のオレンジになる」といったことを信じているそうだ。さらに八〇パーセントの人が、すべての食品に「ＤＮＡを含む」という表示を義務づける法律を支持しているという[30]。

ブランドはこうも述べている。「あえて言うのだが、環境保護運動は遺伝子組み換えに反対することで、これまでに犯してきた他のどんな過ちよりもひどい損害を人々に与えてきた。なにしろわれわれ環境運動家は人々を飢えさせ、科学の足を引っ張り、自然環境を損ない、しかもこの運動にとってきわめて重要な技術を禁じることで自らの足も引っ張ってきたのだから[31]」

なぜブランドがここまで手厳しいかというと、一つには、遺伝子組み換え技術に対する環境保護団体の頑なな態度によって、その技術を最も必要としている地域が致命的な打撃を受けているからである。サハラ以南のアフリカは痩せた土壌、気まぐれな雨、港に適した湾や可航河川の不足などに苦しんでいて、道路網、鉄道網、運河なども未発達のままだ[32]。土地が痩せているのはサハラ以南に限ったことではないが、この地域が特殊なのは、人工肥料による土壌の回復が実現していない点にある。すでに実用化されたものでも、アフリカ用に新たに開発するものでもいいから、遺伝子組み換え技術を使い、加えて不耕起栽培〔耕さない農法。省力化や土壌流出防止などの利点がある〕や細流灌漑〔配水管を農地にめぐらし根のそばだけにゆっくり水や肥料を送る。水や肥料が節約できる〕といった現代技術を導入すれば、アフリカは一気に、初期の「緑の革命」よりもずっと速く改善に向かい、今なお残る栄養不足問題も解消されるはずである。

二〇世紀の飢餓の最大要因は共産主義と政府の無策

さて、作物栽培学が重要なのはもちろんだが、食糧安全保障は農業だけで確保できるわけではない。飢饉に見舞われなくても、貧しくて食品を買えなければ、戦争で食糧不足になれば、あるいは政府が国民の食糧事情に無関心になれば人々は飢える。[33]〔図7―4〕がなだらかな下降線ではなく派手に上下しているのも、農業効率改善だけでは問題が解決しない証拠である。一九世紀には干魃や作物の病害で飢饉になることが多かったが、植民地だったインドやアフリカではそれ以外の原因――植民地政府の先住民に対する無関心と冷遇、統治機構の不手際、時には意図的な方針――で食糧事情が悪化し、深刻な事態を招くことがあった。[34]幸い二〇世紀初頭までには植民地政策も変わって食糧問題に少しは目が向くようになり、農業の進歩も重なったので、飢餓を大幅に減らすことができた。[35]だがその後は各地で政治上の大惨事が続き、二〇世紀末に至るまで飢餓が散発的に発生しつづけることになった。

二〇世紀には大規模な飢餓で七〇〇〇万人が死亡したが、その八〇パーセントは、共産主義が強引に推し進めた集団農場、懲罰的な没収、全体主義的な計画経済が招いた飢餓の犠牲者である。[36]たとえば、ロシア革命とその後の内戦および第二次世界大戦後のソビエト連邦における飢餓、一九三二～一九三三年にウクライナ人居住地域でスターリンが行った計画的大飢饉「ホロドモール」、一九五八～一九六一年の毛沢東の「大躍進政策」、一九七五～一九七九年のポル・ポトの「零年」に始まる圧政、さらに一九九〇年代の金正日（キムジョンイル）体制の北朝鮮で起こった大飢饉（「苦難の行軍」がスローガンだった）などが挙げられる。

また、独立を果たしたばかりのアジア・アフリカ諸国が当時流行のイデオロギーを取り入れ、大規模な集団農場化、「自給自足」を促すための輸入制限、食料品の価格統制（政治的影響力をもつ都市住民を優遇）といった政策を実施したことも、経済的に悲惨な結果を招いた。[37] そうした国々で内戦が勃発すると――実際頻繁に起こったのだが――食糧供給網が断たれたり、敵対する当事者双方が戦略として相手を飢餓に追い込もうとしたりして（時には冷戦を背景として支援国と共謀することもあった）、餓死者が出る。

幸いなことに、一九九〇年代以降はより多くの国々で必要な食糧が行きわたるようになってきた。だが収量増加への〝切り札〟の秘密が明かされ、それを後押しするインフラが整ったとしても、そのあと本当に飢餓を減らせるかどうかは、貧困、戦争、専制政治を減らせるかどうかにかかっている。これらの要因についても、これまでにどのような進歩があったのか今後の章で見ていくことにしよう。

第八章　富が増大し貧困は減少した

世界総生産は二〇〇〇年でほぼ一〇〇倍に

経済学者のピーター・バウアーは、「貧困に原因はないが、富には原因がある」といった。エントロピーと進化が支配する世界においては、通りにパイが敷きつめられていたり、調理済みの魚が足元に落ちてきたりすることはない。だが人はこの自明の理を忘れ、富はもともとあるものだと思い込みやすい。歴史は勝者が書くというより、むしろ金持ち、つまり暇と学があるごく一部の人々が書く。経済学者のネイサン・ローゼンバーグと法学者のL・E・バーゼル・ジュニアがいうように、「わたしたちは過去に貧困が蔓延していたことを忘れるように仕向けられている。それは一部には、詩や小説といった文学、伝説などが、裕福に暮らした人々を取り上げ、貧困にあえいだ声なき人々についてはあまり語らないせいである。貧困の時代は神話化されがちで、素朴でのどかな黄金時代に祭り上げられることさえある。だが現実はそうではなかった」[1]。

貧困の時代の現実はどうだったのか。ノルベリはブローデルを引用してこうまとめている。貧困の定義が、「もう一日生き延びるためのパンが買えるなら、貧しいとはいえない」という単純なものだった時代のことである。

大いに栄えたジェノヴァでも、貧しい人々は冬が来るたびに奴隷に身を落とし、ガレー船を漕いだ。パリの極貧の人々は、二人一組で鎖につながれて下水道掃除のような重労働を強いられた。イギリスの貧しい人々が生き延びるには救貧院(ワークハウス)で働くしかなかったが、長時間労働にもかかわらず賃金はないも同然だった。一八四五年の国の調査で発覚して禁止されるまで、収容者の一部は犬や馬や家畜の骨を砕いて肥料をつくる仕事をさせられていて、空腹のあまり腐った骨を奪い合って骨髄を吸い出していた[2]。

もう一つ、歴史学者のカルロ・チポラの記述も紹介しておこう。

産業革命以前のヨーロッパでは、衣類やそのための布地を買うのはまだ贅沢なことで、普通の人には一生に数回しかできなかった。病院の経営者も、患者の死亡時にその衣類が盗まれず、無事に相続人の手に渡るように気を配らなければならなかった。伝染病の流行時には、死者の衣類をいかに回収して焼却するかが行政の悩みどころで、というのも誰かが死ぬのを待って衣類をもらい受けるのが普通だったので、衣類から感染することが多かったからだ[3]。

このような貧困が通常の状態であって、説明すべきなのはそこからどう富が創造されたかなのだが、その点が現代社会では見えにくくなっている。現代の政治議論は富の分配ばかりを論じ、分配すべき富がすでに存在することを前提にしている。つまり富とは金鉱脈のように大昔から存在するもので、人類はその分配をめぐって争ってきたという思い込みがあり、経済学者はこれを「労働塊の誤謬」とか「物理的誤謬」と呼んでいる[4]。しかし啓蒙主義時代には、「富は創造されるもの」という発想が生まれた[5]。富は元来知識と協力によって生み出される。人のネットワークによって、物事の意外で有益な組み合わせが生まれ、創意工夫と労働が結びついて富の創造につながっていく。そのことをわたしたちはもう知っているのだから、どうすればもっと創造できるかもわかるはずだ。

長く続いた貧困の時代から豊かな現代への移行をグラフにすると、単純だが驚くような線が描かれる。次ページの［図8―1］は過去二〇〇〇年間の推移で、富の創造

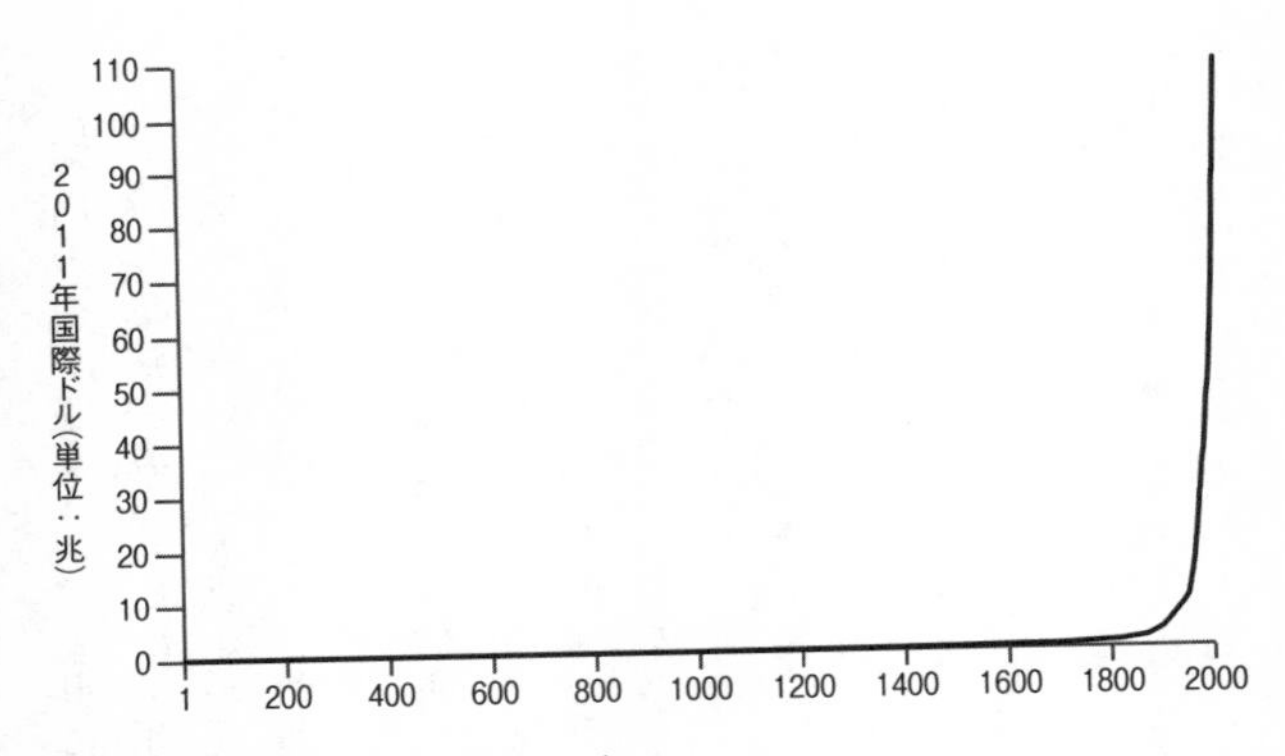

［図8－1］**世界総生産（1－2015）**
情報源：*Our World in Data*, Roser 2016c. 世界銀行とアンガス・マディソンおよびマディソン・プロジェクトのデータに基づく。

の一般的基準である世界総生産（ＧＷＰ）を二〇一一年の国際ドルに換算したものである（国際ドルは米ドルにほぼ相当する仮想の通貨単位で、各国通貨を物価変動率と購買力平価で換算したもの。購買力平価は同等の財やサービスの場所による価格の違い――たとえばダッカで散髪するとロンドンより安くすむ――を補正する）。

人類史上、富がどのように成長してきたかというと、この図のとおり、ほぼゼロに近いところをずっと這い、それが二〇〇〇年近くも続いてからいきなり急上昇した。紀元一年から一〇〇〇年間、世界の豊かさはイエスの時代とほとんど変わらず、そこから所得が倍になるのにさらに五〇〇年を要した。その間、地域によっては時折突発的な上昇が見られたが、持続的・累積的成長にはつながらなかった。微増がようやく飛躍に転じたのは一九世紀になってからのことで、一八二〇年から一九〇〇年までに世界の所得は三倍になっている。そしてそれに続く五〇年強でさらに三倍に、その後の二五年でさらに三倍に、その後の三三年でまたもや三倍になった。

今日の世界総生産は、産業革命も終盤だった一八二〇年と比べてもほぼ一〇〇倍、一八世紀の啓蒙主義時代初期に比べると二〇〇倍近くになっている。経済の分配と成長に関する議論では、「パイを切り分ける」ことと「より大きなパイを焼く（baking a larger pie）」ことを対比させることがよくある（ジョージ・W・ブッシュは後者を「パイを高くする（making the pie higher）」と言い間違えた）。これになぞらえると、一七〇〇年に人類が分け合ったパイがベーシックな九インチ（約二三センチ）サイズだったとすれば、今日のパイは直径一〇フィート（約三メートル）を超えることになる。それをどうにかして細い扇形に切り取ったとすると――たとえば外周部分が二インチ程度（約五センチ）の扇形――その一切れで一七〇〇年のパイ丸ごとと同じくらいの面積になるだろう。

実は総生産の増大以上に我々は豊かになった

しかもこの世界総生産は、繁栄拡大の指標としては現実をかなり過小評価した数字である。[6] そもそもどういう計算をすれば、ポンドやドルといった通貨単位の数字を二〇〇〇年にもわたって一本の線でつなぐことができるのだろうか。二〇〇〇年の一〇〇ドルと一八〇〇年の一ドルでは、どちらが価値が上なのだろうか。紙幣は所詮、数字が書かれた紙切れにすぎず、その価値はその時代にそれで何が買えたかによる。モノの価格は物価変動や通貨の切り上げ・切り下げによって変わるからだ。したがって、一八〇〇年のドルと二〇〇〇年のドルを比較するには、標準的かつ一定量の必需品――食品、衣類、医療、燃料など――が入った買い物かご（マーケットバスケット）を想定し、その購入にいくら必要かを比べるしかない。［図8―1］も、その他のドルやポンド建てのグラフも、そのようにして一つの単位（［図8―1］の場合は「二〇一一年の国際ドル」）に換算したものである。

だがこれは完全な方法ではなく、技術が進歩すると、同じマーケットバスケットで比較すること自体に無理が出る。第一に、バスケットの中身は、同じ品でも時とともに品質がよくなっていく。たとえば「衣類」で比べると、一八〇〇年の雨除けのマントはごわごわで重くて水漏れのするオイルクロスでつくられていたが、二〇〇〇年には合成繊維でできた軽くて通気性のあるジッパー付きレインコートがこれに取って代わっていた。また「医療」で比べても、一八〇〇年の歯科治療はペンチと木製の入れ歯を意味していたが、二〇〇〇年にはノボケイン〔局所麻酔薬〕とインプラントになっていた。したがって、「二〇〇〇年にはある量の衣類と医療に三〇〇ドルかかったが、一八〇〇年には〝同量〟のものに一〇ドルかかった」というのは、実は語弊があるわけだ。

第二に、技術が進歩すると以前のものが改良されるだけではなく、新しいものも登場する。「一八〇〇年には、冷蔵庫、録音機、自転車、携帯電話、ウィキペディア、子どもの写真一枚、ノートパソコン、プリンター、経口避妊薬、抗生物質一錠にいくらかかったでしょうか」——こんな問いに答えられるわけがない。つまり改良もあれば発明もあるので、数十年あるいは数世紀にわたって物質的幸福の変化を追うのはほぼ不可能といってもいい。

さらに話をややこしくするのが価格の下落である。今なら冷蔵庫は五〇〇ドルくらいで手に入る。ではもしあなたが誰かに、冷蔵庫を使うのをやめるならお金をあげるといわれたとして、いくらなら従うだろうか。間違いなく五〇〇ドルより高い金額だろう。アダム・スミスが論じたこうした現象は「価値のパラドックス」と呼ばれている。つまり、重要な財が豊富に出回るようになると、その価格は人が本来払ってもいいと思っている額よりずっと安くなる。この差は「消費者余剰」と呼ばれ、時とともに非常に大きくなるのでもはや調整のしようがない。経済学者が用いる尺度が「あらゆるものの価格をとらえていながら、何の価値もとらえていない」〔オスカー・ワイルドが劇作中で使った皮肉〕と気づいたのは、経済学者たち自身だった[7]。

だからといって、インフレと購買力で調整した比較、時と場所を超えての富の比較が無意味だというわけではない。何もわからないより、あるいは当て推量で済ませるよりずっとましだ。それよりも、ここで大事なのは、この方法では進歩が過小評価されるということである。今あなたの財布のなかに二〇一一年国際ドルで一〇〇ドル入っているとしよう。その場合、二〇〇年前に同等の価値の財布をもっていた先祖より、あなたのほうがはるかに金持ちだということになる。この問題は、このあと論じるように、発展途上世界の成長（本章）、先進国世界の所得格差（次章）、経済成長の未来（第二〇章）などを論じるさいにもついて回る。

貧困からの大脱出を可能にした三大イノベーション

［図8―1］に戻るが、では何がこのグラフの急上昇――貧困からの大脱出――を可

能にしたのだろうか。最も明白なのは、科学の応用による物質的生活の向上で、それが経済史学者のジョエル・モキアがいう「啓蒙された経済」につながった[8]。産業革命がもたらした機械や工場、農業革命がもたらした生産性の高い農場、公衆衛生改革がもたらした上下水道によって、以前より多くの衣類、道具、乗り物、本、家具、栄養、清浄な飲料水、その他人々が望むものが供給されるようになり、一世紀前の職人や農民にはとうてい手の届かなかった暮らしが可能になった。もちろん科学の応用も一朝一夕には成し遂げられない。蒸気機関、織機、紡績機、鋳造機、製粉機などにつながる初期のイノベーションの多くは、理論的な基礎をもたない職人たちの作業場や裏庭で生まれた[9]。

だがその後の試行錯誤で可能性の木がたくさんの枝を伸ばし、そのほとんどは無駄になるとしても、実用レベルで刈り込まれて残った枝が実をつけ、それがまた新たな発見につながり、このサイクルがしだいに加速していった。モキアがいうように、「一七五〇年以降、技術の知識基盤が少しずつ広がっていった。そこから新しい製品や技術が生まれたが、それだけではない。従来の製品や技術がなぜ、どのように機能していたかがよくわかるようになったことで、それらを精密にし、悪いところを取り除き、改善し、他の技術と新しく融合させることが可能になり、新たな用途が生み出された[10]」。たとえば、一六四三年の気圧計の発明が大気圧の存在を証明し、それがひいては蒸気機関（当初は「大気圧機関」と呼ばれていた）の発明につながった。科学と技術の相互作用にはほかにも多くの例があり、電池の発明で勢いづいた化学の応用が肥料の合成に結びついたのもそうであり、顕微鏡の進歩によって病原細菌説の応用が可能になり、飲料水からの病原体の除去や、医師の手や医療器具の消毒に結びついたのもそうである。

つまり「科学の応用」というイノベーションがきっかけをつくったのだが、それで十分だったわけではなく、ほかにも二つのイノベーションが必要だった。その二つがなければ、応用科学者はその力を人々の生活向上のために役立てようとは思わなかっただろうし、彼らの手作りの装置も研究室やガレージにしまい込まれたままとなっただろう。

その一つは、モノとサービスとアイデアの交換を促進する「制度の構築」――アダム・スミスが富を生み出すものと指摘した原動力――である。経済学者のダグラス・ノース、ジョン・ウォリス、バリー・ワインガストによれば、過去においてはもちろん、今日でも場所によっては、国家を機能させる現実的手法として一種の縁故主義がまかり通っているという。支配階級に略奪や殺し合いを禁じる代わりに、領土、支配権、特権、専売権、縄張り、あるいは一部の経済分野を自由にし、家賃や使用料を取ることができる既得権（経済学者が資源の排他的利用による利益確保というもの）などを認めるというやり方である。[11] しかし一八世紀のイギリスでは、このような縁故主義が〝開かれた〟経済に置き換えられ、誰でも、何でも、誰とでも売買できるようになった。そしてその取引を法規、財産権、法的強制力のある契約、銀行、法人、政府機関といった制度——個人的なつながりではなく、信任義務に基づいて運営される制度——が支えるようになった。その結果、発明の才に富む人がそれまでなかった商品を考案して市場に投入したり、安くつくれる人が値段で勝負したり、引き渡しまで時間がかかるものの代金を先に受け取ったり、利益を見込めるのが何年も先という設備や土地に投資したりできるようになった。

今日では、ミルクが欲しければコンビニに行けばいいと誰もが思っている。あなたがコンビニに行くと、ミルクはいつでも棚に並んでいて、薄められたり腐ったりしていないし、値段も手ごろだ。店主は初めて会う人かもしれないし、二度と会わない人かもしれないし、共通の友人もいないはずなのに、あなたを信用してくれて、カードをスライドするだけでミルクを渡してくれる。別の店に行けば、ジーンズでも、電気ドリルでも、コンピューターでも、車でさえ同じように買うことができる。こうした無数の取引は、その背後に山ほどの制度があるからこそ可能なのであって、現代経済をこれほど便利にしているのはそうした諸制度にほかならない。

もう一つのイノベーション、科学の応用と制度の構築に続く三つ目のイノベーションは「価値観の変化」である。経済史学者のディアドラ・マクロスキーが「ブルジョアの徳」と呼んだものの承認といってもいい[12]。貴族・宗教・軍事文化においては、商業は常に下品で腐敗したものと見なされてきた。しかし一八世紀のイギリスとオランダでは、商業は有徳で人を前向きにさせるものと考えられるようになった。ヴォルテールをはじめとする啓蒙主義時代の哲学者たちは、商業精神には派閥間、宗派間の憎悪を消滅させる力があるとして、これを高く評価した。

ロンドンの王立取引所を覗いてみるといい。数多の裁判所より尊い場所で、あらゆる国から来た取引関係者が人類の利益のためにここで顔を合わせる。ユダヤ教徒も、イスラム教徒も、キリスト教徒も、まるで同じ宗派のように一緒に取引していて、支払不能にでもならないかぎり異端扱いされることはない。長老派が再洗礼派を信用し、英国国教徒がクエーカー教徒の言葉を頼りにする。（中略）それで誰もが満足なのだ[13]。

この一節について歴史家のロイ・ポーターはこういっている。「人々が満足している、そして満足であることに満足している——彼らは互いに異なっているが、異なっていることを受け入れている——と書くことで、ヴォルテールは最高善の見直しを、つまり神への畏怖から、より心理学的に方向づけられた自分本位への転換を示唆した。啓蒙主義はこうして『どうしたら救われるのか』という究極の問いを、『どうしたら幸せになれるのか』という現実的な問いに置き換えた――つまり個人と社会を適応させるための新たな習慣が登場したと告げたことになる」[14]

そしてその新たな習慣には、礼儀や倹約や自制といった規範、過去志向より未来志向の考え方、兵士や司祭や廷臣のみならず商人や発明家にも尊厳と名声を認めることなどが含まれていた。軍事的栄光の象徴であるナポレオンはイギリスを「商人の国」とばかにしたが、当時のイギリス人はフランス人よりも八三パーセント多く稼ぎ、カロリーも三分の一多く摂取していたわけで、その後ワーテルローで何があったかは今さらいうまでもない[15]。

イギリスとオランダの「大脱出」に続いて、ゲルマン諸国、北欧諸国、イギリスの植民地だったオーストラリア、ニュージーランド、カナダ、そしてアメリカ合衆国の「脱出」が始まった。一九〇五年に社会学者のマックス・ウェーバーは、「プロテスタンティズムの倫理」が資本主義の発達に一役買ったという考えを発表した（ウェーバーは、ユダヤ人は資本主義社会では、特に商業と金融では成功しないのではないかとも考えていた）。だがプロテスタントだけではなく、ヨーロッパのカトリックの国々もすぐに貧困から抜け出した。また［図8―2］が示すように、それ以外の国々もこれに続いたため、仏教、儒教、ヒンドゥー教、あるいは包括的に〝アジアやラテン系の価値観〟とされるものは市場経済と相容れないとするさまざまな説も覆された。

「極度の貧困」にある人の比率も絶対数も減少

イギリスから始まった一連の「大脱出」を繁栄の物語の第一章とすると、［図8―2］はその第二章も語っている。二〇世紀後半以降、当時まだ貧しかった国々が続々と貧困から脱出しはじめ、今や「大脱出」は「大収斂（the Great Convergence）」〔ここではとくに生活水準が均一化に向かうことを指す〕に向かいつつある。[16] 韓国、台湾、シンガポールなど、つい最近まで貧しかった国々もずいぶん豊かになった（シンガポール人のわたしの元義母は、子どものころには家族四人で一つの卵を分け合ったといっていた）。

一九九五年以降、世界一〇九の発展途上国のうちの三〇カ国が一八年間で所得倍増という高成長を遂げていて、そのなかにはバングラデシュ、エルサルバドル、エチオピア、ジョージア、モンゴル、モザンビーク、パナマ、ルワンダ、ウズベキスタン、ベトナムなど、実にさまざまな地域の国が入っている。さらに四〇カ国が三五年で所得を倍増できる成長を見せており、これはアメリカの過去の成長率に匹敵する。[17] また二〇〇八年の中国とインドの一人当たりＧＤＰがそれぞれスウェーデンの一九五〇年

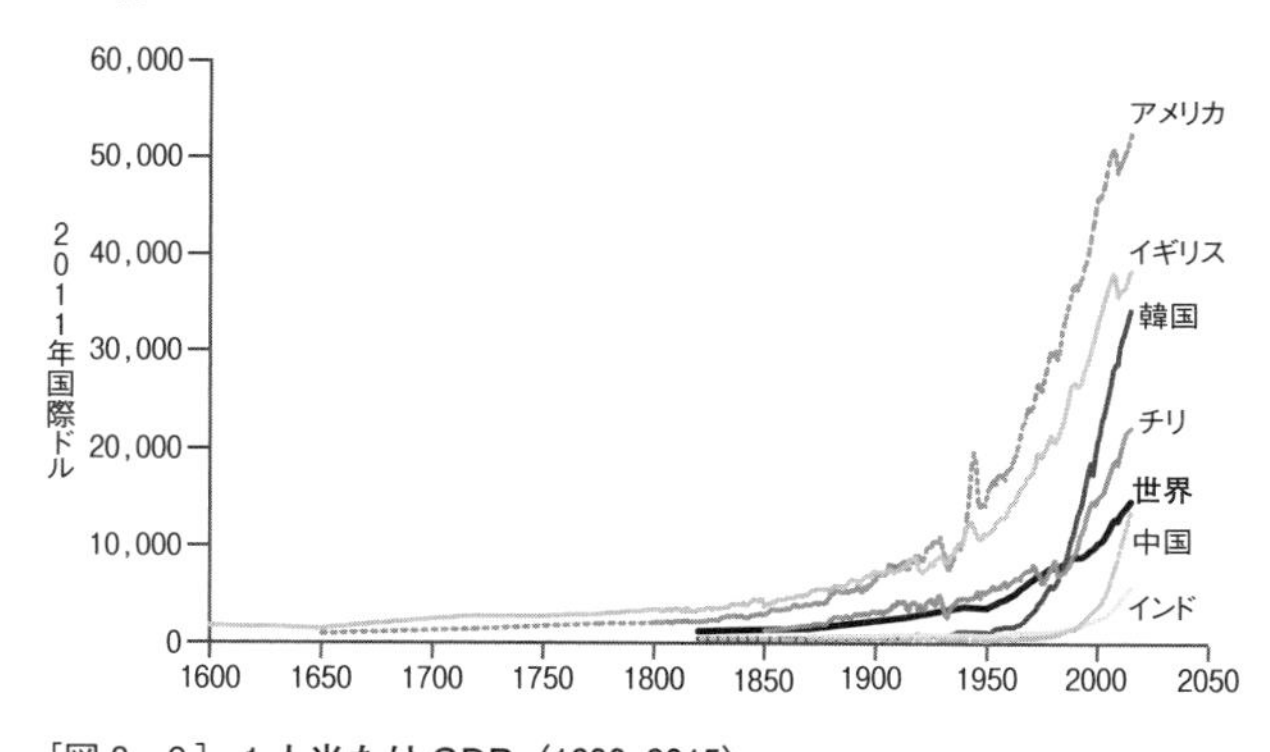

［図８－２］ **１人当たりGDP（1600-2015）**
情報源：*Our World in Data*, Roser 2016c. 世界銀行とマディソン・プロジェクト2014年のデータに基づく。

と一九二〇年のレベルに達したのはすばらしいことで、しかもそれぞれの人口が一三億人、一二億人であることを考えると驚きを禁じえない。同じく二〇〇八年に、一人当たりＧＤＰの世界平均（総人口は六七億人）が一九六四年の西欧のレベルに達した。しかもそれはたんに富裕層がより富裕になったからだけではない（もちろん、次章で述べるように一部にはそれもあるが）。極貧は根絶されつつあり、世界は中流階級になりつつある。[18]

統計学者のオーラ・ロスリング（ハンスの息子）が、世界の所得分布をヒストグラムにしてくれた。一八〇〇年と一九七五年と二〇一五年を比べられるようになっていて、曲線の高さはその所得レベルにある人口を示している[19]（次ページ図８―３）。

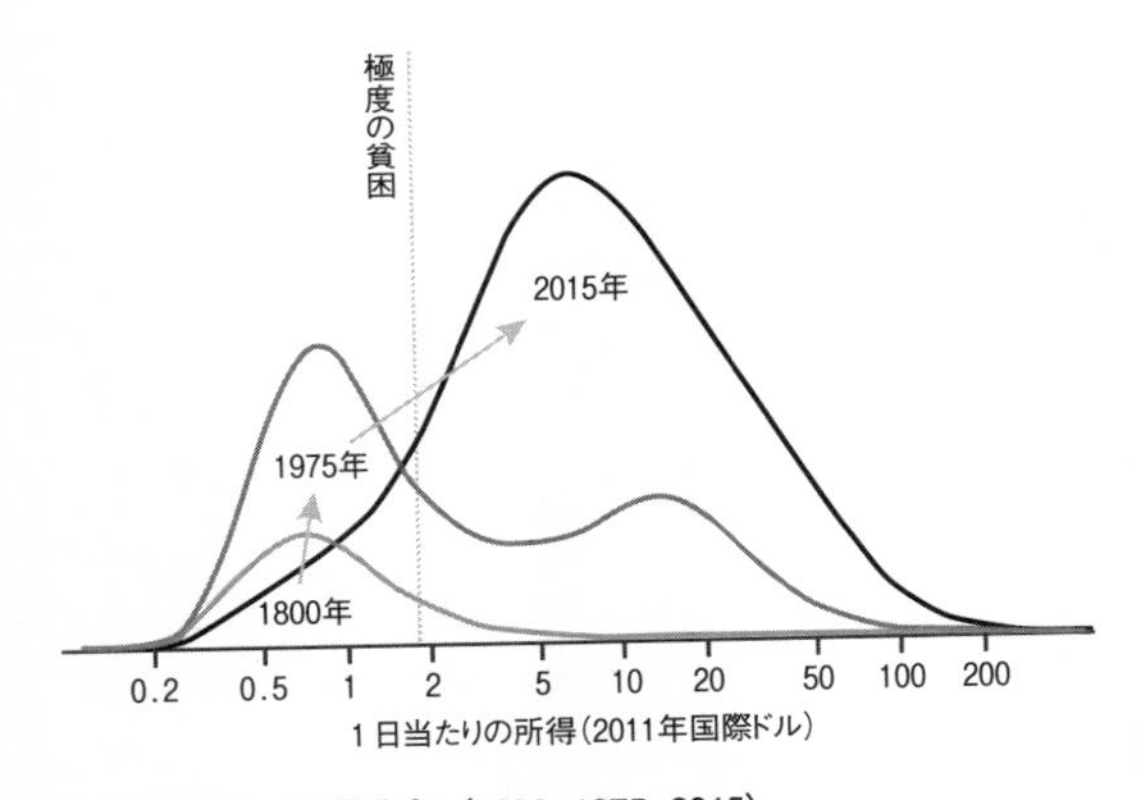

［図8－3］**世界の所得分布（1800, 1975, 2015）**
情報源：オーラ・ロスリングより。*Gapminder* のインタラクティブなグラフを基にした図。〈http://www.gapminder.org/tools/mountain〉 単位は2011年国際ドル。

産業革命黎明期の一八〇〇年には、世界のどこでもほとんどの人が貧しかった。平均所得は今日のアフリカの最貧国と同程度（二〇一一年国際ドルで年間約五〇〇ドル）で、世界人口の九五パーセント近くが今日でいう「極度の貧困」（一日一・九ドル未満）の状態に置かれていた。一九七五年には、欧米先進国はすでに「大脱出」を成し遂げていたが、その他の国々の所得レベルはその一〇分の一以下と出遅れていたため、フタコブラクダのような曲線になっている。[20] だが二〇一五年にはヒトコブラクダになり、左裾も低くなっているので、一九七五年の左のコブが右に移動したことがわかる。つまり世界はより豊かに、より平等になった。[21]

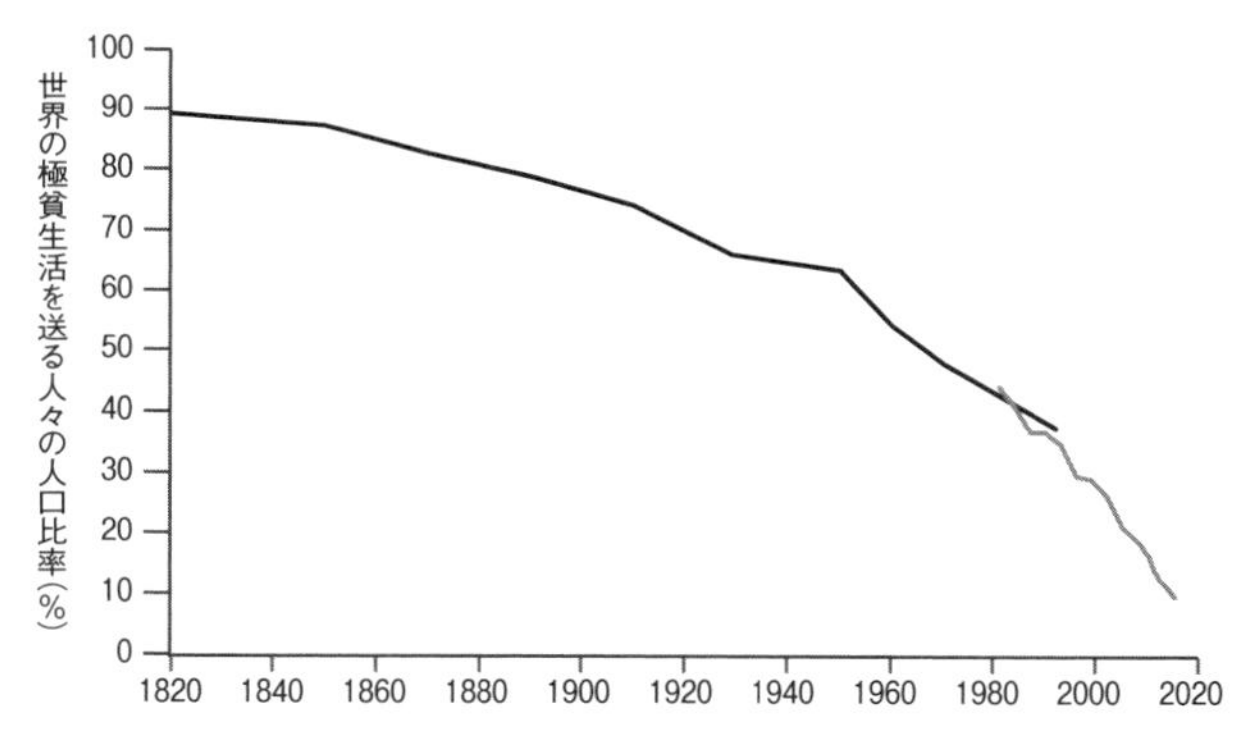

［図８－４］ 極度の貧困（比率）（1820-2015）
情報源：*Our World in Data*, Roser & Oartiz-Ospina 2017. World Bank 2016g の1981-2015年の「極度の貧困」のデータに合わせるため、それ以前については Bourguignon & Morrisson 2002（1820-1992）の「極度の貧困」と「貧困」のパーセンテージの平均値をとっている。

　ここで点線より左の部分、つまり「極度の貧困」にある人々に注目し、別のグラフでその変化を見ておこう。［図８－４］は、世界全体のなかで極貧状態にある人口の割合の変化を示している。いうまでもなく、線引きというのはどうやっても恣意的にならざるをえない。それでも国際連合と世界銀行は最善を尽くし、各国（発展途上国の一部）の貧困線を組み合わせて国際貧困線を決めていて、その各国のほうはそれぞれ自国の標準的な世帯の最低生活費から貧困線を決めている。国際貧困ラインは、一九九六年には一人当たり「一日一ドル」だったが、現在は二〇一一年国際ドルで「一日一・九ドル」に設定されている[22]（貧困線を引き上げるとグラフは上にシフトし、勾配も緩くなるが、右端の落ち込みは急になる)[23]。グラフの形もさることながら、どこまで低くなったかに注目してほしい——一〇パーセントまで下がっている。極貧状態にある人口の割合は二〇〇年間で九〇パーセントから一〇パーセントまで下がり、しかもその下げ幅のおよそ半分はこの三五年で起こった変化である。

世界の進歩を評価するには二つの方法がある。一つは、ここまでに示してきたような「比率」や「一人当たりの金額」だが、これらは政治哲学者ジョン・ロールズの公正な社会を定義する思考実験にも沿うもので、進歩の尺度として倫理的に適切だといえるだろう。ロールズが考えた公正な社会とは、「自分が何者なのかも、どういう能力をもっているかも知らず、〝無知のヴェール〟をかぶった状態で、無作為の一市民として生を受けることに誰もが同意できるような世界」である[24]。長寿で、健康で、栄養十分で、裕福な人の比率が高い世界なら、そこで生きてみようと思えるのではないだろうか。もう一つの方法は「絶対数」で、こちらも意味のあるものだ。長寿で、健康で、栄養十分で、裕福な人は、幸せを感じることができる人であり、そういう人の数が多いなら、その世界は望ましい場所といえるだろう。エントロピーの流れにも進化の荒波にも逆らえる人が多いということは、科学、市場、良い政府、その他の現代の諸制度による慈善の力の規模が大きい証拠である。

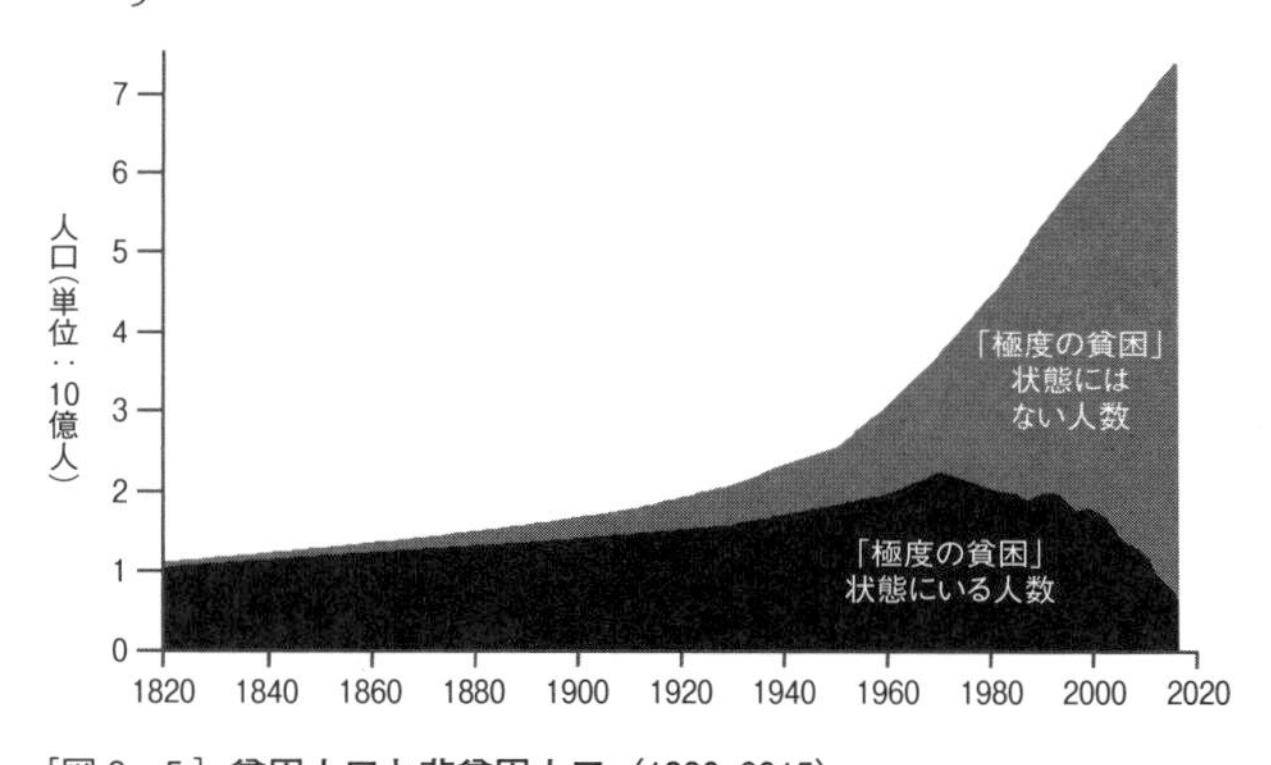

［図８−５］ **貧困人口と非貧困人口（1820-2015）**
情報源：*Our World in Data*, Roser & Ortiz-Ospina 2017. Bourguignon & Morrisson 2002（1820-1992）と World Bank 2016g のデータに基づく。

［図８―５］は、下の濃い部分が極度の貧困状態に置かれている人口、上の薄い部分が極度の貧困状態には置かれていない人口、二つを足したグラフの高さが世界人口を示している。これを見ると、世界人口が一九七〇年の三七億人から二〇一五年の七三億人へと急増すると同時に、貧困人口が減少していることがわかる（マックス・ローザーにいわせれば、報道機関が本当に世界の変化を報じてきたなら、過去二五年間、トップニュースは毎日、「極貧生活にあえぐ人々が昨日より一三万七〇〇〇人減少しました」だったはずだ）。要するにわたしたちは今、貧困人口の「比率」のみならず、「絶対数」も減りつつあり、かつ極度の貧困から抜け出た人の数が六六億人にもなる世界に生きている。

この結果は楽観主義者にとってさえ驚きだった（歴史上の驚きといえば悲しい驚きが多いが、これはうれしい驚きである）。二〇〇〇年に国連は、一九九〇年を基準年とした八つの「ミレニアム開発目標」を設定した。[25] 当初は国連のような枠組みを非効率とみなす国々が、陳腐な高望みだとしてこれらの目標を却下した。「わずか二五年で世界の貧困率を半減？　一〇億人を貧困から救い出す？　はいはい」。だが世界はこの目標を五年も前倒しで達成した。これには経済開発の専門家もいまだに信じられずにいるようだ。ディートンは「人類の幸福に関係する出来事としては、これがおそらく第二次世界大戦以後の世界で最も重要なものだろう」[26]といっている。経済学者のロバート・ルーカス（ディートンと同じくノーベル経済学賞受賞者）も、「（この目覚ましい経済発展の要因を理解することが）人類の幸福にとってどれほど役に立つかといったら、それはもう途方もない。そのことを考えはじめると頭がいっぱいになり、ほかのことは何も考えられなくなるほどだ」といっている。[27]

そう、未来について考えるのをやめてはいけない。過去のデータの延長線上に未来を見るのは危険なことだが、あえて試すとどうなるだろうか。[図8―4]のグレーの下降線（一九八一年以降の世界銀行のデータ）に定規を合わせて線を伸ばすと、二〇二六年にX軸と交わる（貧困率がゼロになる）。国連が二〇一五年に採択した「持続可能な開発目標」（ミレニアム開発目標の後継）は数年の余裕をみて、二〇三〇年までに

「あらゆる場所で、あらゆる形態の貧困に終止符を打つ」ことを目標としている。[28] 世界中から極貧をなくす！　是非ともこの目で見たい（イエスでさえこれほど楽観的にはなれなかった。弟子の一人に「貧しい人々はいつもあなた方と一緒にいる」〔新約聖書、新共同訳〕といったくらいだから）。

もちろん道のりはまだ長い。いまだに何億もの人々が極度の貧困状態にあり、それをゼロにするには多大な努力が必要で、定規で線を引けばすむわけではない。貧困人口の絶対数はインドやインドネシアなどでは減少しつつあるが、コンゴ、ハイチ、スーダンといった最貧国では逆に増加しており、こうした取り残された地域で貧困をなくすことこそ、実は最大の難関なのかもしれない。[29]

また目標に近づくにつれて、目標自体を見直す必要も出てくるだろう。極度ではない貧困もやはり貧困であって、このままでいいわけはない。進歩の概念について述べた個所で、努力して得た進歩と魔法のように自然に起こった進歩を混同してはならないと書いた。進歩に目を向けてほしいのは、人類の自画自賛のためではなく、何が進歩をもたらしたかを知って、うまくいくとわかったものをもっと先へ進めるためだ。また、何かがうまくいったとわかっている以上、発展途上世界のことをいつまでも無力な国々だなどというべきではない。それでは人々を無関心から揺り起こすどころか、これ以上いくら支援しても無駄だと思わせかねない。[30]

「毛沢東の死」が象徴する三つの貧困削減要因

では、うまくいったこととは何だろうか。進歩はほとんどの場合、好ましいことが同時発生してプラスに作用し合った結果なので、ドミノ倒しの最初の一枚が何だったかを特定するのは難しい。それでも「豊かになったのは、石油その他の商品の価格高騰による臨時配当のようなもの」とか、「人口の多い中国の急成長で統計の数値が膨らんでいるだけ」といった斜に構えた説は、すでに検証のうえ退けられている。では「大収斂」を可能にしたものは何なのか。ラデレットをはじめとする開発の専門家たちは五つの要因を挙げている[31]。

ラデレットは「毛沢東は一九七六年に独力で、それもたった一つの行為で世界の貧困の行方を大きく変えた。つまり死んだことによって[32]」といった。もちろん中国は、国の規模が圧倒的なので世界全体に影響を及ぼしはするが、中国の台頭が「大収斂」の唯一の要因だというわけではないし、中国自体の進歩にも国の規模以外に理由がある。実は毛沢東の死は、大収斂の主要因のうちの三つを象徴している。

第一の要因は共産主義（および各国に侵入した社会主義）の衰退である。すでに述べたように、市場経済は大きな富を生み出しうるが、全体主義の計画経済は物不足や景気低迷、時には飢饉まで招く。また市場経済は分業のメリットを享受し、需要に見合った生産を促すとともに、価格という形で需供情報を遠くまで伝え、何億人規模の労働を調整することができる。中央統計局にいくら優秀な人材がいても、これほど複雑な調整を人為的に行うことはできない。[33] そのため一九八〇年代初頭以降、多くの国で、集産主義、集中管理、専売制、何もかもが認可制の統制経済(インドでは「ライセンス・ラジ〔ラジは支配、統治の意味〕」と呼ばれた)などから開放経済への移行が始まった。鄧小平による中国の市場経済導入、ソ連崩壊とその東欧支配の終焉、インド、ブラジル、ベトナム、その他の国々の経済自由化などがその例である。

知識人は資本主義擁護論を目にすると、飲みかけのものを吹き出しそうになるようだが、資本主義の経済的恩恵は明々白々で、数字を挙げて説明するまでもない。宇宙から見ればひと目でわかる。韓国と北朝鮮は地理的環境、歴史、文化が同じで、経済システムだけ異なるが、朝鮮半島の夜間の衛星写真を見ると、資本主義の韓国は光で輝いているのに共産主義の北朝鮮は闇に包まれていて、富を生む力の差がまさに明暗となって表れている。対照実験になりうる他の組み合わせでも同じで、鉄のカーテンで分断されていたときの東西ドイツ、ロバート・ムガベ政権下のジンバブエとボツワナ、ウゴ・チャベスとニコラス・マドゥロ時代のベネズエラとチリなどもそうだ。ベネズエラはかつて石油資源に恵まれた豊かな国だったが、今では飢餓の蔓延と医療ケ

ア の危機的な不足に苦しんでいる。[34]

ここで念を押しておきたいのは、ジンバブエやベネズエラより幸運な発展途上国で見事に花を咲かせた市場経済というのは、〝右翼の幻想、左翼の悪夢〟である自由放任の無政府状態などではないという点である。程度の差はあれ、成功した国々では政府が教育、公衆衛生、インフラ、農業研修・職業訓練、社会保障、貧困削減策などに投資してきた。[35]

ラデレットが挙げた大収斂の第二の要因は指導者の交代である。毛沢東が中国に負わせたのは共産主義だけではない。彼は機略に富む誇大妄想狂で、大躍進（巨大な人民公社が設立され、使いものにならない溶鉱炉がつくられ、おかしな農法がまかり通った）や文化大革命（若者たちを、教師や上司や富農の子弟を吊るし上げる暴力団に変えてしまった）といった途方もない構想を国に押しつけた。[36] また他の多くの発展途上国も、一九七〇年代から一九九〇年代初頭にかけての停滞期に、国民の幸福のために権限を与えられた指導者ではなく、イデオロギー、宗教、部族主義、被害妄想にとりつかれた、あるいは自己崇拝に酔った独裁者に乗っ取られてしまった。共産主義に賛成か反対かによって、ソビエト連邦かアメリカ合衆国のどちらかが「あいつはろくでなしかもしれないが、少なくとも〝こっちの〟ろくでなしだから」[37]という考え方で支援したからでもある。

だが一九九〇年代、二〇〇〇年代になると民主主義が世界に広がり（第一四章）、分別があり、しかも人間尊重の立場をとる指導者が現れた。それもネルソン・マンデラ〔南アフリカ大統領〕、コラソン・アキノ〔フィリピン大統領〕、エレン・ジョンソン・サーリーフ〔リベリア大統領〕といった国家指導者ばかりではなく、宗教指導者や市民団体の指導者のなかにも国民の生活改善のために尽力する人物が現れた。[38]

第三の要因は冷戦の終結である。これによって各地の独裁者への援助も打ち切られ、一九六〇年代の独立以来ずっと発展途上国を苦しめてきた内戦の多くが終息した。内戦は人道的危機であると同時に経済的危機であり、設備は破壊され、資源は奪われ、子どもたちは学校に行けず、経営者も労働者も仕事を奪われ、命さえ奪われることがある。経済学者のポール・コリアーは紛争を「開発を後戻りさせる」ものと呼び、内戦がその国に与える標準的な損害額を五〇〇億ドルと見積もった。[39]

グローバル化が貧しかった国を豊かにした

第四の要因はグローバル化、なかでも国際貿易の拡大である。コンテナ船の普及や航空貨物輸送の発展、関税その他の貿易・投資障壁の撤廃によって、国際貿易はめざましい発展を遂げた。古典派経済学も、常識も、貿易ネットワークが拡大すればおおむね誰もが利益を受けると認めている。各国がそれぞれ異なる財やサービスに特化すれば生産効率が上がり、数量が数千人分から数十億人分に増えてもコストはさほど上がらない。買う側も世界市場の最安値で購入できれば、望む以上のものを手にできる（ただし一般常識においては、「比較優位」の概念が十分理解されているとはいえないようだ。この概念によると、それぞれの国が自国で最も効率的に生産できる財・サービスに特化してそれを売れば、たとえ他国が同じ財・サービスをより効率的に生産できる場合でも、全体としてはおおむね誰もが利益を受けると考えられる）。

グローバル化という言葉が出ると、政界ではさまざまな立場の人々が嫌悪をあらわにするが、これが貧しい国々に幸運をもたらしてきたことは開発の専門家たちも認めている。ディートンもこういった。「グローバル化は多数を犠牲にしてごく少数を豊かにするための新自由主義の陰謀だという声がよく聞かれる。だがそうだとすれば、その陰謀は大失敗に終わったわけだ。あるいは、陰謀としては失敗したが、意図しない結果として一〇億人以上を救ったことになる。意図しなくてもいつもこれほどすばらしい結果になるなら、陰謀ということにしておいてもいいくらいだ」[40]

確かに発展途上世界の工業化は、二世紀前の産業革命のときのように、現代の先進国の基準に照らせば厳しいとしかいいようのない労働環境を生み出し、辛辣な批判を浴びてきた。一九世紀のロマン主義運動は「暗い悪魔の工場」（ウィリアム・ブレイクの詩にある）への反発という側面をもっていたが、産業に対する根強い嫌悪感はそれ以来ずっと消えておらず、C・P・スノーのいう「第二の文化」である文系知識人たちにとっての神聖な価値の一つとなって残っている。[41]その証拠に、スノーの論文をこき下ろしたF・R・リーヴィスがとりわけ腹を立てたのは次の一節だった。

楽な暮らしをしていれば、物質的な生活水準などたいした意味はないと思うのはもっともなことだろう。個人の選択として産業化を拒否するなら、それもけっこうなことだ。やってみたいなら、現代のソロー〔『ウォールデン 森の生活』の著者ヘンリー・D・ソロー〕になって自給自足の暮らしをすればいい。それでももしあなたが、十分な食べ物もなく、子どもの多くを幼いうちに亡くし、読み書きから得られる豊かさも享受できず、人生が二〇年短くなっても平気だとしたら、あなたの産業嫌いの美学は相当なものだと一目置いてもいい。しかしもしあなたが、たとえ面と向かってではなくても、選択の自由をもたない人々に自分と同じ選択を押しつけようとするなら、わたしはあなたに一切敬意を払わない。そもそも彼らが何を選びたがるかをわたしたちは知っている。これまでも例外なく、チャンスに恵まれた国はどこでも、工場ができるやいなや貧しい人々は村を離れてそこへ向かったのだから。[42]

これまでの説明から明らかなように、寿命や健康の進歩に関するスノーの記述は正しかったが、途上国の生活水準に関するスノーの考え方もまた正しかった。その国の貧困層の窮状を考慮した場合、適切な生活水準とはその時代、その場所に存在する選択肢から選ぶべきだという考え方である。それが正しかったからこそ、五〇年後の開発の専門家たちがスノーの主張に同調しているわけで、その一人のラデレットは「工場の生産現場の仕事は搾取労働だといわれることが多いが、それでもたいていの場合、あらゆる搾取労働の草分けだったもの――日雇いの農作業――よりはましだ」と述べている。

わたしは一九九〇年代初頭をインドネシアで過ごしたが、当初は水田で人々が働く様子をどこか美化して眺めていて、逆に当時急増中だった工場の仕事にはやや懐疑的な目を向けていた。だが長くいるうちに、水田での労働がいかに大変なものかわかってきた。それは骨の折れる単調な作業で、照りつける太陽のもとで何時間も前かがみになり、棚田をつくり、種を蒔き、雑草を抜き、苗を移植し、害虫を駆除し、実った穀物を収穫することでようやく糊口をしのげるという仕事だ。水のなかに立ちつづけるので蛭（ひる）は寄ってくるし、マラリア、脳炎その他に感染する危険からも逃れられない。しかも当然のことながら、一日中暑い。それがわかったので、工場が一日二ドルの賃金で働き手を募集するたびに、何百人という人々が応募の列をつくるのを見ても、さほど驚かなかった(43)。

工業化による雇用創出の恩恵は、物質的生活水準の向上にとどまらない。新たに職を得た女性にとっては解放も意味した。〈HumanProgress〉の編集長チェルシー・フォレットは、「女性解放の観点から考える搾取工場（The Feminist Side of Sweatshops）」という記事のなかで、一九世紀の工場労働は、女性たちに農村での昔ながらの女性の役割から抜け出す機会を与えたと述べている。だからこそ、「当時の一部の男性からは、いくら行い正しい貞淑な娘でも、（工場で働いていたというだけで）恥ずべき女という烙印を押された」のだと。当の女性たちはそんなふうには思っていなかったようで、マサチューセッツ州ローウェルの織物工場で働いていたある女性が、一八四〇年にこんな手記を残している。

わたしたちがこの工場に来たのは、なるべく多く、なるべく早くお金を稼ぎたかったからです。（中略）ところが妙なことに、〝金好き〟といわれるこのニューイングランドで、稼ぎのいい仕事の一つである工場勤めを〝避けるべきもの〟と考える人がいます。つらい仕事だからとか、偏見をもつ人もいるからといって。でもわたしたちヤンキーガールは独立心旺盛なので、そんな言葉に従いはしません。[44]

そしてこの点においても、産業革命時代と同じことが今日の発展途上世界で繰り返されている。「女性のための世界基金」の代表を務めるカヴィータ・ラムダスは、二〇〇一年にこう述べた。インドの村で「女性がなすべきことは、夫や親族の指示に従うこと、脱穀すること、農作業のために歌うことだけです。でも都会に出れば、仕事を見つけたり、自分で商売を始めたり、子どもに教育を受けさせることもできます」。[45]バングラデシュのある分析調査によると、アパレル産業で働く女性は（わたしの祖父母も一九三〇年代にカナダで同じような仕事をした）賃金が上がり、児童婚を強要されることもなく、以前ほど大勢の子どもを産まされることもなく、人数が減ったぶん子どもたちが高い教育を受けられるようになるなど、さまざまな恩恵を受けたという。[46]この状態からたった一世代で、スラム街・貧民街が住宅街へ、労働者階級が中流階級へといった変化が起こりうる。[47]

工業化の利益を得るためだからといって、その過酷な面まで受け入れる必要はない。産業革命がもっと違っていたらと別の歴史を想像してみればいい。つまり現代的な感覚がもっと早い時点で取り入れられ、工場で子どもが働くこともなく、労働環境ももっと良かったとしたらどうだったかと。そして実際、今日の発展途上世界には、産業革命時代のように多くの雇用を生み出しかつ利益を上げながらも、より人道的な労働環境を実現している工場が存在する。また貿易交渉の圧力や消費者の抗議を受けて、多くの場所で労働条件が徐々に改善されつつあり、これは国がしだいに豊かになり、国際社会に溶け込んでいく過程で当然起こる変化だといえるだろう（第一二章と第一七章で先進国における労働条件の変化に触れるが、そこからもわかる）[48]。

進歩は、さまざまな変化が一緒くたに詰められたパッケージを丸ごと受け入れることで成し遂げられるものではない。産業革命にしろグローバル化にしろ、わたしたちはこれらが具体的に展開してきたその細部をすべてまとめて、丸ごと「良いか悪いか」、「イエスかノーか」という選択を突きつけられているわけではない。進歩に必要なのは、社会過程〔社会がたどるプロセス〕の特徴をできるだけ分解して、害になる部分を最小化し、利になる部分を最大化することである。

科学技術の発展がより良い生活をより安く実現

大収斂を可能にした第五の、つまり最後の要因は、多くの分析から最大の要因とされているもの、すなわち科学と技術である[49]。科学と技術のおかげで、わたしたちの暮らしは良い意味で安価なものになりつつある。科学と技術の進歩のおかげで、食品、健康、教育、衣類、建築資材、身の回りの必需品、あるいは贅沢品でさえ、一定時間の労働で買える量が以前より多くなった。食べ物や薬が以前より安く手に入るだけではなく、子どもが裸足ではなくビニール製のサンダルを履くようになったし、大人も散髪してもらいに行ったり、安価なソーラーパネルと視聴端末を使ってサッカーの試合を観たりと、のんびりする時間がとれるようになった。さらに健康や農業やビジネスに関する助言が欲しければ簡単に手に入るし、しかもそれは安いどころではない。タダだ。

　今では世界の成人の約半分がスマートフォンをもっていて、携帯電話サービスの契約数は世界人口を超えている。世界の一部の、道路も固定電話も郵便サービスも新聞も銀行もない場所では、携帯電話はゴシップや猫の写真を共有する手段である前に、富の主要な創造手段になっている。スマートフォンがあれば送金できるし、必要なものを発注できるし、気象情報や市場動向を追えるし、日雇い仕事を見つけられるし、健康や農法のヒントを得られるし、初等教育を受けることさえできる(50)。

　経済学者のロバート・ジェンセンが「携帯電話（ミクロ）とサバ（マクレル）の情報経済学」〔「ミクロとマクロ経済」のもじり〕と副題をつけた調査研究によれば、南インドの漁師たちが携帯電話を駆使して自分たちの収入を増やすとともに、その地域の魚の価格を下げることにも成功したという。船の上からその日どの港でどういう値がついているかを調べ、傷みやすい魚を無駄に

するこ とがないよう、供給過多の港を避け、供給不足の港に魚を届けるようにしたのだ[51]。このように、携帯電話は何億人という小規模農家・小規模漁業者を、経済学の教科書に出てくるような「摩擦のない理想的な市場」にいる「全知的合理性をもつ経済主体」に変える力をもっている。ある推計によれば、携帯電話一台ごとに発展途上国のGDPが三〇〇〇ドルずつ増えるという[52]。

知識が益を生む力は国際開発のルールを書き換えてきた。対外援助の効果のほどをめぐっては、開発の専門家のあいだでも意見が分かれる。腐敗した政府をますます肥えさせ、地元企業と競合させるので有害無益だと考える専門家もいれば[53]、最新の数値を挙げて、うまく割り当てられた援助からはすばらしい成果が上がっていると主張する専門家もいる[54]。しかしながら、食糧・資金援助の効果については意見が分かれても、技術援助——医薬品、エレクトロニクス、作物品種、そして農業やビジネスや公衆衛生の実践モデルの伝授——が真の成果を生んでいることについては誰もが認めている（トマス・ジェファソンがいったように、「わたしからアイデアを受け取る人は、わたしのアイデアを減らすことなくそれを自分のものにできる」のだから）。

わたしは一人当たりGDPを重視してきたが、知識の価値という要素が入ると、GDPという指標は必ずしもわたしたちが知りたい「生活の質」を示すものとはいえなくなってくる。たとえば、［図8―2］の右下にアフリカのデータを描き込んでみたところで、誰もすごいとは思わないだろう。もちろん上向きの曲線にはなるが、ヨーロッパやアジアの国々のようにドラマティックな上昇カーブを描くわけではない。

経済学者のチャールズ・ケニーは、アフリカの緩やかな曲線は実際の進歩を伝えるものではないと注意を促している。アフリカでは健康、長寿、教育にかかる費用が以前よりずっと安くなっているので、緩やかな上昇にしかならないのだと。

また一人当たりGDPと寿命の関係にも注意が必要で、一般論としては豊かな国の国民ほど長生きするので、その関係は（発見者である経済学者の名から）「プレストン・カーブ」と呼ばれる曲線を描くが、その曲線自体が年を追うごとに上へ上へと押し上げられていることも知っておくべきだろう。[55] つまり、国民所得が高いか低いかに関係なく、どこの国でも平均寿命が延びている。二世紀前には最も裕福な国（オランダ）でも平均寿命がわずか四〇歳で、平均寿命が四五歳を超える国はどこにもなかった。ところが現在では、最も貧しい国（中央アフリカ共和国）でも五四歳で、四五歳を下回る国はどこにもない。[56]

とはいえ、国民所得が重要な指標であることに変わりはない。これを浅薄で物質主義の指標にすぎないと鼻であしらうのは簡単だが、このあとの多くの章で論じるように、国民所得は人類の繁栄を示すあらゆる指標と相関している。[57] わかりやすいのは一人当たりGDPと寿命、健康、栄養との相関関係だろう。

一方、平和、自由、人権、寛容といった高い倫理的価値観とも相関していることは、少しわかりにくいかもしれない。[58]平均的には、豊かな国ほど互いに戦うことが少なく（第一一章）、内戦状態に陥ることも少ない（第一一章）。また民主主義を採用してこれを継続し（第一四章）、人権を重んじている（第一四章――もちろん例外もあり、アラブ産油国は裕福だが抑圧的だ）。豊かな国の国民ほど、男女平等、言論の自由、ゲイの権利、参加型民主主義、環境保護といった〝解放的な〟あるいは自由主義的な価値観が大事にされている（第一〇章と第一五章）。さらに、これは誰も驚かないだろうが、豊かな国ほど国民は幸福を感じるようになり（第一八章）、こちらは驚くかもしれないが、豊かな国ほど国民が賢くなる（第一六章）。[59]

国民所得順に最貧国から最富裕国まで並べてみると、片端に貧しく、暴力的で、抑圧的で、不幸な国々があり、もう片端に豊かで、平和で、自由で、幸福な国がある。だが相関関係は因果関係ではなく、そこには教育、地理、歴史、文化といった他の要因も関係しているだろう。[60]しかし専門家の分析によれば、経済成長が人間の幸福の鍵を握っていることはどうやら間違いないようだ。[61]

古いアカデミックジョークにこんなものがある。ある大学の教授会の最中に精霊が現れ、議長を務めていた学部長に向かって、金か名声か英知のどれかをやるから一つだけ選べといった。学部長はこう答えた。「迷うまでもない。わたしは学者で、人生のすべてを知性に捧げてきた。だからもちろん英知を選ぶとも」。精霊は軽く手を振ると、煙とともに消えた。煙が晴れたとき、学部長は両手で頭を抱えて考え込んでいた。そのまま一分過ぎ、一〇分過ぎ、一五分過ぎた。とうとう一人の教授がしびれを切らして声をかけた。「いったいどうしたんです？」すると学部長はつぶやいた。「金を選ぶべきだったとわかった」

第九章

不平等は本当の問題ではない

不平等は過度に注目され問題視されている

「だったら誰もが金持ちになれるんですか?」――というのは二〇一〇年代の先進国では当然の質問で、それほど誰もが経済的不平等にとりつかれている。教皇フランシスコはこれを「社会悪の根源」と呼び、バラク・オバマは「わたしたちの時代を決定づける課題」と呼んだ。『ニューヨーク・タイムズ』の記事で inequality (不平等) という言葉が出てくるものの割合は、二〇〇九年から二〇一六年にかけて一〇倍に跳ね上がり、七三本に一本となった。[1] つまり新たな社会通念が誕生したわけで、今や誰もが「ここ数十年の経済成長の成果はすべて〝最も裕福な一パーセント〟に吸い上げられ、その他全員は足踏み状態、あるいはゆっくり沈みつつある」と思っている。そしてもしそうなら、前章で説明した富の急増ももはや全人類の幸福に貢献していないことになり、祝う価値がなくなってしまう。

経済的不平等は長いあいだ左派の論点と決まっていたが、二〇〇七年に大不況〔the Great Recession：リーマンショック前後からの世界的不況〕が始まってからは重要テーマに躍り出て、それが二〇一一年の抗議運動「ウォール街を占拠せよ」と、二〇一六年のバーニー・サンダースの大統領予備選への立候補につながった。サンダースは自称民主社会主義者で、「一握りの人々があまりにも多くの富をもち、その他大勢がほとんど富をもたないなら、その国は道徳的にも経済的にも続かない[2]」と主張していた。

だがこの年〝革命はその子どもたちを貪り食い〟〔一八世紀のジャーナリスト、ジャック・マレ・デュ・パンがフランス革命について述べた言葉〕、ドナルド・トランプを大統領に押し上げる結果となった。そのトランプは、アメリカは「第三世界の国」に落ちぶれたと訴え、労働者階級の衰退をウォールストリートと一パーセントの超富裕層のせいではなく、移民と貿易のせいにした。政治勢力の左右の両端にいる人々がそれぞれ異なる理由で所得格差に憤り、その結果どちらも同じように現代経済への不信感をあらわにしたことが、近年まれに見る過激な大統領の選出につながったわけだ。

では、格差拡大は本当に大多数の人々を困窮させてきたのだろうか。欧米諸国、とりわけアメリカとその他の英語圏の国々で、経済的不平等が一九八〇年に最小を記録したあと拡大に転じたことは間違いない。特に〝超〟富裕層とそれ以外の差が広がった[3]。経済的不平等の度合いは一般的に「ジニ係数」で示される。これは〇から一までの数値で、〇が完全に平等、すなわち誰もが他の全員と同じだけもっている状態、一が完全に不平等、すなわち一人がすべてを独占し、他の全員は何ももたない状態を表す（実際どの程度の数値になるかというと、税・社会保障による再分配後の所得で、スカンジナビア諸国のように収入格差が最も小さい国が〇・二五、南アフリカのように最も大きい国が〇・七で、そのあいだに各国が並ぶ）。

アメリカの市場所得（再分配前）のジニ係数は、一九八四年の〇・四四から二〇一二年の〇・五一へと上がっている。ジニ係数以外では、国民のある一部（分位数〔データを上位から順に並べ、順位で等分割すること。四分割の場合は四分位数、一〇分割なら一〇分位数と呼ぶ〕で分割されたあるグループ）の所得が、国の総所得に占める割合も格差の指標になる。それで見ても、アメリカで所得分布の上位一パーセントが占める割合は、一九八〇年の八パーセントから二〇一五年の一八パーセントへと上がっている。上位〇・一パーセントの変化はさらに顕著で、二パーセントから八パーセントまで上がっている[4]。

格差という概念の範疇に入る現象は山ほどあるが、そのなかに深刻なものがあることは確かだ。それらに対して何らかの対処が求められるのは、人々が不平等感に煽られて「市場経済も技術進歩も対外貿易も放棄せよ」といった破壊的な考えに走るのを防ぐためでもある。格差というのは分析が非常に困難で（人口が一〇〇万なら九九万九九九九通りの不平等がありうるのだから）、これを扱う本も数が多い。だがわたしがこのテーマに一章を割くべきだと思ったのは、あまりにも多くの人がディストピア論に惑わされ、格差を「現代社会が人間のありようを改善できていない証拠」ととらえているからだ。このあと論じるように、その考え方は多くの点で間違っている。

所得格差は幸福を左右する基本要素ではない

人類の進歩という観点から不平等を理解するには、まず「所得格差は幸福を左右する基本要素ではない」と認識する必要がある。他の章で取り上げる健康、繁栄、知識、安全、平和といった進歩とはその点が異なる。ソビエト連邦時代のある小話がその理由を語っている。あるところにイゴールとボリスという貧しい農夫がいて、どちらも猫の額ほどの畑を耕して辛うじて家族を養っていた。二人の違いといえば、ボリスの家には痩せこけたヤギが一頭いるが、イゴールのほうにはいない、それだけだった。ある日イゴールの前に妖精が現れて、一つだけ願いを叶えてあげましょうといった。するとイゴールは「ボリスのヤギが死にますように」と願った。

ヤギが死んでイゴールの妬みは解消され、二人は前より平等になった。だが結局どちらの暮らしもよくならなかったというのがこの小話のオチである。

哲学者のハリー・フランクファートが二〇一五年の『不平等論』（山形浩生訳・解説、

筑摩書房）でこうした問題を掘り下げ、次のように論じている。[5] 不平等それ自体は道徳上好ましくないわけではない。好ましくないのは「貧困」である。長生きで、健康で、楽しく、刺激的な人生を送れるなら、お隣さんがいくら稼いでいても、どれほど大きな家に住んでいても、車を何台もっていても、道徳的にはどうでもいい。「道徳的見地からすれば、誰もが〝同じだけ〟もつことは重要ではない。道徳上重要なのは誰もが〝十分に〟もつことである」[6]と。

つまり問題は不平等そのものではなく、わたしたちが経済的不平等に対して偏狭な見方しかできなくなることにある。そうなると心をかき乱されて破壊的な考えを抱くようになり、どうしたらイゴールがヤギをもてるかではなく、ボリスのヤギを殺せばいいと考えるようになってしまう。

このような格差と貧困の混同は、「富は猛獣にとってのアンテロープの死骸と同じように有限で、その分配はゼロサム競争であり、誰かの取り分が増えれば他の取り分が減る」という考え方――仕事量についていわれる「労働塊の誤謬」のような考え方――から生じる。しかし前章で述べたように[7]、富とはそういうものではなく、産業革命以降に指数関数的に増えたのだった。つまり裕福な人がさらに裕福になるときは、貧しい人も裕福になりうる。専門家でさえ塊の誤謬に陥ったような表現をよく使うが、それは概念を混同しているというより、修辞上の熱意の表れかもしれない。

二〇一四年にはトマ・ピケティの『21世紀の資本』（山形浩生・守岡桜・森本正史訳、みすず書房）がベストセラーになり、格差をめぐる議論が白熱したが、そこにはこう書かれている。「総人口のうちの貧しいほうの半分は過去と同様に貧しいままである。二〇一〇年時点で彼らは富全体の五パーセントしか占めていないが、一九一〇年にもそうだった」[8]。しかし今日の富の総和は一九一〇年よりもはるかに大きいのだから、貧しい半数の人たちが同じ割合を所有しているなら「過去と同様に貧しい」のではなく、ずっと豊かになっている。

塊の誤謬よりさらに有害なのが、裕福になった人は本来の取り分以上のものを他人から奪っているという考え方である。これがなぜ間違っているかについては、哲学者のロバート・ノージックの有名な論述があるが[9]、それを二一世紀版に書き換えるとこうなる。今日の世界的な富豪の一人に『ハリー・ポッター』（松岡佑子訳、静山社）シリーズの著者、J・K・ローリングがいる。このシリーズは四億部以上を売り上げ、さらに映画化されて同じくらいの観客を動員した[10]。仮に一〇億人が『ハリー・ポッター』のペーパーバックか映画のチケットのために一〇ドルずつ支払い、その一割がローリングの収入になったとしよう。当然のことながら彼女は大富豪となり、格差を拡大させたことになるわけだが、人々を不幸にしたわけではなく、むしろ幸福にした（すべての富豪が人々を幸せにしたという意味ではない）。この説明はローリングの所得が努力や能力の成果にすぎないとか、彼女が世界に提供した情報や幸福の対価にすぎないといっているのではない。どこかの委員会が彼女は富豪になるにふさわしいと決めたわけでもない。彼女が得た富は、一〇億人の読者や鑑賞者の自発的行為から生まれた副産物である。

無論、貧困だけではなく、格差自体についても案じるべき理由があるだろう。というのも、ほとんどの人はおそらくイゴールと同じで、自分の豊かさ・貧しさそのものではなく、周囲の人々より上か下かで幸福と感じたり不幸と感じたりするのだろうから。だとしたら、金持ちがさらに大金持ちになるとそれ以外の全員が自分は貧しくなったと感じるわけで、実際には誰もが以前より豊かになっていても、格差が幸福感を引き下げてしまう。この状態は社会心理学が古くから認識しているもので、「社会的比較理論」「準拠集団」「ステータス不安〔社会的に成功できないことへの恐れ・不安〕」「相対的剥奪〔境遇に対する期待と現実のギャップ〕」など、さまざまな概念で説明されている[11]。

だが、この問題は広い視野から正しくとらえなければいけない。たとえば次のような二人の女性（シーマとサリー）を想像してみてほしい。シーマは貧しい国の無学な女性で、村から一歩も出たことがなく、子どもの半数を病気で失い、五〇歳くらいで自分も死ぬと思っているが、彼女が知るほとんどの人間は同じ状態に置かれている。一方、サリーは豊かな国で暮らす教養ある女性で、あちこちの都市や国立公園を訪れたことがあり、子どもはみな無事に育ち、八〇歳くらいまで生きられそうだと思っているが、経済的には下位中流階級で、そこから這い上がることができずにいる。サリーは富裕層の莫大な資産のことを見聞きすると、自分にはとうてい手が届かないと意気消沈し、さほど幸せな気分になれない。場合によっては、少しの恵みでもうれしく思うシーマより不幸といってもいいくらいだ。だからといって、サリーのほうが貧しい暮らしをしているなどというのはばかげている。あるいは、シーマの村の暮らしをよくしたら、村人の誰かがシーマ以上に豊かになってシーマの幸福感が下がるかもしれないから、この村は貧しいままにしておくべきだなどと考えるのはもはやまともではない[12]。

「不平等が悪を生む」という考えは間違っている

実は、この思考実験に現実的な意味はない。というのも実際にはまず間違いなく、サリーのほうがシーマより幸せを感じているからだ。以前は、人は自分より裕福な同国人を意識するあまり、自分がどの程度恵まれているかとは関係なく、心のなかの幸福感の目盛をリセットしてしまうと考えられていたが、実はこれに反して、単純に裕福な人は貧しい人より、豊かな国の国民は貧しい国の国民より、平均的に幸福感が高いことがわかっている[13]（第一八章で説明する）。

しかし、自分または自国が裕福になるほど幸福を感じるとしても、周囲が自分よりもっと裕福だと、周囲が自分と同じ場合より惨めな気分になるのかもしれず、だとしたらやはり格差が拡大すると不幸になるということだろうか？　疫学者のリチャード・ウィルキンソンとケイト・ピケットは、有名な著書『平等社会』（酒井泰介訳、東洋経済新報社）のなかで、所得格差の大きい国では殺人、収監、一〇代の妊娠、乳幼児の死亡、身体および精神疾患、社会不信、肥満、薬物乱用の率が高いと述べている[14]。つまり「不平等が悪を生む」というわけで、格差社会に生きる人間は勝者独り勝ちの覇権争いのただなかにいると感じ、そのストレスで病気になったり、自己破壊的になったりするという。

『平等社会』および類似の著書の理論は「左派の万物の新理論」と呼ばれていて、複雑に絡み合う相関関係をいきなり一つの原因で説明しようとするところに問題がある（この問題を内包する理論はほかにもたくさんある）。たとえば、J・K・ローリングやセルゲイ・ブリン〔グーグル創業者の一人〕は普通の人の仕事上、恋愛上、出世上のライバルにはなりえないが、そうした成功者の存在によっても人は競争不安に陥るのかといった点は曖昧なままである。

また、スウェーデンやフランスのように経済的に平等主義の国々と、ブラジルや南アフリカのような不平等な国々とでは、所得分配以外にも数々の相違点があるが、そこが無視されている。平等主義の国には、豊か、教育レベルが高い、良い統治がなされている、文化的に均質といった特徴も見られる。つまり不平等と幸福感（あるいは他の社会善）の見た目の相関は、ウガンダよりデンマークで暮らすほうがいい理由はたくさんあるということを示しているにすぎないかもしれない。

さらに、ウィルキンソンとピケットの分析は先進国に限ったものだが、[15]その範囲でさえ相関が曖昧で、どの国を計算に含めるかで相関が現れたり消えたりする。シンガポールや香港のように豊かだが不平等な国が、旧共産圏の東欧諸国のように貧しいが平等な国より社会的に健全だという例も少なくない。

いや、「不平等が悪を生む」という主張に対しては、もっと決定的な反論の根拠がある。社会学者のジョナサン・ケリーとマリア・エヴァンズが三〇年にわたって六八の社会の二〇万人を対象に調査を行い、その結果を分析したところ、不平等と幸福感の相関は疑似相関であって因果関係ではないことがわかった[16]（幸福感と生活満足度の測り方については第一八章で述べる）。二人は幸福感に影響することがわかっている主な要因（一人当たりGDP、年齢、性別、教育、配偶者の有無、宗教行事への参加など）を一定にして分析し、不平等が悪や不幸を生むという理屈は「事実という岩礁に乗り上げて難破する」ことを明らかにした。発展途上国においては、格差は人々の気力をくじくのではなく逆に鼓舞していて、不平等な社会のほうがかえって人々の幸福感が高いという結果も生じている。

またケリーとエヴァンズは、貧しく不平等な国で人々がどれほど羨望、ステータス不安、相対的剥奪から不満を覚えるとしても、「希望」がそのすべてを凌駕すると示唆している。つまり途上国の人々は、不平等をそこにチャンスがあるという証し、教育その他のルートで上を目指せばいつか自分も（自分がだめでも子どもたちが）報われる証しととらえている。一方、先進国（旧共産圏を除く）では、格差は良いほうにも悪いほうにも影響を与えていなかった（旧共産圏の国々は格差の影響が少し複雑で、共産主義のもとで育ったシニア世代には悪いほうの影響が見られ、若い世代には良いほうの影響が見られるか、何の影響もないかのどちらかだった）。

不平等と不公正を混同してはならない

このように、格差が幸福感にもたらす影響は不安定なのだが、そのせいで格差の議論にはもう一つの混同がつきまとうことになる。不平等と不公正の混同である。心理学の分野の数々の研究によって、人（子どもを含む）はたまたま何かが手に入った場合、たとえ各人の取り分が少なくなっても、全員での均等な分配を好むことがわかっている。これを一部の心理学者は「不平等回避」と呼ばれる選好――富を平等に分かち合うことを好む傾向――と考えてきた。

だがこれについては、クリスティーナ・スターマンズ、マーク・シェスキン、ポール・ブルームが従来の研究を見直していて、「なぜ人は格差社会を好むのか（Why People Prefer Unequal Societies）」という最近の論文で、人は分配方法が〝公正〟だと思えるかぎり、分配結果が〝均一ではない〟ほうを好むことを明らかにしている。たとえば同じ研究所の研究員のあいだでも、同じ国の国民のあいだでもそうであり、また〝公正〟というのは、人一倍よく働いたり、助力を惜しまなかったりした人が特別ボーナスを受け取ることはもちろん、宝くじに当選したといった場合でも、くじ自体が公正なものであればかまわない[17]。スターマンズらによれば、「これまでのところ、子どもが、あるいは大人が、不平等そのものに対して全般的嫌悪感を抱いているという証拠は見つかっていない」という。

人は国が能力主義社会であるかぎりは経済的不平等を受け入れるが、国が能力主義社会だと感じられなくなったときには怒りを覚える。また、人は格差の〝存在〟そのものは受け入れていても、格差の〝原因〟について耳にすると穏やかではいられなくなる。そこを突いてくるのがある種の政治主張で、民衆を煽りたてるのに利用される。自分の取り分以上のものを不正に得ている悪者として、たとえばウェルフェア・クイーン〔公的扶助を受けながら優雅に暮らす女性〕、移民、諸外国、銀行、富裕層、また往々にしてエスニック・マイノリティを槍玉に挙げるというやり方だ[18]。

不平等を強引に何かと結びつけようとする考え方はこれだけではない。心理的嫌悪以外に、いくつかの社会的機能不全——景気低迷、金融不安、世代間の流動性の低さ〔経済的地位が親から子へ継承されやすいこと〕、利益誘導型の政治など——も不平等との関連づけの対象になってきた。無論これらは真剣に対処すべき課題だが、ここでもやはり相関関係から因果関係への安易な飛躍が見られるとの指摘がなされている[19]。

いずれにせよ、このように多くの社会悪の根源としてジニ係数に狙いを定め、その数値をどうにかしようとするより、個別の問題に焦点を合わせて具体的な対策を打つほうが効果があるのではないだろうか。たとえば、不況脱出のためのインフラと研究への投資、金融安定化のための規制強化、経済的地位の流動性向上を促すための教育・職業訓練の機会拡大、政治への不当な影響力行使を排除するための選挙の透明性確保と選挙資金法改正等々、やれることは山ほどある。なかでも政治における金の問題は、どんな政策でも歪めてしまう恐れがあるだけにとりわけ深刻だが、それと所得格差はまったく別の問題である。上位の高額献金者の所得が全体の八パーセントだろうが二パーセントに減ろうが[20]、選挙制度改革がなされないかぎり、結局は彼らが政治家を動かせるのだから。

経済的不平等それ自体は、人間の幸福を左右するものではない。格差問題を不公正問題や貧困問題と混同してはならない。

さて、不平等の道徳的意義の検討はここまでにして、このあとは不平等が時とともにどう変化してきたのか、またそれはなぜなのかを見ていこう。

経済発展に伴い格差はどう推移するか

経済的不平等は近代化とともに生まれた、というのが不平等の歴史の最も単純な説明である。富が存在しなければ誰も何ももたないのだから、人類は平等な状態から始まったはずで、その後富が創造されたことで、一部の人間が他の人間より多くもつようになった。つまり不平等はゼロから始まり、時とともに富が増大するにつれて格差も広がったという考え方である。しかしこれだけでは説明不足だ。

狩猟採集民社会は一見高度な平等主義に基づいているように見え、マルクスとエンゲルスが「原始共産制」を思いつくヒントにもなった。しかし民族誌学者は、狩猟採集民が平等主義だというのは語弊があるといっている。まず、現存する狩猟採集民で、学者たちの研究対象になってくれている諸部族は、祖先の生活様式をそのまま踏襲しているわけではない。彼らは耕作限界地に追いやられ、移動生活を強いられていて、富の蓄積などできない（そもそも邪魔になるから持ち運べないということもある）。一方、定住している狩猟採集民の社会は明らかに不平等で、たとえばサーモン、ベリー類、毛皮動物などが豊富にとれるアメリカの太平洋岸北西部の先住民の場合は、世襲貴族が存在し、その貴族は奴隷や贅沢品を所有し、ポトラッチと呼ばれる盛大な儀式で贅沢な贈り物をすることで富を誇示する。また、非定住の狩猟採集民は確かに肉は分け合うが、植物性食物はあまり分け合わない。狩猟は運に大きく左右されるし、分け合っておかないと獲物がない日に困ることになるので、肉はそうする。しかし採集は努力しだいであって、見境なく平等に分けていたら手抜きをする仲間も出てくるので、植物性食物はそうしない[21]。

結局のところ、いつの時代のどんな社会にもある程度の不平等は存在したと考えるべきで、不平等意識も同様である[22]。現に、最近行われた狩猟採集民の富（家、小舟、狩猟と採集の収穫物など）に関するある調査で、彼らが「原始共産制」からは程遠い状態にあり、ジニ係数の平均も〇・三三と、二〇一二年のアメリカの可処分所得のジニ係数とさほど変わらないことがわかった[23]。

では実際のところ、社会が相当量の富を生み出しはじめると何が起きるのだろうか。まずは絶対的不平等（最も裕福な人と最も貧しい人の差）が拡大するのだが、これは数学的必然である。取り分が平等になるように再分配する権限を誰かがもたないかぎり、一部の人々が運かスキルか努力によって他の人々より巧みにチャンスをとらえ、より多くの成果を手にすることは避けられない。

一方、相対的不平等（ジニ係数や所得分布で表される）の拡大のほうは数学的必然ではないが、まず起こるものと考えていい。経済学者のサイモン・クズネッツの有名な仮説によれば、国が豊かになると、稼ぎのいい仕事を求めて農村を離れる人と、農村に残り貧しいままの人に分かれるので、必然的に格差が広がる。だがやがて上げ潮がすべての船を押し上げる。現代的な経済へと流れ込む人口が増えるにつれて、格差は縮小していく。時の経過とともに格差が逆U字形を描くこの曲線は、クズネッツ曲線として知られている。[24]

わたしたちはすでに前章で、国家間の不平等についてのクズネッツ曲線のヒントを得ている。産業革命の勢いに乗じて、それまでの世界的貧困のなかからヨーロッパ諸国が抜け出し、他の国々を置き去りにして先に「大脱出」を成し遂げた。ディートンがいうように、「より良い世界は差のある世界を生み、脱出によって格差が生まれる」[25]。だがその後グローバル化が進んで富の創造のノウハウが世界に伝わると、貧しい国々も貧困を抜け出し、「大収斂」が始まった。アジア諸国のGDP急増（図8―2）、世界の所得分布の形の変化（カタツムリからフタコブラクダ、そしてヒトコブラクダへ。図8―3）、極貧生活を送る人々の比率の減少（図8―4）や人数の減少（図8―5）な

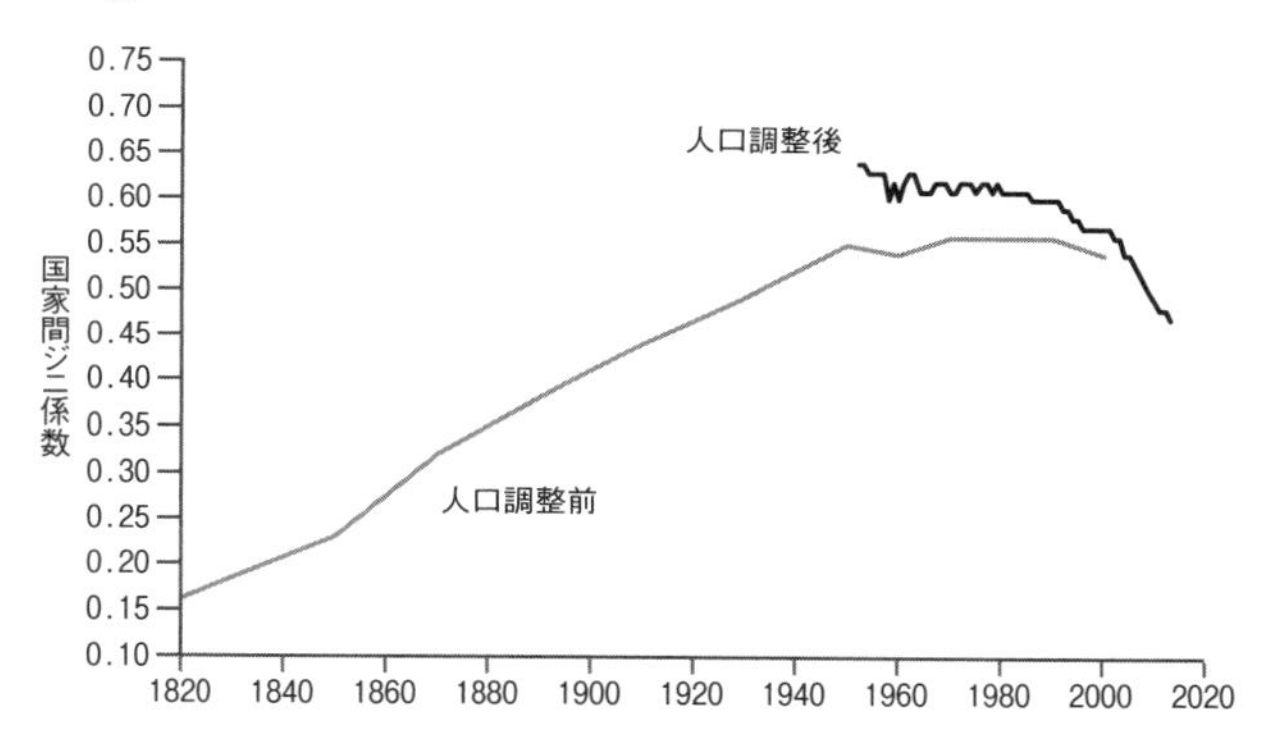

［図９－１］ 世界の不平等：国家間ジニ係数（1820-2013）
情報源：【人口による重み付けなし】OECD Clio Infra Project, Moatsos et al. 2014. データは各国の世帯当たり市場所得に基づく。【人口による重み付けあり】Milanović 2012. 2012年と2013年のデータはブランコ・ミラノヴィッチから個人的に提供を受けた。

どに、わたしたちは格差縮小のヒントを見た。

しかし、これらの進歩が本当に格差縮小につながっているのか――豊かな国々がさらに豊かになるよりも速いスピードで、貧しい国々が豊かになりつつあるのか――を確かめるには、両グループを同じ指標でとらえる必要がある。そのための指標としてまず、各国をそれぞれ一人の人間とみなした場合の国家間ジニ係数で変化を見ることにしよう。

まず［図９―１］の薄い線を見てほしい。この国家間ジニ係数はどの国も貧しかった一八二〇年には〇・一六と低かったが、一部の国が豊かになった一九七〇年には〇・五六まで上がった。

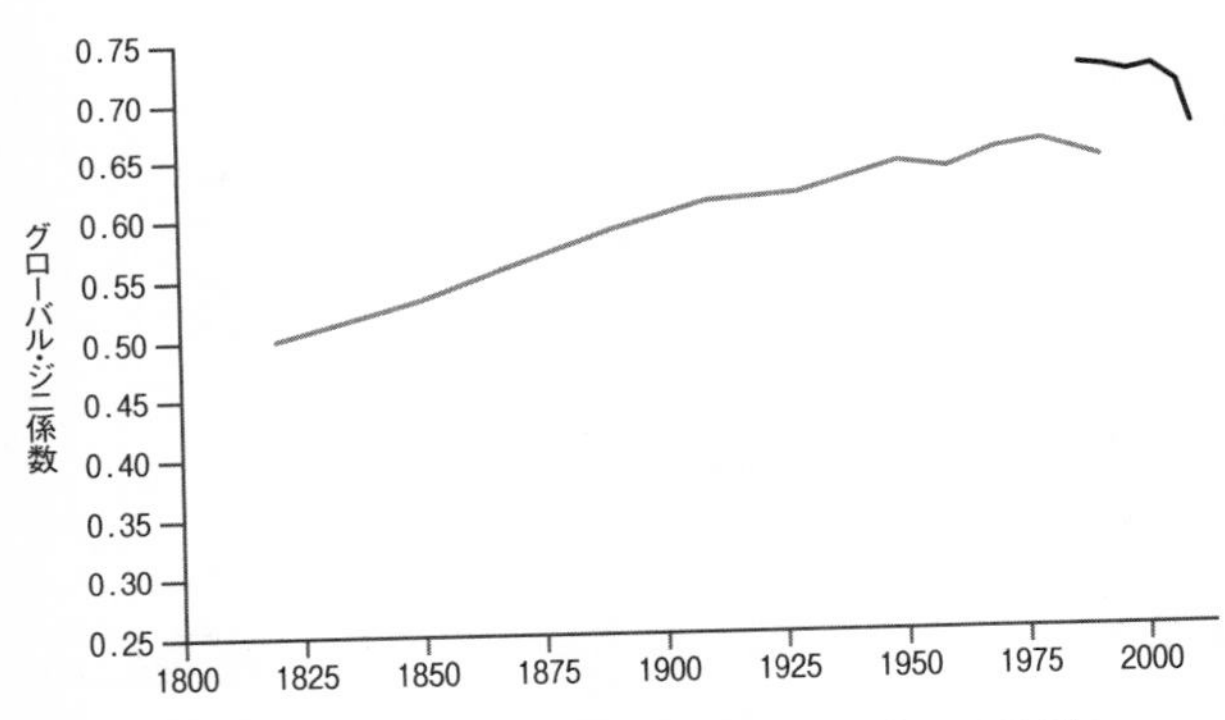

［図9－2］**世界の不平等：グローバル・ジニ係数（1820-2011）**
情報源：Milanović 2016, fig. 3.1. 左側（薄い線）のデータは1人当たり可処分所得を1990年の国際ドルに換算したものに、右側（濃い線）のデータは世帯人員1人当たりの可処分所得と消費額を組み合わせて2005年の国際ドルに換算したものに基づく。

だがその後クズネッツの予測どおり横ばいとなり、一九八〇年代末には下降に転じている。[26] ただしこの係数は、中国一〇億人の生活水準もパナマ四〇〇万人の生活水準もそれぞれ一単位で数えているので、このままでは必ずしも実態を反映しているとはいえない。そこで［図9―1］には濃い線で、経済学者のブランコ・ミラノヴィッチが算出した国家間ジニ係数も入れてある。こちらは各国の数値に人口で重み付けしたもので、格差縮小の傾向がはっきり出ている。

だがこれでもまだ問題があり、国家間ジニ係数は中国人全員が同じ収入を得ているかのように、アメリカ人全員がアメリカの平均所得を得ているかのように扱うので、人類全体の不平等を過小評価することになってしまう。では国の違いを超えて、全人類を一律に比較するグローバル・ジニ係数ではどうかというと、こちらは状況の異なる国々の所得を一緒くたに扱うことになるので計算が難しい。それでも推測値を二例、［図9―2］に示しておく。この二つは異なる年度の購買力平価でドルに換算されているので高さがずれているが、傾向としては全体でクズネッツ曲線のようなものを描いている。すなわち産業革命後から一九八〇年頃まで徐々に格差が拡大し、それから縮小に転じている。このように、欧米諸国では格差拡大が懸念されているにもかかわらず、［図9―1］でも［図9―2］でも、世界全体での格差は縮小しつつある。ただし格差の縮小は進歩の遠回しな説明にすぎず、大事なのはあくまでも貧困の減少であり、格差縮小が貧困減少によって成し遂げられつつあるところにこそ目を向けるべきだ。

二〇世紀以降の格差縮小の最大要因は戦争

一方、最近懸念材料になっているのは、アメリカやイギリスなど先進国の国内における格差拡大である。次ページ［図9―3］でこの二国の長期的推移を見てみよう。こちらも近年まではクズネッツ曲線を描いていた。産業革命時代に格差が拡大し、そ

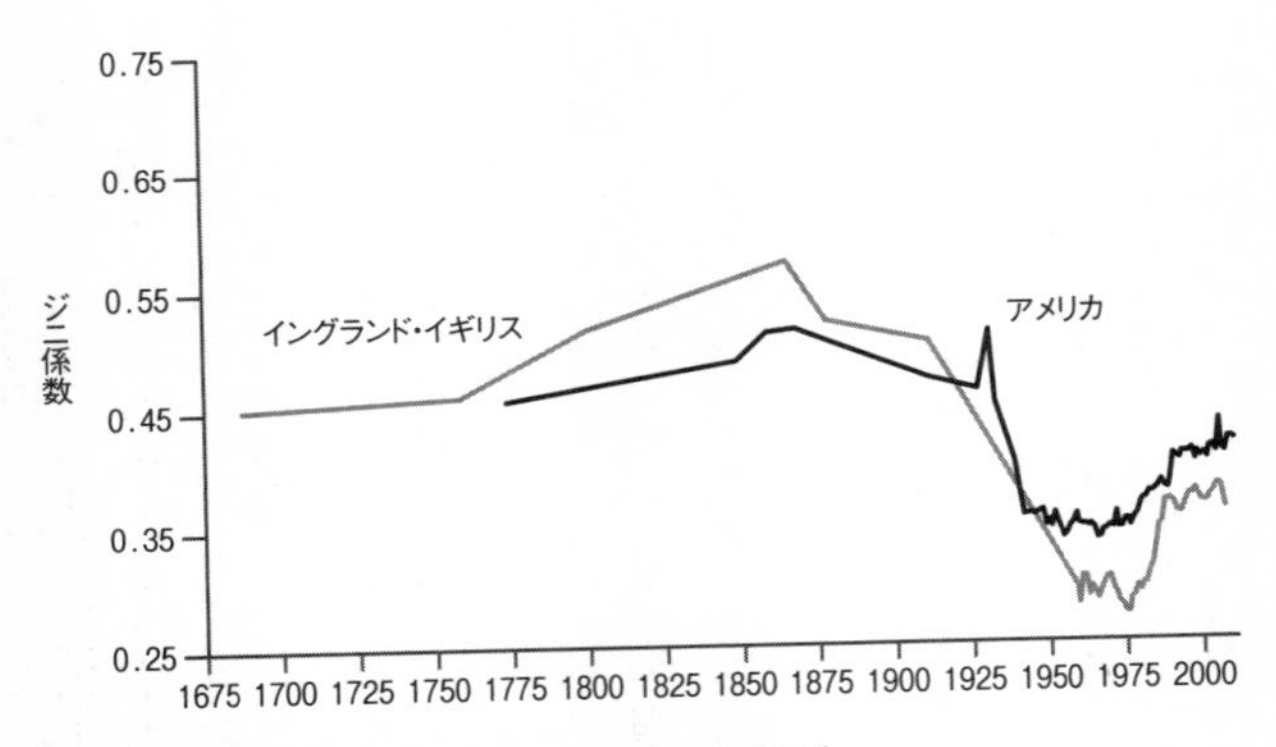

［図9－3］**米国内・英国内の格差（1688–2013）**
情報源：Milanović 2016, fig. 2.1. データは1人当たり可処分所得に基づく。

の後縮小に転じ、一九世紀後半にはまず緩やかに、次いで二〇世紀中頃には急激に縮小した。だが一九八〇年頃から再び上昇し、クズネッツ曲線とは明らかに異なる推移を見せている。この拡大、縮小、再拡大のそれぞれの局面について順に考えてみよう。

一九世紀の格差拡大はクズネッツの説明どおりで、「拡大する経済」が徐々に人々を都会の仕事へ、熟練を要する賃金の高い仕事へと引き込んでいった様子が反映されている。だが二〇世紀に入ってからの格差縮小――「大平準化（the Great Leveling）」、「大圧縮（the Great Compression）」などと呼ばれている――のほうはかなり唐突で、これには特別な原因があった。この縮小は二度の世界大戦と重なっていて、しかもそれは偶然ではない。大規模な戦争は所得分布の平準化をもたらすことが多い[27]。戦争は富を生む資本を破壊し、インフレによって債務を帳消しにし、富裕層に高い税率をのませ、その分を政府が軍人と軍需産業労働者に再分配し、その結果それ以外の分野の労働需要が増大し、格差縮小につながる。

これはイゴールとボリスの話のような、全体を引きずり下ろして貧しいほうに合わせる所得平準化で、戦争はこうした平準化をもたらす大惨事の一つである。歴史学者のウォルター・シャイデルは「平等化の四騎士」〔新約聖書の「ヨハネ黙示録の四騎士」である疫病、戦争、飢饉、死になぞらえた表現〕として、大量動員を伴う戦争、大変革を伴う革命、国家崩壊、甚大な被害をもたらす疫病を挙げている。これらの要因は富を著しく破壊するのみならず（共産革命においては富の所有者も抹殺された）、大勢の働き手の命を奪うことで生き残った労働者の賃金を上げるので、格差が縮小する。シャイデルはこれを評して、「経済的平等を求めるわたしたち全員が是非とも頭に入れておくべきこと、それは、ごくまれな例外を別として、経済的平等は常に悲しみとともにもたらされてきたということである。軽率な願いは悲劇をもたらす」といっている[28]。

シャイデルの警告は人類の長い歴史のどの時代にも当てはまる。だが現代社会はもっと穏やかな格差縮小方法を知っている。すでに述べたように、国全体にとっての貧困削減策としてわたしたちが知る最善のものは市場経済である。ただし、市場で交換するものを何ももたない人々――若年者、高齢者、病人、不運に見舞われた人々、自分のスキル・労力だけでは生計を立てられない人々など——にとっては十分に機能しない（言葉を換えると、市場経済は「平均」を最大化するように働くが、わたしたちは「分散」や「範囲」も大事にしたいと思っている）。国内に共感の輪が広がって、人々が貧しい人々に目を向けるにつれ（また人々がもし自分も貧しくなったらと考え、身を守るすべを求めるにつれ）、皆が出し合った富の一部——政府の資金——が貧困削減策に回されるようになり、その金額はしだいに増えていく。皆が出し合う資金というのは、具体的に何らかの方法で集めるしかない。法人税や消費税、政府系ファンドなどもあるが、多くの国では累進性——豊かな人ほど余裕があるので高い率の税金を納める——の所得税が中心になっている。要するに「再分配」のことだが、この言葉は必ずしもふさわしくない。実質的には富裕層が引き下ろされるとしても、本来の目的は貧困層を引き上げることであって、富裕層を引き下ろすことではない。

資本主義経済の発展とともに社会移転は増えた

現代の資本主義社会は貧困層に冷たいと非難する人たちは、資本主義以前の社会がどうだったか知らないのだろう。貧民救済にはほんのわずかな資金しか回されていなかった。絶対額が少ないだけではなく、国の富に占める割合も今よりはるかに少なか

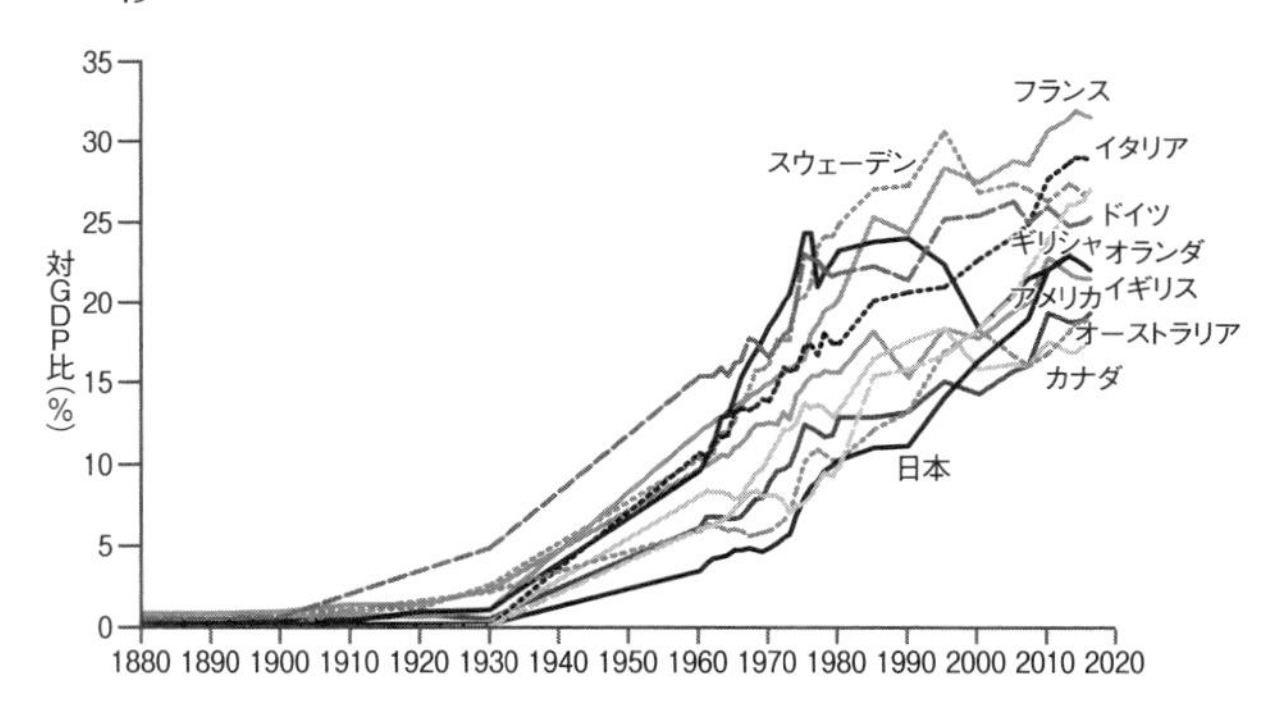

［図9－4］**OECD 諸国の社会的支出（1880-2016）**
情報源：*Our World in Data*, Ortiz-Ospina & Roser 2016b. Lindert 2004とOECD 1985, 2014, 2017のデータに基づく。OECD 加盟国は2017年現在35カ国で、いずれも市場経済を採用する民主主義国である。

った。ルネサンス期から二〇世紀初頭までずっと、ヨーロッパの国々が貧民救済、教育その他の社会移転〔政府などが家計に財やサービスを支給すること〕に費やした金額は、平均でGDPの一・五パーセントという低さだった。しかも国と時代によってはゼロという例も少なくなかった。[29]

これもまた人類の進歩の一つだが、現代社会は人々の健康、教育、年金、所得補助などのためにかなりの金額を支出するようになっていて、これを「平等主義革命」と呼ぶこともある。[30]［図9―4］は先進国の社会的支出の推移で、これを見ると二〇世紀半ばから急増したことがわかる（アメリカは一九三〇年代のニューディール政策、他の国々は第二次世界大戦後の福祉国家の増加による）。今ではこれらの国々の中央値が

ＧＤＰの二二パーセントに達するまでになっている。[31]

社会的支出の急増とともに政府の役割も再定義され、従来の戦争と警察に扶養が加わった。[32] 政府が新たな役割を引き受けたのにはさまざまな理由がある。たとえば、社会的支出は国民のあいだで共産主義やファシズムの高まりを予防する。社会的支出のなかには普通教育や公衆衛生のように、直接の受益者のみならず国民全体にとっての公共財となるものがある。人々を襲う不幸のなかには、個々人がリスクヘッジをかけられない、あるいはかけようと思わないものがあり、国の政策の多くはそうした不幸から国民を守る（だから「セーフティーネット」という遠回しな表現になっている）。また困窮者への支援は、凍え死んだマッチ売りの少女、腹をすかせた姉の子のためにパンを盗んで投獄されたジャン・ヴァルジャン〔『レ・ミゼラブル』〕、祖父をルート六六の路傍に埋葬するしかなかったジュード一家〔『怒りの葡萄』〕などに涙する現代の良心に寄り添うものだ。

政府に納めた分を、誰もがまたそのまま（官僚機構のコストは差し引かれるが）受け取るだけでは何の意味もないわけで、当然のことながら、社会的支出は余裕のある人々の勘定で、余裕のない人々を助けることを目的にしている。それが、再分配、社会福祉制度、社会民主主義、あるいは社会主義（と書くと誤解されそうだが、自由市場資本主義は社会的支出と――それがどれほどの金額であろうとも――両立する）などとして知られる原則である。社会的支出が格差縮小そのものを目的としているかどうかにかかわらず、格差縮小がその結果の一つであることに変わりはないので、一九三〇年代から一九七〇年代までのジニ係数の低下は、ある部分社会的支出の増大によって説明できる。

このあとの複数の章でも触れることになるが、進歩というのは不思議な様相を呈することがあり[33]、社会的支出もその一例である。わたしは歴史的必然とか、宇宙エネルギーとか、神秘的な正義の弧（アーク）といったものには懐疑的だが、それでもある種の社会変動が地殻変動のような容赦ない力によって引き起こされているように思えることがある。そういう変動が始まると、反対派がいくら阻止しようとしても止められない。社会的支出もその例である。アメリカは再分配につながりそうなものには例外なく抵抗することで知られている。それでもGDPの一九パーセントを社会的支出に充てていて、保守派やリバタリアンが必死で抵抗してもなお、その支出額は増えつづけてきた。最近増えた分には、ジョージ・W・ブッシュによるメディケア処方薬給付導入と、バラク・オバマの名を冠した医療保険制度改革「オバマケア」の彼の後継者による導入がある。

しかも多くのアメリカ人は国ではなく、雇用主を介して健康、年金、障害等の保険をかけているので、実際のアメリカの社会的支出はもっと高額になる。国による社会的支出に、雇用主によるものも加えると、アメリカはOECD三五カ国中の三四位から、一気にフランスに次ぐ第二位に躍り出る[34]。

大きな政府や高い税率に抗議しながらも、実はアメリカ人は社会的支出が好きなのだ。社会保障制度がアメリカ政治のタブーといわれてきたのは、政治家が制度をいじろうとすると政治生命を断たれるからである。タウンミーティングで激怒した地元の有権者が議員に、「政府におれのメディケアへ手を出させるな」と釘を刺したという噂も聞く〔高齢者向け医療保険制度の話である〕[35]。オバマケアが成立するやいなや、共和党はその廃止を大目標に掲げたが、二〇一七年に共和党の大統領が就任してから実際に出されたオバマケア改廃案は、タウンミーティングでの怒りの声や、その怒りを恐れる議員によっていずれも退けられている。またカナダでは、「自分たちの医療保険制度に文句をいうこと」と「自分たちの医療保険制度を誇らしく語ること」がアイスホッケーに次ぐ国民的娯楽になっている。

一方、発展途上国は社会的支出が少なく、たとえばインドネシアはGDPの二パーセント、インドは二・五パーセント、中国は七パーセントと、ほぼ一世紀前の先進国と同じレベルである。だがやはり途上国も豊かになるにつれて気前よく支出するようになるもので、この現象は「ワーグナーの法則」と呼ばれている[36]〔財政学者アドルフ・ワーグナーにちなむ。経費膨張の法則とも〕。メキシコの社会的支出のGDP比率は、一九八五年から二〇一二年までで五倍になったし、ブラジルの比率は今や一六パーセントに達している。[37] ワーグナーの法則は、傲慢な政府や官僚機構の膨張への警告というより、進歩の表れの一つではないかと思える。

経済学者のレアンドロ・プラドス・デ・ラ・エスコスラは、一八八〇年から二〇〇〇年までのOECD諸国の社会的支出のGDP比の推移が、その間の各国の繁栄・健康・教育の複合指標と強い相関をもつことを明らかにしている。[38] そしてこの法則の結果として、リバタリアンの理想郷——相当量の社会的支出を行わない先進国——はどこにもなくなった。[39]

だが社会的支出と社会福祉の相関関係はあるレベルで止まる。社会的支出はGDP比二五パーセントあたりでだいたい横ばいになり、さらに上がったとしてもそのあたりまで下りてくることが多い。何事にもマイナス面があるものだが、社会的支出も例外ではなく、「モラルハザード」を生むことがある。保険というのはどんな種類でも、あるレベルを超えると弊害が出てくるもので、何かあっても保険に入っているから大丈夫という安心感から、被保険者が義務を怠ったり無謀な行動に走ったりする例が生じうる。また保険金の支払いは掛け金で賄われているので、保険数理士が数字を読み違えたり数字自体が大きく変わったりして掛け金より支払額のほうが大きくなると、システムそのものが崩壊してしまう。ただし実際には、社会的支出は保険と同じわけではなく、保険と投資と慈善の組み合わせのようなものだ。したがってそれが成功するかどうかは、一国の国民がどの程度自分をコミュニティの一部だと感じられるかにかかっているので、受益者があまりにも移民やエスニック・マイノリティに偏ると、その連帯感に亀裂が生じる恐れがある[40]。

そうした緊張感は社会的支出にはつきものなので、絶えず政治議論が巻き起こる。しかも社会的支出には「適正な金額」などないので、ますます議論が紛糾する。しかしながら、どの先進国もこれまでのところ社会移転の便益が費用を上回ると判断し、巨額の富を背景に、かなり大きな金額をこれに充てている。

先進国の空洞化した中間層とエレファントカーブ

［図9―3］の一九八〇年前後からの先進国の格差拡大に話を戻し、不平等の歴史をたどる旅を続けよう。この部分こそが、「富裕層以外の全員の暮らしが悪化しつつある」という主張の土台になっている。クズネッツの仮説では格差が縮小して終わるはずだったが[41]、ここではそうなっていない。この意外な展開にはさまざまな説明が加えられてきた。

たとえば、戦時下の経済統制の影響が第二次世界大戦後も長く尾を引き、それがようやく収まったことで、投資で利益を得て金持ちがさらに金持ちになる機会や、勝者独り勝ちの活発な経済競争の場が生まれたのではないかという説。ロナルド・レーガンとマーガレット・サッチャーに始まるイデオロギーの変化によって、富裕層の税金で社会的支出を増やそうという動きにブレーキがかかり、法外な報酬や莫大な富を良しとしない社会規範も薄れてきたのだという説。未婚者や離婚者が増えたり、夫婦両方が高収入なパワーカップルが増えて二人分の稼ぎをため込んだりしたことで、たとえ個々人の所得レベルが変わらなくても世帯所得に開きが出る状況になったからだという説。エレクトロニクス技術が牽引力となった「第二の産業革命」〔第三次産業革命とも呼ばれる〕で高度な技能をもつ専門家が求められるようになり、高学歴・高収入の人々とそれ以外の人々とのあいだに開きができ、また時期を同じくして低学歴の人々が自動化によって職を奪われたため、クズネッツ曲線が再び上昇に転じたという説。グローバル化で労働市場が国境を越え、アメリカの労働者が賃金の安い中国、インドその他の労働者と競合するようになり、また賃金の安い国への外注のチャンスをつかみそこねたアメリカの国内企業が価格競争で不利に立たされたからだという説。さらに、グローバル化によってトップレベルのアナリスト、起業家、投資家、クリエーターにとっての市場が巨大なものになり、彼らの知的生産物が桁外れの富を生むようになった。だからJ・K・ローリングが大富豪になる一方で、ポンティアックをつくっていた労働者

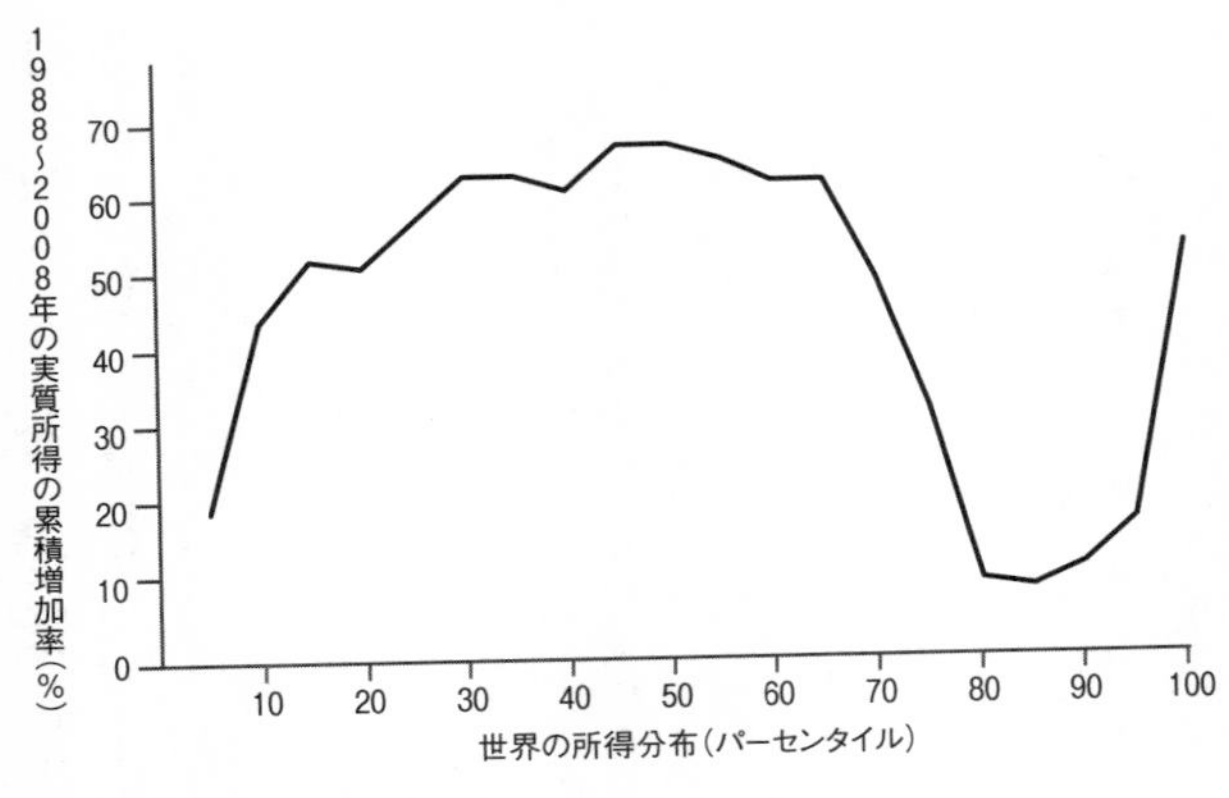

［図 9－5］ 所得増加率（1988-2008）
情報源：Milanović 2016, fig. 1.3.

が解雇されて貧しくなったのだといった説がある。

二〇世紀末から二一世紀初頭にかけての格差の相矛盾する二つの動き――世界の格差縮小と先進国内の格差拡大――については、ミラノヴィッチ〔図9―1の国家間ジニ係数を算出した経済学者〕がこの二つを一つにまとめ、象が鼻をもたげたような形のグラフ（エレファントカーブ）にしてくれている（図9―5）。この成長発生曲線（growth incidence curve）は、横軸に世界の全人口をパーセンタイルで低所得層から富裕層まで並べている。そしてそれを分位数で二〇に分割し、それぞれについて、一九八八年（ベルリンの壁崩壊の少し前）から二〇〇八年（リーマンショックの直前）までのあいだに一人当たり実質所得がどれだけ増えたかを計算し、それを縦軸にとっている。

グローバル化は勝者と敗者を生むとよくいわれるが、このエレファントカーブでは〝山〟が勝者で、〝谷〟が敗者である。つまりこのグラフは人類のほとんどが勝者であることを示している。象の胴体と頭に世界人口の七割が入っていて、アジアを中心に台頭してきた「グローバル・ミドルクラス」がその大半を占める。この集団は、実質所得の三〇年間の累積増加率が四〇から六〇パーセントに達している。もう一つの〝山〟である、象の鼻の最先端にいるのは世界で最も裕福な一パーセントで、こちらも累積増加率が高い。鼻の先端部の残りの四パーセント〔九五から九九パーセンタイル〕の富裕層もかなりの増加率を示している。問題は〝谷〟になっている鼻の曲がった部分で、八五パーセンタイルあたりがいちばん低く、ここにグローバル化の敗者がいる。彼らは先進国の下位中間層で、累積増加率が一〇パーセントに達していない。昨今の格差問題の中心にいるのはこの人々、つまり先進国の「空洞化した中間層」であり、トランプ支持者であり、グローバル化に置き去りにされた人々である。

エレファントカーブは事態を過大に見せている

わたしはあえてそうしたくて、［図9―5］でミラノヴィッチの象の群れのなかでもいちばん象らしい一頭を紹介した〔このあと説明があるように、期間やデータのとり方が変わればカーブの形も少し変わる〕。象のイメージがはっきりしていれば、グローバル化の影響もはっきり記憶に焼きつけられると思ったからだ（それに動物ということで、［図8―3］のヒトコブラクダやフタコブラクダと合わせて覚えてもらえる）。だがこの象は実のところ、次の二つの理由で世界の格差を実際より大きく見せている。理由の一つは、このグラフの対象期間の直後に起こった金融危機によって思いがけず格差が縮小したのだが、それがこのグラフには反映されていないからである。ミラノヴィッチは、このときの大不況（the Great Recession）は実際には北大西洋諸国の大不況だったといっている。そしてこの地域にいる世界で最も裕福な一パーセントの所得が刈り込まれ、それ以外の地域の所得は上がった（中国では倍増した）。金融危機の三年後のエレファントカーブは、まだ象の姿には見えるものの、鼻の先端が下がり、背中が二倍の高さになる。(42)

もう一つの理由は、多くの格差論議についてまわる概念的誤解と関係がある。「下位五パーセント」とか「上位一パーセント」というとき、わたしたちは誰の話をしているのだろうか。所得分布のほとんどは経済学者が「匿名化されたデータ」と呼ぶものを使って計算されている。特定の個人ではなく、何らかの統計的範囲のデータである。(43)たとえばわたしが「アメリカ人の年齢の中央値は一九五〇年には三〇歳だったが、一九七〇年には二八歳に下がった」といったとしよう。そのとき一瞬でも「へえ、その人二歳若返ったんだ」と思ったとすると、あなたは順位と人を混同している。「中央値」は順位であって人ではない。同じ人間が若返るわけがないので、この例で誤解する人は少ないだろうが、これが所得の話になると、たとえば「二〇〇八年の上位一パーセントは一九八八年の上位一パーセントより五〇パーセント所得が高い」といった文章に対して誰もが同じような勘違いをし、ある金持ちの一団がさらに一・五倍金持ちになったと思い込んでしまう。実際には、個々人は所得階層のあいだを行ったり来たりして順位を変えているので、こうした比較は必ずしも同じ人間のことをいっているわけではない。「下位五分の一」といった統計的範囲についても同じことがいえる。

では同じ人間で比較すると象の姿はどうなるのだろうか。残念ながら、同じ個人を長期にわたって継続調査する「縦断的データ」はごく限られた国にしか存在しない。そこでミラノヴィッチは次善の策をとり、同じ国の同じ順位の人のデータを追いかけた。つまり、少なくとも一九八八年の貧しいインド人と二〇〇八年の貧しいガーナ人の比較ではなく、一九八八年と二〇〇八年のインド人同士を比べたと考えればいい[44]。この場合のエレファントカーブは、まだ象に見えるが、多くの国で低所得層が極貧状態から抜け出したことにより、象の尾から尻にかけてのあたりがもっと高くなる。全体のパターンは同じだが——グローバル化が全体を押し上げていて、その押し上げ幅は発展途上国の下位層と中間層および先進国の上位層のほうが、先進国の下位中間層より大きい――その差は［図9―5］ほど極端ではなく、カーブが緩くなる。

先進国の下位層・下位中間層も生活は向上した

格差の歴史を振り返り、その変化の背景についても頭に入れたところで、「過去三〇年間の格差の拡大は世界が悪いほうに向かいつつある証拠だ」という主張、「金持ちだけがこの世を謳歌して、その他全員が伸び悩んだり苦しんだりしている」という主張が正しいのかどうか、評価することにしよう。確かに富裕層は他の人々よりも、そしておそらくは過度に、豊かになったが、「その他全員が伸び悩んだり苦しんだりしている」という部分は多くの点で正しくない。

すぐにわかるのは、世界全体ではそうではなく、人類のほとんどの暮らしが向上しているという点である。フタコブラクダはヒトコブラクダになり、象は象と呼ぶにふさわしい大きな体になり、極度の貧困はどんどん減り、撲滅も視野に入ってきていて、国家間ジニ係数もグローバル・ジニ係数もすでに低下に転じている。とはいえ、世界中の貧しい人々が豊かになったのは、いくらかはアメリカの下位中間層の犠牲のおかげだというのは本当だし、わたしがアメリカの政治家だったら公の場で、それは払う価値のある代償だったと公にいうことはしないだろう。しかし、世界市民として人類全体のことを考えるなら、それは払う価値のある代償だったといわざるをえないのではないだろうか。

だが先進国の下位層および下位中間層についても、所得増加率が緩やかなのであって、生活水準が低下したわけではない。今日の格差論議は、自動化とグローバル化によって過去のものとなった〝稼ぎがよくて誇りのもてる〟ブルーカラー職の黄金時代を理想化し、それと現在とを比較して論じるものが多い。だがそうした素朴で美しいイメージが偽りであり、労働者階級の実際の暮らしが厳しいものだったことは、当時の記述や映像にあるとおりだ。たとえばマイケル・ハリントンの一九六二年の著書、『もう一つのアメリカ』(内田満・青山保訳、日本評論社)や、『波止場』『ブルー・カラー』『歌え！　ロレッタ愛のために』『ノーマ・レイ』といった写実主義映画に描かれている。また一九五〇年代については、歴史学者のステファニー・クーンツが当時の状況を数字で示し、ノスタルジアが幻想にすぎないことを明らかにしている。

一九五〇年代半ばには、アメリカ人の優に四人に一人――四〇〇〇万人から五〇〇〇万人――がまだ貧しく、しかも食費補助制度(フードスタンプ)も住宅支援プログラムもなかったので、身を削るような暮らしだった。一九五〇年代末でもなお、アメリカの子どもの三人に一人が貧しかった。高齢者も同様で、六五歳以上のアメリカ人の六割は一九五八年の所得が一〇〇〇ドル以下と、中流とされる三〇〇〇ドルから一万ドルに遠く及ばなかった。しかも高齢者の大多数が医療保険に入っていなかった。一九五九年には、貯蓄があるアメリカ人は二人に一人で、四人に一人は流動資産をまったくもたなかった。アメリカ生まれの白人世帯に絞ってみても、三分の一は世帯主の所得だけでは暮らしていけなかった[45]。

つまりここ数十年で生活水準は明らかに上がっているのだが、世間一般には停滞していると考えられている。どうしたらこの二つの折り合いをつけられるだろうか。格差に関する統計は人々の暮らし向きに関して誤解を招くイメージを描き出すことがあり、経済学者たちはその理由を四つ挙げている。いずれもすでに言及した区別ないし混同と関係がある。

「中間層の空洞化」という誤解が生じる理由

第一の理由は、相対的繁栄と絶対的繁栄の混同である。学校でクラス全員が平均点を超えることなどありえないのと同じで、国民所得に占める下位五分の一層の所得の割合が時とともに増えないからといって、それが停滞を意味するわけではない。暮らし向きにかかわるのは所得の絶対額であって、人々が何位にランクづけされるかではない。最近の研究例で、分位数ではなく節目となる金額で階層分けしたものがある。

経済学者のスティーヴン・ローズの研究で、彼はアメリカ人の所得について、三人世帯で三万ドル（二〇一四年のドル）までを「低所得層」、三万ドルから五万ドルまでを「下位中間層」といった具合に分割して変化を調べた。その結果、絶対値で見るとアメリカ人の生活が向上してきていることがはっきりした。[46] 一九七九年から二〇一四年までのあいだに、アメリカの低所得層の人口の割合は全体の二四パーセントから二〇パーセントに、下位中間層は二四パーセントから一七パーセントに、中間層は三二パーセントから三〇パーセントに減少していた。では減った分の人々はどこへ行ったのだろう？　その多くは上位中間層（一〇万ドルから三五万ドル）に上がり、その人口が全体の一三パーセントから三〇パーセントに増えていた。また一部は富裕層にまで上がり、その人口は〇・一パーセントから二パーセントに増えていた。つまり中間層の空洞化というのは、アメリカ人の大半が裕福になった結果だった。格差が拡大した（富裕層の所得が中間層や低所得層の所得よりも速く上昇した）のは確かだが、平均的には誰もが裕福になったというのもこれまた確かである。

第二の理由は、匿名化されたデータで追う調査（人は入れ代わる）と縦断的データで追う調査（人は入れ代わらない）の混同である。たとえば、仮にアメリカ人の下位五分の一層の所得に二〇年間まったく向上がなかったとしても、それは「配管工のジョー」〔二〇〇八年の大統領候補討論会で質問をして話題となり、白人中間層の代表に祭り上げられた男性〕の二〇〇〇年の給料が、一九八八年と同じ（あるいは物価上昇で若干上がった程度）だったという意味にはならない。人は年齢と経験を重ねるにつれて収入が増えたり、給料のいい仕事に移ったりするので、ジョーも下位五分の一から中位五分の一に上がったかもしれず、代わって彼より若い世代や移民が下位五分の一に加わったかもしれない。そのような人の入れ代わりは決して少なくない。

縦断的データを使った最近のある研究によれば、アメリカ人は職業人生のうちの少なくとも一年間、二人に一人が所得の上位一〇パーセントに、九人に一人が上位一パーセントに入る経験をしているという（もっともそこに長くとどまる人は少ない）[47]。経済的感覚が楽観主義バイアス（自分だけは大丈夫だと考える傾向）に陥りやすい理由の一つはこれかもしれない。実際、アメリカ人の大多数は、近年中間層の生活レベルは下がったが、自分の生活レベルは上がったと思っている[48]。

統計と感覚にずれが生じる第三の理由は、社会移転による貧困の緩和である。個人主義イデオロギーが浸透しているアメリカだが、実はかなりの再分配が行われている。所得税はやはり累進性で、また所得が低ければ〝隠れた福祉国家〟の諸制度によって補塡される。たとえば失業保険、社会保障年金、メディケア〔高齢者および障害者向け医療保険制度〕、メディケイド〔低所得者向け医療保険制度〕、貧困家庭一時扶助制度〔就労支援のための現金給付〕、フードスタンプ〔食料のみに使える金券の給付〕、勤労所得税額控除（給付付き税額控除の一種）〔制度上の控除額より納税額が少ない場合、差額が給付される〕などの制度のことで、これらを合わせるとアメリカの格差は大分縮まる。二〇一三年のアメリカの市場所得（税や社会保障による再分配前）のジニ係数は〇・五三だったが、可処分所得（再分配後）では〇・三八に抑えられている。[49]

ただし、同じような再分配制度から出発しながらも、アメリカとヨーロッパの国々のあいだには開きが生じている。ドイツやフィンランドでは市場所得にアメリカと同じような格差があるが、所得再分配を積極的に進めてジニ係数を〇・二台に抑え、一九八〇年代以降の格差拡大の波にもそれほど影響されなかった。これについては、ヨーロッパ式の寛大な社会保障制度は長期的に持続可能なのか、それはアメリカにも導入可能なのかといった検討課題があるわけだが、いずれにせよ、どの先進国にも何らかの社会保障制度があり（隠れたものであれ何であれ）、格差を縮める役割を果たしていることに変わりはない。[50]

こうした社会移転は格差を縮めるだけではなく（成果としては疑わしい）、富裕層以外の人々の所得をもち上げてもいる（こちらははっきりしている）。経済学者のゲリー・バートレスの分析によれば、一九七九年から二〇一〇年までのあいだに、下位五分の四の可処分所得がそれぞれ下から四九パーセント、三七パーセント、三六パーセント、四五パーセント上昇している。[51] しかもこれは大不況からの遅れに遅れた回復以前の数字で、このあとの二〇一四年から二〇一六年にかけて、所得の中央値は過去最高に達した。[52]

実はアメリカの貧困は撲滅されつつある

さらに重要なのは階層の底辺に起こった変化である。アメリカでは長いあいだ左派も右派も貧困撲滅プログラムの効果に懐疑的で、ロナルド・レーガンも「何年か前に連邦政府は貧困に対して宣戦布告したが、敗北した」と皮肉った。だが実際には、敗北しつつあるのは貧困のほうである。

社会学者のクリストファー・ジェンクスによれば、〝隠れた福祉国家〟による給付等を積み上げ、消費財の質の向上と価格低下を考慮に入れて生活費を計算すると、アメリカの貧困率は過去五〇年間で四分の三以上も低下し、二〇一三年には四・八パーセントになっていたという。[53] ほかにも三つの分析で同様の結果が出ていて、そのうちの一つ、経済学者のブルース・メイヤーとジェームズ・サリバンの分析から得られたデータが、［図9―6］の濃い線である。貧困率の低下傾向は大不況で停滞したもの

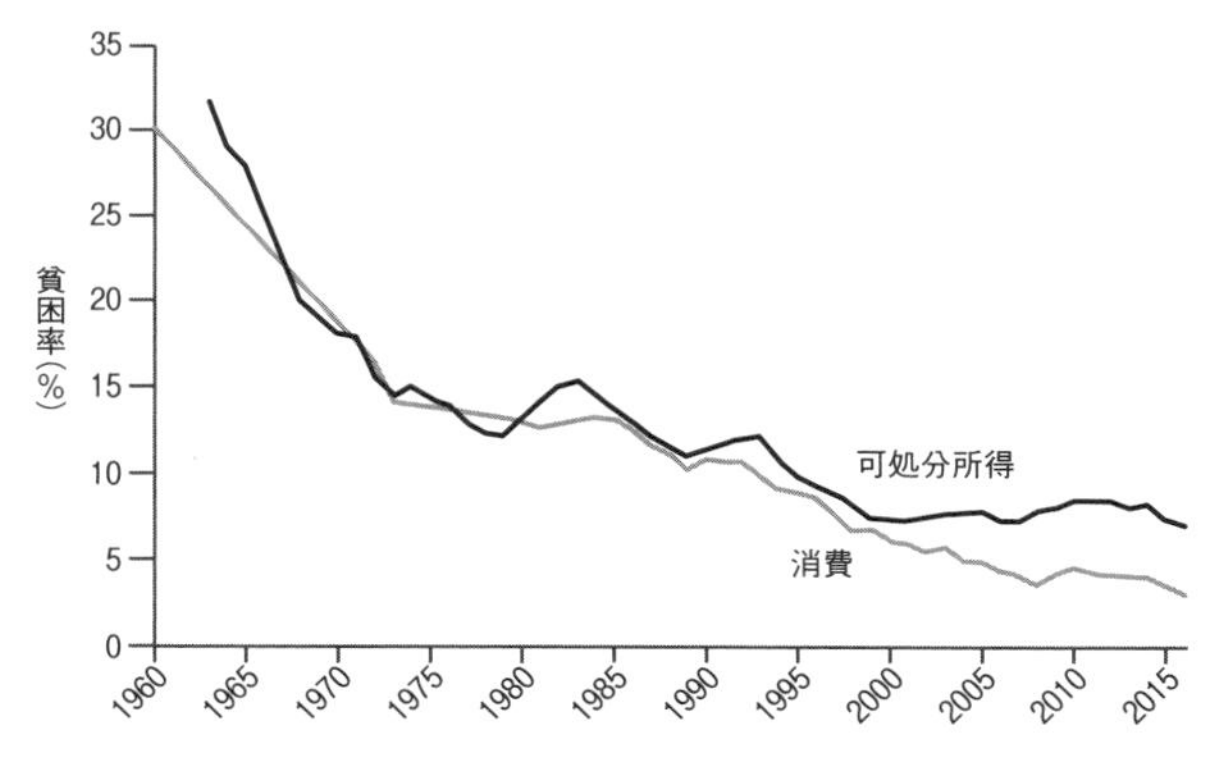

［図９－６］**アメリカの貧困（1960-2016）**

情報源：Meyer & Sullivan 2017a, b.「可処分所得」は「税引き後の貨幣所得」で、控除額を含み、バイアス補正済みの全都市消費者物価指数（CPI-U-RS）を使ってインフレ調整し、大人２人子ども２人の世帯を想定したもの。「消費」はアメリカ労働統計局（BLS）が実施している消費者支出調査のデータに基づく（食品、住宅、車、家電製品、家具、衣類、装身具、保険など）。「貧困」は1980年の米国国勢調査の定義によるものをインフレ調整している。貧困ラインを固定すれば数値は変わるが、傾向は変わらない。詳細については Meyer & Sullivan 2011, 2012および2017a, b を参照。

の、二〇一五年と二〇一六年には中間層の所得がかつてないレベルまで上がったことで再び下降に転じ、一九九九年以来の最小値となった。[54]もう一つ、あまり知られていない成果を挙げておくと、最貧困層――シェルターにも保護されていないホームレス――の人口は、二〇〇七年から二〇一五年にかけておよそ三分の一減少した。[55]

［図９―６］の薄い線のほうは、格差論議で先進国の低所得層と中間層の状況改善が正しく認識されていない第四の理由を教えてくれる。[56]それは

つまり、所得は目的達成のための手段にすぎない——必要なもの、欲しいもの、好きなものを買う（経済学者はこれを味も素っ気もなく「消費」と呼ぶ）ための手段にすぎない——ことが忘れられているからである。貧困を「人が稼ぐ額」ではなく「人が消費する額」で定義すると、アメリカの貧困率は一九六〇年の三〇パーセントから現在の三パーセントへと、なんと九〇パーセントも低下している。しかも消費の格差を縮小させた二つの原動力は、所得の格差を拡大させた張本人といわれている二つの原動力にほかならない。一つはグローバル化で、これは所得では勝者と敗者を生むかもしれないが、消費ではほぼ全員を勝者にしてくれる。アジアの工場、コンテナ船、効率的な小売システムなどのおかげで、以前は富裕層の贅沢品だったものが一般にも広まった（経済学者のジェイソン・ファーマンの二〇〇五年の推測によれば、「ウォルマートがあることで、アメリカの平均的な世帯は年に二三〇〇ドル節約できている」という）[57]。

もう一つは技術の進歩で、こちらは（第八章で述べたように）所得の価値を塗り替えつづけている。インフレを調整したあとの比較であっても、今日のドルで買えるものは、かつての同等のドルで買えたものよりはるかに暮らしを豊かにしてくれる。技術の進歩によって以前存在しなかったものが手に入るようになり（冷蔵庫、電気、水洗トイレ、予防接種、電話、避妊、空の旅など）、以前から存在したものも、性能が格段に上がったものが手に入るようになった（電話といえばかつては交換手が切り替える共同電話だったが、今では通話時間無制限のスマートフォンだ）。

グローバル化と技術の進歩によって、少なくとも先進国では、貧困が何を意味するかが変わった。昔は貧しい人といえば痩せ細り、ぼろをまとっていたが、今日では雇用主と同じくらい肥満気味で、同じようなフリース、ジーンズ、スニーカーを身につけている。かつて貧しい人は「もたざる者」と呼ばれたが、二〇一一年に所得が貧困ラインを下回っていたアメリカの世帯は、九五パーセント以上が電気、水道、水洗トイレ、冷蔵庫、料理用コンロ、カラーテレビを手にしていた[58]（一世紀半前には、ロスチャイルド一族、アスター一族、ヴァンダービルト一族でさえこれらをもっていなかった）。またほぼ半分が食洗機を、六〇パーセントがコンピューターを、三分の二近くが洗濯機と乾燥機を、そして八〇パーセント以上がエアコン、ビデオレコーダー、携帯電話を所有していた。

わたしは所得平等の黄金時代に育ったが、当時の中流階級の「もてる者」たちはこれらを所有していなかったし、いたとしてもごく一部にすぎない。だが今日わたしたちはこれらを所有し、そのおかげで人間にとって何よりも大切なもの——時間、自由、価値ある経験——をますます多くの人が手にできるようになっている。この点については第一七章で検討する。

一方、富裕層のほうはいっそう富裕になったとはいえ、彼らの生活がそれほど大きく改善されたわけではない。ウォーレン・バフェットは人より多くのエアコンを、あるいは高級なエアコンをもっているかもしれないが、歴史的見地からすれば、そのことよりアメリカの低所得者の大半がたとえ一台でもエアコンをもっていることのほうが驚くべきことだ。ジニ係数を所得ではなく消費に基づいて計算すると、そのグラフはこの数十年についても微増もしくは横ばいにとどまる。[59] また、幸福感のアンケート調査を分析したある研究によって、アメリカ人の自己申告の幸福感における格差は、実は縮小していることもわかった。[60] 実際、寿命、健康、教育に関するジニ係数は低下していて（とはいえ、こうした項目のジニ係数の低下を称賛するのは何やら不愉快で、おぞましいとさえ思える。最も健康な人を抹殺し、最も優秀な若者を退学させるのが人類のためだとでもいうようではないか）、その縮小にはしかるべき理由がある。低所得層の生活が富裕層の生活よりも速いスピードで改善されつつあるからだ。[61]

優先課題は経済成長、次はベーシック・インカム

先進国の低所得層および中間層の暮らしぶりがここ数十年で改善したとわかったからといって、二一世紀の経済が厄介な問題を抱えていることを否定できるわけではない。可処分所得が増えていても、上昇率が鈍くて消費者需要が伸びず、それが経済全

体の足を引っ張っているといった可能性がある。[62] アメリカの人口の一部――中高年、低学歴、非都市域、白人――が立たされている苦境は現実的かつ悲惨なもので、薬物乱用率（第一二章）も自殺率（第一八章）もこの人々が高くなっている。ロボット工学の進歩がさらに多くの仕事を人間の手から奪う恐れもある。たとえば、トラック運転手はアメリカの多くの州で最も多い職業だが、かつて写本筆写者や木製車輪の大工や電話交換手が仕事を奪われたように、彼らもまた自動運転車に仕事を奪われるかもしれない。また教育は経済的地位の流動性の主要な原動力だが、現代経済の需要に追いついていない。高等教育の学費はうなぎ上りで（ほとんどの商品が割安になってきているのに）、アメリカの貧困地域では初等・中等教育の水準があまりにも低い。アメリカの税制は逆累進の部分も多く、富裕層の政治的な影響力も強すぎる。

このように問題が多々あるなかでとりわけ深刻なのは、現代経済が多くの人々を置き去りにしたという印象が蔓延したことによって、技術革新反対論や近隣窮乏化政策〔自国通貨を安値に誘導して国際競争力を向上させ、失業などの問題を貿易相手国や近隣諸国に押しつける政策〕が勢いづいていることで、このままでは全員の暮らしが脅かされかねない。

それでもなお、所得格差ばかりに注目し、二〇世紀半ばの「大圧縮」時代を懐かしむのは間違っている。たとえジニ係数や最上層の所得割合が高いままだとしても（これらを押し上げようとする勢力がいなくなるわけではないので、そう簡単には下がらないだろう）、現代世界はさらに良いほうへと向かっていける。アメリカ人にプリウス（トヨタ）をやめてポンティアック（GM）を買えと強制することはできないし、J・K・ローリングをスーパーリッチにするからという理由で、世界中の子どもたちからハリー・ポッター本を取り上げることもできない。数万人分のアパレル産業の職を守るために、数千万人の貧しい人々にもっと被服費を出させようとすることなど、ほとんど意味がない[63]。同様に、ただ人々に職を与えるためだけに、機械のほうが効率的にこなせる退屈な仕事や危険な仕事を人間に任せつづけることも、長期的に見れば無意味である[64]。

不平等それ自体と格闘するよりも、不平等と一緒くたにされている個々の問題に取り組むほうが建設的だろう[65]。明らかな優先課題は経済成長率を上げることで、それができれば誰にとってもパイの取り分が大きくなり、再分配に回せる部分も大きくなる[66]。過去一世紀の傾向と諸外国の調査からわかるように、経済成長についても再分配についても政府が果たす役割は大きくなってきている。教育、基礎研究、インフラ整備に投資する、あるいは医療給付〔医療保険や医療扶助〕と退職給付〔各種年金〕の費用負担をする（アメリカ企業の活力を奪っている社会サービス提供の負担を軽減させる）といった役割を果たすのに、政府に勝る存在はない。全体の富が増えても個々には減る人も出るので、その人々の所得を補塡する役割も同様である[67]。

歴史的に社会的支出は増えつつあり、この傾向の次のステップはユニバーサル・ベーシック・インカム（ＵＢＩ。あるいはそれに近い負の所得税）になるのかもしれない。この考え方は何十年も議論されてきたが、いずれ実現するのではないだろうか。[68] 社会主義の香りがするにもかかわらず、これまでＵＢＩを支持してきたのは政治的に右寄りの経済学者（ミルトン・フリードマンなど）や政治家（リチャード・ニクソンなど）や州（アラスカなど）であり、また現在は左右を問わずあらゆる立場のアナリストたちがこれをもてあそんでいる。

導入は決して容易ではないものの（どう収支を合わせるか、勉学・労働・リスク負担への意欲をどう保つのかといった問題がある）、これがもたらす利益は無視できない。ＵＢＩなら〝隠れた福祉国家〟のその場しのぎの制度の寄せ集めを合理化できるだろうし、ロボット化によって多くの人が職種転換を迫られるといった、緩慢に進行する大惨事をチャンスに変えられるかもしれない。ロボットが取って代わろうとしている仕事は人間にとってとりわけ楽しいとはいえないものが多く、生産性・安全性の向上や余暇の増加は、それが広く共有されるものであるかぎり、人類に恵みをもたらしうる。

ＵＢＩは人々を無規律、無気力にするといった警告はおそらく誇張されたもので（ＵＢＩを試験導入した地域の結果分析によれば）、むしろ、市場やロボットではカバーできない公共の仕事や、有意義なボランティア活動や、その他さまざまな意味のある利他的行動へと人々が向かういい機会になるのではないだろうか[69]。なお、ＵＢＩは結果的に格差縮小につながるかもしれないが、それは副次効果であって、主眼はあくまでもすべての人の――特に経済的影響を受けやすい人々の――生活水準を引き上げることにある。

所得格差は人類の後退の証拠ではない

要するに、所得格差は人類の後退の証拠ではない。わたしたちは今、数世紀にわたって築き上げられてきた人類の繁栄を覆すような、所得低下というディストピアを生きているわけではない。また所得格差は、ロボットを打ち壊せ、跳ね橋を上げろ〔移民を入れるなの意味〕、社会主義に切り替えろ、一九五〇年代に戻れなどと訴えるものではない。不平等は複雑なテーマであり、わたしの話も複雑になってしまったので、最後に要点をまとめておこう。

不平等は貧困とは別のもので、人類の繁栄を左右する基本要素ではない。各国の幸福を比較してみれば、富の総量のほうが格差問題より重要だとすぐにわかる。格差の拡大が常に悪とは限らない。どの社会も普遍的貧困から抜け出すときには格差が広がるものだし、ある社会が新たな富の源を見つけたときも同じように不平等は急上昇する。また格差の縮小が常に善とも限らない。所得格差を最も効率よく縮めるのは、疫病、大戦争、破壊的革命、そして国家崩壊なのだから。

さまざまな問題があるが、啓蒙主義時代以降の歴史的、長期的傾向として、すべての人の富が増えてきたことを忘れてはならない。また現代社会は莫大な富を生み出しただけではなく、その富の一部をあまり裕福ではない人々のために役立て、しかもその割合を増やしてきた。

グローバル化と技術の進歩によって、何十億もの人々が貧困から抜け出して世界規模の中流階級を形成しつつあり、それにつれて国家間ジニ係数もグローバル・ジニ係数も下がってきた。一方で、分析力や創造力や資金力で世界的な影響力をもつようになったエリートたちは桁外れの富を手にした。確かに先進国の低所得層や下位中間層の富はそれほど増えていないが、そこに属する個々人は少なからず上の階層へ移動しているので、個人ベースの生活は改善されている。そしてその改善には、社会的支出と、必需品の価格低下と品質向上によって、いっそうの拍車がかかっている。つまりいくつかの点で世界はより不平等になったが、より多くの点で世界の人々の暮らしは良くなったのだ。

第一〇章　環境問題は解決できる問題だ

環境問題の事実を科学的に認めることが必要

だが、はたして進歩は持続可能なのだろうか？　これに対する世間の答えは「そんなものが続くはずはない」である。どれだけ健康や富や食糧について朗報をもたらそうと、頑としてそういい張る人は多い。なぜなら人類は過剰な人口で世界に寄生し、地球の限られた恵みを気にかけることなく遠慮なくむさぼり、地球を汚染してごみだらけにしているからだ。そのせいで環境版の最後の審判へと突き進んでいる、と彼らはいう。たとえ人口過剰や資源の枯渇、環境汚染で滅ばなかったとしても、気候変動で滅亡するだろう、という理屈である。

いや、もちろんわたしだって前章で説明したように、あらゆる趨勢が肯定的なほうに向かっているとか、わたしたちが直面する問題は小さいなどという主張をするつもりはない。しかし、右に挙げた環境問題を考えるにあたり、従来の悲観的な考え方とは異なる思考法を提示したいと思う。従来の考え方では過激論や運命論に傾きやすいが、そこにもっと建設的な選択肢を加えたい。そのさい鍵になるのは「その他の問題と同じく、正しい知識を与えられれば環境問題も解決できる」という思考である。

念のためにいうと、「環境問題が存在する」という考え方自体も、当たり前のことはみなせない。個人の見地からすれば、地球は無限の大きさをもち、個人が与える影響などわずかでしかないからだ。しかし、科学的見地からすると、問題はよりはっきりと見えてくる。ミクロ的視点から見ると、汚染物質は知らないうちに人体に害を与えるだけでなく、わたしたちが愛でたり食したりする生物種を毒していることがわかるし、マクロ的視点から見ると、生態系への影響は一つ一つは感知できない程度にしか作用しないが、積み重なると大きな害になることがわかるからだ。一九六〇年代から始まった環境運動は、科学知識（生態学、公衆衛生、地球科学や大気科学）とロマン主義的な自然崇拝がもとになって起こった。この運動は「地球の健康」を人類の課題における永遠の優先事項としたが、このあと見るように現実に成果を上げたことは称賛に値する。これもまた人類の進歩の一形態になるだろう。

ただ皮肉なことに、従来の環境運動では、進歩を望むことに――たとえそれが人類の進歩であっても――価値があると認めようとしない声が多い。これに対し、本章ではは環境保護のもっと新しい概念を紹介したい。それは空気や水、多様な生物の種、生態系を保護するという点では、従来の環境活動と目的を同じくするが、ロマン主義的衰退主義ではなく、啓蒙主義的楽観主義に根ざすものである。

半宗教的イデオロギー「グリーニズム」の誤り

一九七〇年代から、環境運動の主流は半宗教的なイデオロギー、環境保護主義(グリーニズム)に飛びついた。この考え方はアル・ゴア、ユナボマー〔工業化を批判して活動していた爆弾テロリスト。二〇二二年現在、終身刑で服役中〕、教皇フランシスコなど、環境を憂慮する実に多彩な顔ぶれの主張に見ることができる。(1) グリーニズムは地球のイメージを「汚れのない無垢な少女が人類の略奪によって汚されている」と捉えるところから始まる。たとえば、教皇フランシスコは二〇一五年の回勅『回勅 ラウダート・シ――ともに暮らす家を大切に』(瀬本正之・吉川まみ訳、カトリック中央協議会)でこう述べている。「わたしたちの共通の家である地球は、生活をともにする妹のようなものです。(中略)その妹は今、わたしたちが傷つけるせいで、泣き叫んで訴えています」。回勅によると、その傷はどうしようもなく悪化しているらしい。「わたしたちの家、地球はますます大きなごみの山のようになりはじめています」。その根本原因は、理性と科学と進歩への啓蒙主義的な関わりだとし、教皇フランシスコはこう続ける。「科学や技術の進歩が、人類や歴史の進歩に直接つながるわけではありません」。そしてさらにこう続ける。「より良い未来への道は別のところにあるのです」。つまり、「物事同士の関係に存在する神秘的なつながり」を尊重すること、それからもちろん「キリスト教的な宗教体験」を尊ぶことにあるのだと。その考え方によれば、もしわたしたちが脱成長や産業の衰退によって、また科学・技術・進歩というにせの神を拒絶することによって罪を悔い改めなければ、人類は環境的最後の審判の日に恐ろしい報いを受けることになるようである。

他の多くの黙示録的な運動と同様に、グリーニズムにも人間嫌いがしっかりと織り込まれている。飢餓の軽視、人口が激減した地球というおぞましい空想、人類を害虫や病原菌や癌にたとえるナチスばりの比喩。一例を挙げると、環境保護団体〈シー・シェパード〉の創設者、ポール・ワトソンはこんなことをいっている。「われわれは過激かつ賢明な方法で、人口を一〇億人以下に減らさなければならない。（中略）体のなかの癌を治療するには過激で侵襲的な治療が必要だが、それと同じく生物圏の人類ウイルスを治癒するにも、やはり過激で侵襲的なアプローチが必要だろう[2]」

しかし最近では、グリーニズムとは一線を画すアプローチが出てきており、こちらはエコモダニズム、エコプラグマティズム、地球オプティミズム、ブルー・グリーン・ムーブメントまたはターコイズ・ムーブメントといった名称で呼ばれている。これを支持するのは、ジョン・アサフ・アジャイ、ジェシー・オースベル、アンドリュー・バルムフォード、スチュアート・ブランド、ルース・ドフリース、ナンシー・ノールトン、テッド・ノードハウス、マイケル・シェレンバーガーなどである。この比較的新しい考え方は、啓蒙主義的環境主義もしくはヒューマニスティックな環境主義と捉えることもできるだろう[3]。

エコモダニズムの考え方は、第一に、ある程度の環境汚染は避けられないと理解するところから始まる。それは熱力学の第二法則の結果だからだ。人体だろうが家だろうが、人が何かしらの構造をつくりだそうとエネルギーを使うとき、ほかのどこかでエントロピーは増大する。そしてごみや汚染やその他無秩序な形で環境に作用する。エネルギーの獲得において、人類はいつでも並外れた才を見せてきた。そこが他の哺乳類と一線を画す部分になるわけだが、それがゆえに人類が環境と調和して暮らしたことは一度もなかった。かつて先住民族が初めて生態系に足を踏み入れたときは、絶滅するまで大型動物を狩るのが常であり、森の広大な部分を伐採し焼きはらうこともよくあった[4]。

また環境保護運動にはきまりの悪い事実も隠れていて、アメリカ各地の国立公園にせよ、東アフリカのセレンゲティ国立公園にせよ、原生保護区域は先住民族を大量に殺戮するか、強制的に移動させるかして初めて設定できたものだった[5]。環境歴史学者のウィリアム・クロノンはこう述べる。「〝原生〟とは人の手のついていない聖地のことではない。それ自体が文明の産物である」

人類が農業を開始すると、環境への影響はいっそう大きくなった。古気候学者のウイリアム・ラディマンは、約五〇〇〇年前にアジアで水稲栽培が普及したことが、メタン〔温室効果ガスの一つ〕を大量発生させたかもしれないと示唆している。水田のなかで植物が腐敗するため、大気中に多量のメタンガスが放出され、それが気候変動につながった可能性があるという。ラディマンはいう。「このことは平均的な現代人よりも、鉄器時代や後期石器時代の人類のほうが、一人当たりの地球環境に与える影響が大きかったことを立証しうるものだ」[6]。また環境運動家で作家のスチュアート・ブランドも指摘するように（第七章）、「自然農法」という言葉には矛盾がある。彼は「自然食品」という言葉を耳にするたびに毒づきたくなるといい、こう続ける。

エコロジストからすれば、農業製品に自然なところなど一つもない！　試しに畑をつくるところから考えてみればいい。まず複雑で見事な生態系が育まれていた一角を選び、そこにある木を次々となぎ倒して、真四角な区域をつくる。それから土地を開墾し、土を容赦なく打ちつけて、昔からの生態を永遠に変化させる。芝を奪い、土を真っ平らにならして、常に大量の水で水浸しにする。そうして画一的な単一作物を植える。だがそれらの作物は自分の力では生きられない、だめな植物だ！

食用植物とはどれも一つのスキルに限定された哀れな〝スペシャリスト〟でしかなく、何千年にわたる近親交配の結果、遺伝的に愚鈍になっているからだ。それらの植物は軟弱すぎたので、人間を手なずけ、いつまでも面倒を見てもらわなければ生きられなかった[7]。

第二に、エコモダニズムでは工業化が人類に利益をもたらしていることをきちんと理解する[8]。工業化によって、数十億人の食糧がまかなわれ、寿命は二倍になり、極度の貧困も減少した。機械が人力に代わったことで、奴隷制度が終わり、女性は解放され、子どもは教育を受けやすくなった（第七章・第一五章・第一七章）。夜に本を読めるのも、好きなところに住めるのも、冬に暖かく過ごせるのも、世界の動向を見ることができるのも、人の交流が増えたのも、工業化のおかげである。環境汚染や動植物の生息地消失による損失は、これらの恩恵と合わせて考えなくてはならない。経済学者のロバート・フランクがいうように、家庭に最適量のごみがあるのと同じで、環境汚染にも最適量というものがある。もちろんきれいにするに越したことはないが、暮らしの他のもの全部を犠牲にすることはない。

第三に、エコモダニズムは人類が環境に与えるダメージは技術の力で小さくできるという前提をとる。どうすれば環境汚染を減らし、少ない資源を活用しながら、より多くのカロリーや光や熱量をつくりだせるのか。あるいはコンピューターの処理能力を上げ、車の走行距離を延ばせるのか。こういった問いそのものは技術的な問題であり、世界が解決しつつある問題である。

これに関して、経済学者は環境クズネッツ曲線――不平等について逆U字形を描く曲線に対応するもの――で説明している。すなわち、国は最初に発展するときは環境より成長を優先させるが、豊かになるにつれて環境に関心を向けるということだ[9]。もしスモッグと引き換えでしか電気が手に入らないなら、人々はスモッグとともに暮らすだろう。だが電気もきれいな空気もどちらも手に入るのなら、きれいな空気を得るためにお金を出そうとする。技術の向上によって車や工場や発電所が大気を汚染しなくなると、きれいな空気も手に入りやすくなるので、その動きはいっそう加速されることになる。

また、経済の成長に合わせて環境クズネッツ曲線が下降に転じるのは、技術が進歩するだけでなく価値観も変化するからである。環境に対する関心には、はっきりと現実的なものがある。たとえば自分たちの暮らす街がスモッグに覆われていることや、緑地だった場所がどんどん舗装されることに関する不満がそうだ。しかしその一方で、もっと精神性の高いものもある。クロサイの運命や二五二五年の子孫の健康を心配することなどだ。それもまた大切な道徳的問題ではあるが、とはいえ今それを案じることができるのはちょっとした贅沢になるだろう。つまり社会が豊かになり、日々の食糧や住む家について心配しなくてすむようになると、人々の欲求の段階は上がるということだ。それに合わせて価値観も変化し、関心の範囲も時間的、空間的に広がっていく。

これについて、ロナルド・イングルハートとクリスチャン・ヴェルツェルは〈世界価値観調査〉のデータからこんな傾向を見出した。人は豊かになり教育を受けるにつれ、寛容や平等、思想と言論の自由といった解放的な価値観をもつ傾向が強まるが、そうした価値観をもつ人々はリサイクルにも積極的で、政府や企業に環境を保護するよう働きかける傾向が強い[10]。

グリーニズムの黙示録的予言はすべてはずれた

一般に、環境悲観論者はこうした考え方を「技術がわたしたちを救うという信仰だ」として真っ向から否定する。しかし実のところ、悲観論者のその見解は「このまま行けばわたしたちは破滅する」という懐疑主義であり、「知識は現在の状態にずっととどまり、状況がどうであれ、人々は機械的に今の行動を続けるはずだ」と信じていることにほかならない。世界の停滞を素朴に信じるその態度は、「この世の終わりの環境版」が来るという予言を繰り返し告げてきた（もちろん、そんな終末は一度も来ていないが）。

そうした予言の一つめは「人口爆弾」である。だが、この爆弾は（第七章で述べたように）信管が自分からはずれてくれた。国は豊かになって教育水準が上がると、人口統計学者が〝人口転換〟と呼ぶ状況になるからだ[11]。まず栄養が摂取できて健康状態が良くなると、死亡率が下がる。そのとき人口は膨らむが、それは嘆き悲しむようなことではない。ヨハン・ノルベリがいうように、これが起きる原因は貧しい国の人々が子どもをたくさん産むようになることではなく、人が次々と死亡する状況がなくなることだからだ。いずれにせよ、人口が増えるのは一時的なことであり、少なくとも次の二つの理由から、出生率はピークに達したあと低下する。一つは、親たちが子どもの何人かは死ぬと予想して子を多めにもとうとしなくなること。もう一つは、女性はより高い教育を受けるようになると、結婚が遅くなり、出産年齢も高くなることである。

［図10―1］を見るとわかるように、世界の人口増加率は一九六二年に年間二・一パーセントとピークに達したが、二〇一〇年には一・二パーセントまで下降した。二〇五〇年にはおそらく〇・五パーセント以下にまで下がり、二〇七〇年頃にはゼロに近づくと思われる。そのころになると人口は横ばいになり、その後は減少すると予測さ

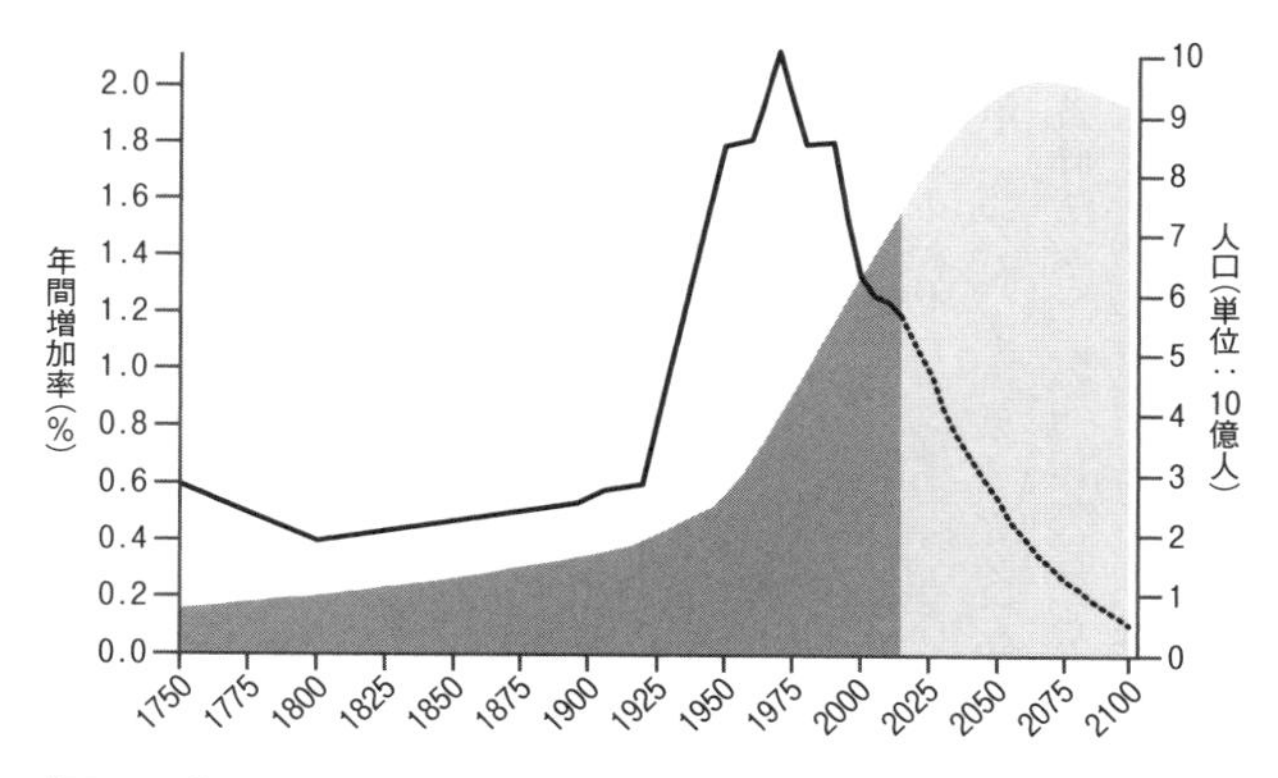

［図10-1］人口と人口増加率（1750-2015、2100までの予測）
情報源：*Our World in Data*, Ortiz-Ospina & Roser 2016d.【1750-2015】国連人口部およびオランダ環境評価庁（PBL）の「地球環境データベース（HYDE）」（日付記載なし）。【2015以降の予測】年間増加率は1750-2015についてと同様。人口については、国際応用システム分析研究所の中期予測（各国ごとの予測の総計。教育事情も考慮）、Lutz, Butz, & Samir 2014.

れている。出生率はヨーロッパや日本などの先進地域で低下が顕著だが、人口統計学者も驚くことが多いように、それ以外の地域でも突然下がることがある。たとえば、イスラム社会は西洋社会を変えた社会変化を受け入れず、この先もユースクエイク［youthquake：若者の人口比率が高いことにより若者の行動が社会に大きな影響をもたらすこと］によって揺れつづけるだろうと広く信じられているが、イスラムの国々もまた、この三〇年間で出生率は四〇パーセント低下した。なかでも、イランでは七〇パーセント、バングラデシュとアラブの七カ国では六〇パーセント下がっている。[12]

もう一つ、世界が資源を使い果たすことも、一九六〇年代から危惧されていた。しかし資源は使い果たされたりしていない。当時いわれていたような飢饉――アメリカだけで数千万人、世界では数十億人が餓死するとされた飢饉（第七章）――など起きないまま、一九八〇年代は来て去った。そして一九九二年も無事に過ぎた。というのも、その二〇年前の一九七二年に『成長の限界』（ドネラ・H・メドウズほか著、大来佐武郎監訳、ダイヤモンド社）がベストセラーになっていたが、同書やそれに類する主張の予測に反して、アルミニウムも銅もクロムも金もニッケルもスズもタングステンも亜鉛も、世界からなくなっていなかったからだ（ちなみに、よく知られた話だが、一九八〇年、『人口爆弾』の著者ポール・エーリックは、これらの金属のうちの五種類が一〇年後には希少になって値上がりするだろうとし、経済学者のジュリアン・サイモンを相手に賭けをした。一〇年後、エーリックは五種類すべての賭けに負けた。実際、ほとんどの金属や鉱石の価格は一九六〇年代に比べて現在のほうが安い[13]）。

一九七〇年代から二〇〇〇年代初めにかけて、ニュース雑誌は「世界の原油供給のメーターがゼロになる」というような特集記事を定期的に組んでいた。しかし二〇一三年、『アトランティック』誌は「石油は決して枯渇しない」というタイトルで、水圧破砕法〔シェールオイルやシェールガスの採掘法〕が可能にしたシェール革命を特集した。

それから、レアアースの問題もある。レアアースにはイットリウムやスカンジウム、ユウロピウム、ランタンといったものがあるが、こうした名称は化学の教室の周期表やトム・レーラーの『元素の歌』で覚えている人もいるだろう。これらのレアアースは磁石や蛍光灯、映像モニター、触媒、レーザー、コンデンサ、光学ガラス、その他のハイテク製品に必須である。さて、そんなレアアースが足りなくなりだしたとき、こんな警鐘が鳴らされた。「これから深刻なレアアース不足に陥るぞ」「ハイテク産業は崩壊だ」「ひょっとしたら中国と戦争になるんじゃないか」（中国は世界のレアアース供給の九五パーセントを占めていた）。そしてついに、二〇世紀後半には〝ユウロピウム大危機〟が起き、深刻な材料不足からブラウン管の赤色蛍光体が製造できなくなった。これは世界中のカラーテレビやパソコンモニターに影響を与え、その結果、社会はもてる者ともたざる者とに分断された。もてる者たちは最後のカラーテレビを買い占め、もたざる者たちは怒りに燃えながら白黒テレビで我慢するしかなかった。

――いや、そんな話は聞いたことがない？　それはそうだろう。現実にはそんな危機など起きなかったのだから。その理由はブラウン管が液晶ディスプレイに取って代わられたことにある。液晶ディスプレイなら、レアアースに頼らず、手に入りやすい元素でつくることができたからだ[14]。

では、中国との〝レアアース戦争〟のほうはどうだったのか？　実はこちらも中国が二〇一〇年にレアアースの輸出を制限したとき（不足したからではなく、地政学的、商業的戦略としてレアアースを利用した）、その他の国々は自国の鉱山からレアアースを採掘したり、産業廃棄物からリサイクルしたり、レアアースを使わずに済むように製品を再設計したりしはじめた。[15]

そういうわけで、資源不足の黙示録的な予言は毎回実現しなかった。となると、そろそろ結論してもいいころだろう。人類はハリウッドのアクションヒーローなみに、何度も何度も奇跡的に絶体絶命のピンチを逃れたのか。それとも黙示録的な資源不足を予言する考え方そのものに誤りがあるのか。実は誤りがあることは何度も指摘されてきた。[16] つまり、人類は地球に対してミルクシェイクをストローで吸うような真似はしないということだ。中身がからっぽになって、ズーズーと音を立てるまで、地球の資源を吸い上げたりなどしていない。むしろ採掘しやすい場所にあった資源が希少になってくると価格が上がるため、人々はその資源を浪費しなくなったり、もっと採掘しにくい鉱床から得る工夫をしたり、その資源よりも安くて豊富な代替品を見つけたりするようになっている。

そもそも、人が「資源を必要としている」と考えること自体が誤りである。[17] 人に必要なのは、食べ物をつくる方法や移動する方法、家を明るく照らす方法、情報を表示する方法、そのほかの幸福な状態をつくりだす源だろう。人はそうした必要をアイデアを用いて実現する。欲しいものを手にするために、調理法や製法、技術、設計図、アルゴリズムを用いて、物質世界を巧みに操る。人間の心には、物事を繰り返し組み合わせて考える力があり、それを使って無限のアイデア空間を探検できる。心は地上の特定の物質の量に制限されたりせず、一つのアイデアがうまくいかなくなったときは、別のアイデアに変えていける。これは確率の法則に反する出来事ではなく、法則に従って起こるものだ。なんらかの人間の欲求を満たす物理的な方法がいつも、た、っ、た、一つきりで、それ以下でもそれ以上でもないなんてことを、自然の法則が認めるはずがない。[18]

確かに、こうした考え方は〝持続可能性〟の倫理観とは折り合いが悪い。［図10―2］では、漫画家のランドール・マンローが、この神聖な価値をもつ流行りの言葉の何がおかしいのかを表している。〝持続可能性〟の教義が前提としているのは、わたしたちがある資源を利用するペースは将来も変わらず、その資源を使い尽くすまで続くだろうということだ。そこから暗示されるのは「わたしたちは再生可能な新たな資源へと切り替えねばならないが、その新たな資源は今わたしたちが資源を利用するのと同じペースで永遠に補充されうるものでなければならない」ということである。

だが実は、今さらそういわれなくても、人間社会はより良い資源を見つけると、古い資源のほうは利用しなくなるということを繰り返してきた。それも古い資源が枯渇するはるか手前で。よくいわれることだが、石器時代は世界から石がなくなったから終わったわけではない。これはエネルギー資源についても同じで、環境科学者のジェ

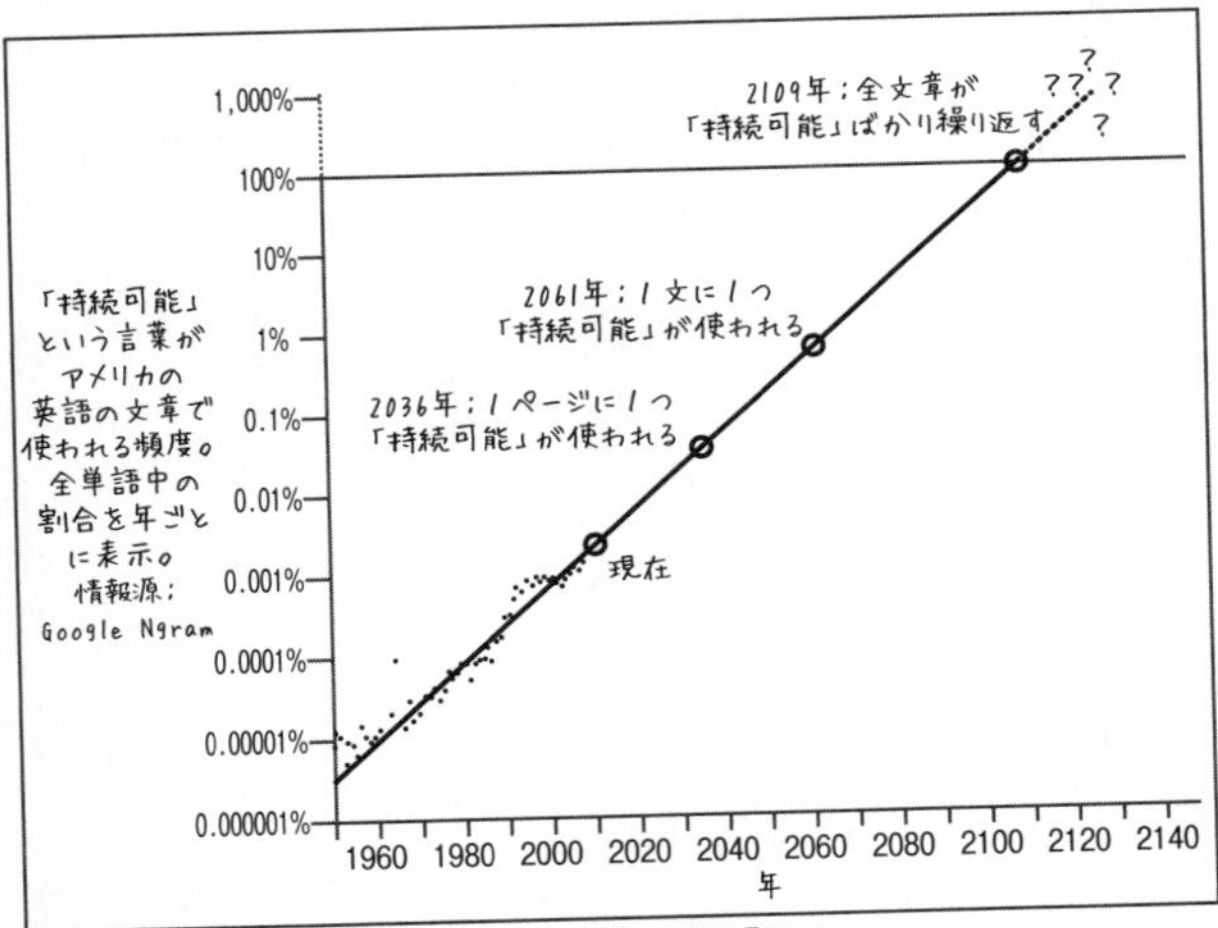

［図10-2］持続可能性（1995-2109）
情報源：ランドール・マンロー, *XKCD*, 〈http://xkcd.com/1007/〉.
クレジット：ランドール・マンロー, xkcd.com.

シー・オースベルはこう述べる。「世界が石炭へと移行したとき、木も干し草もまだ豊富で十分に利用できた。次に石油の使用が増えたとき、石炭は豊富にあった。今はメタン（天然ガス）の使用が増えているが、石油は豊富にある」[19]。このあと論じるように、そのガスもいつかさらなる低炭素化が可能なエネルギー源と交代することだろう。地球最後のガスが青い炎となって消えるよりずっと前に。

食糧供給は（第七章で述べたように）飛躍的に増大したが、これもまた、いつまでも一つの増産方法に頼っていたわけではなかった。『食糧と人類――飢餓を克服した大増産の文明史』（小川敏子訳、日本経済新聞出版社）で、地理学者のルース・ドフリースは、食糧増産の一連の過程を「上昇（ラチェット）・手斧（ハチェット）・転換（ピボット）」（ratchet-hatchet-pivot）という言葉で表現し、その仕組みを次のように説明する。まず人々が食糧を増産する方法を見つけると、人口が上昇（ラチェット）する。だが、やがてその方法では必要量を維持できなくなるか、好ましくない副作用が出てくるかする。つまり手斧（ハチェット）が落ちてくる。そうなると、人々は別の新たな方法に方向を転換（ピボット）する。

その意味でいえば、農業はこれまで幾度となく方向を転換してきた。たとえば、焼畑農業、人糞肥料、輪作、グアノ〔鳥の糞が堆積し化石化した肥料〕、硝石、砕いたバイソンの骨、化学肥料、交配種、農薬、〝緑の革命〟[20]などである。そうした転換は未来にも起こりうる。遺伝子組み換え作物、水耕栽培、気耕栽培〔根を空中にぶらさげ、肥料を溶かした水のミストをかけて栽培する〕、都市部での垂直農法〔高層建築内で農作物を水耕栽培する〕、収穫ロボット、培養肉〔動物の可食部の細胞を組織培養する〕、GPSやバイオセンサーからデータを蓄積した人工知能アルゴリズムを活用する、下水からエネルギーや肥料を回収する、魚の養殖用の餌に小魚ではなく豆腐を使う、ほかにも人類が発明の才を駆使できるかぎり、想像もつかないようなことが出てくるだろう。[21]

また、水は決して他のものへと転換できない資源だが、もしイスラエル方式の精密農業〔点滴灌漑が有名〕に移行すれば、農業生産者は大量の水を節約できるだろう。そして、世界で豊富な無炭素エネルギー源の開発が進んでいけば（これについてはのちほど詳しく論じる）、海水の淡水化によって必要な水を得ることもできるだろう。[22]

さまざまな面で地球環境は改善されている

一九七〇年代の環境保護主義（グリーニズム）が予言した災難は、たんに起こらなかっただけではない。グリーニズムは環境を改善することなど不可能だとしていたが、実際にはその改善が見られるようになっている。世界が豊かになり、環境曲線が頂点に達すると、自然界は回復しはじめた。[23]教皇フランシスコの回勅にある、地球が大きな「ごみの山」になるというビジョンは、一九六五年の夢を見ながら目を覚ました人に見えたものだろう。当時は、工場の大煙突から煙が噴き出し、滝には下水が流れ、川は引火し

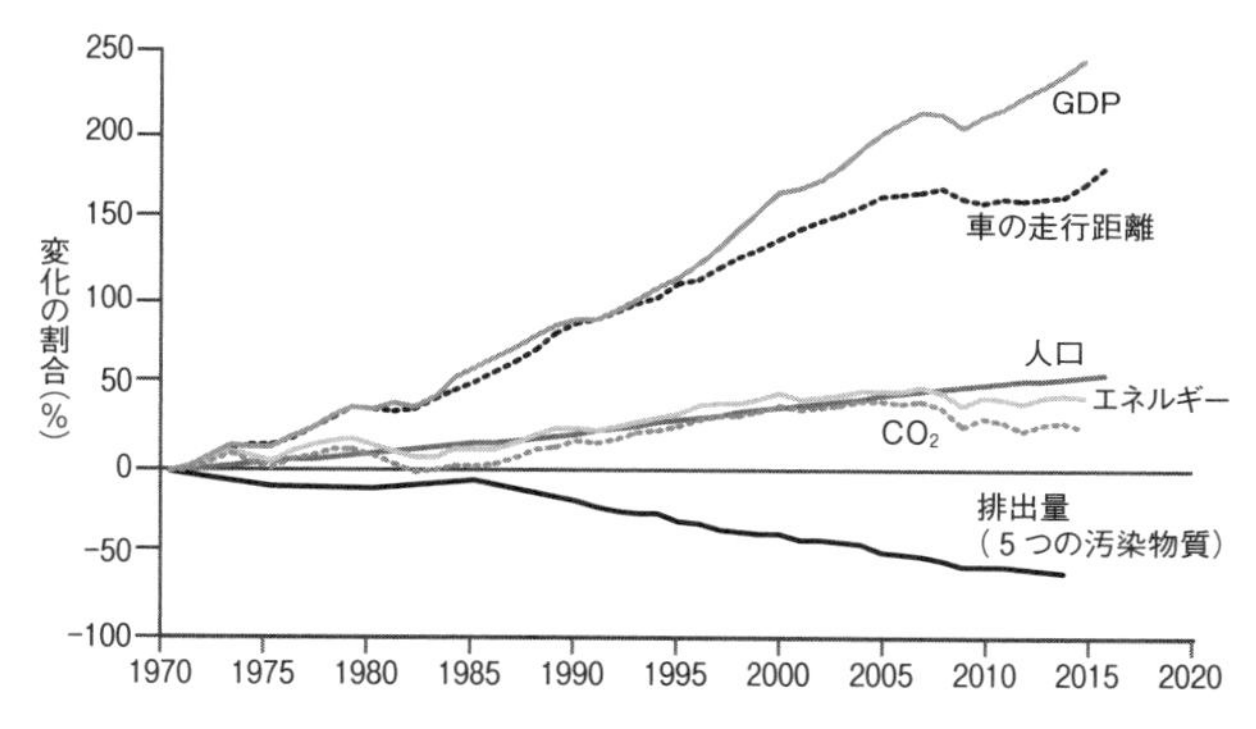

［図10-3］ **環境汚染とエネルギーと各種の成長（アメリカ、1970-2015）**
情報源：US Environmental Protection Agency 2016, 以下の情報源に基づく。【GDP】米商務省経済分析局。【車の走行距離】連邦道路管理局。【人口】米国勢調査局。【エネルギー消費】米エネルギー省。【CO_2】US Greenhouse Gas Inventory Report.【排出量（一酸化炭素、窒素酸化物、PM10、二酸化硫黄、揮発性有機化合物（VOC））】環境保護庁（EPA）、〈https://www.epa.gov/air-emissions-inventories/air-pollutant-emissions-trends-data〉

〔流出した化学物質に火がついた〕、「ニューヨーカーは目に見えない空気は吸いたくない」なんてジョークまで生まれる時代だった。

しかし［図10-3］で示すように、米環境保護庁が設立された一九七〇年以降、アメリカでは五つの汚染物質の排出量が約三分の二下がった。同じ期間に人口は四〇パーセント以上増加し、車の走行距離は二倍になり、人々は二・五倍豊かになったが、エネルギー利用は横ばいで、二酸化炭素の排出量でさえ峠を越しつつある（この点については改めて論じたい）。こうした減少傾向は、たんに重工業の拠点を発展途上国へと移転させたから起きたわけではない。なぜならエネルギー利用と二酸化炭素排出の多くは、運輸、暖房、発電から生じていて、これらは海外移転できるものではないからだ。それよりも、主にエネルギー効率が良くなったり、排出規制が前進したりしたおかげだろう。

グラフの上がる曲線と下がる曲線を見てわかるのは、「脱成長以外に環境汚染を食い止めるものはない」という環境保護運動の典型的な主張が誤りだということ、また「環境保護は経済成長を阻害し、国民の生活水準を引き下げる」という右派の典型的な主張も誤りだということである。

環境の改善は肉眼で見ることができるものも多い。たとえば、現在では都市が紫がかった茶色の靄（もや）で覆われることは少なくなり、ロンドンの霧もなくなった。ロンドンの霧は実は石炭を燃やした煙だったが、それも今や印象派の絵画やゴシック小説、ガーシュウィンの歌〔「A Foggy Day」（霧深き日）〕、レインコートのブランド名〔ロンドンフォグ、一九二三年創業〕にその姿をとどめるのみである。水質改善の見込みなどないと思われていた都会の水辺にも、魚や鳥、海洋哺乳類が戻り、時には人が泳ぐ姿まで見られるようになった。ピュージェット湾、チェサピーク湾、ボストン港、エリー湖、ハドソン川、ポトマック川、シカゴ川、チャールズ川、セーヌ川、ライン川、テムズ川など、その例を数えあげればきりがない（ちなみに、テムズ川は一八五八年に大悪臭を放ったことがあり、のちの英国首相ディズレーリが「何ともいえず耐えがたい、嫌悪に満ちた、悪臭を放つ地獄のよどみ」

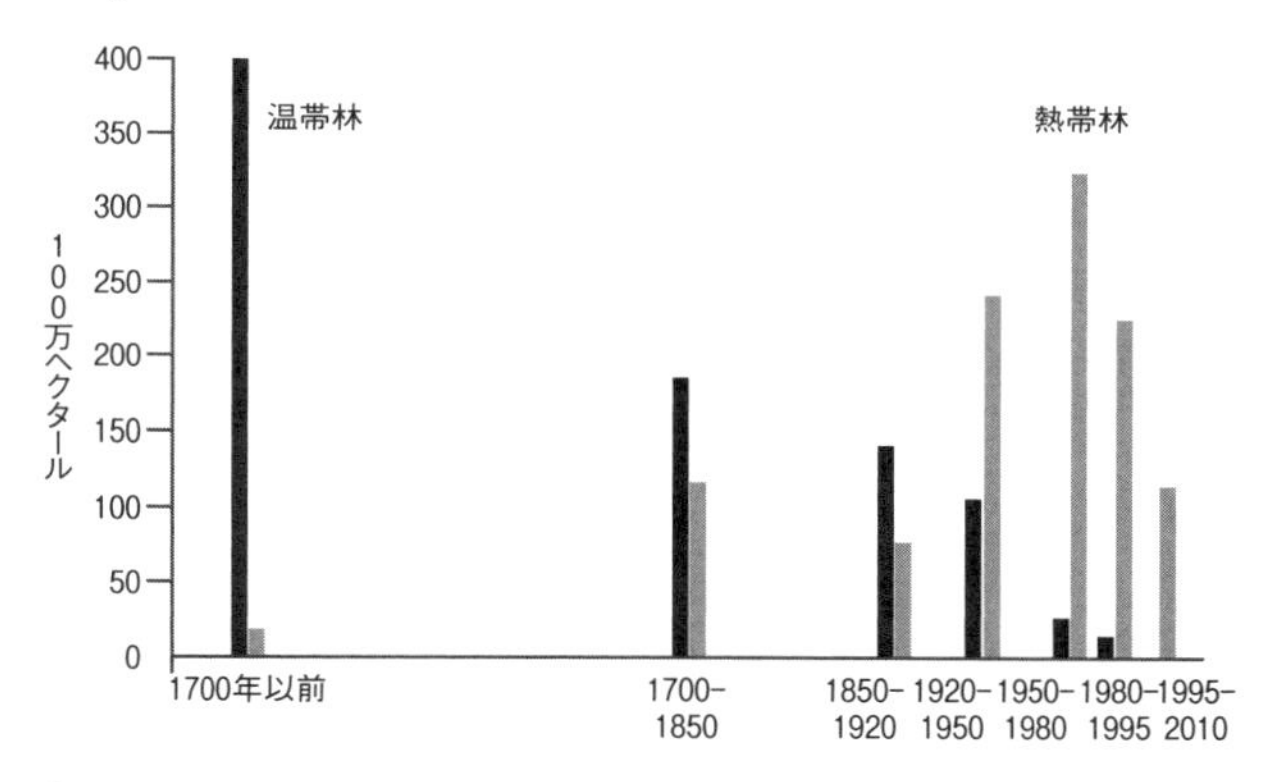

［図10-4］ **森林破壊（1700-2010）**
情報源：United Nations Food and Agriculture Organization 2012, p9. グラフは年率ではなく、異なる期間の合計を表しているため、直接の比較はできない。

と形容したほどだった）。郊外に目を向ければ、オオカミ、キツネ、クマ、ボブキャット、アナグマ、シカ、ミサゴ、七面鳥、ハクトウワシを見かけるようになっている。

また農業の効率が増すにつれ（第七章）、農地は温帯林に戻されつつある。このことは、ニューイングランド地方の森に不似合いな石垣〔かつての農地の名残〕が続いているのを見たことのあるハイカーなら、みんな知っているだろう。熱帯林に関してはいまだに破壊が甚だしいが、二〇世紀半ば頃と二一世紀への代わり目頃を比べると、そのペースは三分の二低下した[24]。世界最大の熱帯林アマゾンの場合、森林破壊のペースは一九九五年がピークで、二〇〇四年と二〇一三年を比べると、そのペースは五分の四低下した[25]。

熱帯地方の森林破壊がほかより遅れて減少しはじめているのは、環境保護が先進国からそれ以外の地域へと広がることの表れの一つだろう。世界の環境がどれだけ進歩したかは〝環境パフォーマンス指標（ＥＰＩ）〟と呼ばれる報告書からたどることができる。これは大気の質、水、森林、水産業、農業、生物多様性と生息地などの指標を総合したもので、一〇年以上追跡調査された一八〇カ国のうち、二カ国を除くすべての国で改善が見られている[26]。おおむね国が豊かなほど環境も良く、北欧諸国の環境はトップクラスである。対して、アフガニスタン、バングラデシュ、サハラ以南のアフリカの国々は改善の余地が大きい。特に、飲料水の汚染と屋内調理のさいに出る煙の吸引という命にかかわる二つの汚染は、貧しい国々を苛んでいる[27]。しかし、そうした国々もこの数十年で豊かになるにつれ、その苦しみから抜け出しつつある。世界人口のうち、汚染された飲料水を口にする人々の割合は八分の五減少し、室内調理の煙を吸う人々の割合は三分の一減少した[28]。かつてインド首相だったインディラ・ガンディーがいったように「貧困こそが最大の環境汚染」ということである[29]。

そのほか環境に害を与えるものの典型として、石油タンカーからの原油流出も挙げられる。原油が流出すると、美しい浜は真っ黒でべとべとの原油に毒され、海鳥の羽やラッコやアザラシの毛皮も原油にまみれてどろどろになってしまう。一九六七年の

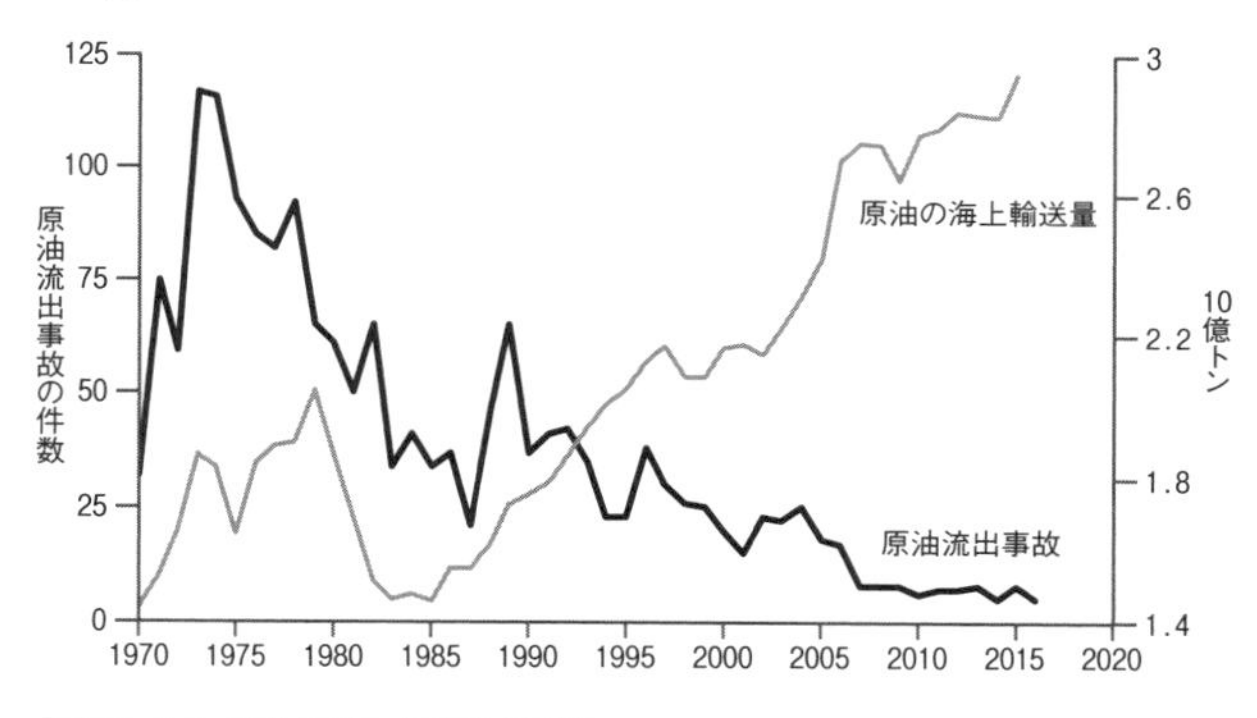

［図10‒5］**原油流出（1970‒2016）**
情報源：*Our World in Data*, Roser 2016r, 国際タンカー船主汚染防止連盟（ITOPF）のデータ（更新済み）に基づく〈http://www.itopf.com/knowledge-resources/data-statistics/statistics/〉。原油流出事故には少なくとも7トンの損失をもたらしたものをすべて含む。海上輸送された原油は「原油、石油製品、積載されたガスの総量」から成る。

トリー・キャニオン号や一九八九年のエクソン・ヴァルディーズ号など、悪名高い数々の原油流出事故は今もわたしたちの集団的記憶にとどまっている。その一方、原油の海上輸送が以前に比べずっと安全になったことを知る人は少ない。しかし［図10―5］で示したように、原油流出事故の年間件数は一九七三年には一〇〇件以上あったが、二〇一六年にはわずか五件へと減少した（大規模な流出事故は、一九七八年の三二件から二〇一六年には一件へと下がった）。

また流出事故が減る一方で、原油の輸送量は増えていることもグラフから見てとれる。交差する二つの曲線は、環境保護と経済成長は両立できるというさらなる証拠でもある。そもそも石油会社と環境保護は利益が合致するので、石油会社がタンカー事故を減らそうとするのは不思議でも何でもない。原油が流出すると、企業としての評判はがた落ちになり（とりわけ破損した船体に企業名が大きく描かれている場合）、巨額の罰金を科せられるうえ、高価な原油を無駄にしてしまうからだ。さらに興味深いのは、企業の取り組みがおおむね成功していることである。技術は学習曲線に従って向上し、危険をもたらすものは設計から除かれていくため、時とともに危険は小さくなっている（この点については第一二章で改めて論じたい）。

それなのに人は事故のことは覚えていても、その後技術が少しずつ向上していることは知らないままだ。しかし実際にさまざまな技術がそれぞれのきっかけで、さまざまな時に向上しているのである。二〇一〇年には、海上輸送中の原油流出量が過去最低を記録していたまさにその途中、史上三番目の規模の原油流出事故が発生した。これはメキシコ湾の石油掘削施設ディープウォーター・ホライズンが起こした事故だったが、この事故がきっかけとなって暴噴防止装置や油井の設計、監視体制、オイルフエンスについて新たな規制がもたらされた[30]。

それ以外にも、陸と海の広い区域が人間の利用から保護されていることも進歩として挙げておきたい。自然保護の専門家は「保護できている区域はまだ不十分だが、その勢いはすばらしい」と口をそろえていう。［図10―6］が示すように、地球の陸地

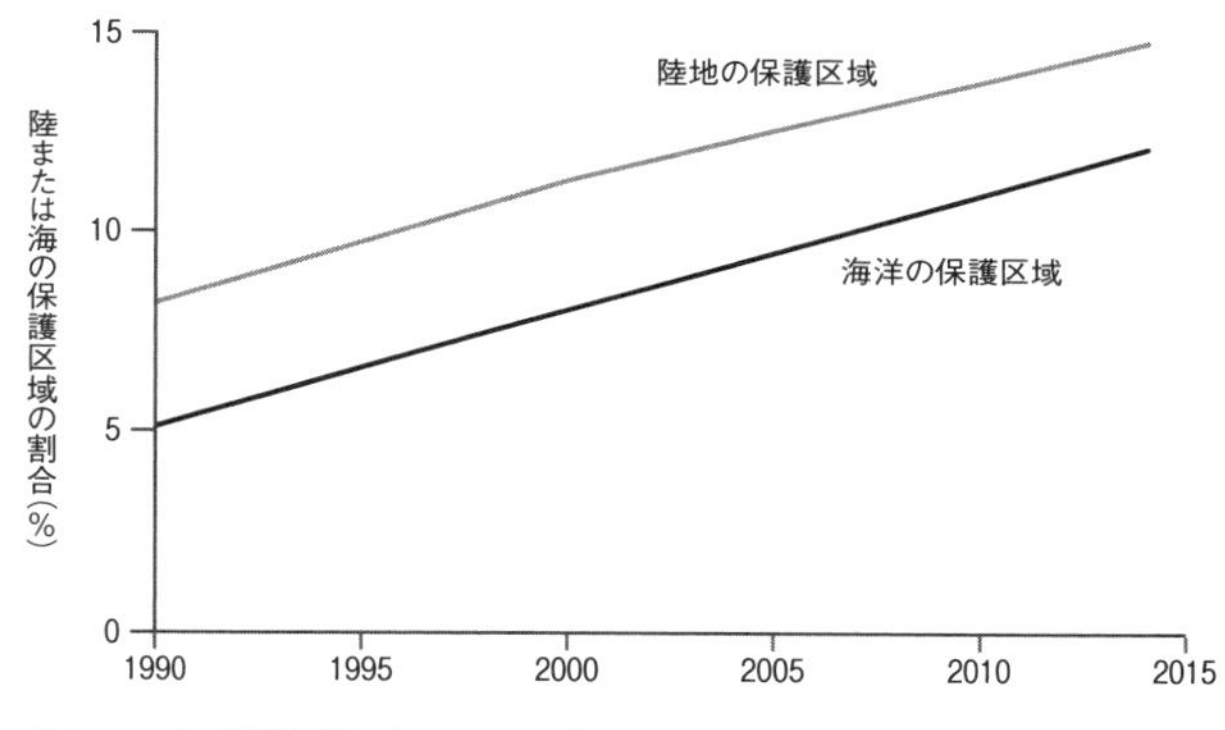

［図10-6］**保護区域（1990-2014）**
情報源：World Bank 2016h および2017, 国連環境計画と世界自然保護モニタリングセンターのデータに基づく。データは世界資源研究所によって集められた。

のうち国立公園や野生生物保護区、その他の保護区域の割合は、一九九〇年の八・二パーセントから二〇一四年には一四・八パーセントに増大した。アメリカ合衆国の実に二倍の広さである。海洋保護区域も一九九〇年から二〇一四年のあいだに二倍以上に増え、今では世界の海の一二パーセント以上が保護されている。

こうした生息地保護や的を絞った保護努力のおかげで、多くの愛すべき種――アホウドリ、コンドル、マナティー、オリックス、パンダ、サイ、タスマニアデビル、トラなど――が絶滅の淵から戻りつつある。生態学者のスチュアート・ピムによると、鳥の絶滅のペースは七五パーセント減少した。[31]確かに多くの種が今も絶滅の危機に瀕しているが、多数の生態学者や古生物学者は、人類がペルム紀や白亜紀の末のような大量絶滅を引き起こしているという主張は大げさだという。

スチュアート・ブランドもこう述べる。「多くの特定野生生物の問題が解決すべきものとしていまだ残っている。だが、それらの野生生物が絶滅の危機に瀕しているといって騒ぎすぎると、自然界全体に対して恐慌をきたしかねない。そして、自然とは極端に弱いものだとか、すでに壊れていて回復の望みはないなどと思い込みかねない。しかし、それは見当違いもいいところだ。だいたい、自然とはこれまでずっとそうだったようにたくましいものである。いや、さらにたくましくなっているかもしれない。（中略）そうした自然のたくましさとうまく折り合うことで、自然保護の目標は達成できる」[32]

このほか、世界全体で進歩したこともある。一九六三年に「部分的核実験禁止条約」が結ばれ、大気圏内での核実験が禁止されたことにより、何よりも恐ろしい汚染形態〝死の灰〟の危険が取り除かれた。このことはまた、世界政府などなくても、世界の国々は地球を保護するための対策に合意できることを証明した。以来、世界は協力して多様な課題に取り組んでいる。一九七九年には「長距離越境大気汚染条約」が締結され、一九八〇年代と一九九〇年代にはその条約に基づいて硫黄酸化物やその他の「長距離越境大気汚染物質」の排出量削減を盛り込んだ議定書も発効し、酸性雨の脅威を取り除く一助となった。[33] また特定フロンなどを規制した一九八七年のモントリオール議定書は一九七カ国が批准し、二一世紀半ばにはオゾン層は回復すると見込まれている。[34] こうした成功例が積み重なった結果、このあと述べるように二〇一五年、気候変動に関する歴史的な国際合意〝パリ協定〟が結ばれた。

生活や生産活動の高密度化・脱物質化が重要

進歩を証明するといつもそうだが、環境状況が改善されていると伝えた場合も、やはり怒りをにじませながら非論理的な主張をしてくる人は実に多い。しかし誤解してほしくないのだが、環境の質を測る多くの基準が改善しつつあるからといって、すべてがうまくいっているといいたいわけではない。ましてや環境など放っておけば良くなるとか、じっと座ってくつろいでいればいいなどといっているわけでもない。現在、わたしたちがより良い環境を享受できるのは、環境を改善しようと努めた先人の議論や運動、法整備、規制、条約、技術的な工夫のおかげであり、そこに感謝すべきである。[35] わたしたちはそうした努力の一つ一つをさらに推し進める必要があるし、そうすることで、進歩の成果を維持し、進歩の後退を防ぎ（特にトランプ政権下では重要）、海洋汚染や大気中の温室効果ガスなど、今なお直面する困難な問題にも進歩をもたらすことができるだろう。

さまざまな理由から、そろそろ道徳劇はやめるときである。その劇のなかで、現代人は略奪ばかりするあくどい一族の役回りをしている。そして、もし産業革命の成果と技術を捨てず、自然とともに禁欲的に暮らす生活に戻らなければ、終末を早めるとされている。だがそんな道徳劇を演じる代わりに、環境保護は解決できる問題として扱うことができる。どうすれば環境汚染と自然生息地の損失を最小限にしつつ、安全で快適で刺激的な生活を送ることができるのか？　それを考えるのである。この問題を解決しようとして、わたしたちはこれまでも進歩してきた。とはいえ、まだのんびりできる状態にはほど遠く、今の進歩を励みにもっと努力しなければならない。また、これまでの歩みから、今の進歩を支えた数々の力も見えてくる。

そこからすると、問題解決の鍵の一つは資源と生産性を切り離すこと、すなわちできるだけ少ない物質やエネルギーから、できるだけ多くの人類の利益を得ることになるだろう。これは「密度」を重視する考え方である。[36] たとえば農業なら、品種改良もしくは遺伝子組み換えされた作物を育てることで、少ない土地や水、肥料からより多くのタンパク質とカロリーと繊維を生産できる。こうして農業が集約的になっていけば、使わずにすむ農地が増え、それらを自然環境に戻していくことができるだろう（エコモダニストによると、有機農業は食糧一キロを生産するために、集約的農業よりずっと多くの土地を必要とするので、環境に優しくもなければ持続可能でもない）。あるいは人々が都会に移り住めば、田舎の土地が解放されるうえ、都会では「君の天井は僕の床」〔ポール・サイモン『ひとりごと』の収録曲〕なので、建築や暖房にかかる資源が少なくてすむだろう。それに通勤にかかる資源も少なくなる。森林についても、木々を密な植林地から伐採するようにしていけば（生産性は天然林の五から一〇倍）、森林を守れるだけでなく、そこで暮らす多種多様な生物――羽毛や毛皮やうろこの持ち主たち――を守ることもできるだろう。

こうした変化を支えるのは「脱物質化」というもう一つの地球の友人である。技術の進歩のおかげで、わたしたちは少しのものから多くを得ることができるようになった。アルミ缶の重さはかつて三オンスだったが、今は〇・五オンス以下である。携帯電話には何マイルもの電話線と電柱は必要ない。デジタル革命は、原子をビットに置き換えることで、わたしたちの目の前の世界を脱物質化させている。わたしの音楽コレクションは以前はレコードが立方ヤード〔約〇・七六立方メートル〕単位で測る体積を占めていたが、CDになって立方インチ〔約一六立方センチ〕単位で測れる体積に縮小し、さらにMP3になって場所をとらなくなった。アパートメント中に散らばっていた新聞紙はiPadがなくしてくれた。ノートパソコンのストレージ容量は一テラバイトあるので、今や印刷用紙を箱買いする必要はなくなった。そして、スマートフォンはたった一つで多くの機能を備えている。電話、留守番応答、電話帳、カメラ、ビデオカメラ、テープレコーダー、ラジオ、目覚まし時計、計算機、辞書、ローロデックス〔回転式の名刺ホルダー〕、カレンダー、市街地図、懐中電灯、ファックス、羅針盤。さらにはメトロノームや屋外温度計、水準器の機能まである。これまでバラバラにつくられていた四〇ほどの消費財を、スマートフォン一つに集約することで、どれだけのプラスチックや金属、紙が節約できているか考えてみてほしい。

デジタル技術はシェアリングエコノミーを可能にすることによっても、世界の「脱物質化」を進めている。共有が進めば、ほとんどの時間使われずにいる車や各種の道具、さらには寝室〔互いの家を交換して旅行するホームエクスチェンジなど〕まで、大量につくる必要がなくなるからだ。

また広告代理店の広告マン、ロリー・サザーランドによると、脱物質化は社会的地位の基準の変化からも進むという。[37] たとえば現代は、郊外よりも都心のほうが高級住宅地である（今日ロンドンで最も高価な住宅は、ヴィクトリア朝の裕福な人々にとってはとても狭く思えるだろう）。それからソーシャルメディアが発達したことで、若者はもっている車や服をひけらかすより、どんな体験をしたかを発信するようになってきた。トレンドに敏感でおしゃれな若者たちは、ビールやコーヒーや音楽の趣味をアピールすることで自分を引き立てるようになっている。もはやビーチ・ボーイズや『アメリカン・グラフィティ』の時代は終わり、一八歳のアメリカ人の半数は車の免許をもっていない[38]。

「ピーク・オイル（石油ピーク）」という言葉は、一九七〇年代の石油危機後によく知られるようになったが、これは世界の石油採掘量が後にも先にも最大となる年のことをいう。この表現にならって、環境科学者のオースベルは人口転換と高密度化、脱物質化によって、わたしたちは「子どもピーク」「農地ピーク」「木材ピーク」「紙ピーク」「車ピーク」に達したかもしれないと指摘する。実際、「物質ピーク」には達しつつあるだろう。オースベルによると、一〇〇の必需品のうち、アメリカでは三六のものが使用のピークを迎え、五三のもの（水、窒素、電気を含む）の使用に減少の感触があり、いまだに使用量が上昇しているのは一一の必需品だけだった。イギリスもやはり「物質ピーク」に達している。イギリスでの物の年間使用量は二〇〇一年には一人当たり一五・一トンだったが、二〇一三年には一〇・三トンに減少した[39]。

こうした注目すべき流れが起こるのに、強制力や法律や道徳的な教化は必要なかった。つまり人々がどんな暮らしをするかを選ぶ過程で、流れは好ましい方向へとおのずと動いた。もちろん、これは環境法がいらないということを示しているわけではない。環境保護機関や強制力のあるエネルギー基準、絶滅危惧種の保護、大気汚染や水質汚染を防止する国内法と国際法といったものに大きな効果があることは誰もが認めるところである[40]。むしろこうした傾向が示しているのは、近代化の潮流は人類をかつてないほど持続不可能な資源利用へと向かわせているわけではないということだ。技術——特に情報技術——の性質のなかの何かが、人類の繁栄を物理的な物と切り離す働きをするのだろう。

間違いなく憂慮すべき事態にある「気候変動」

人類が環境という環境をすべて容赦なく損なっているという話を認めてはいけないが、それと同様に、このまま何もしなくても環境はすっかり回復するという話を認めてもいけない。啓蒙主義的環境主義では、希望がもてるにせよ、憂慮すべきにせよ、事実と向き合う姿勢をもたなくてはならない。その点からすると、ある一連の事実は間違いなく憂慮すべき事態を示している。温室効果ガスが地球の気候に及ぼす影響である[41]。

主な温室効果ガスには、まず二酸化炭素（CO_2）がある。木や石炭、石油、ガスを燃やすと、それらの燃料内の炭素は酸化して二酸化炭素になり、大気中に漂う。なかには海洋に吸収されたり、岩石と化学的に結合したり、植物の光合成に取り込まれたりするものもあるが、現在大気中に排出される二酸化炭素は年間三八〇億トンに上るため、こうした自然の吸収源では吸収しきれない。石炭紀に蓄えられた大量の炭素は、産業革命以降、化石燃料として燃やされ、煙となって排出されてきた。そのせいで大気中の二酸化炭素濃度は、産業革命以前の約二七〇ppm〔〇・〇二七パーセント〕から、今では四〇〇ppm〔〇・〇四パーセント〕以上になっている。二酸化炭素は温室のガラスのようなものであり、地表からの熱放射を閉じ込める。そのため二酸化炭素濃度が上がると、世界の平均気温も約〇・八度上昇した。二〇一六年は観測史上最も暑い年になり、第二位が二〇一五年、第三位が二〇一四年と続いている〔二〇二〇年も二〇一六年と並ぶ最も暑い年になった〕。

このほか温暖化の要因として、森林破壊（森林は二酸化炭素を吸収する）やメタンの排出も挙げられる。メタンは二酸化炭素以上に強力な温室効果ガスで、ガス井からの漏洩や永久凍土の融解のほか、牛のげっぷやおならからも放出される〔反芻動物の消化管内発酵もメタンの主な排出源〕。また温暖化の影響で、今は熱を反射している白い雪と氷が、この先、熱を吸収する黒い地面と水に変わったり、あるいは永久凍土の融解が加速したり、大気中に放出される水蒸気が増えたりすれば（水蒸気も温室効果ガスの一つ）、気温をいっそう押し上げる方向へと気候フィードバック〔気候変動がさらなる気候変動を誘発すること〕が働いて、温暖化が暴走する可能性もある。

温室効果ガスの排出がこのまま続けば、二一世紀の終わりには、地球の平均気温は産業革命以前の水準から少なくとも一・五度、おそらくは四度かそれ以上、上昇すると予測される。そうなると、今以上に過酷な熱波に襲われる頻度が増し、湿った地域では洪水が、乾燥した地域では干魃（かんばつ）が起こりやすくなるだろう。ひどい嵐や激しいハリケーンも発生し、温暖な地域では作物の収穫量が減り、多くの種が絶滅し、サンゴ礁が失われる（海水温が上昇し、海水が酸性化するため）。

さらには陸氷が融解し海水の体積が膨張するせいで、平均〇・七から一・二メートルの海面上昇が起きるとも考えられている（すでに海水面は一八七〇年から約二〇センチ近く上昇しており、上昇ペースは加速しているらしい）。そうなると低地は水浸しになり、島嶼国は波の下に消え、広大な範囲で農地が耕作できなくなる。そしてまた何百万もの人が立ち退きを余儀なくされるだろう。二二世紀以降、状況はさらに悪化するとされ、理論的にはメキシコ湾流の流路変化（これが起こるとヨーロッパはシベリアのような気候になってしまう）や、南極氷床の崩壊などの大異変を引き起こすこともありうる。

世界がどうにか適応できる気温の上昇は二度が限度とされていて、世界銀行の二〇一二年年次報告書の言葉を借りれば、四度の上昇は「断じて起こしてはならない」[42]。気温の上昇を二度未満に抑えるには、世界は二一世紀半ばまでに最低でも温室効果ガスの排出量を半分かそれ以上削減し、二二世紀に代わる前にはゼロにしなくてはならない[43]。しかしこれは手強い課題である。世界のエネルギーの八六パーセントは化石燃料でまかなわれ、地球上のほとんどすべての自動車、トラック、電車、航空機、船、トラクター、溶鉱炉、工場、さらには大半の発電所も化石燃料が動かしているからだ。[44]人類がこの種の問題に直面するのは初めてである。

気候変動予想に人々はどう反応してきたか

では、こうした気候変動予想に対して、人々はどのように反応しているのだろうか。ここからはそれを説明しよう。

まず反応の一つには、気候変動が起きていることを否定したり、人間の活動がその原因だということを否定するというものがある。もちろん人為的な要因が気候変動の原因だという仮説に対し、科学的根拠を示して異を唱えることは、まったくもって適切なことである。特に、気候変動という仮説が事実なら極端な対策が必要になることに鑑みれば、そうすべきだろう。科学の優れた点は、もしその仮説が本物なら反証しようとする試みに長期的に耐えられるところにある。

「人為起源の気候変動」説は、歴史上何よりも活発に反論をぶつけられた仮説だが、現在主な反論はすべて退けられている。たとえば「世界の気温上昇は止まった」「気温が上昇して見えるのは、ヒートアイランド現象が起きている都市部で観測されたからだ」「確かに気温は上昇しているが、それは太陽の温度が上がったからだ」といった反論はどれも崩され、懐疑的だった多くの人々も納得した。[45] 近年の調査によると、科学専門誌の査読された論文の著者六万九四〇六人のうち、地球温暖化は人為的なものであるという仮説に異議を唱えていたのは四人だけで、「論文審査のある科学誌のなかに（人為起源説に）反論できるだけの説得力あるエビデンスは見当たらない」[46]。

それにもかかわらず、アメリカの政治的右派は石油・ガス業界から巨額の支援を受けていることもあり、「温室効果ガスが地球温暖化を促進しているわけではない」という間違った主張をする運動を躍起になって進めている。[47] そしてその過程で、こんな陰謀論まで広めている。すなわち科学界は致命的な「政治的正しさ病」（ポリティカル・コレクトネス）に感染しているので、政府に経済を乗っとらせようという政治思想から、地球温暖化を声高に唱えているというものだ。しかし学術界のポリティカル・コレクトネスについて、なかなかの監視人を自負する身からすると、これはばかばかしいにもほどがある。物理学者に政治的な意図はまったくなく、地球温暖化は科学的証拠を見れば明らかである[48]（そして、まさにこの種の異論に対抗しなければならないので、どの分野の研究者もポリティカル・コレクトネスを主張しないやり方で、学会の信頼性を守る義務がある）。

もちろん気候変動の懐疑論者には、もう少し分別のある人々もいる。彼らは〝微温派（lukewarmer）〟と呼ばれることもあり、[49] 科学のメインストリームを受け入れはするものの、多分に肯定的な面を強調する。その態度は、数ある可能性のなかでいちばん端っこにある、気温上昇が最も遅い可能性を支持するというものだ。「温暖化を暴走させるフィードバックの発生」という最悪のケースは仮説にすぎないとし、気温と二酸化炭素濃度の適度な上昇は作物の収穫量を増やすので、温暖化による損失は相殺されると指摘する。さらに、気候変動が起きていることは認めるが、各国ができるかぎり豊かになれるようにすれば（化石燃料の制限によって成長を阻害しなければ）、各国の温暖化への対応力を高めることにつながると主張する。

しかし経済学者のウィリアム・ノードハウスがいうように、これは「気候カジノ」で軽率な賭けをするようなものだ[50]。現状のままだと、たとえば五割の確率で世界の状況が著しく悪化し、五パーセントの確率で転換点を超えて大惨事に見舞われるとするなら、たとえ大惨事になることが不確かでも、予防策は慎重にとるべきである。それは万が一に備えて消火器を買い、家には保険をかけ、ガレージではガソリンの缶を開けっぱなしにしないのと同じことだ。気候変動に対処するには、この先何十年もの努力が必要になる。つまり、間違いを認める時間は十分にある。もし幸運にも途中で気温や海面の上昇、海洋酸性化が止まったなら、そのときにこそ別の道を選択すればいい。

気候変動には極左からの反応もあるが、こちらはまるで極右の陰謀論の正しさを立証しようとでもするかのようだ。たとえば〝気候正義（climate justice）〟運動。これはジャーナリストのナオミ・クラインが二〇一四年に出した『これがすべてを変える――資本主義vs.気候変動』（幾島幸子・荒井雅子訳、岩波書店）がきっかけで世間に広まった運動だが、この運動では、気候変動の脅威を、気候変動を防ぐことで解決される問題として扱ってはいけない。むしろ自由市場を廃止したり、グローバル経済を見直したり、政治制度をつくりなおしたりする機会として捉えるべきだとする。[51]

環境政策の歴史には摩訶不思議な逸話がいろいろあるが、二〇一六年にクラインが天敵のはずのコーク兄弟と同じ側に立ち、炭素税導入をはかるワシントン州の住民投票が否決されるよう動いたのもその一つだろう（デイヴィッドとチャールズのコーク兄弟は石油業界のビリオネアで、気候変動を否定する人々に資金を提供している）。炭素税は、ほぼすべての専門家が気候変動に対処するために必須のものとして認める政策措置であり、もしこの住民投票が可決されていれば、アメリカ初の炭素税導入となるはずだった。[52]しかしなぜクラインは炭素税に反対したのか？　それはこの炭素税案が「右派に優しく」て、「環境破壊の張本人に払わせるもの」ではなかったからであり、「彼らが故意に環境を破壊して得た不道徳な利益が環境修復のために徴収」されないからである。

次に引用する二〇一五年のインタビューで、クラインは気候変動を定量的に分析することにまで反対した。

わたしたちは数字しか頭にない「統計屋」として、この運動に勝つつもりはありません。相手の得意分野で勝つことはできませんから。しかし、大切な価値観や人権、善悪に関する問題である以上、わたしたちは勝つつもりです。確かに、短い期間でわたしたちも対抗材料になるような統計データを集めなくてはならないでしょう。でも人々の心を本当に動かすのは、命の価値を根本に据えた議論です。その事実を見失わないようにしなければなりません。[53]

定量的な分析を「統計屋」として軽視するのは反知性主義的であるだけでなく、「大切な価値観や人権、善悪」をないがしろにすることでもある。真に人命を尊ぶのなら、人々が不本意な移住や飢えから救われると同時に、健康で満ち足りた生活を送れることを願い、そうなる可能性が最も高い政策を支持するはずである。[54] そして魔法ではなく自然の法則が支配する世界の場合、それを実現するには、「統計屋」が必要になる。また、たとえ純粋に言葉上で「人々の心を動かそう」とするにしても、その言葉に効果があるかどうかは大切だろう。人々が地球温暖化の事実を認めやすいのは、どんな恐ろしいことになるかを警告されたときではなく、この問題は政策と技術の革新によって解決できるといわれたときである。[55]

自己犠牲の精神ではこの問題が解決しない理由

もう一つ、気候変動を防ぐ方法についてよく目にする一般感情を紹介しよう。それは次の手紙によく表れている（ちなみに、わたしのところにはこれと似たような手紙がときどき届く）。

ピンカー先生へ
　地球温暖化を防ぐため、わたしたちは何かしなければなりません。どうしてノーベル賞を受賞した科学者の皆さんは請願書に署名しないのでしょう？　政治家なんて愚にもつかない生き物で、どれだけ多くの人が洪水や干魃で亡くなろうがどうでもいいと思っているのです。どうして科学者の皆さんはそんなありのままの真実を語らないのでしょう？
　そこで思うのですが、先生がご友人と一緒にインターネット上で運動を始めてはどうでしょうか。温暖化と闘うため真の犠牲を払うという誓約に、みんなが署名するようにするのです。というのも、問題はまさにその点にあるからです。誰一人、犠牲を払おうとしていません！　これからは、みんな緊急のとき以外、二度と飛行機に乗らないと誓うべきです。何といっても飛行機は大量の燃料を燃やしますから。それから食肉の生産も大気中に多くの炭素を出すので、少なくとも週に三回は肉を食べない日をつくると誓うべきです。金や銀を精錬するのにもたくさんのエネルギーが使われるので、宝飾品を買わないと誓うべきです。あとは陶器を焼くときも多くの炭素が出るので、芸術的な陶器ももたないようにすべきです。大学の芸術学部で陶芸をやっている皆さんには、このままでは大変なことになるという事実を受け入れてもらうしかないでしょう。

ここで「統計屋」になるのを許してほしいが、たとえみんなで宝飾品をあきらめたとしても、世界の温室効果ガスの排出量にはかすり傷一つ付きはしない。温室効果ガス排出の内訳は、重工業（二〇パーセント）、建築業（一八パーセント）、運輸業（一五パーセント）、土地利用の変化（一五パーセント）、エネルギーを供給するためのエネルギー（一三パーセント）だからだ（畜産は五・五パーセントで、二酸化炭素よりも主としてメタンを排出する。航空機は一・五パーセント）[56]。もちろん差出人の女性が宝飾品や芸術的な陶器をあきらめるよう提案したのは、効果のためではなく犠牲的精神のためである。だからこそ、宝飾品という典型的な贅沢品に的を定めたわけで、それは不思議でも何でもない。気候変動に対処するとき、わたしたちは二つの心理的障害に直面するが、この女性の独創的な提案にはそれがよく見てとれる。そもそもわたしがこの独創的な提案を紹介したのも、その心理的障害を説明するためである。

心理的障害の一つめは「認知」である。世間の人々は規模で考えることが苦手で、どの行動がどれだけの二酸化炭素の排出量を削減するのか、それは何千トン規模なのか、それとも何百万トン規模なのか、何十億トン規模なのかを区別していない[57]。また濃度や割合、その変動ペース〔速度〕、ペースの変化率〔加速度〕、さらに高次の導関数〔加速度の変化率など〕の違いについても無頓着だ。どういった行動をとると、二酸化炭素排出ペースに作用するのか、排出ペースの増加率に作用するのか、あるいは大気中の二酸化炭素濃度に作用するのか、世界の気温に作用するのか（二酸化炭素濃度が現在のままでも気温は上昇する）、その区別もしていない。しかしこうした問題について最新の情報を知ったうえで、変化の規模や種類についても考えなければ、何一つ成果の出ない政策をよしとすることになりかねない。

二つめの心理的障害は「道徳感覚」である。第二章で説明したように、人の道徳感覚というのはあまり道徳的ではなく、そのせいで非人間的になったり（「政治家は愚にもつかない生き物だ」）、懲罰的な攻撃へと向かったりしてしまう（「環境破壊の張本人に払わせる」）。また浪費は悪で禁欲は美徳だという考えが結びつくことにより[58]、無意味な犠牲を誇示し、それらの犠牲を神聖化することにもなる。多くの文化で、人々が神に向けて断食や貞節、自己犠牲を誓い、虚栄心を満たすものを焼き捨て、動物（時には人間）を生贄として捧げることで己の正しさを見せようとするのもこの心理が働いている。現代社会でもこの傾向は同様で、わたしが心理学者のジェイソン・ネミロウ、マックス・クラスノウ、レア・ハワードとともに行った研究では、人が他人を評価する基準は、利他的な行動をとるなかでどれだけ多く時間とお金を犠牲にしたかであり、達成した福利の大きさや量はあまり評価されていない[59]。

世間が提唱する温暖化対策の多くは、リサイクルに力を入れる、フードマイル〔食品の輸送距離〕を減らす、使っていない充電器のプラグを抜くなど、個々人の自発的な犠牲行為を含んでいる（わたし自身、ハーバードの学生によるこの種の運動のポスターでモデルをしたことがある）[60]。しかしどれだけ良いことをしているようでも、それもまたわたしたちが立ち向かっている巨大な試練から注意をそらすものでしかない。というのも、炭素の排出量削減は古典的な「公共財ゲーム」（「共有地の悲劇」としても知られる）であるからだ〔誰もが使える共有地は誰のものでもないので誰にも保全の義務はないうえ、他人より多く利用した利用者は得をする。これにより生じる問題を指す経済学用語〕。このゲームでは、すべての人々は他人の犠牲から利益を受け、犠牲を払った人はその分だけ苦しむので、誰もがフリーライダー（ただ乗りをする人）になって他人に犠牲を払わせようとする動機をもつことになり、結果的に全員が不利益を被るようになる。こうした公共財のジレンマを解決する標準的な方法は、強制力をもつ権力がフリーライダーを罰することである。だが、（たとえば芸術的な陶器を全面禁止にするような）全体主義的権力をもつ政府の場合、その権力を公共の利益の最大化に限定して使うことはまずないだろう〔つまりこのような単純な解決法を採れるのは強権的な国家に限られる〕。

なかには、わざわざそのような方法をとらなくても、良心に訴えかけさえすれば、誰もが必要な犠牲を払おうとするはずだと、夢見る人もいる。しかし人間には公共心があるとはいえ、数十億の人々が自身の利益に反する行動を一斉にとるはずだという甘い期待に、地球の大事な運命を託すのは浅はかすぎないだろうか。何より重要なのは、その犠牲とは、炭素の排出量を今世紀半ばまでに半減させ、その後ゼロにするほどのものでなければならず、宝飾品の断念よりもずっと大きいということだ。犠牲によって達成しようとするならば、求められるのは、電気や暖房、セメント、鋼鉄、紙、旅行、手頃な価格の食品や衣服をあきらめることになるだろう。

解決のため途上国に犠牲を強いるのは間違い

〝気候正義〟の戦士たちは、発展途上国がまさにそんな犠牲を払ってくれるだろうという幻想を抱いて、「持続可能な開発」が実現できる社会制度を提唱する。しかしマイケル・シェレンバーガーとテッド・ノードハウスが皮肉めかしていうように、「そのモデルケースは、アマゾンの森に住む農民や先住民が小さな協同組合をつくり、森でナッツやベリーを摘んで、アイスクリーム会社〈ベン&ジェリーズ〉に売り、それが〝熱帯雨林クランチ味〟の製品になるという類いのものだった」[61]。彼らには太陽光パネルの利用が認められ、それによってLED照明をつけたり、携帯電話を充電したりはできるだろうが、それだけだ。だがいうまでもなく、現在、発展途上国で暮らす人々はそれでいいなどと思っていない。貧困から抜け出すためには、大量のエネルギー資源が必要になる。

ウェブサイト〈HumanProgress〉を運営するマリアン・トゥーピーもこんな指摘をする。ボツワナとブルンジは、一九六二年の時点ではどちらも一人当たりの年間所得が七〇ドルという貧困国で、二酸化炭素もあまり排出していなかった。ところが二〇一〇年になると、ボツワナの一人当たりの年間所得は七六五〇ドルにまで上がり、貧困国のままのブルンジの三二倍になった。そして二酸化炭素の排出量も増えて八九倍になった[62]。

こうした事実に直面すると、〝気候正義〟の戦士たちは、こんどは貧しい国々を豊かにするよりも豊かな国々を貧しかったところに戻すのがいいと応じた（これに対する答えは「あなたがお先にどうぞ」がふさわしい）。たとえば、農業は多くの人手が必要な「労働集約型」に戻せばいいと提案する。またシェレンバーガーとノードハウスによると、かつては進歩的な政策といえば、地方の電化と経済発展がその代表だったが、そこからすると現在はすっかり変貌した。「今では民主主義の名のもと、世界の貧しい国々に『進歩的な政策』が提供するのは、安価な電力という彼らが望むものではなく、彼らが望んでいないもの、すなわち高価で供給が不安定な電力なのだ[63]」

しかし豊かな国だろうと貧しい国だろうと、経済発展は必須である。経済発展がなければ、今まさに起きている地球温暖化に対応できないからだ。人類は主にこれまでの繁栄の所産のおかげで、健康を増進させ（第五章・第六章）、食糧を手に入れやすくなり（第七章）、平和を享受し（第一一章）、自然災害や事故から保護されるようになった（第一二章）。そしてこれらの進歩によって、天災や人災からの回復力を高めてきた。たとえば疫病が発生しても爆発的流行（パンデミック）にはならない。ある地域の穀物が不作でも別の地域の余剰分で補われる。局地的な軍事衝突は全面戦争になる前に鎮静化され、人々は嵐や洪水や干魃からも守られる。

地球温暖化への対応を考えるとき、わたしたちは今後もこの回復力を高めつづけ、温暖化の進む地球が突きつける脅威に対抗できるようにすることも視野に入れなくてはならない。発展途上国が年々豊かになればそのぶん、防波堤やダムをつくったり、公衆衛生サービスを向上させたり、海面上昇に備えて人々を避難させたりする資金ができることになる。そうした理由から、発展途上国を〝エネルギー貧困〟のままにしておいてはいけないのだが、だからといって石炭を大量に燃やして所得を増やすようでも意味がない。そんなことをすれば、将来、気象災害を引き起こし全人類に跳ね返ってくるだろう。[64]

世界の「脱炭素化」はこれまでも進んできた

では、わたしたちは気候変動にどう対処すればいいのだろうか。対処しなければならないのは間違いない。そして、気候変動は道徳的問題であるという点では、わたしも教皇フランシスコや気候正義の戦士たちと同意見である。なぜならそのせいで世界の何十億もの人々、とりわけ貧しい人々が苦しむ可能性があるからだ。しかし道徳心をもつことと、道徳的になれと説教することは別物で、下手に説教をするせいで、道徳心が動かないこともよく起こる（教皇フランシスコは回勅で気候変動への警鐘を鳴らしたが、それを知った保守派の〔もともと気候変動を否定していた〕カトリック教徒たちは、逆に気候変動への関心を低下させ、回勅は裏目に出た）。[65] 確かに、化石燃料関連企業を悪の権化に仕立てたり、わかりやすい犠牲を払って徳の高さを示したりすれば、満足感はあるだろう。だが、そんなことをしても気候変動を防ぐことにはつながらない。

そこで、温室効果ガスの排出を最小限にしつつ、最大限のエネルギーを得る方法を見つけ出そうというのが、気候変動への啓蒙主義的対処になる。もちろん、この現代でそんなことができるわけがないと悲観する声もある。炭素化合物の燃焼によって電力を得ている以上、産業社会は自らを破滅へと焚きつける運命にあるという理屈だ。しかしこの考え方は誤りである。オースベルが指摘するように、現代世界は徐々に「脱炭素化」しつつあるからだ。

化石燃料を燃やすと、そこに含まれる炭化水素は水素（H）と炭素（C）に分解され、エネルギーを放出する。そのとき、水素と炭素はそれぞれ酸素（O）と結合し、水（H_2O）と二酸化炭素（CO_2）になる。最も古い炭化水素燃料である乾燥木材の場合、含まれる炭素と水素の原子数の比は約一〇対一になる。[66] 産業革命中には木材に代わり、石炭が燃料の中心になったが、石炭の炭素・水素比は平均で二対一となり、[67] 炭素の比率は下がった。さらにその後燃料の中心になった灯油など石油系燃料では一対二ほどになり、天然ガスはメタンが主成分だが、メタンの化学式はCH_4で、その炭素・水素比は一対四である。[68]

つまり、産業界が木材から石炭、石油、ガスへとエネルギーの梯子を登るにつれ、燃料内の水素に対する炭素の割合は着実に小さくなった（石油から天然ガスへの転換は、二一世紀に水圧破砕法により多量のシェールガスが採掘されるようになって加速した）。同時に、一定量のエネルギー発生のために燃やさなければならない炭素の量も減った

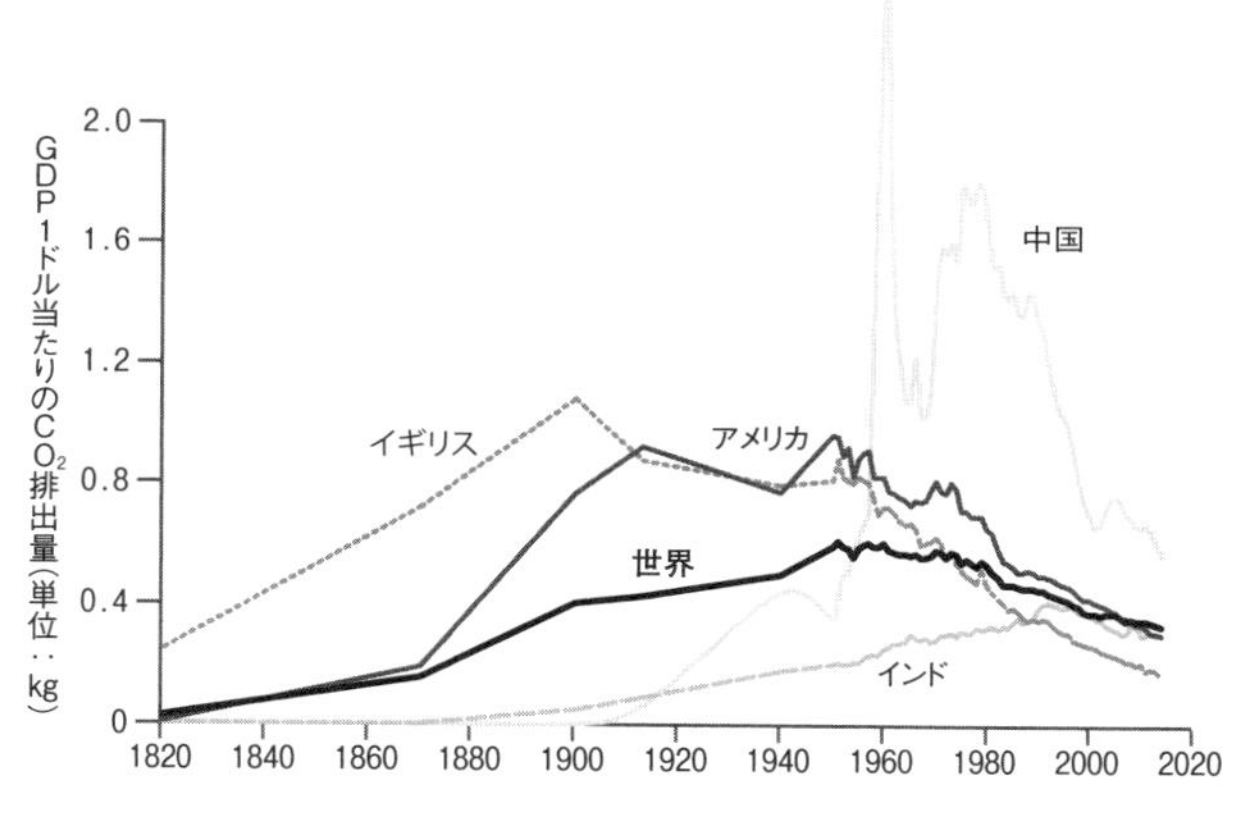

［図10-7］**GDP 1ドル当たりの二酸化炭素排出量（1820-2014）**
情報源：Ritchie & Roser 2017, 二酸化炭素情報分析センターのデータに基づく〈http://cdiac.ornl.gov/trends/emis/tre_coun.html〉。GDPは2011年の国際ドル。1990年以前のGDPについてはマディソン・プロジェクト2014年から。

（一八五〇年にはギガジュール当たり炭素三〇キロが必要だったが、今は約一五キロ）[69]。［図10―7］は二酸化炭素の排出量がクズネッツ曲線に従うことを示している。

　最初にアメリカやイギリスといった豊かな国で工業化が進み、GDP一ドルを生み出すために、どんどん多くの二酸化炭素を排出するようになった。しかし一九五〇年代には排出量のGDP比はピークを迎え、それ以降は減りつづけている。次いで、中国とインドがあとを追い、それぞれ一九七〇年代後半から一九九〇年代半ばに排出量のGDP

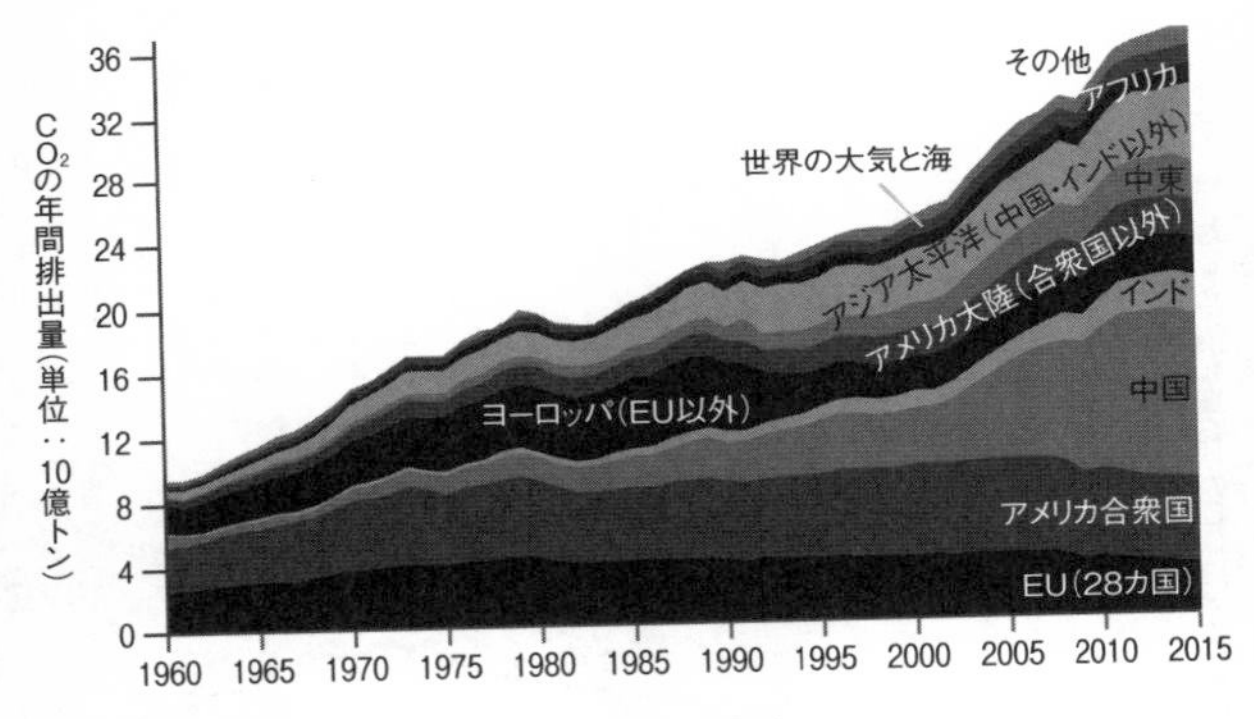

［図10－8］ **二酸化炭素の排出量（1960–2015）**
情報源：*Our World in Data*, Ritchie & Roser 2017 および〈https://ourworldindata.org/grapher/annual-co2-emissions-by-region〉, 二酸化炭素情報分析センター〈http://cdiac.ornl.gov/CO_2_Emission/〉と Le Quéré et al. 2016 のデータに基づく。「世界の大気と海」とは航空輸送と海上輸送を表し、原典の「バンカー重油」に相当する。「その他」は、世界のCO_2排出量の推定値と世界の国および地域の合計との差を表し、原点の「統計的差異」に相当する。

比はピークになった（一九五〇年代後半の中国の曲線がグラフをはみだしたのは、毛沢東の大躍進政策のせいである。裏庭で鉄をつくろうとするようなばかげた計画のせいで、二酸化炭素の排出量は莫大だったが経済生産はゼロだった）。世界全体でも、GDP一ドル当たりの二酸化炭素排出量はこの半世紀のあいだ減少傾向にある。[70]

脱炭素化は、人々が好ましいエネルギーを選ぶ過程で自然にそうなった。オースベルはいう。「炭素は炭鉱労働者の肺を真っ黒にし、都会の空気を汚染し、気候変動の危険をもたらした」。これに対し、「水素は燃焼させると水になるので、限りなく無害な元素である」[71]。人々は密度が高くてクリーンなエネルギーを求めてきた。そうして都市部へ移住するようになると、電気とガスしか使わないのが当たり前になった。しかも電気もガスも枕元やコンロまできっちり届けられる。この自然な発展は思いがけず「石炭ピーク」をもたらした。もしかしたら「炭素ピーク」ももたらしているかもしれない。

［図10―8］にあるように、二酸化炭素の排出量は世界的には二〇一四年から一五年にかけて横ばいになり、排出量の上位三つを占める中国、EU、アメリカでは減少している（［図10―3］でアメリカのケースを見たとおり、経済成長のあいだも二酸化炭素の排出量は横ばいだった。二〇一四年から一六年にかけて、世界総生産（GWP）の年間成長率は三パーセントだった）[72]。こうした二酸化炭素の排出量減少は、一部には風力発電や太陽光発電が進んだことが貢献している。しかし、特にアメリカでは、主として使用される燃料が炭素（C）を多く含む瀝青炭（$C_{137}H_{97}O_9NS$）からメタンガス（CH_4）に代わったことが大きい。

「カーボンプライシング」が脱炭素化の第一の鍵

脱炭素化の広がりは、経済成長イコール燃やす炭素の量ではないことを示している。

それを受けて、なかにはもし次の段階へと進化すれば、つまり低炭素の天然ガスから炭素ゼロの原子力へと移行すれば（このプロセスはN2Nと略される：natural gas to nuclear）、気候変動はソフトランディングするだろうと考える楽天家もいる。しかし何もしなくてもおのずとそうなると考えるのは、能天気な人間だけだ。二酸化炭素の年間排出量は、約三六〇億トンで当面横ばいになったかもしれないが、それでも大気中に毎年大量の二酸化炭素が排出されていることに変わりはない。甚大な被害をもたらさないために必要とされる、排出量の急激な低下の兆候も見られない。それよりむしろ、脱炭素化は政策や技術のあと押しによって進めなければならないだろう。この考え方は「大規模な脱炭素化（deep decarbonization）」と呼ばれる[73]。

その実現方法として、まず「カーボンプライシング（炭素への価格付け）」がある。これは二酸化炭素の排出量に応じて個人や企業に課金する制度で、炭素税や排出量取引（国の排出枠を決め、多い国と少ない国で排出権を売買する）の形をとる。カーボンプライシングは、政府による介入ならではの利点と市場経済ならではの利点をうまく組み合わせたものなので、経済学者は政治的立場を越えてこれを支持している[74]。誰も大気を所有していない以上、人（または企業）には二酸化炭素の排出を抑える理由はない。つまり誰もが他者に不利益を被らせながら、自分は大いに二酸化炭素を排出してエネルギーを享受することになる。その結果として皆が悪い影響を被ることになり、経済学で「負の外部性」と呼ばれる状態になる（公共財ゲームにおいては「全員が不利益を被る」状態のことで、〝共有地の悲劇〟においては「共有地が荒れる」状態のこと）。

しかし炭素税（これを課すことができるのは政府だけだ）の場合、公共の犠牲を価格に組み入れることで（公共コストの「内部化」）、人々は二酸化炭素を排出しようとするごとに、その害も考慮せざるをえなくなる。二酸化炭素の量を価格として知らせ、その価値や情報を伝えることによって、どうすれば最もうまく二酸化炭素を節約できるか、数十億の個々人に決めてもらうというわけである。

おそらく、これは政府の分析官が机上で最適なバランスを計算しようとするより、効果的で人道的なものになるはずだ。そうなれば、陶芸家が〝炭素警察〟から窯を隠さなければならないような事態は避けられる。陶器を焼く一方で、シャワーを浴びる時間を短くしたり、日曜日のドライブをあきらめたり、献立を牛肉からナスに変えたりすることで地球を救うことができるからだ。赤ちゃんのいる親たちは、布おむつのレンタルサービス（トラックで配達され、汚れたおむつはクリーニングされる）と、使い捨ておむつを使うのとでは、どちらがより多くの二酸化炭素を出すのかを計算しなくてすむ。その差は価格に反映されるので、競争に勝つために、それぞれの会社は排出量を低くしようとするだろう。

それから、発明家や起業家は無炭素エネルギー源の開発に手を出しやすくなる。というのも、今は化石燃料が大気中に無料で排出物を吐き出しているという、化石燃料に有利な状態だが、炭素税が導入されれば、公平な条件で無炭素エネルギー源と化石燃料とが競合できるだろうからだ。そもそも化石燃料は豊富で運搬可能なうえ、エネルギー密度も高いので、炭素税などのカーボンプライシングが導入されなければ、それ以外のエネルギー源に比べて、有利な面が大きすぎるのである。

もちろん、炭素税は貧困層にある程度の打撃を与えるので、左派はそこを心配している。また民間から公共部門にある程度の金が移動するので、右派はそこにいらついている。しかし、これらの影響は売上高や給与、所得、その他にかかる税や所得移転を調整することで、中和できるだろう（アル・ゴアのいうように「稼いだものにではなく、燃やしたものに税を課そう」）。また、もし炭素税が低い水準から始まり、時が経つにつれて予想どおり急速に増加するなら、長期的に見て、買い物や投資のさい、人々はその増加分を考慮するはずである。そうなると、低炭素化技術の発達もあいまって、人々は低炭素化技術を支持するようになり、結局炭素税はほぼ払わずにすむことになるだろう。[75]

脱炭素化の第二の鍵は原子力発電

大規模な脱炭素化の第二の鍵は、伝統的な環境保護活動にとっては不都合な真実になる。それは、原子力発電が世界で最も豊富で拡張可能な無炭素エネルギー源だということである。[76] 確かに再生可能エネルギー――特に風力と太陽光――はかなり安価になっていて、この五年間で世界のエネルギー供給のうち、再生可能エネルギーの占める割合は三倍になった。とはいえ、割合自体は全体のわずか一・五パーセントでしかなく、その成長には限度がある。[77] 風は止まることが多く、太陽は毎晩沈んで、雲に覆われることもあるからだ。しかし雨が降ろうが曇ろうが、わたしたちにはエネルギーが二四時間必要である。再生可能エネルギーから得た大量のエネルギーを貯蔵し、放出できる電池があれば何とかなるだろうが、都市を丸ごと一つ動かせるような電池はまだ当分は望めない。

また風力発電と太陽光発電は広大な土地を必要とするが、これは環境に優しい高密度化のプロセスに逆行する。エネルギー問題に詳しいジャーナリストのロバート・ブライスは、世界のエネルギー利用の増大に追いつくには、毎年ドイツと同面積の土地を風力発電所にしなければならないと推計する。[78] また二〇五〇年までに再生可能エネルギーで世界のエネルギー需要を満たすには、アメリカ（アラスカを含む）に加え、メキシコと中央アメリカ、それにカナダの居住地域を合わせた面積と同程度の土地を、風車と太陽光パネルで埋めなければならない[79]。

対照的に、原子力発電はエネルギー密度が非常に高い。なぜなら核反応は$E=mc^2$に従って起こるからだ〔E：エネルギー、m：質量、c：光の速度〕。つまり、核分裂によって少量の燃料から莫大なエネルギー（光速の二乗に比例）が発生するということである。また、その燃料となるウランの採掘は、石炭や石油、ガスの採掘に比べて環境へのダメージがはるかに小さく、原子力発電所に必要な土地は、風力発電や太陽光発電で必要とされる面積の約五〇〇分の一で済む[80]。原子力発電なら二四時間エネルギーを供給でき、送電網につながないで必要な場所に効率の良いエネルギーを届けられる。太陽光や水力、バイオマス〔動植物由来の有機資源。木材、生ごみなど〕よりも二酸化炭素の排出量が少ない。

さらにそれらと比べても安全である。地球上に原発ができて約六〇年だが、原発による直接の死者数は、ソ連時代のとんでもない不手際によって起きた一九八六年のチェルノブイリ原子力発電所事故での三一人である（他の二つの大事故、一九七九年のスリーマイル島原子力発電所事故と二〇一一年の福島第一原子力発電所事故では、直接の死者は出ていない）。チェルノブイリではまた、被曝した人のうち自然発生の癌で一〇万人が死亡したと推定されるが、それに対して、事故の影響によって癌で早期に死亡した人の数は数千人という推定である。[81] 一方で、可燃物の燃焼による大気汚染や、化石燃料の採掘中や輸送中の事故では、毎日多数の人が死亡しているというのに、これがトップニュースになることはない。発電一キロワット時当たりの死者数は、原子力に比べ、天然ガスは三八倍、バイオマスは六三倍、石油は二四三倍、石炭は三八七倍も多い。石炭火力発電の場合、年間一〇〇万人が死亡している可能性がある。[82]

ノードハウスとシェレンバーガーは、「世界の温室効果ガスの排出量を減らすには、原発の大幅な拡大以外に確実な道はない。それが今日、わたしたちが有する唯一の低炭素技術であり、集中的な大量発電が可能であると立証されているものだからだ」[83]と述べるが、実際、そう予測する気候学者の数は増えている。たとえば、世界一五カ国の研究チームが参加する〈大規模な脱炭素化への道筋プロジェクト（The Deep Decarbonization Pathway Project）〉は、「二度目標」〔温暖化を産業革命前と比べて二度未満に抑えるという国際目標〕達成のための温室効果ガス排出量削減に向け、国ごとにロードマップを作成したが、それによるとアメリカは二〇五〇年までに電力の三〇から六〇パーセントを原子力発電から得なければならない（現在の一・五から三倍）。同時に、電気の従来からの役割を担うだけでなく、家の暖房や車の燃料、鉄鋼やセメントや肥料の生産などで化石燃料が果たしてきた役割も、引き継ぐことが求められている。[84] あるシナリオによると、そのためには原子力による発電能力を四倍にしなければならない。中国やロシアなど他の国々でも、同様に原発の拡大が必要とされている。[85]

しかし残念だが、原子力の利用は拡大すべきこのときに縮小しつつある。アメリカでは一一基の原子炉が最近閉鎖されたか閉鎖される恐れがあり、そのせいで太陽光発電や風力発電の利用拡大によって節約できた二酸化炭素の排出量が相殺されそうである。ドイツは電力の多くを原発に頼っていたが、やはり原発を順次停止させていて〔二〇二二年までに全原発を停止する計画だったが、ロシア・ウクライナ戦争によるエネルギー不安を受け、二〇二三年四月まで原発の稼働を延長する決定をした〕、原子力の代わりを担う石炭火力発電所が、二酸化炭素の排出量を増大させている。どうやらフランスや日本もそのあとに続きそうである〔二〇二二年二月、フランスは原発推進に方針を転換して、原発の増設計画を発表し、日本も二〇二二年八月、次世代原子炉の新増設について検討すると発表した〕。

だが、なぜ西洋諸国は誤った方向に向かっているのだろうか。それは原発には心のいろいろなボタンを押す作用があるからだと思われる。被曝する恐怖、たやすく想像できる大惨事、未知のものや人工物への不信感。加えて、従来の環境保護運動や進歩的な運動支持者（進歩的かどうかは疑わしいが）のせいで不安は増幅している。[86] ある解説者は、地球温暖化が進んだのは、ロックバンドのドゥービー・ブラザーズやシンガーのボニー・レイット、その他のロックスターたちのせいだといっている。彼らが原発反対を訴えて開催した一九七九年のノーニュークス（No Nukes）コンサートとそのドキュメンタリー映画が、ベビーブーム世代に反原発の感情を植えつけたからだ（たとえば締めくくりの歌の歌詞は「太陽の温かなパワーをぼくにください（中略）でも原子力の毒のあるパワーは全部なくしてくれないか」)。[87]

その意味でいえば、地球温暖化のいくらかは、一九七九年公開の映画『チャイナ・シンドローム』の製作者のせいであり、出演俳優のジェーン・フォンダとマイケル・ダグラスのせいである。これは原発事故を題材にした映画で、タイトルの由来は、メルトダウンした炉心はおそらく地殻を突き抜け、地球の反対側の中国まで沈んでいく、というところにある。ペンシルベニア州に匹敵する広い地域を居住不可能にして……。ところが映画の公開から二週間後、悪魔的な偶然から、現実にペンシルベニア州中部のスリーマイル島原子力発電所で、部分的なメルトダウンが発生した。映画の影響もあって、広い範囲でパニックが発生し、原発は燃料のウランと同じく、危険な放射性物質だという考えが形成された。

よくいわれることだが、気候変動の場合、誰よりも熟知している人が誰よりも気候変動を恐れる。しかし原発の場合は、誰よりも熟知している人が誰よりも原発を恐れない。[88]石油タンカーや自動車、航空機、建物や工場と同じように(第一二章)、原発についても技術者は事故や事故未遂から学び、少しずつ原子炉の安全性を高めている。事故や環境汚染のリスクを減らしており、その発生数は化石燃料よりもはるかに少ない。ちなみに、石炭火力発電で石炭を燃焼したさいに出る石炭灰(フライアッシュ)と煙道ガスにも、放射性物質が含まれている。それを考えると、放射能に関しても原発は優位かもしれない〔ただし石炭灰は集塵機で採取されるので大気中への飛散はない〕。

しかし、原子力発電はいまなお高価である。その理由は主に規制の厳しさにある。他の発電が簡単に規制を通っているのに対し、原発は越えなければならない規制のハードルが高い。またアメリカでは長い建設停止期間を経て、現在は原発が製造されているが、各民間企業がそれぞれ独自の設計で行っているせいで技術の習熟が順調に進んでおらず、設計や製造、建設において最善の基準が決まっていない。対照的に、スウェーデンやフランス、韓国では標準化された原子炉が数十基も建設され、二酸化炭素の排出量を確実に抑えながら安い電力を供給している。米原子力規制委員会の元委員長イヴァン・セリンがいうように、「フランスには二種類の原子炉と数百種類のチーズがあるが、アメリカの数字はこの逆である」[89]。

原子力発電が脱炭素化において変革の役割を果たすには、第二世代の軽水炉の技術をいずれ大きく超えなくてはならない（第一世代は一九五〇年代から一九六〇年代初めに製造された試作段階のもの）。第二世代からまもなく第三世代の原子炉も出現したが、これは現在の第二世代の進化型で、安全面と効率面に改良を加えたものであり、これまでのところ予算内での建設の失敗に悩まされている。第四世代の原子炉は現在開発中で、六つのタイプがあるが、これによって原発が取り扱いの難しい限定品ではなく、大量生産が可能な製品になることが期待されている[90]。将来的には、第四世代のあるタイプがジェットエンジンのように組立ラインでつくられ、輸送用コンテナに積まれて鉄道で運ばれ、艀(はしけ)に設置されて海上都市に固定されるということもあるかもしれない。

これが実現すれば、ニンビー〔その施設の必要性を理解する一方、近隣の建設には反対する人々。Not In My Backyard の略称〕のハードルを越えられ、嵐や津波を乗りきることもでき、耐用年数が過ぎれば、牽引して別の場所で解体できるようにもなる。原子炉の設計によっては、地下に埋めて稼働させたり、加圧の必要のない不活性ガスや溶融塩によって冷却されるだろう。また、燃料棒の交換のために停止することなく、ペブル〔球状の燃料〕の投入・排出によって燃料が補給される。水素（最もクリーンな燃料）を併産できたり、過熱した場合は電源や人の手に頼ることなく自動的に停止したりできるようにもなるだろう。燃料は比較的豊富なトリウムのものもあれば、ウランのものもあるだろうが、そのウランは海水から捕集したり、廃棄された核兵器から取り出したり（究極の「武器の平和利用」である）、既存の原子炉の廃棄物、または当該原子炉の廃棄物から回収したりするだろう。そうなれば、わたしたちは何千年ものあいだ世界を動かせる永久機関の実現へと、かつてないほど近づくことになる。また「いつでも三〇年後のエネルギー」と、長いこと揶揄(やゆ)されてきた核融合エネルギーも、こんどこそ本当に三〇年後（またはそれ以内）に実現するかもしれない[91]。

進化した原子力発電の利点は数多くある。ほとんどの地球温暖化対策には、政策改革（カーボンプライシングなど）が必要だが、それに対する議論は今も分かれたままであり、最も楽観的なシナリオにおいてさえ、世界全体で実施される見通しは厳しい。対して、化石燃料よりも安くて効率が良くクリーンなエネルギーなら、押しつけずとも広まるだろうし、強力な政治的意思も国際協力も必要としない。[92] 地球温暖化を緩和するだけではない。原子力発電はほかにも多彩な恩恵をもたらすだろう。発展途上国の人々はエネルギーの進歩の階段を一段飛ばして上がることができるので、石炭の煙にむせることなく生活水準を西洋と同じレベルまで引き上げることができる。また海水の淡水化には大量のエネルギーが必要だが、原子力によって低価格の海水淡水化が実現すれば、農地の灌漑や飲料水の供給にも利用できる。さらに地表水も水力発電も必要量が減るので、ダムが撤去されて川は湖や海へと注ぐ元の流れへと戻され、生態系全体を生き返らせることにもなるだろう。つまり豊富でクリーンなエネルギーを世界にもたらす人々は、歴史上のすべての聖人や英雄、預言者、殉教者、受賞者を合わせた以上の恩恵を、人類にもたらすことになる。

脱炭素化はエネルギー技術の進歩にかかっている

エネルギー開発における急進展は、理想に燃える発明家が創業するスタートアップ企業や、エネルギー企業の先端技術開発チームから起こるかもしれない。あるいは科学技術系のビリオネアが見栄で始めたプロジェクトから生まれるかもしれない。特に、研究のポートフォリオを分散させて、確実な研究と月ロケット発射のような意欲的な研究の両方を行っていればその可能性はある。[93] しかし研究・開発には政府のあと押しも必要である。なぜなら、こうした国際公共財に関する研究・開発は民間企業にとって利益が小さいわりにリスクが大きすぎるからだ。ブランドが指摘するように、「インフラは、わたしたちが政府を使って対処してもらうべきものの一つである。とりわけ、エネルギー・インフラには注意深い監督のもと、多くの法整備や契約、敷設権、規制、助成金、研究、官民協定が必要になる」[94] ので、政府は一定の役割を果たさなければならない。

規制環境を一九七〇年代のテクノロジー恐怖症や核アレルギーの時代のものから、二一世紀の挑戦に見合ったものにすることも、そうした政府の役割の一つだろう。第四世代の原子力技術のなかには、すぐに着工できるものもある。だが環境規制のテープでがんじがらめにされているため、少なくともアメリカでは日の目を見ないものもありそうだ。[95] そういった技術は、エネルギーを渇望しスモッグにうんざりしている国、アメリカのように神経質でもなく政治的膠着状態に陥ってもいない国、すなわち中国もしくはロシア、インド、インドネシアあたりが主導するかもしれない。

誰がそれをするにせよ、そしてどんな燃料を使うにせよ、大規模な脱炭素化の成功は技術の進歩にかかっている。二〇一八年の専門知識が世界の最高到達点だと、決めてかかることはない。脱炭素化を達成するには、原子力にとどまらず、その他の最先端技術のブレークスルーも必要だろう。たとえば、再生可能エネルギーの断続的なエネルギーを貯蔵する電池。インターネットのような次世代送電網（スマートグリッド）。これによって供給側と需要側とが双方向でやりとりし、分散した供給源からそれぞれ必要なときに各地の需要者へ送電することができる。あるいは、セメントや肥料、鉄鋼の生産といった工業プロセスに電力を供給しつつ、脱炭素化も可能にする技術。大型トラックや航空機はエネルギー密度が高くかつ運搬可能なエネルギーを必要とするが、それらへの液体バイオ燃料の利用。そして、二酸化炭素を回収し貯留する方法、といったものである。

大気中の二酸化炭素を減少させるにはどうするか

気候変動の話の締めくくりに重大な話をしたい。これが重大な理由は実にはっきりしている。たとえ温室効果ガスの排出量が二〇五〇年までに半減し、二〇七五年までにゼロになったとしても、世界が危険な温暖化の域にあることは変わらないからだ。

すでに排出された二酸化炭素は、かなりの期間大気中に残るだろう。つまり、温室効果ガスの濃度をこれ以上高くしないだけでは足りないということで、いつかわたしたちは温室効果ガスを除去しなくてはならない。

その基本となる技術は、かれこれ一〇億年以上前にさかのぼる。植物の光合成である。植物は光エネルギーを使って、二酸化炭素（CO_2）と水（H_2O）から、糖（$C_6H_{12}O_6$のブドウ糖など）をつくり、木や茎のほとんどの成分であるセルロース（$C_6H_{10}O_5$が基本単位の鎖状高分子）とリグニン（$C_{10}H_{14}O_4$などが基本単位の高分子）をつくるが、このとき空気中の二酸化炭素を吸う。つまり、地球温暖化防止のために大気中から二酸化炭素を取り除く方法は明白で、二酸化炭素を吸ってくれる木をできるだけたくさん増やせばいいということになる。これは森林破壊から森林再生や造林への転換を促進する、耕作地や破壊された湿地を元に戻す、沿岸や海洋の生息環境を修復するなどの方法で実現できる。また枯れた植物が腐ると大気中に二酸化炭素が戻されるが、その量を減らすには、木材など植物由来の材料で建築することを推奨したり、腐らない木炭にし、「バイオ炭」と呼ばれる土壌改良剤として土に混ぜ込むこともできるだろう。[96]

二酸化炭素を回収するその他の方法には、少なくとも現在の技術的基準からすると、風変わりといえるものがさまざまある。不確かな思索の段階のもののほうから気候工学（ジオエンジニアリング）と呼ばれるもののほうに並べていくと、たとえば風化されるにつれて二酸化炭素を吸収するような岩石を粉砕して土壌にまく計画もあれば、雲や海洋にアルカリ物質を加え、より多くの二酸化炭素を水に溶かす計画もある。あるいは鉄分を散布して海洋を肥沃化させ、プランクトンの光合成を加速させる計画もある。[97]

それから効果が証明されているものには、化石燃料を使用する発電所の煙突手前で二酸化炭素を回収し、それを地殻の深い部分に注入して貯留するという技術がある（大気中に四〇〇ｐｐｍの濃度で存在する二酸化炭素を直接回収することも理論的にはできるが、あまりにもコスト高で非効率である。とはいえ、原子力が安価になれば変わるかもしれない）。二酸化炭素の回収装置は既存の発電所や工場に設置できる。その装置自体も多くのエネルギーが必要だが、すでに設置されているエネルギー・インフラから二酸化炭素の排出量を大幅に削減できるだろう（いわゆるクリーン・コール・テクノロジー）。

また大型トラックや航空機には将来も液体燃料が必要だろうが、そのための液体燃料を石炭からつくり出すガス化プラントにこの装置を取りつけることもできる。地球物理学者のダニエル・シュラグによると、ガス化する過程でもともとガス流から二酸化炭素を分離しなければならないので、その二酸化炭素を隔離して大気中に排出しないようにするために増える費用はそう多くない。石炭からできる液体燃料は、石油よりも二酸化炭素の排出量が少ないという[98]。

うれしいことに、原料に石炭だけでなくバイオマスも使われると（草、農業廃棄物、木材、生ごみ、将来的には遺伝子組み換えされた植物や藻類もあるかもしれない）、カーボンニュートラル〔二酸化炭素の排出量と吸収量が相殺されゼロになる〕になる。さらに、原料がバイオマスだけになれば、二酸化炭素の発生量は吸収量より少なくなる。植物は空気中から二酸化炭素を吸収して成長するし、植物由来であるバイオマスがエネルギーとして利用されても（燃焼、発酵、ガス化を通じて）、そのとき生じる二酸化炭素は回収プロセスで除去されるからだ。こうした対策はＢＥＣＣＳ（炭素回収・貯留を伴うバイオエネルギー：bioenergy with carbon capture and storage）の利用と呼ばれることもあり、地球温暖化の救世主となる技術といわれている[99]。

はたして、このうちのどれかは実現するだろうか？　その前に立ちふさがる障害は小さくない。エネルギー需要の世界的な増大、膨大なインフラを有する化石燃料の利便性、エネルギー企業や政治的右派による環境問題の否定、従来の環境保護活動家や左派の〝気候正義〟の戦士たちによる技術的な対策への敵対心、二酸化炭素をめぐる「共有地の悲劇」。

とはいえ、時代はまさに地球温暖化の防止を考える時期にある。その一つの兆候は、二〇一五年の『タイム』誌で、三週間のうちに立てつづけに現れた次の見出しにも見てとれる。「中国が気候変動への真剣な取り組みを示す」「ウォルマート、マクドナルド、その他七九の企業が地球温暖化と戦うと宣言」「気候変動を否定するアメリカ人の数が記録的に低下」。『ニューヨーク・タイムズ』もほぼ同時期にこう報じた。「気候変動への取り組みの必要性に世界的コンセンサス、調査が示す」。それによると、調査した四〇カ国中、一カ国（パキスタン）を除いたすべての国で、大多数の人々が温室効果ガスの排出量を制限することに賛成だった。アメリカ人の六九パーセントも賛成していた。[100]

世界的コンセンサスというのは決して出まかせではない。二〇一五年一二月には、一九五カ国が歴史的な協定を採択した。パリ協定である。これによって、二度を十分に下回る値（目標一・五度）に世界の気温上昇を抑えること、発展途上国の気候変動緩和対策に年間一〇〇〇億ドルを拠出すること（これは過去の行き詰まりの原因で、このせいで世界的コンセンサスの試みは不成功に終わっていた）が表明された。[101] 二〇一六年一〇月には、一一五カ国が批准し、同年一一月に発効した。署名国の大半は、二〇二五年または二〇三〇年までに目標をどう達成するかについて詳細な計画を提出し、今後も努力を強化して五年ごとに計画を更新すると誓っている。

温暖化対策に、こうした段階的な計画更新は必須である。それがなければ現行の計画だけではまだ不十分だからだ。このままでは世界の気温は二・七度上昇し、二一〇〇年に四度上昇という危険な域に達する確率は七五パーセントしか減少しない。十分に安心とはいえない数字である。しかし技術進歩の普及と合わせて、各国が目標を徐々に上げていけば、パリ協定によって「二度上昇」の可能性は大いに小さくすることができ、実質的に「四度上昇」の可能性はなくなるだろう[102]。

だが二〇一七年、この行動計画は後退の危機に直面した。気候変動を中国のでっち上げ呼ばわりしていたドナルド・トランプが、「アメリカは協定から離脱する」と発表したからだ。とはいえ、たとえ二〇二〇年一一月（最も早い場合の離脱時期）に、アメリカがパリ協定から本当に離脱したとしても〔その後、トランプ政権下の二〇二〇年一一月、アメリカは実際に離脱したが、翌二〇二一年一月にバイデンが大統領に就任し、同年二月には正式に復帰した〕、脱炭素化は技術と経済によって推進されつづけ、地球温暖化対策は都市や州、財界やテクノロジー分野のリーダー、世界の他の国々によって進められることだろう。また、世界の国々は「パリ協定は不可逆」であると宣言している。あるいはアメリカの輸出品に対して炭素関税などの制裁を科すことで、アメリカに約束を守るよう圧力をかけることもあるかもしれない[103]。

「気候工学」の手法も条件付きでは使っていい

たとえ順風満帆に進んだとしても、気候変動を防ぐには相当な努力が必要である。

しかも、必要とされる技術や政策の変化がまもなくもたらされるという保証はどこにもない。間に合わずに地球温暖化が進み、甚大な被害をもたらさないともかぎらない。このため最後の温暖化対策も考案されている。大気の下層や地表に届く太陽放射の量を減らすことによって、世界の気温を下げるという対策である。[104] その一つには、航空機で細かい霧状の硫酸塩やカルサイト、あるいはナノ粒子を成層圏に散布して薄いベールを広げ、そのベールによって太陽光を反射させて危険な温暖化を防ぐという仕組みがある。[105] これは一九九一年に起きたフィリピンのピナツボ火山のような、火山噴火の影響を模したものになる。ピナツボ火山の噴火では、大量の二酸化硫黄が大気中に噴出し、世界の気温は二年間、〇・五度下がった。ほかには、特殊な船を多数用意して細かい霧状の海水を空中に散布し、「雲をつくる」という方法もある。水が蒸発したあと、上空に漂う食塩結晶の周囲で水蒸気が凝結し、雲粒をつくるという仕組みだが、そうしてできた雲は通常より白いので、より多くの太陽光を宇宙へと反射し返すことができる。

これらの方法は比較的費用がかからないうえ、特殊な新技術も必要とせずに、世界の気温をすぐに下げることができる。大気と海を操作する気候工学の手法はほかにも発表されているが、どの研究もまだ始まったばかりである。

ただし、気候工学には問題点もある。こうした考え方はまるでマッドサイエンティストの常軌を逸した計画のようであり、かつてはほぼタブーの域にあった。批評家たちはプロメテウス的な愚考だと捉えている。というのも、そのせいで降水パターンがおかしくなったり、オゾン層が破壊されたりするなど、意図しない影響が出る恐れがあるからだ。またどの方法を採用しても、地球に及ぼす影響は場所によって異なるため、気候工学の手法をとる場合、「誰が世界の温度調節器を握るのか」という問題も起きてくる。もしある国が別の国を犠牲にして気温を下げたなら、言い争いをする夫婦さながらに、それがきっかけで戦争が勃発するかもしれない。

さらに、世界が気候工学に頼るようになったとして、その後何らかの理由でその操作が停止した場合、二酸化炭素が滞留した大気のもとで気温は急速に上昇すると考えられ、人類はその温度変化についていけない可能性がある。あるいは、たんに気候変動の危機に対して非常口を示すだけでは、モラルハザードを引き起こすことになり、各国が温室効果ガス排出量削減の義務を怠るようになるとも考えられる。加えて、たとえ太陽放射を減らしても、大気中に蓄積された二酸化炭素は海水に溶けつづけるため、海洋の酸性化が徐々に進行するのは変わらない。

こうした理由から、責任ある人間なら「このまま大気中に二酸化炭素を排出しつづけよう。そのぶん、成層圏に日焼け止めをたっぷり塗るから」などという安請け合いはできそうにない。しかし、物理学者のデイヴィッド・キースは二〇一三年の著書中で、「適度・素早い反応・一時的」という条件をつけるのであれば、気候工学手法に賛成すると述べている。「適度」とは、温暖化のペースを下げるが完全に止めるわけではない程度に、硫酸塩やカルサイトの量を調節するということである。「適度」が良いのは、小規模な操作なら嫌な驚きをもたらす可能性は低いからだ。二つめの「素早い反応」とは、気候を操作するときは注意深く、段階的に行うこととし、細かく監視して絶えず調整を加え、もし異変の兆候があれば全停止するということである。三つめの「一時的」とは、人類に一息つく時間を与えるという目的に絞って、気候の操作を計画することである。つまり温室効果ガスの排出がゼロになり、大気中の二酸化炭素濃度が産業革命以前の水準に戻るまでのあいだだけの計画ということである。

そうはいっても、ひとたび気候工学手法に頼れば、世界は永遠にそこから抜けられないのではないか。そう恐れる声に応えて、キースはいう。「たとえば大気中から年間五ギガトンの二酸化炭素を回収する方法を、二〇七五年になっても見つけられないなんてことがあるだろうか？　わたしはそうは思わない」[106]

キースは世界的な気候工学の第一人者だが、この場合、発明品を使えるのがうれしくてはしゃいでいるわけではないだろう。これと同じく、ジャーナリストのオリヴァー・モートンが二〇一五年に出版した著書、『つくり直された地球（The Planet Remade）』にも、示唆に富む主張が見られる。同書は気候工学の最先端技術と合わせて、歴史的、政治的、道徳的側面からも気候工学を紹介するが、そのなかでモートンはこう示す。「人類は一世紀以上にわたり水や窒素、炭素の循環システムを乱してきたので、地球の循環システムを太古のままに保護するにはもはや遅すぎる。また気候変動問題の大きさを考えれば、すぐさまたやすく解決できるものと考えるべきではない。どうすれば数百万の人々に及ぼす害を最小限にとどめられるか、完璧な解決法が見つかるまで研究しつづけながら待つのでは、慎重にすぎる」

モートンはそう述べたうえで、理想的なグローバル・ガバナンスが不十分な世界において、適度で一時的な気候工学の計画をどうやって実現するか、そのシナリオをいくつか提示している。法学者のダン・カハンも、気候工学に関する情報を提供してもモラルハザードを起こすことなどなく、むしろ人々は気候変動にもっと関心を寄せるようになり、政治的立場による偏見にも惑わされにくくなると述べている。[107]

悲観的にならず解決する方法を模索し実行する

半世紀ものあいだパニックに陥っているとはいえ、人類は決して環境的な自殺に向かって取り返しのつかない道を歩んでいるわけではない。まず資源不足については恐れる必要はない。人間嫌いの環境主義はその恐れが強すぎて、現代人を無垢な地球から略奪ばかりする卑劣者とみなしている。その点、啓蒙主義的な環境主義では、貧困から脱するにはエネルギーの利用が必要であると認めている。エントロピーと進化によって、人類は貧困へと追いやられることがわかっているからだ。そして、地球と生物界へのダメージを最小限にしながら、経済成長と環境保護の両方を達成する手段を見つけようとする。

この現代的で実用的かつヒューマニスティックな環境主義がうまく作用することは、歴史も示している。豊かになってテクノロジーが進化すればするほど、世界は土地や物を手放して、脱物質化、脱炭素化、高密度化へと向かっているからだ。また人々も豊かになって教育程度が高くなるほど、環境への関心が高くなり、環境を保護する方法を見つけ出して、その費用を負担することができるようになっている。現在、環境の多くの部分は回復しつつあるが、そのことは、今なお残る深刻な問題に対処するうえで、わたしたちの励みになっている。

深刻な問題のなかでも最も深刻なものは、やはり温室効果ガスの排出とそれによって生じる気候変動の脅威だろう。わたしはときどきこんなことを尋ねられる。「人類はこの困難に立ち向かっていけると思いますか？　それとも大惨事が広がるのをただ指をくわえて見ているだけでしょうか？」。わたしは、価値あるもののためならわたしたち人類は困難に立ち向かっていけるだろう、と考える。ただし、これがどういう性質の楽観主義かを知っておくことは不可欠だろう。経済学者のポール・ローマーは〝のんきな楽観主義（complacent optimism）〟と〝条件付き楽観主義（conditional optimism）〟を区別する。〝のんきな楽観主義〟とは、子どもがクリスマスの朝にプレゼントをひたすら待っているときの考え方である。対して〝条件付き楽観主義〟とは、ツリーハウスを欲しいと思う子どもが、それなら木と釘を手に入れて、ほかの子どもたちにも頼んで手伝ってもらえば、木の上に家をつくることができると理解しているときのような考え方である[108]。

わたしたちは気候変動に対してのんきな楽観主義ではいられない。しかし、条件付き楽観主義になることはできる。その害を防ぐ実現可能な方法があり、今以上に学べる手段もあるからだ。問題は解決できるのである。もちろん、これは問題がひとりでに解決するということではなく、これまで問題解決へと導いてくれた、現代的な善の力を維持しつづけていれば、環境問題も解決できるということである。現代的な善の力――それは社会の繁栄や思慮深く規制された市場、グローバル・ガバナンス、科学や技術への投資といったものになる。

第一二章 世界はさらに平和になった

『暴力の人類史』刊行以降、暴力は増加したか

進歩の潮流にはどれくらいの深さがあるのだろうか。その流れは突然止まったり、逆流したりするのだろうか。暴力の歴史について考えることは、こうした問いに向き合う機会となる。『暴力の人類史』でわたしは、二一世紀初めの一〇年間、暴力の客観的な指標はすべて世界的に減少傾向にあると説明した。ただし草稿を読んでくれた人々には、「本が書店に並ぶ前に、この数値はどれも爆発的に大きくなっているだろう」と忠告されたものだった（当時はイランとイスラエル、あるいはイランとアメリカのあいだで戦争が始まる懸念があり、核戦争になる可能性も危惧されていた）。

そして二〇一一年に『暴力の人類史』が出版されたあとは、まるでその忠告を裏づけるかのように、世界には悪いニュースが相次いだ。シリアでの内戦勃発にイスラム国の残虐行為。西ヨーロッパはテロに怯え、東ヨーロッパでは強権政治が台頭し、ア

メリカでは警官による黒人射殺事件が発生した。また西洋の国々全体にポピュリズムが広がり、人種差別や女性蔑視に端を発したヘイトクライムも多発した。確かにそうした悪いニュースに日々接していると、「暴力は減少している」というわたしの主張は時代遅れに見えるかもしれない。

しかし、それは間違いである。『暴力の人類史』が刊行されたとき、人々は利用可能性バイアスやネガティビティ・バイアスのせいで、「暴力は減少している」という可能性を信じようとしなかった。今回もやはりそうした認知バイアスのせいで、「暴力は一度は減ったかもしれないが、やっぱり増えている」と簡単に思い込んでいるだけである。そうした思い込みを払拭するために、これから五章にわたってデータを振り返りながら、近年の悪い出来事を大局的な見地から論じたい。

本書では、七年前に『暴力の人類史』が出版された時点で入手可能だった最後のデータポイントを示しつつ、いくつかの種類の暴力が現在まで歴史的にどんな軌跡を描いてきたかを提示する。[1] 長い歴史からすれば、七年なんてまばたきのようなものだが、それでもあの本がたまたま運のいい時を取り上げただけなのか、それとも今なお進行中の大きな趨勢を明らかにしたのかを、きっとありのままに映し出してくれるだろう。さらにその趨勢を、より奥行きのある歴史の力という観点から説明し、本書の主題である「進歩」の語りのなかに位置づけたい（その過程で「歴史の力」とはどういうものか、新しい考え方も紹介する)。まずは最も破壊的な暴力、すなわち「戦争」について見ていこう。

長期的な戦死率の減少傾向は続いている

歴史上ほとんどの時代で、戦争はまるで政府の気晴らしのように頻繁に起き、平和など戦争と戦争のあいだの小休止でしかなかった[2]。これがよくわかるのが次ページの[図11―1]のグラフで、この五〇〇年のあいだ、大国がどれだけの時間を戦争に費やしたかを示している(大国とは他の国々に対して国境を越えて影響力を及ぼすことのできる一握りの国家のこと。大国同士は互いを同等の存在とみなし、世界の軍事資源の大半を支配する)[3]。グラフにあるように、一六世紀から一八世紀の近世の黎明期、大国はほぼずっと戦争をしていた。大国同士が戦争になると、二度の世界大戦でもそうだったように、想像を絶するような最悪の被害がもたらされる。戦争犠牲者の大部分は大国同士の戦争で死亡しているほどである。しかし今日では、大国同士の戦争は一つもない。六〇年以上前に朝鮮半島でアメリカと中国が戦ったのが最後である。

グラフが示すとおり、大国同士の戦争は上下する線を描きながら減少している[4]。ただしこの減少の陰には相反する二つの流れも隠れている。一つは、第二次世界大戦が

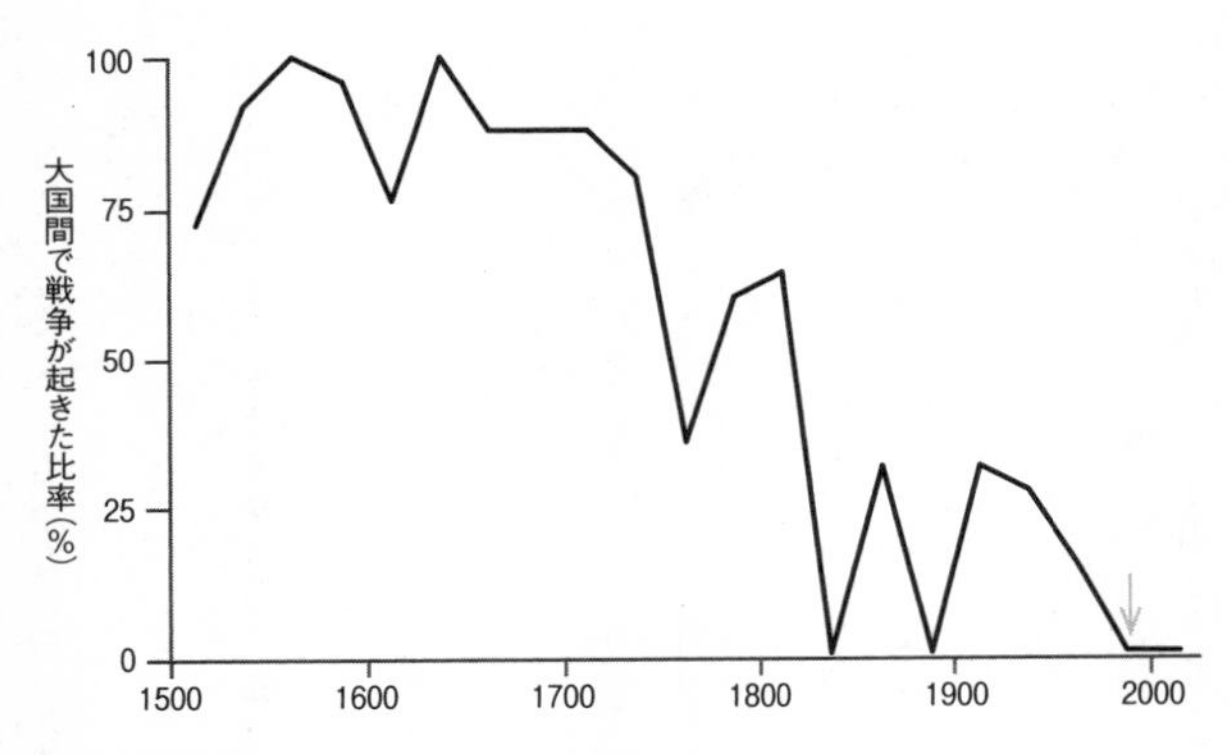

［図11-1］大国間の戦争（1500-2015）

情報源：Levy & Thompson 2011. 21世紀についてはデータを更新。2000-2015年を除き、25年ごとに大国間で戦争が起きた年数を集計し、比率を出した。矢印はPinker 2011の［図5-12］で最新だった最後の25年間（1975-1999年）のデータを示している。

終わるまでの四五〇年のあいだに、大国の関わる戦争は期間が短くなり、頻度も少なくなったこと。もう一つは、その一方で軍備が強化され、訓練が徹底され、人員の配備も的確になった結果、ひとたび戦争が起きれば甚大な被害がもたらされるようになったことである。そのせいで二度の世界大戦は、期間こそ短いが恐ろしく破壊的な戦争として終わった。第二次世界大戦の終結後、この二つの流れはようやく一つに収束し、戦争を測る三つの尺度――頻度、期間、被害の大きさ――は揃って減少することになった。そこから世界は「長い平和」の時代に入り、大国間の戦争はなくなっている。

いや、大国同士が戦争をしなくなっ

ただけではない。二国間で軍隊が武力衝突をするという古典的な意味での戦争も減少傾向にある。[5] 一九四五年以降、そうした戦争が起こったのは年に三回以下であり、一九八九年からあとはほとんどの年でゼロになった。二〇〇三年にはアメリカ主導のイラク戦争が起こったが、その後は古典的意味合いでの戦争は起きていない。第二次世界大戦の終結以来、国家同士の戦争がない期間は最長になっている[6]〔その後、二〇二二年二月にロシアがウクライナに侵攻し、ロシア・ウクライナ戦争が勃発した〕。

歴史を通して見ると、国同士の全面戦争では数十万、数百万の人々が犠牲になったものだった。だが今日では国家間の衝突は小規模なものになり、死者数は数十人程度である。確かに二〇一一年以降、「長い平和」が揺らぎかけたことはある。アルメニアとアゼルバイジャンの武力衝突〔二〇一六年〕やロシアのウクライナへの侵攻〔二〇一四年〕、北朝鮮と韓国の衝突〔二〇一〇年〕が起きたときには世界に緊張が走った。しかし、いずれの場合も当事国は全面戦争へと突き進むことを避けた。だからといって今後、大規模な戦争に発展する可能性がまったくないとはいいきれないが、それでも各国が戦争を極力回避しようとしていることは、やはり特筆すべきだろう。

地理的にも、戦争が起きている地域は縮小しつつある。二〇一六年にはコロンビア政府と左翼ゲリラ組織のコロンビア革命軍（ＦＡＲＣ）が和平協定を結んだ。これによって、西半球の政治的武力闘争はすべて終結し、冷戦の遺物としての紛争地域はなくなった。ほんの何十年か前と比べ、なんと大きな変化だろうか。[7] 中南米では、かつてはコロンビアと同じくグアテマラやエルサルバドルやペルーでも、アメリカの支援を受けた政府が左翼ゲリラ組織と戦い、ニカラグアでは逆にアメリカの支援を受けた反政府軍が左翼政権を攻撃していた。一連の戦闘による死者数は、合わせて六五万人以上にも上った。[8]

平和への移行は、世界的に見ても広い地域で進んでいる。西ヨーロッパでは、血にまみれた戦争の時代が数百年続いたが、二つの世界大戦を経てそれも終わり、現在は七〇年以上にわたる平和が続く。東アジアと東南アジアでは、日本による占領や中国の国共内戦、朝鮮戦争やベトナム戦争によって、二〇世紀半ばに何百万もの命が奪われた。しかし現在では、深刻な政治的争いはあるものの、国家間の激しい戦闘はほぼない状態である。

目下、世界で起きている紛争は主として内戦であり、そのほとんどが西アフリカのナイジェリアから南アジアのパキスタンにまたがる一帯――人口は世界人口の六分の一未満――に集中している。ウプサラ紛争データプログラム（UCDP）によると、内戦（大規模なもの）とは「政府と武装組織間の武力紛争で、軍人、民間人を問わず年間の死者数が一〇〇〇人以上のもの」をいう。この点、近年の傾向は残念なものといわざるをえない。冷戦終結後、世界の内戦の数は急速に減少したが（一九九〇年の一四から二〇〇七年には四にまで下がった）、近年再び上昇に転じているからだ。二〇一四年と二〇一五年の内戦数はそれぞれ一一、二〇一六年は一二だった。[9]

数が増えた原因は、主にイスラム過激派組織のかかわる紛争が増加したことにある（二〇一五年の一一の内戦のうち八、二〇一六年の一二の内戦のうち一〇がこれに当たる）。それらがなければ、内戦は増えていなかっただろう。おそらく偶然の一致ではないだろうが、二〇一四年と二〇一五年にはウクライナでも紛争が起きた。ロシア大統領ウラジーミル・プーチンの支援を受けた分離主義勢力が、ウクライナの東部二州で政府に反旗を翻したものである。これもイスラム過激派と同様、反啓蒙イデオロギー（この場合はロシア・ナショナリズム）を煽られた結果だろう。

現在も続く紛争で最悪のものは、二〇一一年に勃発したシリア内戦である。ロシアとイランから支援を受けたアサド政権は、民主化を求める勢力もイスラム原理主義勢力も引っくるめ、反体制派をすべて根絶やしにしようとして、国をずたずたにしてしまった。シリア内戦の戦死者は控えめに見積もっても、二〇一六年の時点で二五万人に上る。次の［図11—2］は世界の戦死率の推移を示しているが、近年の数値が上がっているのは主としてシリア内戦が原因である。[10]

とはいえ、戦死率が上昇したのはごく最近で、それ以前の過去六〇年間を見ると、グラフの揺れ幅は大きいものの、戦死率はかなり低下しているのがわかる。ちなみに第二次世界大戦時の年間戦死率のピークは一〇万人当たり約三五〇人だが、これはグラフに含めていない。というのもグラフに入れると、その後のデータを示す線はひたすら横軸を這うつぶれた波線になってしまうからだ。

多くの内戦が終結、難民数も虐殺規模も縮小

さて、左のグラフからわかるように戦死率は第二次大戦後、急速に低下した。朝鮮戦争のあった一九五〇年代初めに一〇万人当たり二二人になったのが最多で、一九六〇年代後半から七〇年代初めのベトナム戦争時には九人、一九八〇年代半ばのイラン・イラク戦争時には五人だった。そして二〇〇一年から二〇一一年にかけては〇・五人以下を前後している。その後、二〇一四年には一・五人に達したが、二〇一六年（最新のデータが入手できた年）には一・二人に下がった。

しかし「下がった」といわれても、二〇一〇年代半ばにニュースを注視していた人は、控えめに見積もっても二五万人というシリア内戦の死者の多さに衝撃を受け、「もはやこの数十年の歴史的進歩は全部帳消しにした」と思ったかもしれない。だがそれは二〇〇九年以降、シリア以外の多くの国で内戦が終わったことを忘れているからだ。アンゴラで、チャドで、インドで、イランで、ペルーで、スリランカで——内戦は派

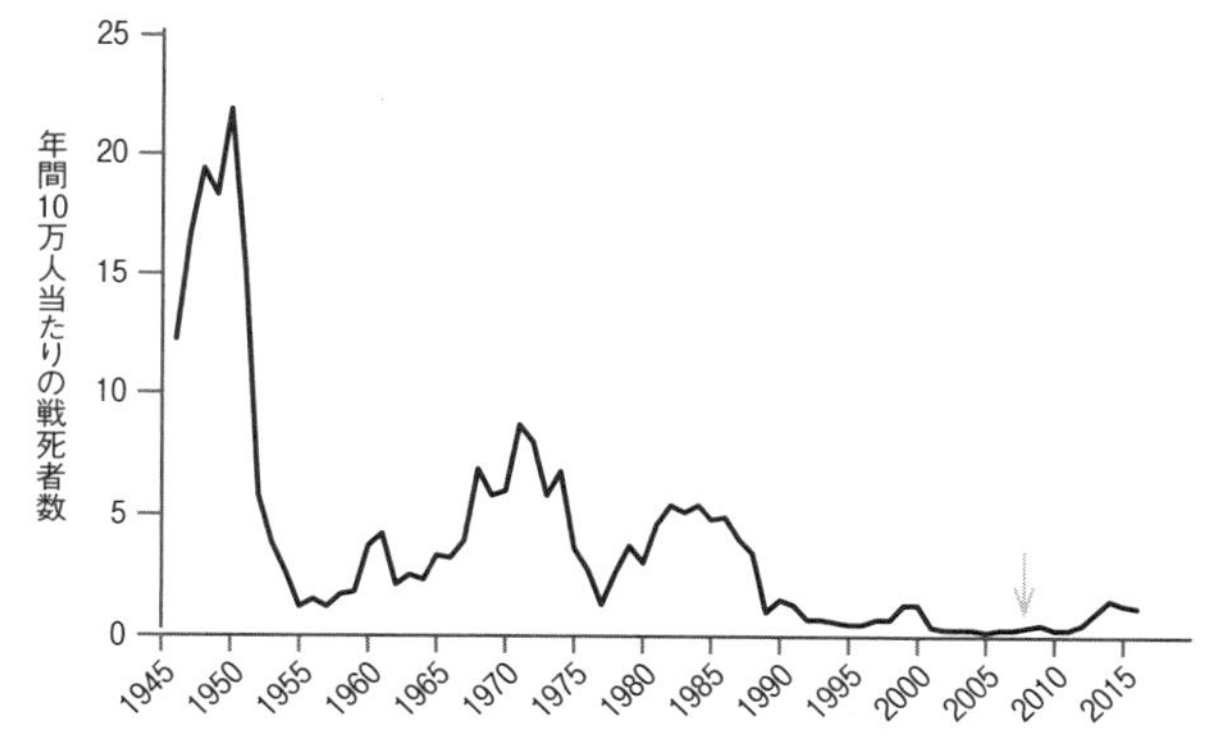

［図11-２］ **戦死者数（1946-2016）**

情報源：Human Security Report Project 2007を調整。【1946-1988年】オスロ国際平和研究所（PRIO）の *Battle Deaths Dataset* 1946-2008, Lacina & Gleditsch 2005.【1989-2015 年】*UCDP Battle-Related Deaths Dataset version 5.0*, Uppsala Conflict Data Program 2017, Melander, Pettersson, & Themnér 2016。UCDP のテルエス・ペッテションとサム・トーブから提供された情報に基づきデータを更新。【世界人口】1950-2016年についてはUS Census Bureau; 1946-1949年についてはMcEvedy & Jones 1978. これに調整を加えた。矢印はPinker 2011の［図６-２］で最新だった2008年を示している。

手なファンファーレを鳴らされることなく終結した。

　それともう一つ、「進歩は帳消しになった」と思う人は、そう遠くない過去に非常に多数の死者を出した内戦があったことを忘れている。インドシナでは五〇万人が死亡し（一九四六〜一九五四年）、インドでは一〇〇万人（一九四六〜一九四八年）、中国でも一〇〇万人（一九四六〜一九五〇年）、スーダンの二度の内戦ではそれぞれ五〇万人（一九五六〜一九七二年）と一〇〇万人（一九八三〜二〇〇二年）、ウガンダでは五〇万人（一九七一〜一九七八年）、エチオピアでは七五万人（一九七四〜一九九一年）、アンゴラでは一〇〇万人（一九七五〜二〇〇二年）、モザンビークでは五〇万人（一九八一〜一九九二年）が死亡した。[11]しかし進歩の流れはそれらを乗り越えて今に至っている。

またシリア内戦のニュースでは、大勢の難民が命がけで国を脱出し、ヨーロッパに安住の地を求めようとして苦しんでいる姿が目に焼きつく。そのため、歴史上これほど難民があふれた時代はないとつい主張したくなるかもしれない。しかしそれもまた過去の歴史を忘れているせいであり、利用可能性バイアスが働いているせいである。確かにシリア難民の数は四〇〇万人にも上る。だが、政治学者のジョシュア・ゴールドスティンによると、一九七一年のバングラデシュ独立戦争では一〇〇〇万人、一九四七年のインド・パキスタン分離独立のさいには一四〇〇万人が難民となった。第二次世界大戦中には、ヨーロッパだけで六〇〇〇万人が国を追われた。当時の世界人口は今より少なかったが、難民の数はシリアを上回っていたのである。

もちろん難民問題を定量化したからといって、難民として今も苦しむ人々を冷淡に扱っているわけではない。むしろ定量的手法によって、現在だけでなく過去の苦痛にも思い至ることができる。さらに世界の姿を正確に理解できるので、政策立案者たちが難民のためになる行動をとる助けにもなる。特に「世界は戦争状態にある」という危うい結論に至らないようにしてくれる。これがなぜ危ういかというと、そのせいで各国の政策立案者たちが世界を安定に導こうとすることをあきらめたり、冷戦時代のような偽りの安定に戻ろうとしかねないからだ。ゴールドスティンはこう述べる。「世界が問題なのではない。シリアが問題なのだ。（中略）これまで政策を立て、それを実現することで他の地域の戦争を終わらせることができたのだから、努力と知性をもってすれば現在の南スーダンやイエメンの内戦も、おそらくシリア内戦も終わらせることができるだろう」[12]〔その後、南スーダンでは二〇一八年九月に和平協定が結ばれた〕

それから戦争と同じくらい破壊的な暴力に、非武装の一般市民を大量に殺戮するという行為もある。〝ジェノサイド〟〝デモサイド〟〝一方的暴力〔ウプサラ紛争データプログラムが定義する組織的暴力の一つ〕〟などと呼ばれるものであり、これらは戦争時に発生することも多い。歴史学者のフランク・チョークとカート・ヨナソンは「ジェノサイドは歴史上のあらゆる時代、世界中のあらゆる地域で行われてきた」という[13]。第二次大戦中には、ヒトラーやスターリン、帝国時代の日本軍のせいで、それから枢軸国側も連合国側も意図的に民間人の居住地域を爆撃したせいで（核兵器も二度使用された）、何千万人もの一般市民が殺害された[14]。最も多いときには年間で一〇万人当たり約三五〇人という死亡率を記録している。

しかし「人類はホロコーストから何も学んでいない」という主張とは逆に、戦後の

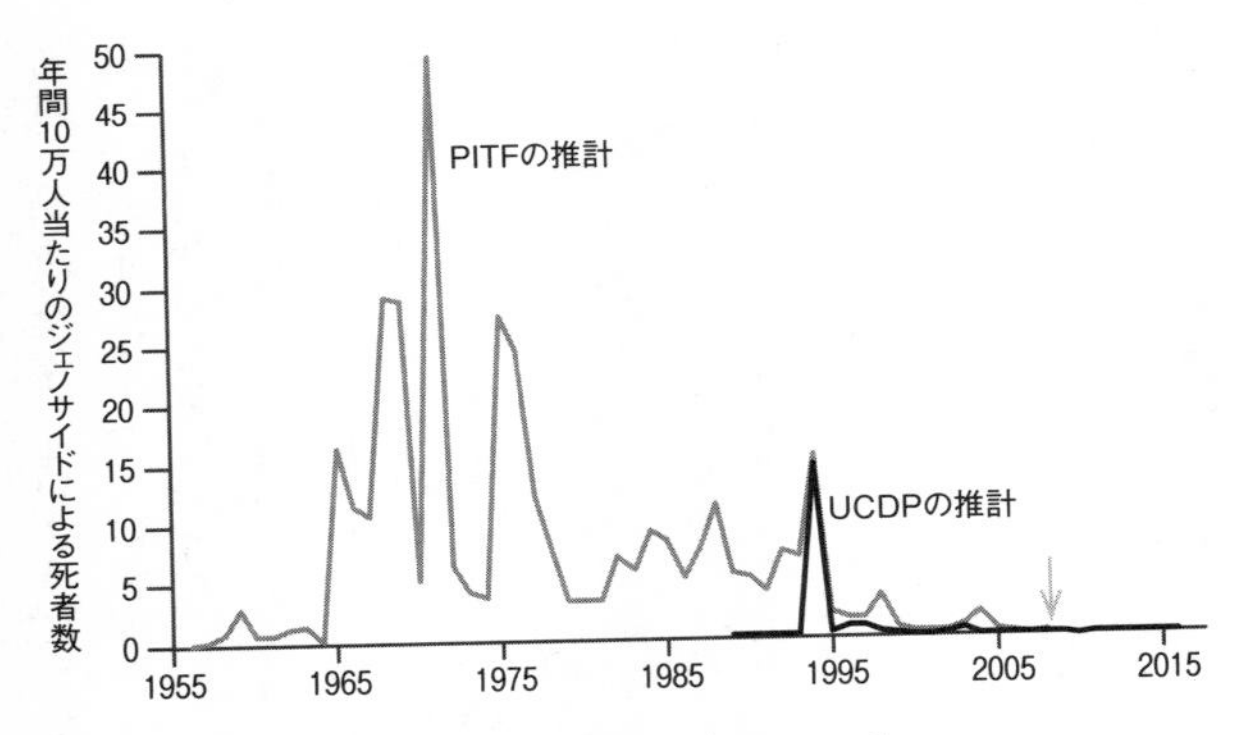

［図11－3］ジェノサイドによる死者数（1956-2016）

情報源：【PITF（1955-2008）】*Political Instability Task Force (PITF) State Failure Problem* Set, 1955-2008, Marshall, Gurr, & Harff 2009; Center for Systemic Peace 2015. 算出方法はPinker 2011, p. 338に記した。【UCDP（1989-2016）】*UCDP One-Sided Violence Dataset v. 2.5-2016*, Melander, Pettersson, & Themnér 2016; Uppsala Conflict Data Program 2017.「高い死亡率」の推計は、UCDPのサム・トーブから提供されたデータに基づいて更新し、US Census Bureauの世界人口をもとに調整した。矢印はPinker 2011の［図6－8］で最新だった2008年を示している。

世界は一九四〇年代のような血の海になっていない。［図11－3］の二つのデータセットが示すように、戦後のジェノサイドによる死亡率は上下に激しく変動しながらも、減少に向かっている。

グラフの上昇部分はそれぞれ大量虐殺が起こった時期に対応する。

まず一九五〇年代から七〇年代には、次のものがあった。映画『危険な年』にも描かれたインドネシアの共産主義者狩り（一九六五～一九六六年、死者七〇万人）、中国の文化大革命（一九六六～一九七五年、六〇万人)、ブルンジでのツチ族とフツ族の対立(一九六五~一九七三年、一四万人)、バングラデシュ独立戦争(一九七一年、一七〇万人)、第一次スーダン内戦(一九五六~一九七二年、五〇万人)、ウガンダのイディ・アミン政権による虐殺(一九七二~一九七九年、一五万人)、カンボジアのポル・ポト政権による虐殺(一九七五~一九七九年、二五〇万人)、ベトナム戦争中の敵対勢力の虐殺(一九六五~一九七五年、五〇万人)。もう少し最近では、ボスニア・ヘルツェゴビナ紛争(一九九二~一九九五年、二二万五〇〇〇人)、ルワンダ虐殺(一九九四年、七〇万人)、スーダン西部のダルフール紛争(二〇〇三~二〇〇八年で三七万三〇〇〇人〔現在も進行中〕)がある。[15]

二〇一四年から二〇一六年にかけて、グラフはごくわずかに上昇している。この間にあった残虐行為を見ると、わたしたちは再び暴力の時代を生きているような気になるかもしれない。ＩＳＩＳはヤジディ教徒やキリスト教徒、イスラム教シーア派の人々を少なくとも四五〇〇人殺害し、ボコ・ハラムはナイジェリアやカメルーン、チャドで五〇〇〇人を殺害した。中央アフリカ共和国ではイスラム教徒とキリスト教徒の民兵が互いに殺戮を繰り返し、一七五〇〇人が殺害された。[16] とはいえ、二一世紀のジェノサイドによる死者数はそれ以前に比べて大幅に減少している。今も罪のない人々が殺されている以上、これについて「幸運」という言葉は決して使うことはできないが、それでも二一世紀に入ってからジェノサイドの死者数が減っていることは指摘しておきたい。

さて、ここまで戦争という暴力が減少していることを、データから明らかにした。だがいうまでもなく、データが示す数字だけでは、内在する戦争リスクを直接読み取ることはできない。特に、まれにしか起きないが極めて破壊的な戦争が起こる可能性を探ろうとするとき、歴史的な記録はまだまだ足りず、それだけでは何らかの変化を見定めるのは難しい[17]。しかし世界の歴史は一度しか展開しない。その動きを少ないデータから理解するには、何が戦争を引き起こすのかを知り、データを補わなければならない。

では、何が戦争を引き起こすのか。そう、ユネスコ憲章で謳われているように「戦争は人の心のなかで生まれる」のである。実際、戦争が回避されているという現実のなかには、たんに戦争の数や戦死者の数が減少したこと以上のものが含まれている。たとえば各国の戦争準備にもその変化は表れていて、この数十年間に多くの国が徴兵制を採用しなくなり、軍備を縮小し、軍事費の対GDP比も総じて減少している[18]。何より大切なのは、戦争に対する「人の心」が変化したことである。

国際的商取引と国益重視が戦争を遠ざけた

では、「人の心」はどのように変化していったのだろうか。

戦争を否定しようとする考え方は、まず一七世紀から一八世紀の理性と啓蒙の時代にもたらされた。パスカルやスウィフト、ヴォルテール、サミュエル・ジョンソンといった人々がそうである。平和主義を貫くクエーカー教徒〔一七世紀中頃に始まったプロテスタントの一派〕もそうだろう。また啓蒙時代には、カントの有名な『永遠平和のために』[19]をはじめ、どうすれば戦争を減らすことができるのか、あるいは戦争をなくすことができるのかについても、現実的な提案がなされた。戦争を否定するこうした考えがしだいに世に広まった事実は、一八世紀と一九世紀になって大国による戦争が減少したことや休戦がもたらされたことからも認められる[20]。ただしカントらが提唱した国際的な平和構築機関が組織として機能するには、第二次世界大戦の終結を待たなければならなかった。

また第一章でも説明したように、多くの啓蒙思想家が「温和な商業」という考え方を提示した。国と国とが貿易によって結びつけば、戦争をすることに魅力がなくなるという考え方である。実際、第二次大戦後、世界各国で貿易額の対GDP比が大幅に伸びているし、定量分析の結果、貿易関係が密な国同士のほうが、それ以外の条件が同じなら、戦争になりにくいことが確認されている。[21]

ほかにも啓蒙思想は「民主的な政府をつくれば、栄光に酔った指導者が国を不毛な戦争に引きずり込もうとするとき、ブレーキの役割を果たしてくれる」という考え方をもたらした。一九七〇年代に始まった民主化の流れは、一九八九年のベルリンの壁崩壊後に加速し、より多くの国々が民主主義に希望を託した（第一四章）。もちろん「民主国家同士は戦争になったことなどない」と断言することはできない。しかしデータを見ると、「民主国家同士は戦争をしない」という〝民主的平和論〟が傾向としては正しい、つまり、より民主化の進んだ国々ではお互いに武力衝突を避けやすい傾向があることがわかる。[22]

あるいは「現実政治（レアルポリティーク）」〔イデオロギーや理想より、力関係や利害を重視する政治〕の面から衝突が回避される場合もある。たとえば「長い平和」は一種の現実政治によっても保たれていた。冷戦時、核兵器を抜きにしても米ソの軍事力は強大で、もし戦争になれば、その破壊力には恐ろしいものがあった。そこで両国は戦火を交えようとするのをためらい、世界が驚き安堵したことに、米ソの直接戦争は一度も起こらなかった。[23]

戦争を違法とする国際合意の功績は大きい

しかし、国際秩序のなかで何より大きく変化したのは戦争に対する考え方、すなわち「戦争は違法である」という考え方が浸透したことである。これは今や当たり前すぎて評価されることはほとんどない。だが歴史上ほとんどの時代、戦争は違法ではなかった。「力は正義」であり、戦争とは手段を変えた政策の延長で、勝利すれば遠慮なく取り分をもらえた。もしある国が別の国から不当な対応をされたと思えば、その国は宣戦布告し、補償として相手の領土を奪うことができた。相手国を併合しても国際社会に認めてもらえる素地もあった。たとえば現在、アリゾナ、カリフォルニア、コロラド、ネバダ、ニューメキシコ、ユタの各州がアメリカの領土なのは、一八四六年から一八四八年のアメリカ・メキシコ戦争の結果である。アメリカは未払いの負債を口実にメキシコからそれらの地を奪った。

もちろん、今日ではそんなことは起こりえない。世界の国々は自衛戦争もしくは国連安全保障理事会で承認された軍事行動を除き、戦争はしないという立場をとっている。もしある国が侵略戦争を起こせば、国際社会はそれを非難し、決して黙認したりしないだろう。国境は不可侵であり、国の領土は保全されている。

法学者のオーナ・ハサウェイとスコット・シャピーロによると、戦争を違法化した功績は大きく、「長い平和」もそのおかげだという。そもそも、国家は「戦争の違法化」に同意すべきだという考えは一七九五年にカントが提唱したもので、その後、第一次大戦を経て、一九二八年のパリ不戦条約（ケロッグ＝ブリアン条約）で初めて公式に認められた。しかしこの条約は結局ないがしろにされ、冷笑の的となった。「戦争の違法化」がようやく効力をもちはじめたのは、第二次大戦後、一九四五年に国際連合が設立されてからである。それ以来、侵略行為が発生すれば、国際社会は黙っておらず、時には軍事介入するようになった（一九九〇年から一九九一年のイラクによるクウェート侵攻時には多国籍軍が介入した）。

しかし多くの場合、戦争を違法化したおかげで「文明国は戦争などしない」という規範ができ、戦争は回避される傾向にある。そこには、侵略戦争を起こせば経済制裁や象徴的な罰が科されるという事情もある。こうした制裁は、各国が国際社会での評判を重視するかぎり効果的だ。このことはまた、なぜ国際社会を慈しみ、国同士の結びつきを強いものにしなければならないのか、なぜ国際社会を昨今のポピュリストたちのナショナリズムによる恫喝から守っていかなければならないのかを、思い出させてくれるものでもある。(24)

とはいえ、規範が破られることもある。最近では、二〇一四年のロシアによるクリミア併合が記憶に新しい。こうした出来事は、「世界政府ができないうちは、国際規範など破っても罰を受けずにすむわけで、そこに効力などない」というシニカルな見解を裏づけるもののように思われる。だがそれに対して、前出のハサウェイとシャピーロはこう答える。「破られるという点では、国際法に限らず国内法も同じで、駐車違反から殺人までやはり法が破られるときは破られる。それでも何も決まりがないよりは、たとえ不完全だろうと法が施行されているほうがいい」。ハサウェイとシャピーロの計算によると、パリ不戦条約が締結された一九二八年以前の一〇〇年間にはクリミア規模に相当する併合が年間に一一あり、その大半は返還されなかった。対して、一九二八年以降に併合された土地のほとんどはのちに元の国に返還されている。こうして見ると、パリ不戦条約は冷笑の的となったが、最後に笑ったのは、締結した米国務長官フランク・ケロッグと仏外相アリスティード・ブリアンだったといえるだろう。

ただし、ハサウェイとシャピーロは「国家間の戦争違法化によるマイナス面」についても指摘する。ヨーロッパ列強は植民地を解放したとき、かつての併合地を国として弱いままにして撤退することが多かった。国境線は曖昧で、正式な統治継承者を決めることもない。そのせいで、かつて植民地だった国々では内戦や民族紛争がよく起きた。そうなっても新たな国際秩序のおかげで、大国から侵略の標的にされることはなかったが、反面、半ば無政府状態のまま何年、何十年ものあいだ、混乱が続くことになった。

しかしそれでも、国家間の戦争が減少したというのは、人類が進歩しているという好例ではないだろうか。国家間の戦争と比べれば、内戦による死者はまだ少ない。しかもその内戦の数自体、一九八〇年代後半から減少している。[25] そこには一九八九年の冷戦終結後、大国の関心が変化したことも関係しているだろう。大国は内戦国のどちらの陣営が勝利するかより、むしろどうやって内戦を終わらせるかに関心をもつようになり、国連平和維持軍やその他の多国籍の治安維持部隊を支援した。そして大国の支持を受けた平和維持軍等は内戦の両勢力のあいだに割って入り、多くの場合、実際に治安の維持に貢献した。[26]

また内戦というのは国が豊かになるにつれて起こりにくくなる。国が豊かになれば政府は医療や教育、治安の維持といったサービスを国民に提供できるようになり、国民の支持を得やすくなるからだ。そうした国民の支持を背景に反体制派を抑えることができるというわけである。さらに、武装勢力やマフィア、ゲリラ（彼らは同じ人々であることも多い）が牛耳っていた国境地帯の支配権を取り戻せるようにもなる。[27]

戦争の多くは互いに相手国を恐れるせいで始まる。つまり「こちらが先に攻撃しなければ相手の先制攻撃にやられてしまう」という恐れが戦争を引き起こすということだ（ゲーム理論的にいえば「安全保障のジレンマ」。あるいは「ホッブズの罠」とも呼ばれる）。そのため、きっかけがどうであれ近隣の国々が平和になれば、その平和は自己強化されていく（逆にいうと、戦争が起これば、それは伝染しうる）[28]。このことから、なぜ地球上の紛争地域が縮小しているのかもわかるだろう。それは世界のほとんどの地域が平和だからである。

ロマン主義的軍国主義の価値観から脱却

戦争が減少したのは考え方や政策が変わったからだけではない。そこには価値観の変化も影響している。これまでに見てきた平和を築く方法は、ある意味、技術的な手段であり、もし人々の望むものが平和なら、そうした手段を用いれば平和の可能性に傾きやすいというものだった。つまり鍵になるのは、人々の望むものが平和かどうかになるのだが、結論からいうと、少なくともフォークソングが流行り、ウッドストック・フェスティバルに多くの人が集まった一九六〇年代以来、平和にはかけがえのない価値があるという考えをもつことは西洋人の習性となった。軍事介入に踏みきる場合、人々はまず残念だと思い、それでもより大きな暴力を防ぐためにはやむをえないと言い聞かせるようになった。

しかし今からそう遠くない時代、価値があるのは平和ではなく戦争だった。戦争とは華々しく崇高で高潔なもの、勇ましくて英雄的でスリルに富み、同時に利他的なものだった。戦争のおかげで、退廃的なブルジョワ社会がもたらした軟弱さや身勝手さ、消費や快楽を貪る態度が一掃できると思われていた(29)。

今日、もし「他国の人々を殺したり傷つけたりする行為は崇高である」とか「他国の道路や橋、農場や住居、学校や病院を破壊するのは気高いことだ」などという考えを聞かされたら、とてもじゃないが正気の沙汰とは思えない。しかし一九世紀、反啓蒙主義の動きとしてロマン主義が起こったころ、こうした考え方はごく当たり前だった。これはいわばロマン主義的軍国主義とでもいうべきもので、当時は職業軍人だけでなく芸術家や知識人のあいだにも急速に広まった。たとえば、政治思想家のアレクシ・ド・トクヴィルは、戦争とは「国民の心を広げ、品性を養うものである」と書き、作家のエミール・ゾラは「戦争は人生そのものである」とした。また美術評論家のジョン・ラスキンは「（戦争は）あらゆる芸術の礎(いしずえ)であり、（中略）人の高い徳と能力の礎である」と書いた(30)。

ロマン主義的軍国主義は、時にはロマン主義的ナショナリズムと結びついた。これは自身が属する民族の言語、文化、土地、気質を賛美し、血統とその土地での出生を重視しようとする考え方である。そうして国がその使命を果たすには、民族的に浄化された主権国家にならなくてはいけないとした(31)。ロマン主義的ナショナリズムは「暴力的な闘争こそ自然が備える生命力であり(〝弱肉強食〟)、人が進歩するための原動力である」という怪しげな考え方をもとに発展した(この点、啓蒙思想では進歩の原動力は「問題の解決」だと考える。両者の違いは際立っている)。

闘争に価値を置くという考え方は、カントの『永遠平和のために』を批判したフリードリヒ・ヘーゲルにも見られる。ヘーゲルは歴史を弁証法で語るにあたり、闘争によって歴史は前進し、そこから優れた国家がつくられるとした。そして「戦争は恐ろしいが必要だ。なぜなら、そのおかげで国家は社会的硬直や停滞を免れるからである」とした(32)。その後、マルクスはヘーゲルの弁証法を経済システムに当てはめて考え、「激しい階級闘争が進んだあと、最終的には共産主義社会の実現でその幕は閉じるだろう」と予想した(33)。

かつての軍国主義を勢いづけた反啓蒙主義

しかし、知識人たちがロマン主義的軍国主義へと勢いづいた最大の要因は、おそらく衰退主義だった。つまり、知識人たちは一般大衆が平和と繁栄を享受して暮らしていることに反感をもったということだ(34)。とりわけドイツでは、哲学者や歴史学者の影響で文化悲観論が深く根づいた。たとえばショーペンハウアーやニーチェ、ヤーコプ・ブルクハルト、ゲオルク・ジンメル、オスヴァルト・シュペングラーといった面々の影響は大きい。なかでもシュペングラーの『西洋の没落』（村松正俊訳、中央公論新社）第一巻は第一次世界大戦が終わった直後の一九一八年に出版され（第二巻は一九二二年に出版）、ヨーロッパ社会が大きく揺れた（これについては第二三章で改めて取り上げる）。

それにしても、なぜドイツは第一次世界大戦という不毛な戦争に走ったのだろうか。歴史家たちは今も頭を悩ませる。特になぜイギリスという似た者同士の国——どちらも西洋のキリスト教国で、産業が発達した豊かな国だった——を相手に戦ったのか。その理由は多岐にわたり複雑に絡みあっていて一概にはいえない。だが理由をイデオロギーに絞るかぎり、まず疎外感があった。アーサー・ハーマンによると、第一次世界大戦前のドイツ人は「自分たちがヨーロッパ文化や西洋文明からのけ者にされていると感じていた」[35]。

また何よりドイツ人には、ヨーロッパの凋落に対して果敢に立ち向かっているという自負があった。その根底には、「啓蒙思想が広まって以来、イギリスとアメリカが共謀したせいで、自由で民主的な文化や商業主義的な文化がはびこってしまった。そのせいで西洋から活力が失われた」という忸怩（じくじ）たる思いがあった。そうして多くのドイツ人が「この罪をあがなうには、戦争という大きな惨禍をくぐり抜けるしかない。

思いきった秩序を新たに打ち立てるには戦争しかない」と考えた。つまり戦争に希望を託してしまった。

その後、第一次大戦だけでなく、さらに惨禍を極めた第二次大戦を経て、ようやく戦争からロマンチックな要素は排除された。そして「平和」が西洋諸国のみならず国際社会全体の目的として表明されることになった。それまでもてはやされていたもの――栄光や名誉、卓越した力や勇ましさ、英雄的行為、その他男性ホルモンの過剰がもたらすもの――の価値が下がる一方で、人命の価値は上がった。

たとえ断続的だろうと、人類は平和に向かって進歩していける。だがそのことを信じようとしない人は多い。人間の本性には他者を征服しようとする飽くなき欲望があると思い込んでいるからだ（ちなみに征服欲をもつのはヒトに限らないと考えられているようだ。評論家のなかには、ホモ・サピエンスのオスがもつ権力欲をあらゆる知的生物に投影した結果、地球の外に生命体を探してはいけないとする人々もいる。進んだ科学技術をもった宇宙生命体がわたしたちの存在を知って侵略しにくるとまずいから、というのがその理由である）。ジョン・レノンとオノ・ヨーコは世界平和というビジョンのもと、すばらしい歌をつくったが、それはそれとして現実の世界でそんなものを信じるのは甘すぎるということらしい。

しかし、実は伝染病や飢えや貧困と同じように、戦争もまた人類が克服しようと思えば克服できる問題ではないだろうか。短期的に見れば侵略行為は魅力的に映るかもしれないが、究極的には穏当な方法を見つけて、求めるものを手に入れるほうが賢明である。そうすれば紛争によって国を破壊され、損失の痛手を被る危険を冒さずにすむ。それに「剣に生きる」ことによるよけいな危険を背負わずにすむ。つまり、相手にとってあなたが脅威になっていると、その相手に「先に攻撃をしてつぶしてやる」というインセンティブを与えてしまうが、その危険を避けられる。長い目で見れば、すべての国が戦争を避けているという状態が、世界のあらゆる国にとって良いということである。人類はこれまで貿易、民主主義、経済発展、平和維持軍、国際法や国際規範といったものを生みだしてきた。こうしたものを活用すれば、平和な世界を築いていけるはずである。

第一二章 世界はいかにして安全になったか

事件・事故を低減する努力は軽視されがち

人間の体はもろい。どんなにきちんと栄養をとり、運動をして、病原菌を寄せつけないようにしていても、シェイクスピアのいう「肉体につきまとう無数の苦しみ」を前にすれば、あっけなく死んでしまう。その昔、わたしたちの祖先はワニやライオン、トラなどの肉食獣に簡単に捕らえられ餌食になった。ヘビやクモの毒、巻貝やカエルの毒、ほかにもさまざまな昆虫の毒にやられたりもした。雑食動物の常として、魚や豆、植物の根や種子、キノコなど多くのものを食事にとりいれるなかで、毒のある食材に当たって死ぬこともあった。あるいは果物やハチミツをとろうと木に登って足を滑らせれば、ニュートンの万有引力の法則に従い、九・八メートル毎秒毎秒の重力加速度で加速されて、地面に激突したりもした。湖や川を渡ろうと岸から遠くへ入りすぎれば、溺れて酸素を吸えなくなり、火をいじれば時に火傷(やけど)をした。そのほか、誰かの殺意の犠牲になることもあった。動物を殺すために得た技術は、邪魔な人間を殺すことにも使えたからだ。

今日では動物の餌食になる人はほとんどいないが、それでも毎年数万人がヘビに咬まれて死亡し[1]、それ以外の災難でも大勢が死亡している。アメリカでは、事故は心臓病・癌・呼吸器疾患に次ぐ四番目の死因である。世界的にも死者数全体のうち約一〇分の一は負傷が原因で、負傷による死者数はエイズ・マラリア・結核による死者数の合計を上回る。長年にわたって見ても、負傷は死亡したり障害を負ったりする原因の一一パーセントを占めている[2]。また個人間の暴力による死者も多く、アメリカでは個人間の暴力が若者の死因上位五つ以内に入り、ラテンアメリカとサハラ以南のアフリカでは全世代で死因の五位以内に入っている[3]。

こういった身の回りの危険はなぜ生じ、どうすれば防げるのか、人々はずっと昔から考えてきた。たとえばユダヤ教の「畏れの日々」〔新年祭から贖罪の日までの一〇日間〕に唱えられる祈りの言葉もその一つだろう。この祈りはトーラー〔モーセ五書〕を納めた聖櫃を開ける前に朗誦されるが、その瞬間はおそらくユダヤ教の儀式のなかで何より心を揺さぶられる。

その定めは新年祭に刻まれ、贖罪の日に決せられる。（中略）誰が生き、誰が死ぬのか。誰が与えられた生をまっとうし、誰がそのときを待たずして死ぬのか。水で死ぬ者、火で死ぬ者。剣で死ぬ者、獣で死ぬ者。飢えで死ぬ者、渇きで死ぬ者。地震で死ぬ者、疫病で死ぬ者。窒息して死ぬ者、石打ちで死ぬ者。（中略）しかし、悔い改め、祈りを捧げ、慈悲の心をもつことで、過酷な定めはくつがえる。

現在では幸いにも、死因に関するわたしたちの知識は神の言葉を超えていて、「悔い改め、祈りを捧げ、慈悲の心をもつ」よりも確かな方法で、死に至る災難を免れている。人類は発明の才を駆使することで、右の祈りにある数々の災難はもとより、命を脅かす主だった危険を克服してきた。わたしたちは今、歴史上、最も安全な時代を生きているのである。

これまでの章では、認知バイアスや道徳的なバイアスがいかに現在を過小評価し、過去を美化しようとするかを見てきた。本章ではそうしたバイアスがまた違ったやり方で、人類の進歩を覆い隠していることを説明したい。人の命にとって重傷を負うことは大きな災難だが、その数を減らす努力はあまり注目されていない。道路のガードレールを発明した人はノーベル賞を受賞しておらず、薬品の処方表示をわかりやすいものにしたデザイナーに人道的な賞が贈られることもない。それでもその隠れた努力のおかげで、どんな種類にせよ、怪我による死者数は激減している。人類は大いに恩恵を受けているのである。

「国家の統治」「商取引」は殺人を減少させる

身の回りの危険のうち、まずは「剣で死ぬ者」について説明しよう。事故ではないので厳密な意味での撲滅は難しいもの――すなわち「殺人」である。

殺人による死者数は、戦争による死者数を上回る[4]（ただし二度の世界大戦の時期を除く）。たとえば戦死者の多かった二〇一五年でも、殺人と戦争の死者数の比はおよそ四・五対一だった。もっと一般的な年では、その比率は一〇対一かそれ以上の開きになる。とはいえ、その昔、殺人は今よりずっと大きな脅威だった。中世ヨーロッパでは、封建領主が敵の農奴を殺害し、貴族もその従者も決闘で殺し合いをし、盗賊や追いはぎは強奪するだけでなく相手を殺害し、庶民もまた夕食の席で罵り合ったすえ、相手にナイフを突きつけたりしていた[5]。

そうした状況が変わったのは一四世紀のことである。その頃から西ヨーロッパでは広範な歴史的発展が始まり、争いごとを暴力に頼らない方法で解決するようになっていった。これをドイツの社会学者ノルベルト・エリアスは、一九三九年に出版した著書で「文明化の過程」と呼ぶ[6]。エリアスによると、そうした変化が起きたのは国が中央集権化したからだった。つまり、それまで国は男爵領や公爵領に分かれ、各領主が権力を振るっていたが、そこに強力な王国が出現したおかげで、各地の争いや強奪行為、地方領主の暴挙は「国王の平和」によって平定されるようになったのである。

その後一九世紀になると、地方の警察機能や審議重視の裁判制度の充実など、刑事司法制度はさらに専門化して整った。また同じ数世紀のあいだに、ヨーロッパは商業インフラも発達させてきた。物理的なインフラとしては道路や輸送手段の改良が、金融面のインフラとしては通貨や契約の普及がなされた。そこから「温和な商業」も急速に拡大し、土地の略奪のようなゼロサム競争から、お互いに物やサービスを取引するポジティブサムの状態へと移っていった。そうした社会では、商業的義務や職業的義務が法律や官僚規則によって定められ、人々はそのネットワークに組み込まれる。そうなると日々の行動規範も「名誉を重んじるマッチョな文化」から、「品位を重んじる紳士的な文化」へと変化した。侮辱には暴力で応じなければならないというマッチョな文化が、地位を勝ちとるには礼儀と自制心を示さなければならないという紳士的な文化に変わったのである。

歴史犯罪学者のマニュエル・アイズナーは、ヨーロッパで起きた殺人のデータを集め、エリアスの説いた「文明化の過程」を数字で補強した[7]。そしてエリアスの理論が正しかったことを実証し、その理論はヨーロッパ以外にも適用されるとした。つまり世界のどこであれ、政府が辺境地帯に法の支配をもたらし、そこに住む人々が商業社会に組み込まれると、暴力の発生率は下がるということだ（ちなみに、殺人発生率は異なる時代や場所の暴力犯罪を知るうえで、最も信頼できる指標になる。遺体が見過ごされることはまずないこと、強盗、暴行、レイプなどその他の暴力犯罪の発生率は殺人発生率に相関することがその理由である）。

［図12―1］では、アイズナーのデータのうちイングランド、オランダ・ベルギー、イタリアのものを二〇一二年分まで更新して示した。他の西ヨーロッパの国々もこれと似たような曲線になる。また法と秩序が遅れてもたらされたアメリカ大陸の一部地域のデータも、わたしのほうでグラフに加えた。植民地時代からのニューイングランド、開拓時代からの米南西部、それにメキシコである。メキシコは今も暴力の地として悪名高いが、グラフにあるように過去にはもっと暴力的だった。

「根本原因の解決なしに暴力減少は無理」の嘘

ところで「進歩」の概念を紹介したとき、わたしは、進歩には後退や停滞がつきものであり、暴力の減少という進歩のなかにも、長期的にはさまざまな変動が含まれる、と説明した。それをよく示すのが、西洋のほとんどの民主国家で一九六〇年代から個人間の暴力が増加し、それ以前の一世紀にわたる進歩を帳消しにしたように見えたこ

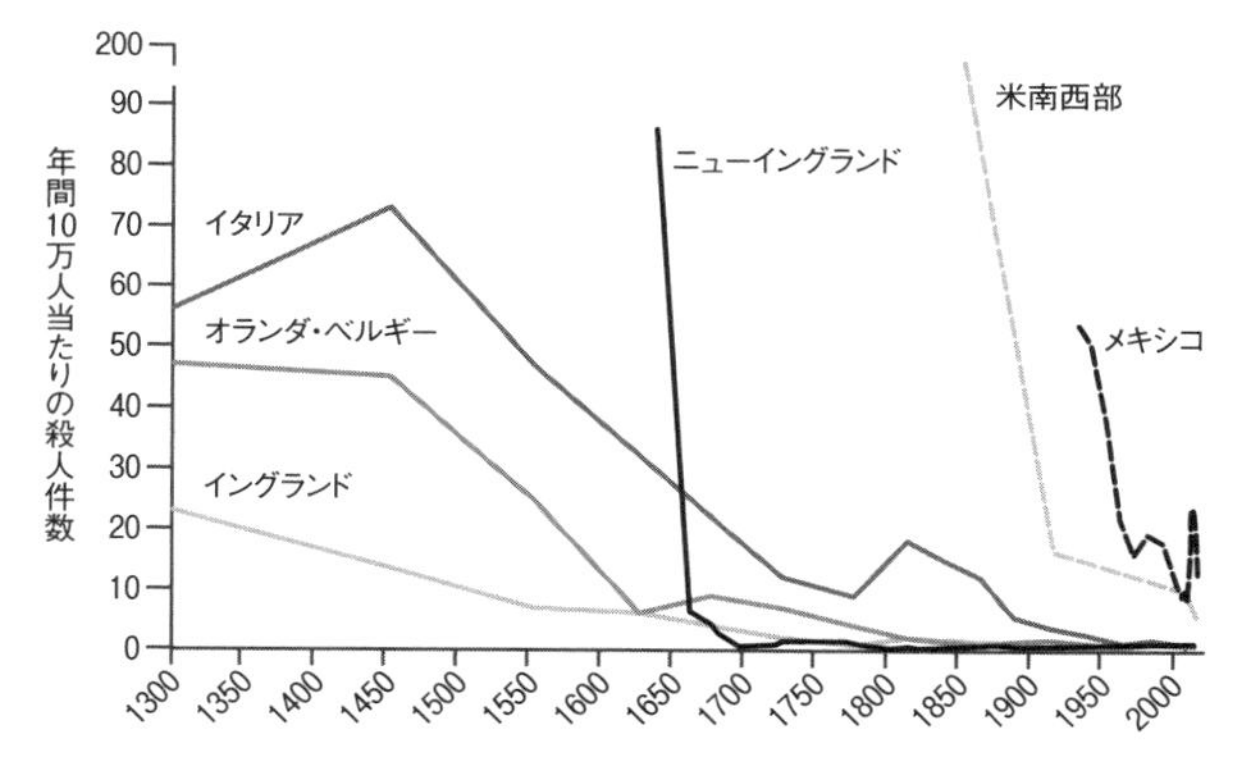

［図12-１］ 殺人発生率（西ヨーロッパ、アメリカ、メキシコ、1300-2015）
情報源：【イングランド、オランダ・ベルギー、イタリア（1300-1994）】Eisner 2003. Pinker 2011では［図３-３］で示した。【イングランド（2000-2014）】UK Office for National Statistics.【イタリア、オランダ（2010-2012）】United Nations Office on Drugs and Crime 2014.【ニューイングランド（1636-1790：白人のみ、1780-1890：バーモント州とニューハンプシャー州のデータ）】Roth 2009. Pinker 2011では［図３-13］で示した。2006年と2014年はFBIの統一犯罪白書を参照。【米南西部（アリゾナ州・ネバダ州・ニューメキシコ州、1850年と1914年）】Roth 2009. Pinker 2011では［図３-16］で示した。2006年と2014年はFBIの統一犯罪白書を参照。【メキシコ】カルロス・ビラルタとの個人的なやりとり。もとになった情報は、Instituto Nacional de Estadística y Geografía 2016およびBotello 2016で、2010年までの数十年間のデータを平均化した。

とだろう。[8]その傾向が特に顕著だったのはアメリカで、殺人発生率は二・五倍に跳ねあがった。当時は犯罪への不安が高まり（ある程度はもっともだが）、都市の市民生活は大きく揺さぶられた。とはいえ、実際に進歩が後退したこのケースは、進歩とはどういうものかを教えてくれる好例でもある。

高い犯罪率が続いたその何十年かのあいだ、たいていの専門家は「暴力犯罪には対処しようがない」というだけだった。それによると、暴力犯罪は暴力的なアメリカ社会と一体化したものなので、人種差別や貧困や格差などの根本にある原因を解決しないかぎり、抑えることはできないとされていた。このタイプの歴史悲観論は〈根本原因論〉と呼んでもいい。それは見かけ上は深遠な考え方で、「社会の病とはすべて根深い道徳的病であり、単純な治療などでは決して病状が和らぐことはない。そんなことをすればかえって病の核心にある壊疽を治癒できなくする」とするものだ。[9]こうした〈根本原因論〉が問題なのは、現実世界の問題がその想定より単純なことではなく、むしろ逆であることだ。つまり典型的な〈根本原因論〉が考える以上に、現実問題は複雑なのである。とりわけ〈根本原因論〉が道徳を基盤に論じられてデータを取り入れていない場合は、現実問題をとらえきれていない。

実は現実世界の問題は複雑すぎて、対処するには原因ではなく症状に直接働きかけるのが最善の方法である。そうすれば、病巣のなかで複雑に絡みあう原因をすべて熟

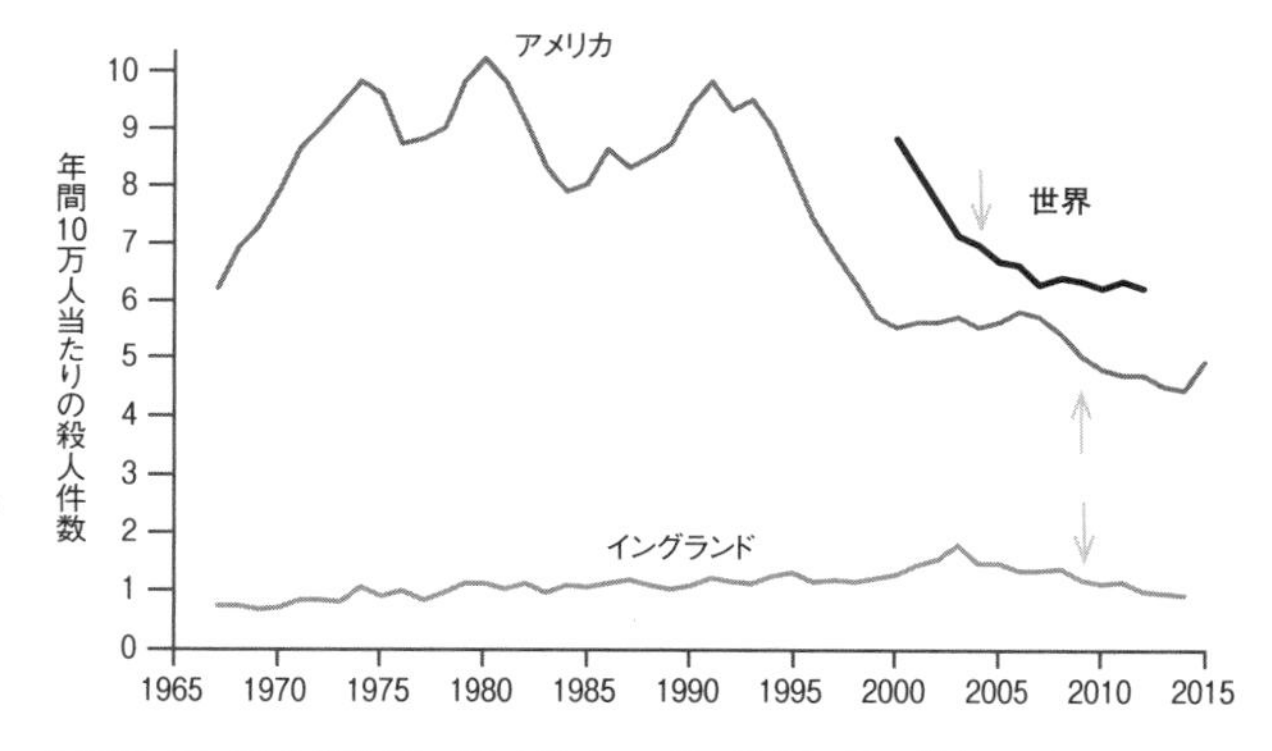

［図12-２］**殺人発生率（アメリカ、イングランド、世界、1967-2015）**
情報源：【アメリカ】FBIの統一犯罪白書〈https://ucr.fbi.gov/〉および Federal Bureau of Investigation 2016a。【イングランド（ウェールズを含む）】Office for National Statistics 2017.【世界（2000）】Krug et al. 2002.【世界（2003-2011）】United Nations Economic and Social Council 2014, fig 1, 2012年の殺人発生率を6.2として（United Nations Office on Drugs and Crime 2014, p.12の推計）、殺人発生率に変換した。矢印はPinker 2011で最新だった年を、世界（2004年、図３-９）、アメリカ（2009年、図３-18）、イングランド（2009年、図３-19）について示している。

知していなくてすむからだ。実際に、何が暴力犯罪という症状を減少させているのかを見ることで、原因に関するさまざまな仮説を検証することができ、やみくもにそれらの仮説が正しいと考えるという誤りに陥らずにすむのである。

一九六〇年代の犯罪急増についていえば、ごく手近な事実を見るだけで、〈根本原因論〉は否定できる。というのも一九六〇年代は公民権運動の時代であり、人種差別意識が急速に低下した一〇年間だったからだ[10]（第一五章）。また好景気だったので、今となっては懐かしいほど格差は小さく失業も少なかった。これと対照的なのが一九三〇年代で、この時代には大恐慌があり、ジム・クロウ法〔黒人差別法の総称〕があり、毎月のようにリンチ事件も起きていた。にもかかわらず暴力犯罪の発生率は全般的に低かった。

その後、誰もが意表を突かれた数字によって、〈根本原因論〉はまさに根本から覆された。一九九二年以降、格差が急速に広がる一方で、アメリカの殺人発生率は大幅に低下し、二〇〇七年に始まった大不況のあいだにさらに低下したのである[11]（図12-2）。アメリカだけでなく、イギリスやカナダ、その他の先進国でもこの二〇年で殺人発生率は低下した（反対に、ベネズエラではチャベス政権とその後を継いだマドゥロ政権のもと、格差は縮小したが殺人は急増した[12]）。世界全体の統計は二一世紀からのものしかなく、データが不十分な国については推計も含むが、世界的な傾向としてもやはり殺人発生率は減少している。二〇〇〇年に一〇万人当たり八・八件だったものが、二〇一二年には六・二件へと下がった。これはつまり、今元気に歩いている一八万人の人々は、もし世界の殺人発生率が十数年前と同じ水準だったなら、過去一年のうちに殺害され、生存していなかったということである[13]。

「世界の殺人発生率を今後三〇年で半減」は可能

暴力犯罪とは解決可能な問題である。確かに世界全体の殺人発生率を、殺人の少ないクウェートや（年間で一〇万人当たり〇・四件）、アイスランド（同〇・三件）、シンガポール（同〇・二件）などの国々の水準まで下げることはできないだろう。ましてやゼロにすることはできない[14]。しかし殺人を減らすことなら可能である。二〇一四年、アイズナーは世界保健機関（ＷＨＯ）と協議し、世界の殺人発生率を三〇年間で五〇パーセント減少させるという目標を提案した[15]。この目標は決して夢物語などではない。二つの統計的事実をもとにした現実的なものである。

その一つめは、「国・都市・町のどのレベルで見ても、殺人はかなり偏った分布を示す」という事実である。まず国について見てみよう。危険度の高い国々の殺人発生率は、安全な国の数百倍にも上り、ホンジュラスでは年間で人口一〇万人当たり九〇・四件発生している。ほかにもベネズエラでは五三・七件、エルサルバドルでは四一・二件、ジャマイカでは三九・三件、レソトでは三八件、南アフリカでは三一件と高い数字が続く[16]。また世界の殺人の半分は、世界人口の一〇分の一の人々が暮らす二三カ国で起きていて、さらに世界の殺人の四分の一はわずか四カ国に集中する。その四カ国とはブラジル（殺人発生率は年間で一〇万人当たり二五・二件）、コロンビア（同二五・九件）、メキシコ（同一二・九件）、ベネズエラである（ちなみに、殺人の頻発地域はラテンアメリカ北部とサハラ以南のアフリカ南部の二つであり、紛争多発地域——ナイジェリアから中東を通りパキスタンに至る地域——とは異なる）。

こうした分布の偏りは、国から都市へと範囲を狭めても変わらない。ベネズエラのカラカス（同一二〇件）やホンジュラスのサン・ペドロ・スーラ（同一八七件）など、一つの国のなかでもほとんどの殺人はいくつかの都市に集中する。さらに都市のなかでも、殺人はいくつかの地区に集中し、その地区のなかでもいくつかの街区に集中する。さらにその街区のなかでも、多くの事件はごく少数の人間の手で実行される[17]。わたしの住むボストンでも、発砲事件の場合、七〇パーセントは街の五パーセントの地区で発生し、事件の半数は若者の一パーセントが起こしている[18]。「三〇年で殺人を五〇パーセント削減」の根拠になったもう一つの事実は、「高い殺人発生率は急速に低下させることができる」というものである。これは［図12―2］を見れば明らかだろう。民主国家のなかで殺人が最多のアメリカの場合、殺人発生率は九年間でほぼ半減した。ニューヨーク市だけを取り出すと低下率はさらに大きく、同じ期間に約七五パーセントも減少した[19]。またアメリカ以上に暴力沙汰の多い国々でも、殺人発生率は短い期間で大幅に減少している。ロシアの場合、二〇〇四年には一〇万人当たり一九件の殺人があったが、二〇一二年には九・二件まで下がった。南アフリカでも一九九五年の六〇件から二〇一二年には三一・二件に、コロンビアでも一九九一年の七九・三件から二〇一五年には二五・九件にまで下がっている。[20]

世界的に見ても、この一五年間で、信頼に足るデータのある八八カ国のうち六七カ国が殺人発生率を低下させた。[21] 不幸なことに大きく増加した国もあるが（大半はラテンアメリカの国々）、そうした国々でも都市や地域の指導者が流血事件を減らそうと全力で取り組んだときは、多くの場合成功した。[22]［図12―1］にあるように、メキシコの殺人発生率は二〇〇七年から二〇一一年にかけて、それまでの減少傾向が増加へと逆転したが（もっぱら組織犯罪に起因する）、二〇一四年までに逆転の逆転が見られ、再び減少へと向かっている。なかでも悪名高い都市シウダー・フアレスでは、二〇一〇年から二〇一二年のあいだに殺人発生率は約九〇パーセントも減少した。[23] コロンビアのボゴタとメデジンでも殺人発生率は二〇年間で五分の四減少し、ブラジルのサンパウロとリオデジャネイロのスラム街でも三分の二減少した。[24] 世界最悪の治安で殺人多発都市として知られるサン・ペドロ・スーラでさえ、わずか二年間で六二パーセントも低下した。[25]

以上のように、殺人の発生地域は偏った分布を見せる。また、高い殺人発生率は急速に低下させることができる。この二つを合わせて考えてみれば、導き出される答えはおのずと明らかではないだろうか。「三〇年で殺人発生率を五〇パーセント削減」という目標は実現可能なだけでなく、むしろ控えめといってもいいくらいだろう。[26]そこに統計上のごまかしはない。そもそも定量化するということは、すべての命を等しく価値あるものとして扱うということであり、そこには道徳的意味もある。つまり殺人の最頻発地帯でその数を減らそうと行動すれば、悲劇から救える人々の数を最大にできるということだ。

また、暴力犯罪の分布が一定地域に偏っているということは、いわば赤く点滅する矢印が[27]「暴力犯罪を減らす最適な方法はここにある」と教えてくれているようなものでもある。このさい、根本原因論のことは忘れたい。そして、症状だけに注目し、最も大きな割合で暴力を発生させている地域や個人にぴたりと狙いを定めたい。そうやって暴力犯罪へと駆りたてる動機や機会を少しずつ減らしていけばいいのである。

それにはまず「法の執行」から始めなければならない。理性の時代にトマス・ホッブズがいったように、無政府地帯というのは常に暴力的だからだ。[28]それは誰もがみな、他人を食い物にしようとするからというよりも、政府が存在しなければ暴力の脅威はひとりでに増幅してしまうからである。もしごく少数でも敵になりそうな人間がその地域に潜んでいたり、突然姿を現す可能性があったりすれば、人々は身を守るためには攻撃的な態度をとらざるをえなくなる。さらにその態度が抑止力として機能するには、自分たちの決意を広く示す必要もある。つまり、たとえどれほど犠牲を払おうと、侮辱を受ければ報復し、略奪行為があれば復讐することで初めて抑止力になる。

こうした状況は前章でも触れたように「ホッブズの罠」とも呼ばれ、いとも簡単に「不和と復讐の悪循環」を引き起こす。というのも「敵に踏みつけにされないために は、少なくとも敵と同程度には暴力的でなければならない」と双方が思うせいで、暴力がしだいにエスカレートするからだ。その意味でいえば、殺人のなかで何より大きなウェイトを占めるのが、顔見知り程度の若い男性同士が縄張りやメンツや復讐をめぐって起こすものだというのもうなずける。

だが、これはまた時代や場所によって、最も数字の変動が大きいカテゴリーでもある。つまり、そこに法の執行力を独占する公平な第三者、すなわち警察と司法権をもつ国家が介入すれば、「不和と復讐の悪循環」を芽のうちにつむことができ、殺人が減るということである。ひとたび法が執行されれば、攻撃的な人間が刑罰を恐れて暴力を抑制するだけではない。一般市民も周囲から暴力的な人間がいなくなったことに安心し、過剰に自己防衛する必要から解放されることになる。

法の執行が及ぼす影響は、三七九ページの［図12―1］の左上のように法整備が未発達だった時代や場所で、殺人発生率が群を抜いて高いことからもわかるだろう。また警察がストライキに入ると略奪行為や自警行為が急増することからも、法の執行の大切さは裏づけられている[29]。

ただし法の支配が有効に機能できていない場合には、犯罪率が上昇することもある。つまり法の執行が不十分だったり、汚職が横行していたり、あるいは犯罪が多発しすぎたりするせいで、人々が法を破っても罰せられないとわかっている場合である。一九六〇年代のアメリカの犯罪急増はまさにそれが原因であり、当時の司法制度はベビーブーム世代が犯罪を起こしやすい年頃に入っていく動きに対応できていなかった。今日、ラテンアメリカの国々で高い犯罪率を示す地域についても、原因は法の支配に実効力がないことにある[30]。反対に、一九九〇年代のアメリカで犯罪が大幅に減少した理由の大部分は、警察力が強化され、刑事罰が広く執行されたことから説明できるだろう（ただし収監しすぎたきらいはあるが[31]）。

殺人発生率を半減させるための方法

ここで、「三〇年で殺人発生率を半減させるための方法」としてアイズナーがまとめた要点を紹介しよう。「致命的な暴力を持続的に削減するには、効果的な法の支配が重要である。それは正当な法の執行、被害者保護、迅速かつ公正な裁判、穏やかな処罰、人道的な刑務所に基づいていなければならない[32]」というものだ。ここに見られる「効果的な」「正当な」「迅速かつ公正な」「穏やかな」「人道的な」という言葉は、「犯罪には厳しく当たれ!」とする右派の政治家好みの表現とはだいぶ違う。その理由は二五〇年前にすでに法学者のチェーザレ・ベッカリーアが説明しているとおり、犯罪に対して常に厳罰でのぞむという威嚇的な態度は、安上がりであると同時に感情的な満足感をもたらすが、現実的な効果はそれほどないからである。犯罪常習者は捕まって厳しく処罰されることをめったにない事故だと考える。厳罰は恐ろしいが、それもまた仕事につきもののリスクだととらえてしまう。そうなると厳罰による抑止効果はほとんどない。それよりも、罪を犯すとほぼ確実に罰を受けると人々に考えられることのほうが、たとえその罰がさほど厳しいものでなくても、日々の行動選択に対してより確実に影響を与えるだろう。

また犯罪を減らすためには、法がきちんと執行されるとともに「政府の正当性」も大切になる。人は正当性のある権威を尊重するだけでなく、自分の敵になりそうな人間がどの程度、その権威を尊重しそうかについても考慮するからだ。その度合いによって自衛の度合いも変わってくる。これについてアイズナーは歴史家のランドルフ・ロスとの共同研究で、「人々が社会や政府に疑問を感じた時期に犯罪は増加することが多い」と指摘する。たとえば南北戦争中のアメリカ、一九六〇年代のアメリカ、ソ連崩壊後のロシアがそうである。[33]

犯罪防止に有効なものとそうでないものに関する最近の研究も、アイズナーの報告を裏づけている。ここでは特に社会学者のトマス・アプトとクリストファー・ウィンシップによる大規模なメタ分析を紹介しよう。二人は二三〇〇件の研究を調べ、この数十年間に実施されたほぼすべての犯罪防止方法について分析に関して分析をした。そのなかには政策や計画、プロジェクトや構想、警察の介入から、珍案や小細工に類するものまで含まれる。[34]

そして分析の結果、二人は暴力犯罪を減らすうえで何より有効な対策は、「焦点を絞って抑止すること」であるとした。それはまず、リアルタイムでデータを集めて「ホットスポット」を特定し、犯罪が猛威をふるっている地域、もしくはその予兆のある地域に、レーザー光線のようにぴたりと焦点を定めることから始まる。次いでさらに焦点を絞り、周囲の人をいたぶったり、喧嘩騒ぎを起こしたりしている個人や集団を特定する。そうして個人や集団を突きとめたら、あとはその相手に向け、「銃をおろせば助けよう。だが、銃をおろさないのなら刑務所行きになる」というようなシンプルかつ具体的なメッセージで、期待されている行動を告げる。相手がそのメッセージを理解し、期待どおりの行動をとるかどうかは、地域の人々の協力を得られるかどうかにもかかっている（地元の商店主、聖職者、スポーツチームのコーチ、保護観察官、身内など）。

それから、〈認知行動療法〉も犯罪防止に効果がありそうである。これは心理療法の一つだが、精神分析とは別物で犯罪者の子ども時代の葛藤を探ったりしない。もちろん、映画『時計じかけのオレンジ』に出てくるような恐ろしい治療法とも別物で、犯罪者の瞼を強制的に開かせて暴力的な映画を見せるなんてこともない。〈認知行動療法〉とは、自身の認知の歪みに気づくことによって、思考や行動のくせを——犯罪者の場合は犯罪行為に至る思考や行動のくせを——克服できるようにする一連の心理療法のことである。

犯罪者は衝動的で、後先を考えることがあまりない。突然、目の前に物を盗む機会や壊す機会が訪れればすぐさま行動に移し、たまたま通りかかった相手に飛びかかって攻撃したりする。[35] しかしそうした衝動も認知行動療法で自制するすべを教えてもらえば、弱めることができると考えられる。また、犯罪者は自己愛的で反社会的な考え方をしがちでもある。「自分はいつでも正しい」「自分は皆から敬意を払われて当然だ」と思い込み、意見が対立すればそれを個人的な侮辱ととらえやすい。自分以外の人間に感情や意志があるとは考えない。しかし、これも認知行動療法によって抑えることができる。「治す」ことはできないが、それが思い込みであることを認識し、薄めるように訓練することはできる。[36] こうした肩で風を切って歩くような思考パターンは「名誉を重んじる文化」のなかで強化されたものだから、その考え方をセラピーなどで崩していくことも可能だ。たとえば、犯罪者予備軍の未成年へのカウンセリングあるいは累犯予防プログラムの一環として、アンガーマネジメントや社会生活技能訓練の心理療法を取り入れればいい。

また、衝動がコントロールされているかどうかにかかわらず、そもそも現代は犯罪者予備軍が問題を起こしにくい。なぜなら犯罪衝動を満足させようにも、その機会が周囲の環境から取り除かれているからだ[37]。以前に比べて、車は盗みにくく、人家は侵入しにくくなり、商品を盗むことも盗品を売買することも難しい。人々は現金よりもクレジットカードを持ち歩くことが多いうえ、夜道は街灯で照らされ、カメラで監視されている。そうなると、犯罪者予備軍は盗みを働きたいという衝動の捌け口をどこにも求めようがなく、そうこうするうちに衝動は収まり、犯罪は実行されずにすむ。加えて、さまざまな消費財が安くなったという発展も、あまり意志の強くない犯罪者を本人も気づかないうちに法を守る市民に変えてきた。今どき、安物のラジオ付き目覚まし時計を盗むために、誰がわざわざマンションに押し入るリスクを冒すだろうか。

以上のように、暴力犯罪を引き起こす要因には「法の執行がない」「衝動」「機会」の三つがあるが、これに加えて「不法取引」も暴力犯罪の主な要因として挙げておきたい。というのも、違法な物や娯楽を取引する事業者は、金を騙し取られても表立って訴えることができず、誰かに脅迫されても警察に通報することができないからだ。

そのため自身の利益を守るには、いざとなれば暴力に訴えるという威嚇を必要とする。アメリカで暴力犯罪が爆発的に増えたのは、一九二〇年代にアルコールが禁止されたときと、一九八〇年代後半にクラックが流行したときだった。ラテンアメリカとカリブ諸国では、今もコカインやヘロイン、大麻の不正取引が活発だが、やはり暴力犯罪がはびこっている。

薬物の不正取引が原因で起こる暴力は、今なお解決されていない万国共通の問題である。アメリカでは現在、大麻を合法化する動きが進み、将来的にはそのほかの薬物も合法化されるかもしれないが、ひょっとするとそれがこの業界を法のない暗黒世界から救うのかもしれない。一方で、アプトとウィンシップは「積極的に薬物を取り締まっても薬物禁止への寄与はほとんどなく、一般に暴力を増加させる」と述べ、対して「薬物裁判所〔薬物依存者に対し、実刑の代わりに集中的な治療プログラムへの参加を課す司法のあり方〕と薬物治療は長いあいだ効果的に機能してきた」とする。[38]

なんであれ科学的根拠に基づいて考えると、想像上ではうまくいきそうな犯罪防止プログラムには、否定的な結論が出る。効果がないことが判明して驚かれるものには、いくつかの大胆な戦略も含まれている。たとえばスラム街の撤去、銃の買戻し計画、ゼロ・トレランス政策〔どんな小さな違反も見逃さず取り締まる政策〕、荒野療法（ウィルダネス・セラピー）〔青少年の非行行動の矯正を目的に、厳しい自然環境のなかでアウトドア体験をさせる〕、三振法〔二度の前科がある場合、三度目の犯罪には重い刑が科される〕、警察主導の薬物講習、スケアード・ストレートプログラム（非行行動のある青少年を刑務所に連れていき、実際に囚人と過ごすことで直接恐怖を感じさせ、犯罪を防ごうとする）などだ。

ちなみに世の中には、科学的な根拠など必要がないくらい、ある種の意見を当たり前だと考えて固く信じている人もいるが、そんな人々にとっておそらく大変残念な知らせがある。それは、銃に関する立法に明確な効果はないというものだ。右派が好む銃の携帯を認める法律と左派が好む銃の禁止や制限がそれぞれもたらす結果には、あまり大きな違いは見られない。これについてはまだわからないことも多く、政治的、現実的な障害があって、さらなる調査も困難ではあるのだが[39]。

自動車事故による死亡率は六〇年で六分の一に

『暴力の人類史』でさまざまな点から暴力の減少を説明しようと試みていたとき、わたしの頭のなかに「かつて人の命の価値は低く、時代とともに貴重になった」という考えはほとんどなかった。そうした考えはぼんやりしていて検証のしようがなく、ほぼ堂々めぐりになりそうに思えたからだ。そのため、『暴力の人類史』では政治や貿易といった現象をクローズアップする形で説明した。ところがその原稿を送ったあと、「人命は時代とともに貴重になった」という考えを、もう一度掘り下げてみるよう促すような、こんな経験をした。

わたしは大仕事を終えた自分へのごほうびに、錆びた古い車を買い替えることにし、新車を選ぼうと『カー・アンド・ドライバー』誌の最新号を購入した。するとその号の巻頭には「数字で見る安全性——自動車事故による死者数が過去最低を記録」というグラフ付きの記事があり、しかもそのグラフは一目見て親近感の湧くものだった。横軸が年代、縦軸が死亡率で、グラフの線は左上から右下へと下がるカーブを描いていたからだ。(40) グラフを見ると、一九五〇年から二〇〇九年のあいだに、アメリカの自動車事故による死亡率は六分の一にまで下がっていた。つまりその誌面にあったのは、暴力的な死の減少を示すさらなる証拠だった。

しかし暴力的といっても、今回は権力や憎悪とは無縁である。自動車事故で死亡するリスクは、さまざまな力が結びつき、何十年にもわたって作用しつづけた結果、小さくなったということだ。そう、それはまるで人の命がだんだんと貴重になっていったかのようだった。豊かになるにつれ、社会はお金と創造力と高潔な情熱を、走行中の人々の命を救うことに費やすようになったらしい。

その後、わたしは『カー・アンド・ドライバー』の数字が控えめだったことを知った。もし元データと同じく、一九二一年の初年から示されていれば、死亡率は約二四分の一になっていた。次ページの［図12―3］はその元データのほうで、グラフの全

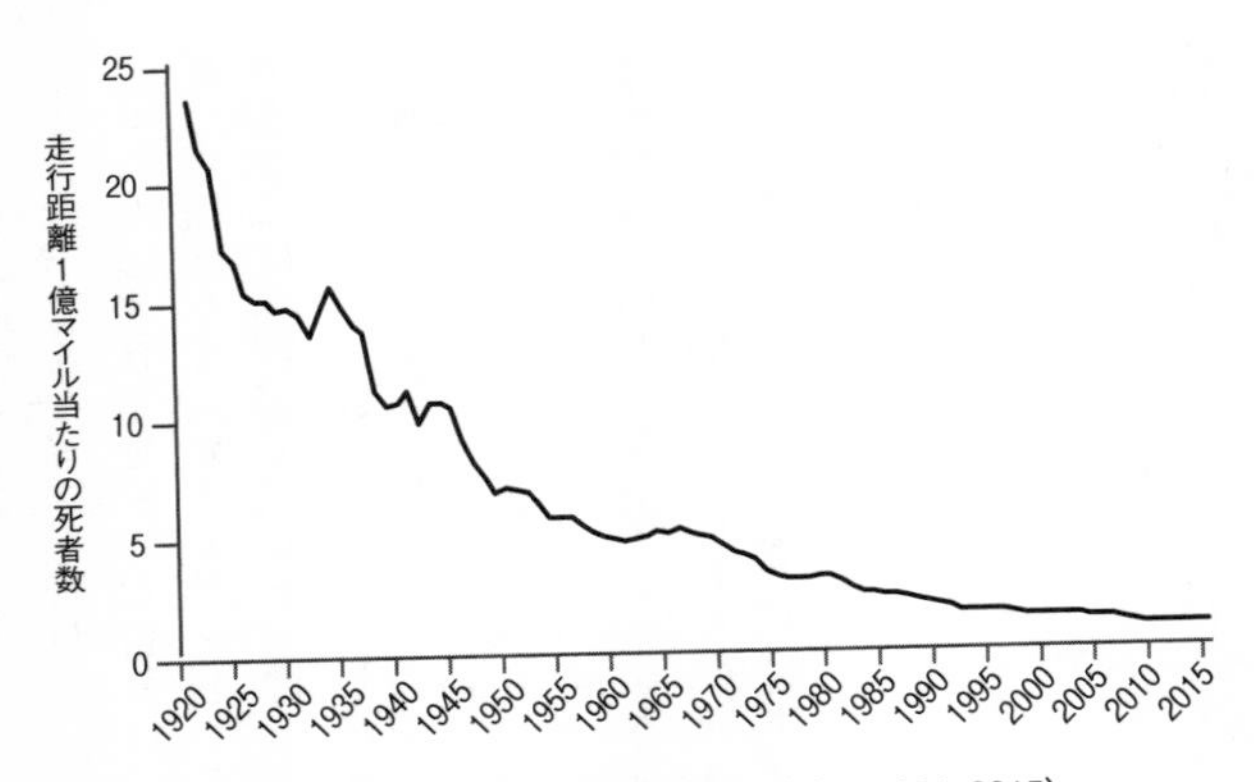

［図12-3］**自動車事故による死者数（アメリカ、1921-2015）**
情報源：米国家道路交通安全局。データは〈http://www.informedforlife.org/demos/FCKeditor/UserFiles/File/TRAFFICFATALITIES（1899-2005).pdf〉,〈http://www-fars.nhtsa.dot.gov/Main/index.aspx〉および〈https://crashstats.nhtsa.dot.gov/Api/Public/ViewPublication/812384〉から入手した。

貌を示している。ただし、心にとめておきたいのは、これが自動車事故の全貌を語っているわけではないということだ。車の運転中に死亡した人の陰には、その事故に巻き込まれて障害を負った人、外傷が残った人、痛みに苦しむ人も隠れている。

『カー・アンド・ドライバー』のグラフには、車の安全に関して画期的な事象があった年に注釈がついていた。それを読むと、各事象に技術的、商業的、政治的、道徳的な力が作用していたことは明らかだった。そうした力は短期的には互いに反目し合いながらも、長期的には一丸となって死亡率を引き下げる方向に働いた。時には道徳的な抗議運動が起こり、自動車メーカーを悪者とみなして、事故による大量殺戮を減らそうとしたこともあった。

一九六五年には、当時まだ若手弁護士だったラルフ・ネイダーが『どんなスピードでも自動車は危険だ』（河本英三訳、ダイヤモンド社）を出版し、自動車産業は自動車を設計するさい、安全を無視していると糾弾している。それからまもなく国家道路交通安全局が設立され、新しく製造される車は多くの安全装置を備えるよう義務づける法律も可決された。しかしグラフを見るとわかるように、自動車事故の死亡率が急速に低下したのは、抗議運動や法律の前だった。つまり、時には自動車産業が消費者や規制当局に先んじていたということである。

雑誌のグラフでは、一九五六年にこんな注釈がついている。「この年、フォード・モーター・カンパニーが安全装置のパッケージ〝ライフガード〟の販売を開始した。（中略）これにはシートベルト、緩衝材を入れたダッシュボードとサンバイザー、それに衝突時に運転手が刺さったりしないよう中央部分をくぼませたハンドルなどが含まれていた。だがこの商品は売れなかった」。こうした装備が義務化されるまでに、それから一〇年がかかっている。

ほかにもグラフが下がっていく過程には、エンジニアや消費者、企業の上層部、政府の役人のあいだで交わされた、さまざまな駆け引きが散見された。そしてしかるべき時に、しかるべき安全装置が開発、商品化され、研究所からショールームへと送り出されていた。衝突時の衝撃を吸収するクラッシャブルゾーン、アンチロック・ブレーキシステム（ABS）、コラプシブル・ステアリング（衝突時にハンドルの軸が縮んで運転者を保護するハンドル）、ハイマウント・ストップランプ（車体後部中央の高い位置で赤く光るブレーキランプ）、警告音付き三点式シートベルト、エアバッグ、横滑り防止装置などである。

もう一つ、事故から人命を守ったものに、道路の整備もあった。どこまでも続く地方の道に中央分離帯を設け、反射器やガードレールを設置し、カーブを緩やかにし、州間高速道路の道幅を広げた。また、一九八〇年には「飲酒運転根絶を目指す母親の会」が結成され、飲酒年齢の引き上げや血中アルコール濃度の法定基準の引き下げを求める運動が起きた。飲酒運転に対する風当たりも強くなり、当時のポップカルチャーはそれをユーモアのネタとして扱った（映画『北北西に進路を取れ』や『ミスター・アーサー』にも飲酒運転が出てくる）。

加えて、交通法の施行、衝突試験、ドライバー教育といったことも、多くの命を救った（その意味では、道路の渋滞や景気の後退なども思いがけず恵みになった）。それはまさに「多くの命」と呼んで差し支えないだろう。一九八〇年以来、約六五万人のアメリカ人の命が救われているのだから。もし自動車事故の死亡率が一九八〇年の水準のままだったなら、今生きている約六五万のアメリカ人は死亡していたことになる。[41]

年々、アメリカ人の車の走行距離が延びていることを考えると（一九二〇年には五五〇億マイル、一九五〇年には四五八〇億マイル、一九八〇年には一兆五〇〇〇億マイル、二〇一三年には三兆マイル）、これはますます驚くべき数字である。おかげで多くの人が無事目的地に到着でき、郊外の森林浴や子どものサッカーの試合を楽しんだり、シボレーでアメリカ各地を回ったりできたのだ。なかには気の向くままに通りを走り、ブルース・スプリングスティーンが歌ったように「いい気分になって、土曜の夜にお金を全部使いはたした[42]」人もいたかもしれない。

もちろん走行距離が延びたことで、安全性の向上による死亡率減が帳消しになるようなことはなかった。アメリカでの年間一〇万人当たりの自動車事故による死者数は一九三七年がピークで、三〇人近くになったが（走行距離当たりの死者数は異なる）、その後一九七〇年代後半からは着実に減少している。二〇一四年には一〇・二人にまで下がり、一九一七年以来最も低い数字を記録した。[43]

無事に目的地まで到着できるドライバーの数が増えているのは、アメリカだけではない。フランスやオーストラリア、それにもちろん安全意識の高いスウェーデン（結局、わたしはボルボを買った）といった豊かな国でも、自動車事故の死亡率は下がっている。ただし、豊かな国に住んでいなければ、この恩恵は受けられない。インドや中国、ブラジル、ナイジェリアなどの新興国では、自動車事故の死亡率はアメリカの二倍、スウェーデンと比べると七倍になる。[44] 豊かになれば、命も買えるということらしい。

歩行者の死亡事故も大きく減少してきた

とはいえ、もし自動車の発明前と比べて、現代の歩行者のほうが大きな危険にさらされているなら、たとえどれだけ自動車事故の死者が減少していても、それを成果とは呼びにくい。しかしどうやら自動車以前の時代の歩行者もそれほど安全ではなかったようだ。図像資料のコレクターだったオットー・ベットマンは、馬車の時代、街の通りがどんな様子だったのかを著書中でこう語る。

ブロードウェイを渡りきるには（中略）大西洋をボートで横断する以上の腕前が必要だった。（中略）街の大混乱のもとは馬だった。馬は十分な餌を与えられず、気が立っているところに、御者から情け容赦なく鞭で打たれ、ぐったりするまで走らされることがよくあった。またその御者はといえば、法など無視し、荒々しいこと、このうえ、とこの上なく馬を突き進ませて悦に入り、見さかいなく物を壊していた。

馬が逃げることも日常茶飯事だった。そんなはちゃめちゃな状況のせいで、当時は何千人もの人々が死亡していた。全米安全評議会によると、当時の馬関連の死亡率は、現在の自動車関連の死亡率の一〇倍にも上るという。(45)（ピンカー注：引用中の「現在」とは「一九七四年」のこと。一九七四年の自動車事故の死亡率は今と比べて二倍以上だった）

その後、路面電車が道を走るようになると、ニューヨークの歩行者はこんどは疾走する路面電車をよけるようにして道路を横断した。ちなみに、大リーグのロサンゼルス・ドジャースは、以前はニューヨークのブルックリンが本拠地で「ブルックリン・ドジャース」という球団名だったが、この名称はその「よける人々（dodgers）」にちなんでつけられている（ただし、当時の人々全員が路面電車をうまくよけられたわけではない。わたしの祖父の妹は、一九一〇年代にワルシャワの路面電車にはねられて死亡した）。

そうした時代に比べ、現在、歩行者の命はドライバーや乗客の命と同様、貴重になり安全になっている。これは街灯や横断歩道、陸橋の設置、交通法の施行のおかげである。また自動車から危険なパーツが取り除かれた影響もあるだろう。ボンネットマスコット〔ボンネットの前方中央にある立体的なエンブレム〕やいわゆるダグマー・バンパー〔弾丸のような円錐形のものが二つ突き出た車体前方のバンパー〕、ほかにも歩行者にとって危ないものが除かれてきた。[図12—4]を見ると、今のア

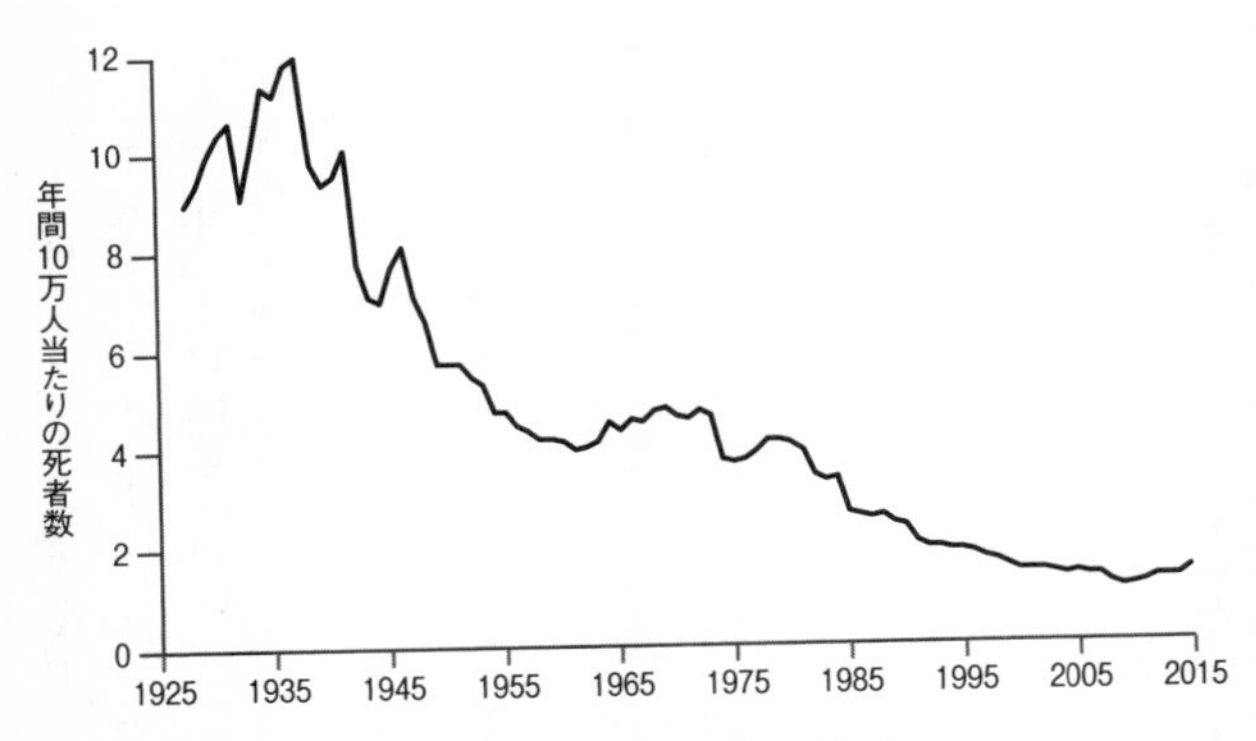

［図12－４］ **歩行者の死者数（アメリカ、1927－2015）**
情報源：米国家道路交通安全局。【1927－1984】Federal Highway Administration 2003.【1985－1995】National Center for Statistics and Analysis 1995.【1995－2005】National Center for Statistics and Analysis 2006.【2005－2014】National Center for Statistics and Analysis 2016.【2015】National Center for Statistics and Analysis 2017.

メリカの通りは一九二七年に比べて六倍安全に歩けることがわかる。

二〇一四年にアメリカで交通事故により死亡した歩行者は約五〇〇〇人だった。これはやはりショッキングな数ではある（これよりずっと多く報道されている、テロの死者数四四人と比べてほしい）。しかしかつて一九三七年には、一万五五〇〇人の歩行者が車にひかれて死亡していた。この数と比べれば状況は良くなっている。しかも当時は人口が現在の五分の二で、車もずっと少なかった。

それに、わたしたちにはもうじき大きな救いもやってくる。この本が出て一〇年以内に、ほとんどの車は注意散漫でとっさの判断に弱い人間で

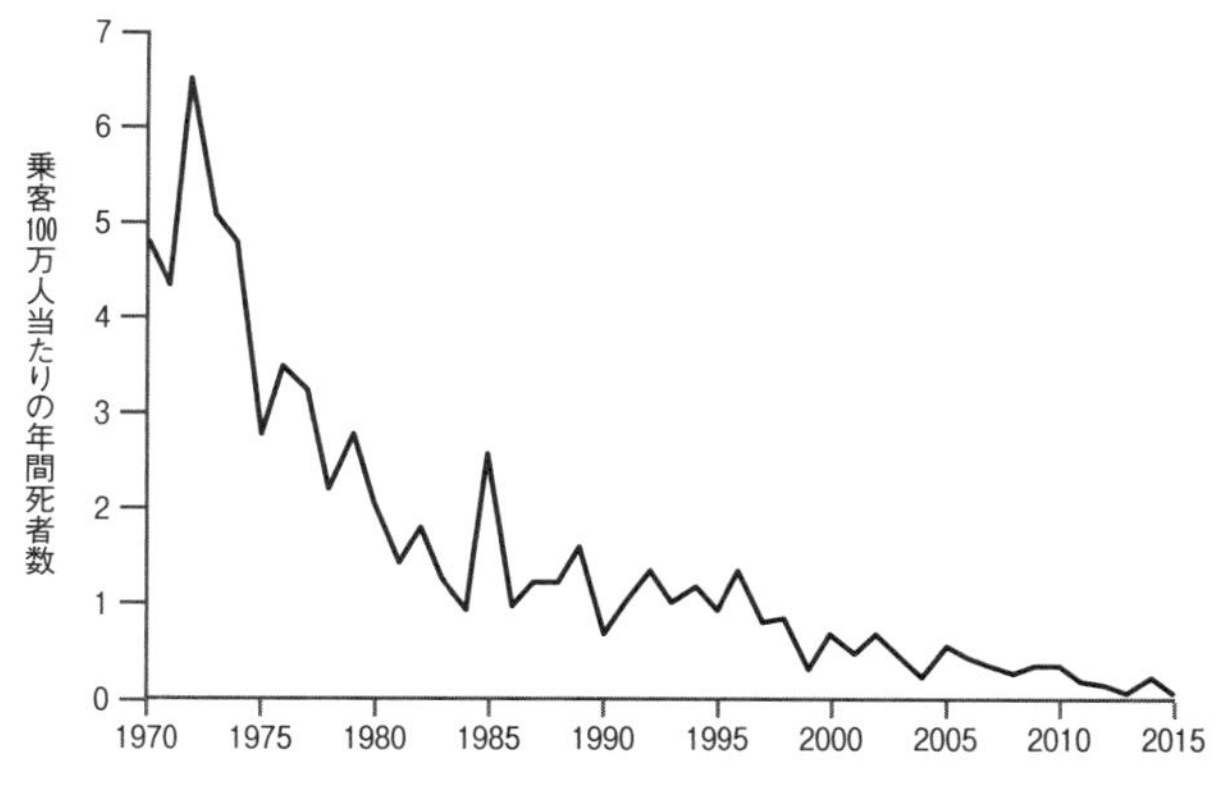

［図12-5］ **飛行機事故の死者数（1970-2015）**
情報源：Aviation Safety Network 2017. 乗客数のデータは World Bank 2016b から。

はなく、コンピューターが運転していることだろう。そうした自動運転車が普及すれば、年間で一〇〇万人以上が救われるはずである。それは抗生物質の発明以来、人類にとって何より大きな贈り物になるだろう。

飛行機についても述べておこう。リスク認知の議論では、よくこんなことがいわれる。「車に乗るのを怖がる人はほとんどいないが、飛行機に乗るのを怖がる人は多い。しかし実際には飛行機の旅のほうがずっと安全である」。そう、飛行機の旅は安全である。それでも空の安全を担う人々は決して現状に満足していない。事故があるたびにブラックボックスや機体の残骸を綿密に分析し、もともと安全だった空の旅をいっそう安全にしつづけている。［図12―5］で示すように、一九七〇年に飛行機の乗客が墜落事故で死亡する割合は一〇〇万人当たり五人以下だった。これでも十分少ない数字だが、二〇一五年には死亡率はさらにその一〇〇分の一にまで下がっている。

火事・転落・溺死の減少率も非常に大きい

「水で死ぬ者、火で死ぬ者」――ここからは日常生活での危険の減少について述べたい。自動車や飛行機が発明されるずっと昔、人々は普段の生活環境のなかで命の危険にさらされていた。社会学者のロバート・スコットは著書で中世ヨーロッパの生活を紹介するにあたり、こんな話から始めている。「一四二一年一二月一四日、イングランドの都市ソールズベリーでアグネスという一四歳の少女が重傷を負った。熱い串が胴に突き刺さったのだ[46]」（伝えられるところによると、聖オズムンドへの祈りが聞きとどけられ、少女の怪我は治った）。これは中世ヨーロッパの共同体がどれほど危険な場所だったかを示す一例にすぎない。特に小さな子どもやよちよち歩きの赤ん坊は、親が働くあいだ放っておかれて危険だった。歴史家のキャロル・ロークリフも説明する。

当時は暗い室内に雑多な物が置かれ、炉の周囲は狭かった。寝具は藁（わら）でつくられ、床はイグサで覆われていたうえ、火はむき出しだったので、好奇心旺盛な子どもは絶えず危険にさらされていた。（外で遊ぶときでさえ）子どもは危険と隣り合わせだった。農具や工具、材木の山、池、放置された小船、荷がいっぱいに積まれた荷馬車などがあったからである。こうしたものはどれも子どもの死因として、気の滅入るような頻度で検死報告書に現れてくる。[47]

また『世界子ども学大事典』（ポーラ・S・ファス編、北本正章訳、原書房）にはこんな記述もある。「ブタが赤ん坊を食べてしまう話は、チョーサーの『カンタベリー物語』（桝井迪夫訳、岩波文庫）の〈騎士の話〉にも出てくる。これは奇想天外なことに映るかもしれないが、子どもが動物に襲われる危険が日常的だった当時をほぼ忠実に反映している[48]」

子どもに限らず、大人も安全ではなかった。「一六世紀イングランドの日常生活と命にかかわる危険（Everyday Life and Fatal Hazard in Sixteenth-Century England）」というウェブサイトには、当時の検死報告書を歴史家が分析したものが毎月更新されている（このウェブサイトはダーウィン賞〔愚かな行為によって死亡したり生殖能力を失ったりした人に贈られるブラック・ユーモアの利いた賞〕のテューダー朝版としても知られている）。それによると、当時の死因には、腐ったサバを食べた、窓から家に侵入しようとして挟まって抜けなくなった、泥炭ブロックの山に押しつぶされた、かごの肩紐で首が絞まった、鵜を狩ろうとして崖から落ちた、ブタを屠殺しようとして自分がナイフの上に倒れた、などがあった[49]。また人工照明がなかったので、暗くなってから外に出ると、井戸や川、水路、堀、運河、汚水だめといったものに落ちて溺れる危険がもれなくついてきた。

今日では、赤ん坊がブタに食べられる心配はなくなったが、そのほかの危険はまだ日常生活に潜んでいる。自動車事故に次いで、死亡事故の原因として多いのは転倒・転落で、次に溺死および火災、中毒死と続く。こうしたことがわかるのは、疫学者や安全対策を担う技術者が死亡事故の原因を分類し、一覧表にしてくれているおかげである。彼らは飛行機事故調査と同じくらいの綿密さで事故を細かく分類し、多数の死者を出すのはどんな事故で、どうすればそのリスクを小さくできるのかを究明している（WHOの国際疾病分類第10版には、「転倒・転落」の項目だけで一五三種類の状況と、詳細が不明だった三九種類が掲載されている）。

そうした人々の助言によって、建築基準法などの法律が整備され、検査制度が整えられ、何かをする場合には最良の方法で実施されるようになってきた。おかげで、世界はより安全な場所になりつつある。一九三〇年代以降、アメリカ人が転倒・転落で死亡する確率は七二パーセント減少した（近年は主に体の弱った高齢者が転倒・転落で死亡）。これは柵や標識、窓の面格子、浴室の手摺が普及し、床や梯子が改良され、

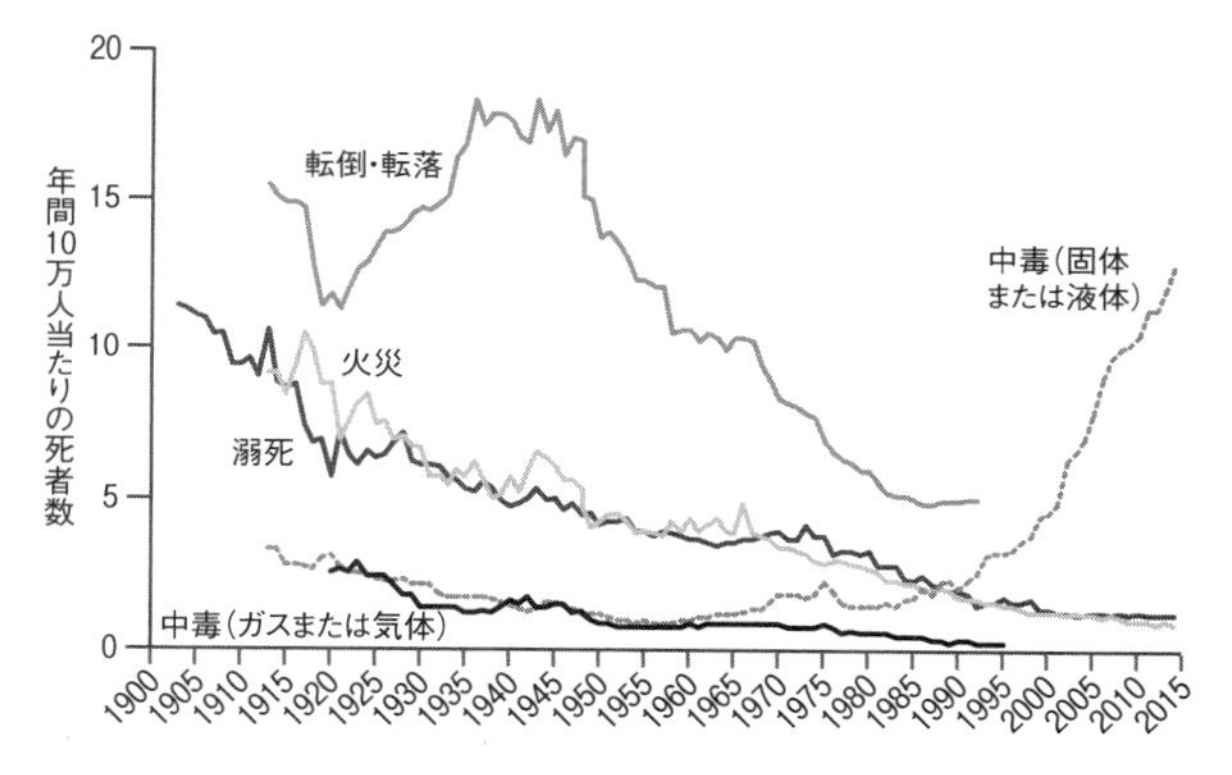

［図12－6］ 転倒・転落、火災、溺死、中毒の死者数（アメリカ、1903-2014）
情報源：National Safety Council 2016.「火災」「溺死」「中毒（固体または液体）」については1903-1998年と1999-2014年のデータセットを集計した。1999-2014年の「中毒（固体または液体）」には、ガスまたは気体による中毒も含まれている。「転倒・転落」が1992年までなのは、これ以降は集計方法が変わり、同列にできないため（詳細は本章「原注50」を参照）。

各種の安全検査が行われた結果である。また高所で作業する人々には、墜落防止のためにハーネス型安全帯の着用が広まった。［図12―6］では、主な事故原因別に一九〇三年からの死亡率の推移を示している。これを見ても、転倒・転落の死亡率の低下がわかるだろう(50)。

［図12―6］の「溺死」と「火災」は、「水で死ぬ者、火で死ぬ者」というまさに祈りの言葉どおりの死因だが、この二つはほぼ同じ線を描きながら下降している。どちらも死者数は九〇パーセント以上減少した。今日、溺れて死亡するアメリカ人が少なくなったのは、救命胴衣の着用や監視員の配置、プールの周囲への

柵の設置、水泳指導や人命救助指導といったことのおかげである。それから「小さな子どもは浴槽やトイレ、バケツのなかでさえも溺れてしまう弱い存在である」という認識が広まったことも貢献しているのだろう。

火災の炎や煙で死亡する人も減りつつある。消防隊は一九世紀に専任の職業になり、火が街全体を焼きつくすような大火災になる前に消火する任務を負った。二〇世紀半ばになると、消防署は火災の消火だけでなく、予防にも力を入れるようになった。そのきっかけは、一九四二年にボストンのナイトクラブ〈ココナッツ・グローブ〉で大火災が起き、四九二人もの死者を出すなど、いくつか恐ろしい火災が起きたことだった。消防士がまだ火のくすぶる家からぐったりとした子どもを運び出すというような、痛ましい写真の助けもあり、火災予防運動は広く全国で展開された。一九七三年には、国家防火管理委員会が「アメリカが燃えている」というタイトルの報告書を発表するなど、国の調査委員会でも火災は全国的に啓発の必要な緊急課題とされた[51]。

そうした活動のおかげで、今ではスプリンクラーや火災警報器、防火扉、非常階段、消火器があちこちに設置されている。消防訓練も、難燃性の素材の使用も広く普及した。また防火教育のために〈クマのスモーキー〉や〈消防犬のスパーキー〉といったマスコットもつくられた。こうした努力の結果、今や消防署では「消防」の仕事が減りつつある。出動要請の約九六パーセントは心停止など医療措置の必要な救急要請で、それ以外のほとんども小規模な火災である。典型的な消防士の場合、ビル火災のような大きな火事の消火に当たるのは二年に一度程度になる[52]（消防士が子猫を木の上から救助するというような心温まる話が時折報じられるが、残念ながら実際にはそれはほとんどない）。

また、ガスの中毒事故で死亡するアメリカ人も減っている。理由の一つには、一九四〇年代に家庭の調理器具と暖房器具に使用されるガスが、有害成分〔一酸化炭素〕を含む石炭ガスから毒性のない天然ガスへと移行しはじめたことがあるだろう。もう一つ、ガスコンロやガスストーブの設計とメンテナンスが改善されたことも挙げておきたい。そのおかげで、ガス器具は不完全燃焼を起こしにくくなり、室内に一酸化炭素が充満しにくくなった。さらに一九七〇年代からは、自動車の排出ガスを浄化する触媒コンバーターが設置されるようになった。これは大気汚染を減らす目的でつくられたものだが、同時に走行中の車内が付近の車両の排出ガスのせいで「動くガス室」にならないようにもしてくれた。二〇世紀全体を通して見ても、人々の意識は少しずつ向上していて、「ガレージで車のエンジンをかけっぱなしにしない」「閉めきった屋内で発電機や炭火グリル、燃焼式ヒーターを使用しない。たとえ屋外でも建物の窓の真下での使用は控える」という認識が広がった。

薬物過剰摂取事故による死者は増えている

しかし［図12―6］には、事故死の減少傾向に明らかに逆行しているものがある。「中毒（固体または液体）」の項目だ。この項目だけグラフは一九九〇年代から急激に上昇している。これは安全が強化されている社会では――車のドアがきちんと閉まり、危ないときは警報が鳴り、クッション素材が使用され、ガードレールがつくられ、そしてわかりやすい警告表示のある社会では――特異なことである。初めのうち、わたしはどうしてもその理由がわからなかった。なぜゴキブリの駆除剤を食べたり、漂白剤を飲んだりするアメリカ人が増えているのだろうか。しかしその後、事情が判明した。中毒による事故死には「薬物の過剰摂取」も含まれていたのである（いわれてみれば、歌手のレナード・コーエンの歌に「下着姿で孤独に死ぬ者／バルビツールで死ぬ者」というユダヤの祈りを下敷きにした歌詞があったではないか〔一九七四年の『Who by Fire』。バルビツール酸系睡眠薬は過剰摂取すると死に至る〕）。

二〇一三年の場合、アメリカの「中毒死」のうち九二パーセントは薬物、六パーセントはアルコールが原因であり、この二つで九八パーセントを占めていた。残りの二パーセントもほとんどがガスと気体（主に一酸化炭素）が原因だった。つまり、家庭や職場で溶剤、洗剤、殺虫剤、ライター用液体燃料を誤って口にして死亡する危険は、中毒死全体の〇・五パーセント以下ということである。［図12―6］のグラフでいえば、横軸をこする程度でしかない。[53] 小さな子どもについては、洗面台の下をあれこれ探って見つけたものを口にしてしまい、大急ぎで中毒事故管理センターに運ばれるケースもまだ見られるが、それでも死亡するケースはほとんどない。

要するに、［図12―6］で唯一上昇曲線を描く「中毒」は、日常生活の危険を減らそうという試みにおいて、人類が進歩していることを反証するものではない。しかし「薬物乱用」という別種の危険という意味では、確かに一歩後退にはなるだろう。グラフはサイケデリックな一九六〇年代に上昇が始まり、一九八〇年代のクラック流行時に再び上昇し、二一世紀に入ってからは爆発的な伸びを見せている。これはこれまでになく深刻なオピオイド中毒が蔓延しているせいだ。一九九〇年代から、医師はオピオイド系鎮痛薬（オキシコドン、ヒドロコドン、フェンタニルなど）を過剰に処方するようになった。だが、オピオイド系鎮痛薬は中毒性があるだけでなく、ヘロインに手を出す入口にもなる。合法だろうが違法だろうが、オピオイドの過剰摂取は現在大きな脅威であり、事故死のなかで「中毒死」を最大の項目に押し上げる要因になっている。二〇一六年にはオピオイドの過剰摂取による年間死者数は四万人以上に上り、交通事故の死者数を上回った。[54]

薬物の過剰摂取は依存症の問題であり、これまでに見てきた自動車事故や転倒・転落、火災、溺死、ガス中毒とは明らかに異なる現象である。それは一酸化炭素の依存症になる人などいないことや、次々と高い梯子を求める梯子依存症になる人などいないことからもわかるだろう。つまり、設備や装置を改良するといった対策は、日常生活の危険を防ぐ役には立ったが、オピオイドの乱用を食いとめるためには役に立たないということだ。

アメリカの政治家や公衆衛生当局もこの問題の大きさを把握しつつあり、対策が講じられている。具体的には、処方箋を監視する、より安全な鎮痛剤の使用を奨励する、オピオイドを過剰に供給する製薬会社を告発・処罰する、オピオイド拮抗薬であるナロキソンを入手しやすくする、依存症患者への拮抗薬投与・認知行動療法を推進する、などである[55]〔オピオイド拮抗薬は過剰摂取時の呼吸減少・停止に対処するためのほか、認知行動療法と組み合わせて依存症治療にも使われる〕。データのなかには、処方されたオピオイドが過剰摂取された件数は二〇一〇年がピークで、その後は下がりはじめているというものもある[56]（ただし残念なことに、違法なヘロインやフェンタニルはここに含まれない）。これはオピオイド対策に効果が出ている兆候かもしれない。

もう一つ記しておきたいのは、オピオイドの過剰摂取は主にアメリカのベビーブーム世代に蔓延していることである。現在、この世代は中年層に達しているが、二〇一一年の中毒死の最多年齢層は五〇歳前後だった。この最多年齢層は時代をさかのぼるごとに下がり、二〇〇三年には四〇代前半、一九九三年には三〇代後半、一九八三年には三〇代前半、一九七三年には二〇代前半となっている[57]。ちょっとした引き算をすればすぐわかるように、薬物による死亡が最多なのは、どの時代も一九五三年から一九六三年に生まれた世代である。世間的にはティーンエイジャーの行動が問題視されるのが常だが、相対的にいえば、今の子どもたちは行儀がいい。少なくとも前の世代より良くなっている。ティーンエイジャーを対象にした長期調査〈モニタリング・ザ・フューチャー〉によると、高校生のアルコール、タバコ、薬物（マリファナと電子タバコを除く）の使用は、調査が始まった一九七六年以来最も低い水準にまで下がっている[58]。

かつて「進歩の代償」とされた労働災害も減少

ここからは労働災害を取り上げよう。労働の比重が製造業からサービス業に移行した今、社会評論家の多くが工場や製造所、鉱山の時代を懐かしがったりしているが、それはおそらく工場や鉱山で働いたことがないからだろう。ここまでさまざまな身の回りの危険について説明してきたが、製造の現場にも数えきれないほどの危険がある。なにしろ工場の機械が加工前の原材料に対してできること――切断する、粉砕する、焼く、溶かす、プレス加工する、脱穀のため強打する、食肉を解体する――はどれも、機械を扱う人間にもなされうるからだ。一八九二年、当時の大統領ベンジャミン・ハリソンは「アメリカの工場労働者は戦時の兵士なみに生命と身体の危険にさらされている」と述べた。前出の図像資料コレクターのベットマンは、自身のコレクションにある、その時代の陰惨な写真とキャプションについてこう解説する。

> それによると、鉱山で働く人々は「ぽっかりと口を開けた墓穴へと、その口がいつ閉じてしまうかわからないまま、働きに下りていくようなものだった」（中略）膨らんだスカートをはいた女性労働者が安全装置のない機械の動力軸に巻き込まれ、重傷を負ったり死亡したりした。（中略）今のサーカス団員や飛行機のテストパイロットは、昔の（機関車の）ブレーキ係に比べれば命の危険はずっと小さい。なにしろ、かつてのブレーキ係は機関車の汽笛で指示されるたびに、がたがた揺れる貨車から貨車へと飛び移らなければならなかったからだ〔各車両についているハンドブレーキをそれぞれ操作する必要があった〕。（中略）死亡の可能性が高いといえば、列車の連結器の操作もそうだった。原始的なピン・リンク式の連結器では、手や指を失う危険も高かった〔車両のあいだに作業員が立って、連結器にピンを差し込む必要があった〕。（中略）労働者は電動丸ノコで体を切断されても、梁の下敷きになっても、鉱山で生き埋めになっても、機械の回転軸に巻き込まれても、いつも「運が悪かっ

た」で済まされた[59]。

「運が悪い」というのは雇用者側にとって都合のいい言葉である。この言葉は最近まで死亡事故を運命論で片づけるのに一役買っていて、死亡事故はよく運命や不可抗力のせいにされていた（ちなみに今日では、安全対策を担う技術者や公衆衛生の研究者は「accident（事故）」という言葉さえ使わない。accident は暗に「予測できない不運」を意味するからだ。accident を指す専門用語は「unintentional injury（故意ではない傷害）」になる）。

一八世紀と一九世紀になると安全対策が取られはじめ、保険制度も始まったが、そのころ守られたのは人ではなく財産だった。産業革命で負傷者や死亡者が無視できないほど増えはじめたときも、それは「進歩の代償」だとされた。「進歩」のなかに人間の幸福を入れないとは、またずいぶんと非人道的な「進歩」の定義である。人命が軽んじられていたのは、ある鉄道監督者が荷積み用のホームに屋根をつけることを拒否し、こんなふうに正当化していたことからもわかる。「屋根板より人のほうが安いんです。（中略）人が一人いなくなっても次はいくらでもいますよ[60]」。工場の生産現場でも人間は二の次だった。非人間的なペースで働かされるその様子は、『モダン・タイムス』で組立ラインに立つチャールズ・チャップリンや、『アイ・ラブ・ルーシー』

のチョコレート工場で働くルシル・ボールといった文化的アイコンが、永遠に伝えてくれている。

しかし一九世紀後半になると、そうしたひどい労働環境は変わりはじめた。最初の労働組合が組織され、ジャーナリストが問題を取り上げ、政府機関が死傷者数のデータを集めはじめるにつれ、状況は変化していった。[61] データを見ると、先ほど触れたベットマンの鉄道業務の危険さに関するコメントが、たんに写真を見ただけで書かれたのではないことがよくわかる。実際、一八八九年の鉄道乗務員の年間死亡率は一〇万人当たり八五二人、つまりほぼ一パーセント近くに上っていた。しかし一八九三年に法律が制定され、すべての貨物車両に自動空気ブレーキ〔機関車で運転士が操作するだけで各車両にブレーキがかかるためブレーキ係が不要。圧縮空気で作動し、強力〕と自動連結器〔連結器同士を接触させるだけで連結が完了するため、車両のあいだに作業員が立ち入る必要がない〕の設置が義務づけられたおかげで、死者数は減少していった。この法律は職場の安全性を改善することを目的とした最初の連邦法になる。

二〇世紀初めの〈進歩主義時代〉には、その他の職業でも安全対策が広がった。これは改革を推進する人々や労働組合、世の不正を告発しようとするジャーナリストや小説家（アプトン・シンクレアなど）が声を上げた成果だった。[62] なかでも効果が大きかったのは、ヨーロッパを手本にした法律の改正だろう。これによって雇用者の義務と労働者への補償がはっきりと規定された。それ以前は、仕事中に負傷した人やその遺族が補償を得るには訴訟を起こさねばならず、しかもたいていは負けていた。それが法律によって、「雇用者は被雇用者に対し、一定の割合で補償しなければならない」と決められたのだ。実はこうした改革は労働者だけでなく、経営側にとっても魅力的なものだった。経費が事前に予測しやすくなり、労働者も会社に協力的になったからである。また経営者と労働者の利益が結びついたことも重要だろう。労働者も経営側も労働環境をより安全にするほうが得になったし、補償を引き受けていた保険会社や政府機関もその点は同じだった。

こうして、企業は社内に安全委員会や安全部門をつくり、安全対策のための技術者を雇い、数多くの安全対策を実施した。それらは経済的、人道的な理由から行われたこともあれば、大惨事を大きく報道され、世間の非難を受けて対応した結果のこともあったが、多くの場合、訴訟や政府の規制を受けて強制的に実現された。その成果は、次ページの［図12―7］を見れば明らかだろう。[63]

二〇一五年のアメリカの労働災害による死者数は約五〇〇〇人だった。まだかなり高い数字ではあるが、それでも一九二九年の二万人と比べればはるかに少ない。しかも一九二九年のアメリカの人口は今の五分の二以下だった。これだけの減少が達成できたのは、農場や工場、店舗から事務所に至るまで、たくさんの人々が労働環境改善のために動いたおかげだろう。そして、生産量を維持しつつ人命を尊重することは、

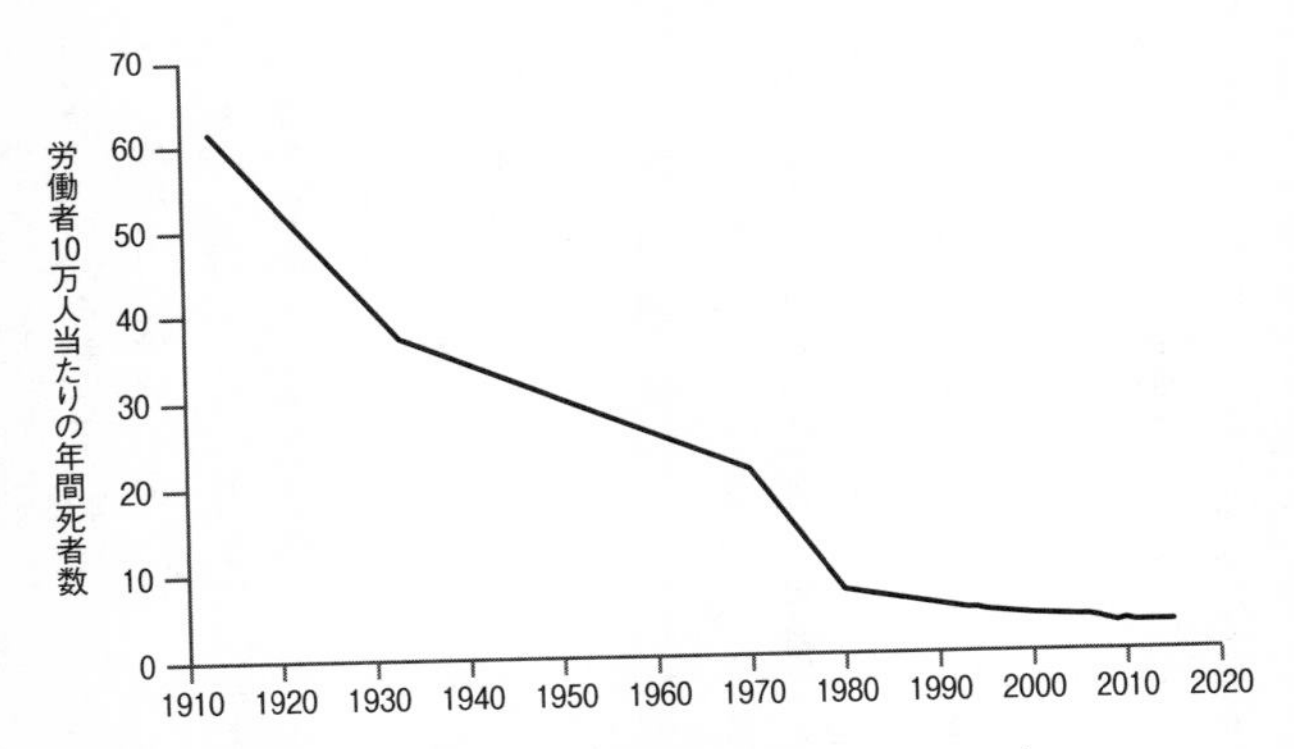

［図12-7］**労働災害による死者数（アメリカ、1913-2015）**
情報源：データは複数の情報源からとったので、基準が完全に揃っているわけではない（詳細は本章「原注63」を参照）。【1913、1933、1980】労働統計局、全米安全評議会、CDCの国立労働安全衛生研究所（それぞれCenters for Disease Control 1999で引用）。【1970】労働安全衛生局（OSHA）の“Timeline of OSHA's 40 Year History,” 〈https://www.osha.gov/osha40/timeline.html〉.【1993-1994】労働統計局（Pegula & Janocha 2013で引用）。【1995-2005】National Center for Health Statistics 2014, table38.【2006-2014】Bureau of Labor Statistics 2016a. データの後半は正規職員の死亡率が報告されていたので、0.95を掛けることで、それ以前の年とおおよその釣り合いをとっている。これは、2007年の「労働災害による死亡者センサス」にある、全労働者の死亡率（3.8人）と正規職員の死亡率（4.0人）を基準にした。

技術的に解決できる問題だとわかったおかげでもある。

地震・噴火・台風などの被害緩和策も効果発揮

「地震で死ぬ者」――自然災害についても話をしよう。人類のこれまでの努力は、法律家が「不可抗力」と呼ぶものでさえも、すなわち干魃(かんばつ)、洪水、山火事、嵐、噴火、雪崩(なだれ)、地すべり、地面の陥没、熱波、寒波、隕石の落下、それから地震でさえも、和らげることができたのだろうか？　制御しようのない自然災害も何とかできたのだろうか？　答えは次ページの［図12―8］にあるように「イエス」である。

一九一〇年代、世界は第一次世界大戦やインフルエンザの大流行〔一九一八年から一九一九年のスペイン風邪〕で大きな被害を受けたが、皮肉にも自然災害から受けた損害は比較的小さかった。その後、自然災害による死亡率はピークに達し、それから急速に低下した。それは時代が進むにつれて地震や火山の噴火が起きなくなり、隕石が落下しなくなったという奇跡に恵まれたから、というわけではない。社会が豊かになり技術が発達したおかげで、自然災害が人に甚大な被害をもたらすのを防げるようになったからである。

たとえば、今は地震が起きても、崩れたレンガの下敷きになる人や大火災で焼死する人は少ない。雨が降らなくても貯水池に溜めた水を使えるし、猛暑や極寒のときに

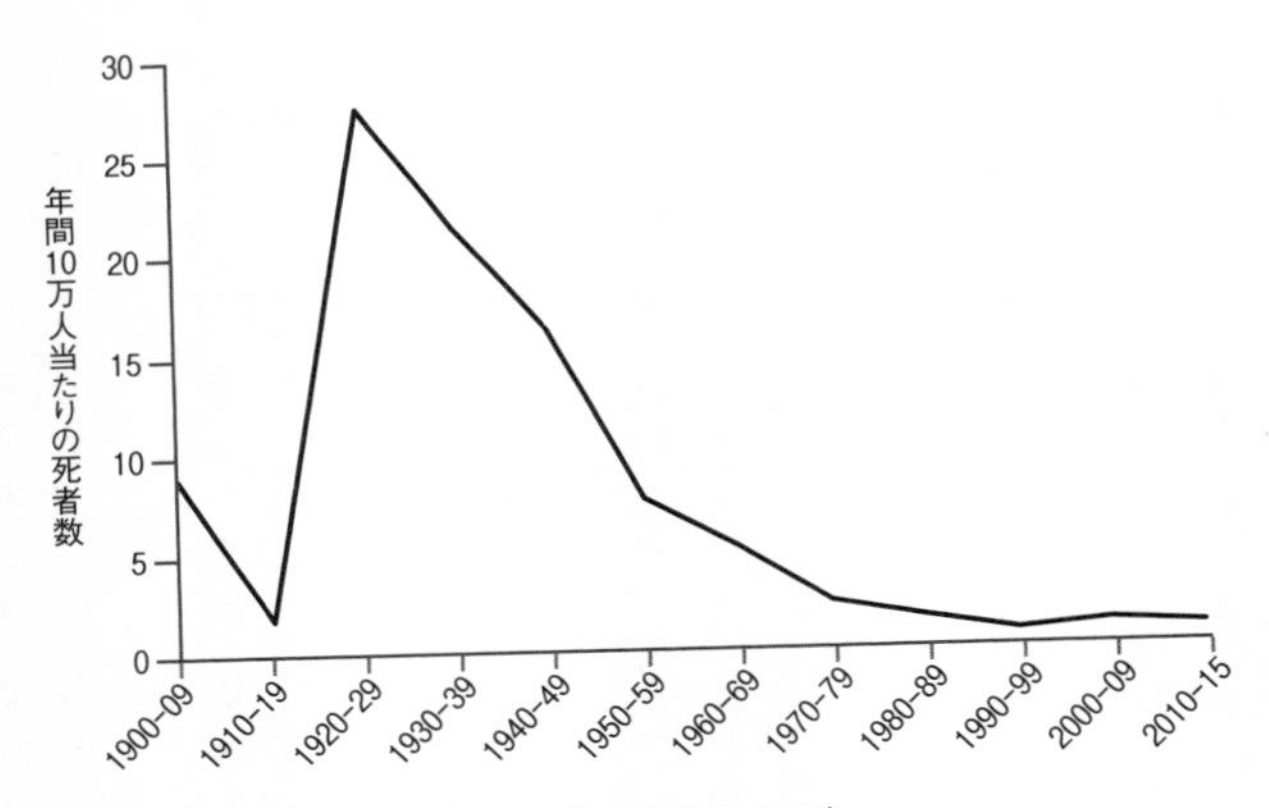

［図12-8］ **自然災害による死者数（1900–2015）**
情報源：*Our World in Data*, Roser 2016q, EM-DAT（国際災害データベース）〈www.emdat.be〉のデータに基づく。グラフは次の死亡率を合計した。干魃、地震、異常高温・異常低温、洪水、隕石の衝突、地すべり、（乾燥状態での）マスムーブメント〔斜面が崩れる現象〕、嵐、火山活動、山火事（伝染病は除いた）。多くの年代で、単一の災害が死亡原因の大半を占め、1910年代、1920年代、1930年代、1960年代では干魃が、1930年代と1950年代では洪水が、1970年代、2000年代、2010年代では地震が最大の死因となっている。

は空調設備のある室内で過ごすことができる。川が土手を越えて氾濫しても、飲み水は生活排水や工場の廃水から守られている。そもそも飲料水や灌漑水を貯蔵するダムや堤防があれば――それがきちんと設計され建設されていれば――洪水は起こりにくい。またサイクロンや台風が発生しても、早期警戒システムのおかげで上陸前に安全な場所へと避難できる。地球科学はまだ地震を予測することはできないが、火山の噴火は予測できることが多いので、環太平洋火山帯やその他の断層系付近に住む人々に、避難するようあらかじめ呼びかけることができる。もちろん、豊かな世界になればなるほど、多くの負傷者を救出して手当てすることができ、再建もまた早くなる。

今日、自然災害に弱いのは貧しい国々である。二〇一〇年のハイチ地震では二〇万人以上が死亡したが、これに対してその数週間後にチリで起きた地震は、さらに規模の大きな地震だったにもかかわらず、死者は五〇〇人だった。ハイチはハリケーンの被害も大きく、死者数は隣国のドミニカ共和国の一〇倍にも上る。ドミニカ共和国はハイチとイスパニョーラ島を分け合う国だが、経済的にはハイチより恵まれている。ここからわかる良いニュースは、貧しい国々も豊かになるにつれて安全性が増すということだ（少なくとも、経済発展が気候変動のペースを上回っているかぎりはそうなる）。低所得国の自然災害による年間死亡率は、一九七〇年代には一〇万人当たり〇・七人だったが、今日では〇・二人に下がっている。〇・二人というのは、一九七〇年代の中所得国のなかの上位国よりも低い数値である。確かに現在の高所得国の死亡率（〇・〇九人から〇・〇五人に下がった）と比べればまだまだ高いが、天災という〝神の怒り〟から身を守るという意味では、豊かな国も貧しい国も前進できている。[64]

では、まさに「天災」と呼ぶのにふさわしいもの、ゼウスがオリュンポス山から投げたというあの現象についてはどうだろうか？　死は予期できないという慣用句にも

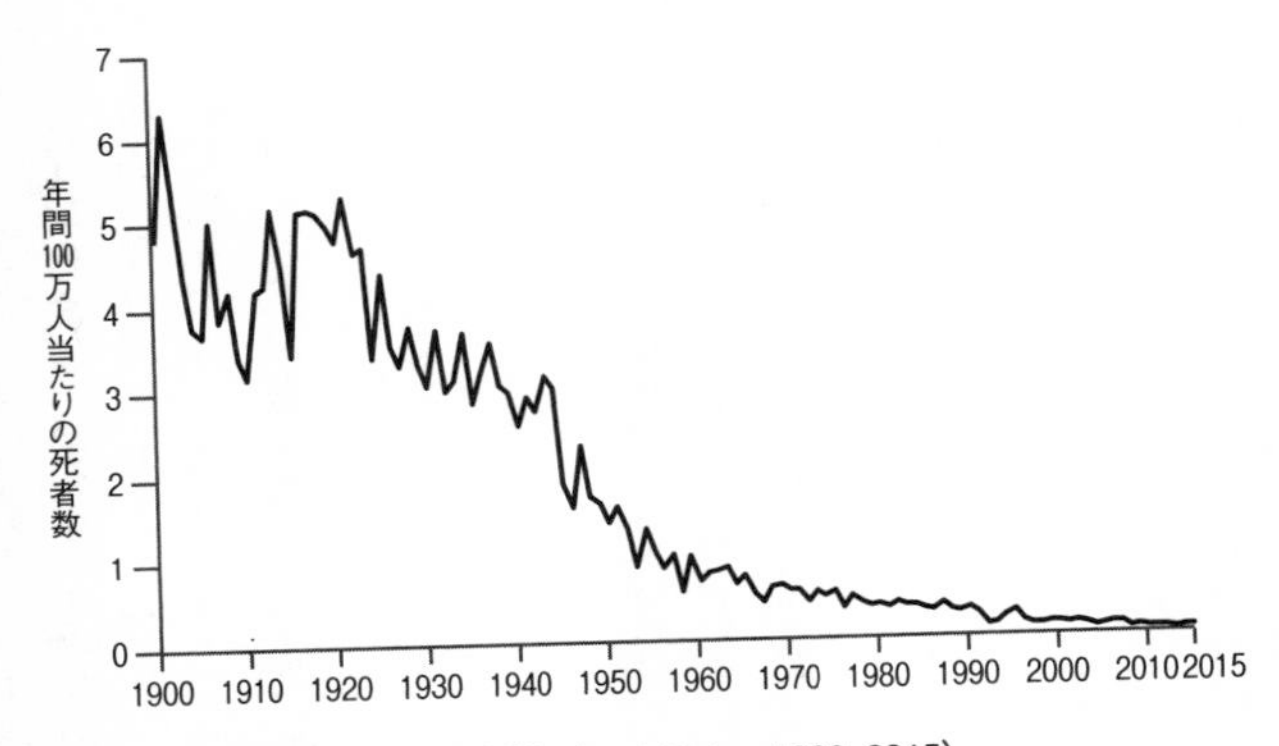

［図12-9］**落雷による死者数（アメリカ、1900-2015）**
情報源：*Our World in Data*, Roser 2016q, アメリカ海洋大気庁（NOAA）〈http://www.lightningsafety.noaa.gov/victims.shtml〉とLópez & Holle 1998のデータに基づく。

使われ、ずばり「青天の霹靂（へきれき）」ともいわれるもの――そう、雷である。［図12－9］では、アメリカでの雷による死者数の推移を示した。

ごらんのとおり、アメリカ人が雷に打たれて死亡する確率は、二〇世紀に入って以来低下傾向にあり、三七分の一にまで下がっている。これは都市化が進み、天気予報や安全教育、医療、電気設備が発達したおかげである。

事故も殺人も減らせる。
その減少にもっと感謝を

以上のように、人類は日々の危険を克服してきた。しかしそれに対する評価は、数ある進歩のなかでも特に低い（本章の草稿を読んだ人のなかには、進歩に関する本にこの章は必要なのかといぶかる人もいた)。大きな戦争は別として、事故は最も多く人命を奪う原因であるが、これについてわたしたちが道徳的レンズを通して考えることはほとんどない。「事故は起こるもの」という言葉で済ませてしまう。だが、もしわたしたちが道徳的ジレンマに直面したとしたら、どうだろうか。

たとえば「わたしたちはマイカーを心地よいスピードで運転しているが、その代償として年間一〇〇万人の死者と数千万人の負傷者を出している。それでいいのだろうか」と問われることがあったなら、「それでいい」と答える人はまずいないにちがいない。しかし実際にはそうした問いかけはなされていないので、わたしたちは暗黙のうちに恐ろしい選択をしている。(65) 確かに、ある問題が道徳的に取り上げられ、それに対する運動が盛りあがることはある。特に大きなニュースになり、犯人(欲深な工場所有者や怠惰な役人など)が見つかったりすると、その機運は高まる。だがそうした動きはすぐにしぼみ、また「生きるも死ぬも運しだい」という考え方に戻ってしまう。

人は事故を残酷なものと考えない傾向がある(少なくとも自分が事故に遭わなければ)。そのため、たとえ事故が減って世の中が安全になっても、それを道徳的な勝利だとはみなさない。しかしこれまでに何百万もの命が救われ、もろい人間の体が傷害から守られ、苦しみが大きく減らされたことには、きちんとした理由がある。わたしたちはそのことに感謝すべきではないだろうか。それはまた、何より道徳が問われる行為、殺人についても当てはまる。根本原因を解決しなければ殺人は減らないという、一般的な見解と真っ向から対立する理由で、殺人発生率は急激に下がっている。

そのほかの進歩と同様、安全性の向上にもそれを率いた中心人物はいる。だがそれ以外にも実に多様な人々が社会の安全を推し進めてきた。草の根運動家、温情主義の立法者、名を知られることのない発明家、技術者、政策通、統計学者。今の安全はそういった人々が同じ方向へと少しずつあと押しした結果である。わたしたちはたまに警報の誤作動にイライラしたり、国の過保護すぎるお節介に辟易してしまう。それでも技術の恩恵を受けているおかげで、生命と身体に危険を感じずにすんでいる。

啓蒙主義というサーガを語るなかで、シートベルトや煙探知機や犯罪多発地域の警察活動の物語が出てくることはあまりない。しかし、こうしたものが実は啓蒙主義の深層にある主題を体現している。誰が生き、誰が死ぬのかは〝命の書〟には記されていない。それは人間の知識と行動にかかっている。なんといっても、世界への理解は知性の光によってますます深まり、人の命はいっそう貴重になったのだから。

第一三章　テロリズムへの過剰反応

テロの危険は非常に過大評価されている

わたしたちは歴史上最も安全な時代を生きている。前章でそう書いたとき、この言葉が疑念を引き起こすことは十分予想できた。昨今、テロリストの残虐な殺傷行為が大々的に報道され、世の中の不安が高まっているからだ。そのせいで「わたしたちは再び危険な時代を生きている」という錯覚も強まった。二〇一六年の世論調査では、アメリカ人の大多数が国の直面する最重要課題にテロリズムを挙げ、家族や自分がテロの犠牲にならないか不安だとした。そしてＩＳＩＳをアメリカの存在、存続に対する深刻な脅威とみなした。[1] こうしたテロへの恐怖は、世論調査の電話をそそくさと終わらせようとしたであろう一般市民だけではなく、著名な知識人たちの頭も混乱させた。特に西洋文明は崩壊寸前であるという兆候に飢えていた文化悲観論者たちは、ここぞとばかりに動揺した。たとえば政治哲学者のジョン・グレイは自他共に認める進歩嫌いだが、現在の西ヨーロッパ社会は「暴力闘争の地」であり「平和と戦争の境界は致命的なほど曖昧になっている」と述べた。[2]

しかしもちろんそんなものは錯覚にすぎない。テロリズムというのは、少ない被害で大きな恐怖を引き起こすという点で独特な危険要因だからだ。テロに関しては、これまでに説明した病気や飢え、貧困、戦争、暴力犯罪や事故のような長期的な減少が見られない以上、進歩の例とみなすことはできない。とはいえテロリズムが進歩を正しく評価するのを邪魔していること、テロリズムとはある意味では進歩に対する賛辞の裏返しであることは示しておきたい。

ジョン・グレイは暴力に関する現実のデータを「魔除け」だの「数の魔法」だとしてあくまで突っぱねたが、しかし、彼はなぜそこまで数字音痴にならないといけなかったのだろうか。その答えは、［表13―1］を見るとわかる。悲観的な主張を展開するには、イデオロギー的な理由から数字音痴のふりをせざるをえなかったということだろう。この表には、テロリズム・戦争・殺人・事故という四つのカテゴリーの各死者数と、すべての死因を合計した総死者数が示されている（二〇一五年のデータ。これが入手できる最新データだった）。これをグラフにすることができないのは、グラフだとテロによる死者数が小さな点にしかならないからだ。

まずアメリカから見てみよう。表を見れば一目瞭然だが、二〇一五年のテロによる

[表13-1] テロリズム、戦争、殺人、事故による死者数

	アメリカ	西ヨーロッパ	世　界
テロリズム	44	175	38,422
戦　争	28	5	97,496
殺　人	15,696	3,962	437,000
自動車事故	35,398	19,219	1,250,000
すべての事故	136,053	126,482	5,000,000
総死者数	2,626,418	3,887,598	56,400,000

「西ヨーロッパ」の定義はグローバル・テロリズム・データベースにならい、24カ国を含む。2014年の人口は4億1824万5997人（Statistics Times 2015）。アンドラ、コルシカ、ジブラルタル、ルクセンブルク、マン島は除外した。

情報源：【テロリズム(2015)】National Consortium for the Study of Terrorism and Responses to Terrorism 2016.【戦争（アメリカと西ヨーロッパ〔イギリス＋NATO〕、2015)】iCasualties.org, 〈http://icasualties.org/〉【戦争（世界、2015年)】*UCDP Battle- Related Deaths Dataset*, Uppsala Conflict Data Program 2017.【殺人(アメリカ、2015)】Federal Bureau of Investigation 2016a.【殺人（西ヨーロッパと世界、2012またはデータが入手できた最新の年)】United Nations Office on Drugs and Crime 2013. ノルウェーのデータにウトヤ島のテロ事件は含まない。【自動車事故、すべての事故、総死者数(アメリカ、2014)】Kochanek et al. 2016, table 10.【自動車事故（西ヨーロッパ、2013)】World Health Organization 2016c.【すべての事故（西ヨーロッパ、2014またはデータが入手できた最新の年)】World Health Organization 2015a.【自動車事故とすべての事故（世界、2012)】World Health Organization 2014.【総死者数（西ヨーロッパ、2012またはデータが入手できた最新の年)】World Health Organization 2017a.【総死者数（世界、2015)】World Health Organization 2017c.

死者数はそれ以外の死因——大幅に苦痛が少ないか苦痛のない死因——の死者数と比べ、ごくわずかである（二〇一四年のテロによる死者数はさらに少なく、一九人だった）。そもそも「四四人」は多めに数えられた数字である。このデータはグローバル・テロリズム・データベースのものだが、そこではヘイトクライムやほとんどの銃乱射事件も「テロ」に分類されているからだ。また、四四人という数字はアフガニスタンとイラクで死亡した兵士の数とほぼ同数になるが（二〇一四年は五八人、二〇一五年は表にあるとおり二八人）、兵士の命を軽んじる長年の風潮もあり、戦死者数はあまり報道されることがない。

次に表の「殺人」以下の項目を見ると、二〇一五年のアメリカ人はテロで死亡する可能性に比べ、殺人事件（警察が把握しているもの）で死亡する可能性は三五〇倍以上、自動車事故で死亡する可能性は八〇〇倍以上、あらゆる種類の事故で死亡する可能性は約三〇〇〇倍高いことがわかる（ちなみに、年間に四四人以上の死者数を記録する事故には、「落雷」「熱湯を浴びる」「スズメバチ、ジガバチ、ミツバチに刺される」「犬を除く哺乳類に咬まれる、または襲われる」「入浴中または湯船に転落したさいに溺れて沈む」「パジャマを除く衣類の着火または溶解」などがある[3]）。

次に西ヨーロッパを見ると、二〇一五年のテロによる死者数は一七五人で、アメリカに比べればテロの相対的リスクは高かった。これは一つには、西ヨーロッパにとって二〇一五年がいわゆる〝アンヌス・ホッリビリス〟〔ラテン語で「恐怖の年」の意〕で、パリのシャルリ・エブド本社やバタクラン劇場への襲撃など、パリとパリ郊外の複数箇所がテロ攻撃に遭ったせいである（前年二〇一四年のテロによる死者は五人だった）。またテロのリスクが比較的高いということは、裏を返せばその他の面で西ヨーロッパがいかに安全かを示すものでもある。殺人はアメリカより少なく（殺人発生率は約四分の一）、アメリカ人ほど車好きでもないので交通事故死も少ない(4)。二〇一五年の西ヨーロッパはテロに目が向きやすかったが、それでもテロ攻撃よりも殺人で死亡する確率のほうが二〇倍以上高く（その殺人自体もそう多くない）、自動車事故で死亡する確率はテロの一〇〇倍以上、何らかの事故（圧迫、中毒、火傷、窒息など）で死亡する確率は七〇〇倍以上も高かった。

テロによる死者の大半は内戦地域に集中している

「世界」に目を移すと、欧米諸国はテロの被害を受けているとはいえ、世界のその他の地域に比べれば安全なことがわかる。アメリカと西ヨーロッパは合わせると世界人口の約一〇パーセントを占めるが、二〇一五年のテロによる死者数は世界全体からすると〇・五パーセントほどでしかない。これは欧米以外の地域でテロが主な死因になっているからではなく、むしろアメリカと西ヨーロッパではもう戦争が起きていないということから説明できる。なぜならテロリズムとは現在の定義によれば、その大部分が戦争関連の現象を指すからだ。たとえば以前は「暴動」や「ゲリラ戦」と呼ばれていた暴力は、二〇〇一年九月一一日の同時多発テロ以降、「テロリズム」に分類されることが多くなった[5]（この点からすると、グローバル・テロリズム・データベースがベトナム戦争の最後の五年間に死亡した人々の死因を「テロリズム」としていないのは信じがたい[6]）。

そうした定義もあり、テロによる世界全体の死者数は、現在その大半が内戦地域に集中している（イラク：八八三二人、アフガニスタン：六二〇八人、ナイジェリア：五二八八人、シリア：三九一六人、パキスタン：一六〇六人、リビア：六八九人）。また内戦地域では、テロによる死者は二重に数えられ、戦争が原因の死者ともされている。内戦中の「テロリズム」とは結局、政府以外の集団による戦争犯罪――一般市民への計画的な攻撃――だからである（右の六つの内戦地域の死者数を除くと、二〇一五年のテロによる死者数は一万一八八四人になる）。しかし、「テロ」と「戦争」の死者数が二重に数えられていてさえ（しかも二〇一五年の戦争による死者数は二一世紀中最悪だったにもかかわらず）、世界規模で見ても、殺人が原因で死亡する確率はテロより一一倍も高い。自動車事故で死亡する確率はテロの三〇倍以上、その他の事故で死亡する確率は一二五倍以上である。

では、死者数はともあれ、テロの件数そのものは時代とともに増加しているのだろうか。これについては、テロの歴史的な傾向をとらえるのは難しいというしかない。なぜなら「テロリズム」というのは伸縮自在のカテゴリーで、その傾向線はデータに何を含むかによって違ってくるからだ。内戦中の犯罪や多様な殺人行為（強盗やマフィアの襲撃で複数人が射殺されるケースなど）を含むのか。あるいは犯人が自殺した大量殺人事件を含むのか。その大量殺人事件にしても、あらかじめ何らかの政治的不満が表明されていたかどうかによって、データに含まれたり含まれなかったりする（たとえばグローバル・テロリズム・データベースには、一九九九年のコロンバイン高校銃乱射事件は含まれるが、二〇一二年のサンディフック小学校銃乱射事件は含まれない）。加えて、大量殺人事件というのはメディアの影響で起こる場合もあり、報道されると模倣者が出てくるため、数の変動が大きい。ある事件が起きるとその影響が消えるまで、しばらくは類似の事件が誘発されてしまう[7]。アメリカの場合、「銃乱射事件」（公共の場での銃による無差別殺戮）の数は二〇〇〇年以降、増加する傾向が見られるが、その一方「大量殺人」（一度に四人以上が死亡した事件）の数は一九七六年から二〇一一年まで特に大きな変化は見られない（むしろわずかに減少している）[8]。［図13―1］は、人口一〇万人当たりのテロによる死者数の推移である。アメリカだけでなく、西ヨーロッ

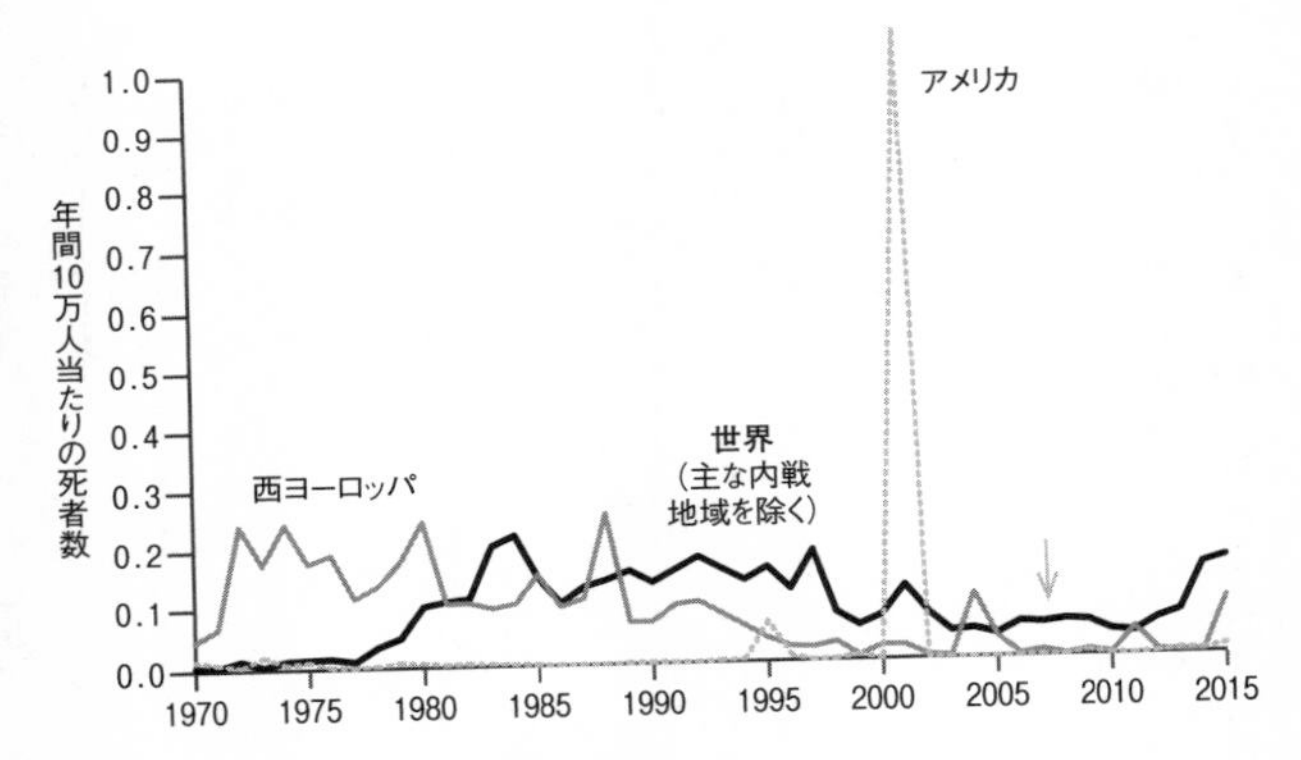

［図13-1］ **テロによる死者数（1970-2015）**

情報源：グローバル・テロリズム・データベースのNational Consortium for the Study of Terrorism and Responses to Terrorism 2016,〈https://www.start.umd.edu/gtd/〉. 世界の死亡率から次のデータは除いた。2001年以降のアフガニスタン、2003年以降のイラク、2004年以降のパキスタン、2009年以降のナイジェリア、2011年以降のシリア、2014年以降のリビア。世界と西ヨーロッパの推定人口は国連の世界人口推計2015年改訂版〈https://esa.un.org/unpd/wpp/〉を、アメリカの推定人口はUS Census Bureau 2017を参照した。矢印は、Pinker 2011の［図6-9］［図6-10］［図6-11］で最新年だった2007年を示している。

パと世界のデータも示した。

グラフのなかで突出している部分は、二〇〇一年のアメリカである。この年、9・11で約三〇〇〇人が死亡した。ほかにアメリカでは、オクラホマシティ連邦政府ビル爆破事件（一六五人が死亡）のあった一九九五年にグラフが上昇しているが、それ以外の年ではほとんど上下は見られない。[9]一九九〇年以降、9・11とオクラホマシティの事件を除いて、極右勢力によるテロで死亡したアメリカ人の数は、イスラム原理主義グループによるテロの約二倍に上る[10]。

次に、西ヨーロッパを見ると、グラフは二〇一五年に上昇しているが、それ以前の一〇年間は比較的なだらかである。二〇一五年についても、これまでで最悪の死亡率だったわけではなく、一九七〇年代と八〇年代の数字はもっと高かった。この時期は、マルクス主義者や分離主義者のグループ（アイルランド共和軍〈ＩＲＡ〉やバスクの武装組織〈ＥＴＡ〉など）が絶えず爆破事件や銃撃事件を引き起こしていたからだ。

世界全体では、グラフは一九八〇年代と九〇年代にはジグザグの線を描きながらも横ばい状態が続いている（第一一章で説明した、主な内戦地域における近年の死者数は除いた）。世界全体のテロによる死亡率は冷戦終結後しばらくして下降し、最近になって上昇したが、それでも過去数十年の水準は下回っている。つまりテロによる死者数が示していたのと同じく、歴史的傾向もまた、わたしたちが再び危険な時代を生きているという恐れは間違いだと示しているということである。特に欧米には当てはまらない。

テロの目的は注目を集めること。実際は無力だ

テロはその他のリスクに比べればごく小さな危険しかもたらさない。にもかかわら

ず、引き起こされるパニックや不安が大きいのは、それこそがテロの狙いだからである。その意味では、現代のテロとはメディアが広く普及した副産物ともいえるだろう[11]。テロを目論む集団または個人は、一瞬だけでも世間の目を引こうとして、確実に注目を集める手段に――つまり罪のない人々を殺害するという手段に――訴える。しかもニュースを目にする人々が自分もそうなるかもしれないと想像しやすい状況を選んでテロを起こす。するとメディアはまんまとその餌に飛びつき、残酷さを強調して報道する。それを見た人々は利用可能性バイアスに侵食され、こうして実際の脅威のレベルに見合わない大きな恐怖に襲われる。

恐怖をかきたてられるのは、出来事の恐ろしさが突出しているせいだけではない。そこに悪意があることも関係している。ある悲劇が偶然の不幸ではなく、意図的な悪意によって起こされたとき、わたしたちは感情をはるかに強く揺さぶられるからだ[12]（かくいうわたしも、よく訪れるロンドンで、「ラッセル・スクウェアで刃物による〝テロ〟攻撃：女性が死亡」という見出しを見たときはかなり動揺した。それに引き換え「オックスフォード・ストリートで著名美術品収集家がバスにひかれて死亡」という見出しの場合はそうでもなかった）。しかしなぜそうなるのか。それは、自分を殺そうとしている人間がいると思うと、何か独特な不安を感じるからである。これは進化的な理由からして当然だろう。偶発的な死因の場合は意図的に殺されるわけではなく、こちらがどんな反応をするかも気にされない。しかし、悪意をもった人間はこちらを殺そうと知恵をめぐらせている。そうなると、こちらも対抗して身構えざるをえず、その結果不安が生じるのである。[13]

テロリストとは意思をもたない危険要因ではない。目的を遂行しようとする人間である。そうだとすれば、彼らが小さい被害しか与えられないにもかかわらず、やみくもに不安になるのは、はたして理性的な態度だろうか。たとえば独裁者が反体制派を処刑した場合には、犠牲者の数がテロと同じくわずかでも、わたしたちが怒りを覚えるのは正しい態度である。テロと違って、独裁者の暴力は死者数に釣り合わないほど大きな戦略的効果があるからだ。粛清は体制に対する主要な脅威を排除すると同時に、生き残った人々からは体制を転覆しようとする意思を奪う。対して、テロとはいうまでもなく無差別に人を殺すものである。そのため直接的な被害は別として、テロの客観的な意味合いはその無差別殺戮によって何を果たそうとしたか、つまりは目的によって変わってくる。

多くのテロリストにとって、テロの目的は世間の注目を集めることそのものでしかない。法学者のアダム・ランクフォードは「自爆テロ／銃の乱射／殺人を伴うヘイトクライム」という相通じる三つのカテゴリーについて、犯人の動機を分析した（一人で過激化した〝一匹オオカミタイプ〟と、首謀者にリクルートされた〝使い捨て要員〟の両方を含む)[14]。それによると、犯人はいわゆる負け組で孤独を好む傾向があり、その多くが精神疾患を抱えているが治療は受けていない。何かへの敵意に駆られていて、復讐したい、承認されたいと考えている。そうして、ある者は自身の敵意をイスラム原理主義思想と一体化させ、ある者は自身の恨みを「人種戦争を始める」「連邦政府、税制、銃規制法に対する革命」などという漠然とした動機と一体化させた。犯人にとって多くの人間を殺すことは、たとえ期待だけに終わるとしても、有名人になれる機会だった。また栄光の炎のなかで死ぬのは、大量殺人事件の犯人になるという、その後の厄介な事態に向き合わずにすむということでもあった。楽園を約束されていること、さらにはその大量殺戮がより大きな善を実現するために必要だと理屈づけるイデオロギーが、死んで名声を得るという行為をいっそう魅力的に見せていた。

テロリストには武装グループに属する者もいるが、武装グループの場合もやはり自分たちの目的に注意を引こうとする。この場合の目的は、「政府に政策を変えさせる」「政府を挑発して極端な反応を引き出し、それによって同調者を増やす、あるいは自分たちが活動できる無法地帯を生み出す」「政府には国民を守れないという印象を広めることで政府を弱体化させる」といったものである。しかし、テロという手段は実際には無力である。わたしたちはテロリストが「アメリカの存在と存続を脅かしている」と結論する前に、テロがどれだけ無力かを胸に刻むべきだろう[15]。

歴史学者のユヴァル・ノア・ハラリは、テロは軍事攻撃の対極にあるものだとする。ただ注目を集めたいテロと違って、軍事攻撃とは敵が反撃したり優勢に立ったりする能力を現実に打ち砕こうとするものだから だ[16]。一例を挙げると、一九四一年に日本軍が真珠湾を攻撃したあと、アメリカには応戦しようにも東南アジアまで送る艦隊は残されていなかった。これがもし日本の選んだ手段がテロ攻撃だったなら——たとえば旅客船に魚雷攻撃をしかけていたなら——無謀としかいいようのない戦法だったろう。アメリカはただちに無傷の艦隊で反撃に向かっていただろうからだ。

ハラリによると、テロリストは弱い立場にあるため、狙っているのは物理的な損害ではなく、演劇的効果である。実際、二〇〇一年九月一一日の同時多発テロでほとんどの人の記憶に焼きついているのは、国防総省(ペンタゴン)が攻撃されたことよりも、世界貿易センターのツインタワーに旅客機が激突したことのほうだろう。確かにアルカイダはペンタゴンへの攻撃によって敵の軍司令部を一部破壊し、司令官や分析官を殺害することに成功したが、わたしたちの記憶にはブローカーや会計士など多数の民間人が死亡したことのほうが、より強烈に刻まれている。

また、どれだけテロリストが望みをかけようが、テロという小規模な暴力では望みのものを得られることはほとんどない。政治学者のマックス・エイブラハム、オードリー・クローニン、バージニア・ページ・フォートナがそれぞれ別個に、一九六〇年代以降の数百件のテロ活動組織について調査したところ、そのどれもが消滅させられたか、戦略目的を達成できないまま衰え消えていた[17]。

テロへの恐怖は、世界が安全である証しでもある

実のところ、人々の意識のなかでテロへの恐怖が高まっているのは、世界がどれほど危険になったかを示すものではない。むしろその逆である。政治学者のロバート・ジャーヴィスは、テロが脅威のトップに位置するのは「治安に関する環境が著しく向上したことが一因である[18]」とする。これはつまり、国家間の戦争がまれになっただけではなく、国内で政治的暴力が行使されることも少なくなっていることを意味する。ユヴァル・ノア・ハラリもこう指摘する。中世には貴族やギルド、町、さらには教会や修道院に至るまで、社会のあらゆるセクターが独自の軍事組織をもち、自分たちの利益を武力によって守っていた。「もし一一五〇年に少数のイスラム過激派がイスラエルで一握りの市民を殺害し、十字軍に『聖地から出ていけ』と要求したなら、恐れられるよりむしろ嘲笑を受けただろう。当時、要求を真面目にとりあってもらいたいなら、少なくとも要塞で守られた城の一つか二つは攻め落とさなければならなかった」

近代国家は軍事力を独占することに成功した。おかげで領土内での殺人発生率は下がったが、同時にテロが入りこむ隙間をつくることにもなった。ハラリは書く。

国家は「領土内での政治的暴力は容認しない」と何度も強調してきたため、どのようなテロ行為だろうと断罪する以外に選択肢がない。一方、国民は政治的暴力がまったくない状態に慣れているため、惨劇を目の当たりにすると、無秩序状態に対する本能的恐怖を呼び覚まされる。社会の秩序が根本から崩れかけていると感じてしまう。何世紀もの血塗られた争いを経て、わたしたちはようやく暴力というブラックホールから這い出てきた。だが、今でもそのブラックホールはすぐそこにあって、再び自分たちを呑み込もうとして待ちかまえているように感じている。そのせいで、わずかな数のテロが起きただけで、またブラックホールに落ちていると思ってしまうのである。[19]

もし国家が「いつどんな場所であろうと、あらゆる政治的暴力から国民を守る」という果たしえないことを果たそうとすると、テロリストと同様、国家のほうも演劇的なやり方で、テロに応じやすくなる。しかし、国のそういった過剰反応は、テロがもたらす影響のなかでも何より損害が大きい。そのことをよく示すのは、9・11後、アメリカが主導してアフガニスタンとイラクに侵攻したことだろう。

過剰反応よりむしろ、国家は情報収集力と分析力という国としての最大の利点を駆使してテロに対処すべきである。なかでも数字に関する情報は重視したい。国の最も重要な目的は、テロの数字を少なく抑えつづけることだろうからだ。そのためには大量破壊兵器がテロリストの手に渡らないようにしなければならない（第一九章）。また、罪なき人々への暴力を正当化するイデオロギー（戦闘的な宗教やナショナリズム、マルクス主義など）には、それを上回る価値観や信念が支えるシステムで対抗できるだろう（第二三章）。

メディアのほうは、テロというショービジネスを伝えるさい、自分たちの本来の役割を検証するようにすべきである。たとえば報道の焦点をテロの客観的な危険に絞り、メディアが意に反してテロリストにインセンティブを提供してしまっていることについてもっと考察するといいだろう（これに関連して、アダム・ランクフォードは社会学者のエリック・マドフィスとともに、銃乱射事件の指針としてこう勧める。「名前は出さず、顔も出さない。ただしそれ以外はすべてを伝える」。これは未成年の銃撃犯に対してカナダですでにとられている方針と、メディアに自制を促す戦略に基づいて策定された[20]）。ほかにもテロ対策として、政府は諜報活動を強化して、テロリストのネットワークや資金の流れを秘密裏に断つこともできるだろう。

そして一般の人々にはこう勧めたい。「冷静さを保ち、いつもどおりの生活を続けよう」。ご存知のとおり、これは第二次世界大戦の直前、現在よりもずっと危険な時代に、イギリス政府がポスターで国民に促した言葉である。

テロは小規模な暴力なので、戦略目的を達成できる力をもたない。そのため、局地的に恐怖と苦痛をもたらすことはあっても、長期的に見れば徐々に治まりつつある。[21]振り返れば、一九世紀末から二〇世紀初めの無政府主義（アナーキズム）は爆破と暗殺を繰り返したのちに消え、二〇世紀後半のマルクス主義や分離主義のグループもやはり消えていった。二一世紀のISISも将来的にはほぼ確実に消滅するだろう。テロによる死者数をゼロにすることはできないだろうが（とはいえ今もその数は十分に少ない）、覚えておきたいのは、テロに恐怖を覚えることは、社会がどれほど危険になったかを示すものではないということだ。それはむしろ社会がどれほど安全になったかを示している。

第一四章　民主化を進歩といえる理由

民主化を進歩の証しと見なせるのはなぜか

文明が誕生し、最初の統治機構が約五〇〇〇年前に現れて以来、人類は無政府状態の暴力と専制政治の暴力のあいだで舵をとりながら進んできた。まず、統治機構のない部族社会では、近隣に強力な仲間たちがいなければ、襲撃と不和のサイクルに陥りやすく、暴力死が起こる割合は近代社会より高かった。近代社会が極めて暴力的だった時代と比べても、部族社会の死亡率のほうが高い[1]。一方、初期の政府では支配下の人民同士が争わないように統治され、統治地域内での暴力は減った。ただしそれは恐怖による支配であり、奴隷制度やハーレム、人身御供(ひとみごくう)、即決処刑、反逆者や社会の逸脱者に対する拷問、手足切断の刑などを伴った[2]（聖書にはそうした例が数多く書かれている）。歴史を通して専制政治は長いこと続いてきたが、もちろんそれは、まんまとその地位が手に入れば独裁者という仕事はそう悪くないから、というわけではない。

民衆からすれば、無政府状態よりは独裁者のほうがまだましだったからである。

残虐行為計数家を自称するマシュー・ホワイトは、人類史の二五〇〇年のあいだに起きた一〇〇の残虐な大量殺戮について死者数を割り出した。そしてそれらの出来事に共通する傾向を探しだし、著作の初めでこう伝える。

無政府状態は専制政治以上に悲惨である。大量殺戮は権力が行使されているときよりも、権力が機能していないときに生じやすいからだ。たとえばイディ・アミンやサダム・フセインなど一部の独裁者は絶対的な権力を行使し、何十万もの人々を殺害したが、国が混乱して独裁者でさえいなくなると、それ以上にひどい事態が起きた。一七世紀ロシアの動乱時代や中国の国共内戦（一九二六～一九三七年、一九四五～一九四九年）、メキシコ革命（一九一〇～一九二〇年）といった大きな混乱下では、誰一人強い統制力を発揮できず、数百万人が殺害されるのを止められなかった。[3]

こうして見ると、民主主義は絶妙なさじ加減の政治形態と考えられるのではないだろうか。そこでは国民が相争う事態を防ぐ程度の力は行使されるが、国民を圧迫するほどの力は行使されない。優れた民主政治は無政府状態の暴力から国民を守り、国民が安全に暮らせるようにすると同時に、専制政治の暴力からも国民を守り、国民に自由な生活を保障する。この一点だけでも、民主主義は人類の繁栄に大きく貢献しているといえるだろう。しかし民主主義が人類に貢献している理由はそれだけではない。総じて民主国家は経済成長率が高く、戦争やジェノサイドが少ない。国民は健康を享受し、教育を受ける機会に恵まれ、ほとんど飢饉は起こらない。[4]つまりもし世界が徐々に民主化へと向かっているなら、それは進歩の証しになるということである。

そして実際、世界は民主化へと向かってきた。常に上げ潮ムードだったわけではないが、民主化は着実に広がりを見せてきた。政治学者のサミュエル・ハンチントンは民主化の歴史には三つの波があったとする。[5]その第一の波は一九世紀に高まった。すなわち憲法によって国家権力を制限するアメリカの立憲民主主義が——あの壮大な啓蒙主義的試みが——うまくいっているように思えたころである。この試みは地域によって形を変えながら、西ヨーロッパの国々を中心に多くの国から模倣され、立憲民主主義をとる国は一九二二年には二九カ国にまで達した。しかしこの第一の波はファシズムの台頭のせいで後退し、一九四二年には民主国家は一二カ国に減少した。

その後、第二次世界大戦でファシズムが打ち負かされると、第二の波が起こった。その勢いはヨーロッパの植民地だった国々が宗主国から独立を勝ちとるにつれて増大し、一九六二年には民主国家として認められる国は三六カ国にまで押し上げられた。ただし、当時のヨーロッパの民主主義諸国は独裁国家に挟まれていて、東にはソ連に服従するいくつもの独裁国があり、南西にはファシズム政権が支配するポルトガルとスペインという独裁国があった。そしてまもなく第二の波は後退した。ギリシャやラテンアメリカで軍事政権が樹立され、アジアで独裁体制が強まり、アフリカや中東、東南アジアで共産主義陣営が勢力を拡大したせいである[6]。

そうした事情から、一九七〇年代半ばになると、民主主義の未来は暗いと思われるようになった。たとえば当時の西ドイツ首相ヴィリー・ブラントはこう嘆く。「西ヨーロッパは民主主義が根づいてから、まだ二〇年か三〇年ほどしか経っていない。今後はエンジンも舵もないまま、周囲の独裁国の海を漂流することだろう」。アメリカの上院議員で社会学者でもあったダニエル・パトリック・モイニハンもこれに同意し、こう書いた。

「大統領制をとるアメリカ型の自由民主主義の国々は、だんだんと一九世紀式の君主制のような状態になりつつある。しかし君主制とはもはや遺物となった政治形態である。確かに今も孤立した地域、あるいは独自の風土をもつ地域の随所に残っており、特殊な状況下ではうまく機能することさえあるかもしれない。だが君主制が未来へと続くことはない。それは世界が通りすぎた過去であって、これから進むべき未来ではない[7]」

しかしこうした嘆きを綴るインクがまだ乾かないうちに、第三の民主化の波が湧き起こった。それはたんなる波というより、津波のように大きなうねりだった。世界各地で軍事政権やファシズム政権が続々と倒れていったのである。南ヨーロッパでは一九七四年にギリシャとポルトガルで、一九七五年にはスペインで政権が倒れ、ラテンアメリカでは一九八三年にアルゼンチン、一九八五年にブラジル、一九九〇年にチリで軍事政権から民政へと移管した。アジアでも一九八六年あたりに台湾とフィリピンで、一九八七年に韓国で、一九九八年にインドネシアで、独裁から民主主義への移行が始まった。一九八九年にはベルリンの壁が崩壊し、解放された東欧諸国が民主的な政府を樹立した。一九九一年にはソビエト連邦が解体され、ロシアも、ソ連の構成国だった連邦共和国のほとんども、一党独裁から新体制へと移行することになった。いくつかのアフリカの国では独裁者が失脚し、最後まで残っていたヨーロッパの植民地(主にカリブ海とオセアニア地域)も独立して、最初の政治形態に民主制を選んだ。

そして一九八九年、政治学者のフランシス・フクヤマはかの有名な論文を発表し〔一九九二年に『歴史の終わり』のタイトルで書籍として出版〕、次のようなことを書いた。「自由民主主義の広がりは〝歴史の終わり〟を表している。それはこの先二度と何も起こらないからではない。人間にとって最良の政治形態とは何か。これについて世界は意見を一致させつつあり、もはや争う必要がなくなったからである(8)」

フクヤマのこの〝歴史の終わり〟という表現はちょっとしたブームになり、あちこちで真似された。本が出てからしばらくのあいだは、書籍や記事のタイトルに「○○の終わり」が増殖し、○○の部分には、自然、科学、信仰、貧困、理性、金、男性、弁護士、病気、自由市場、セックスなどの言葉が入ったものだった。しかしフクヤマはもてはやされただけでなく、叩かれもした。論説委員たちが当時の悪いニュースを解説しながら、イスラム世界の神権政治や中国の一党独裁下での資本主義など、民主主義に取って代わる政治形態が台頭していることを指摘し、嬉々として〝歴史の再来〟を告げたからである。

加えて、民主国家それ自体も権威主義へと逆戻りしているように見えた。たとえば、ポーランドとハンガリーではポピュリストが勝利し、トルコではレジェップ・タイイップ・エルドアンが、ロシアではウラジーミル・プーチンが権力を掌握した（いわば〝スルタンとツァーの再来〟である）。こうなると、歴史悲観論者たちはいつものように他人の不幸を大いに喜び、民主化の第三の波は「退潮した」「後退した」「衰退した」「逆戻りした」「一巻の終わりだ」と表明した。[9] それによると、民主化とは西洋人の思い上がりであり、自分たちの嗜好を世界のその他の地域に投影したものだった。対して、権威主義は人類の大半にぴったり合うようだという。

「世界の民主化は後退している」という悲観論の嘘

しかし、人類の大半が国からひどい扱いをされて満足しているなんてことを、本当に近年の歴史は示しているのだろうか。それは次の二つの理由から疑わしい。まずどう考えても、非民主国家の国民は政府への不満を口にすることができない。たとえ民主主義を求める気持ちが鬱積し、高まっていても、投獄されたり銃殺されたりすることを恐れて、誰も表立ってそれを表明できない。それから、〝見出しの誤謬〟とでも呼ぶべきものもある。つまり自由化が進んだことよりも厳しい統制が行われたことのほうが、より頻繁にニュースに取り上げられるので目につきやすい。そうなると利用可能性バイアスが働き、民主化が少しずつ進んでいるような刺激の少ない国々のことは忘れてしまう。

では、世界がどこに向かっているのかを知るにはどうすればよいのだろうか。その唯一の方法は、例によって定量化することだろう。ただ、そのためには何を「民主主義」に数えるかという問題が出てくる。民主主義という言葉はたんに良いものというイメージをまとうようになって、ほとんど意味をなさなくなっているからだ。経験的にも、朝鮮民主主義人民共和国（北朝鮮）やドイツ民主共和国（旧東ドイツ）など、正式名称に「民主」の文字が入る国は民主主義の国ではない感触はある。それから非民主国家の国民に「民主主義とは何だと思うか」と尋ねてもあまり当てにはならない。半数近くがその言葉の意味を「政府が無力なときは軍部が政権を握ること」とか、「宗教指導者が最終的に法を解釈すること」と考えているからだ。[10]専門家が各国の民主主義の度合いを格付けするときも、チェックリストに「社会経済的不平等がないこと」や「戦争が起こらないこと」など、良いと思われることを何でも詰め込んでいる場合はやはり問題である。[11]

さらに問題をややこしくするのが、国というのは民主主義のさまざまな構成要素——言論の自由、政治プロセスの透明化、指導者の権力の制限など——のなかで絶えず揺れ動いていることである。そのせいで、各国を「民主国家」か「専制国家」かに分ける集計は、境界線近くの国々をどこに位置づけるかという判断基準が場当たり的だと、年によって変わることになる（この問題は、時代とともに評価者の判断基準が上がる場合には、さらに悪化する。この現象については後述したい[12]）。

その点、〈ポリティ・プロジェクト〉〔アメリカの非営利組織「体系的平和センター（Center for Systemic Peace）」による民主化の度合いを測るプロジェクト〕は一定の基準を採用することによってこうした問題に対処し、毎年世界の国々をマイナス一〇ポイントからプラス一〇ポイントまでのスコアで評価する〔プラスが高いほど民主的でマイナスに行くほど専制的。［図14―1］の情報源を参照〕。基準の焦点は「国民は政治的な意見を表明できるか」「権力者の力は制

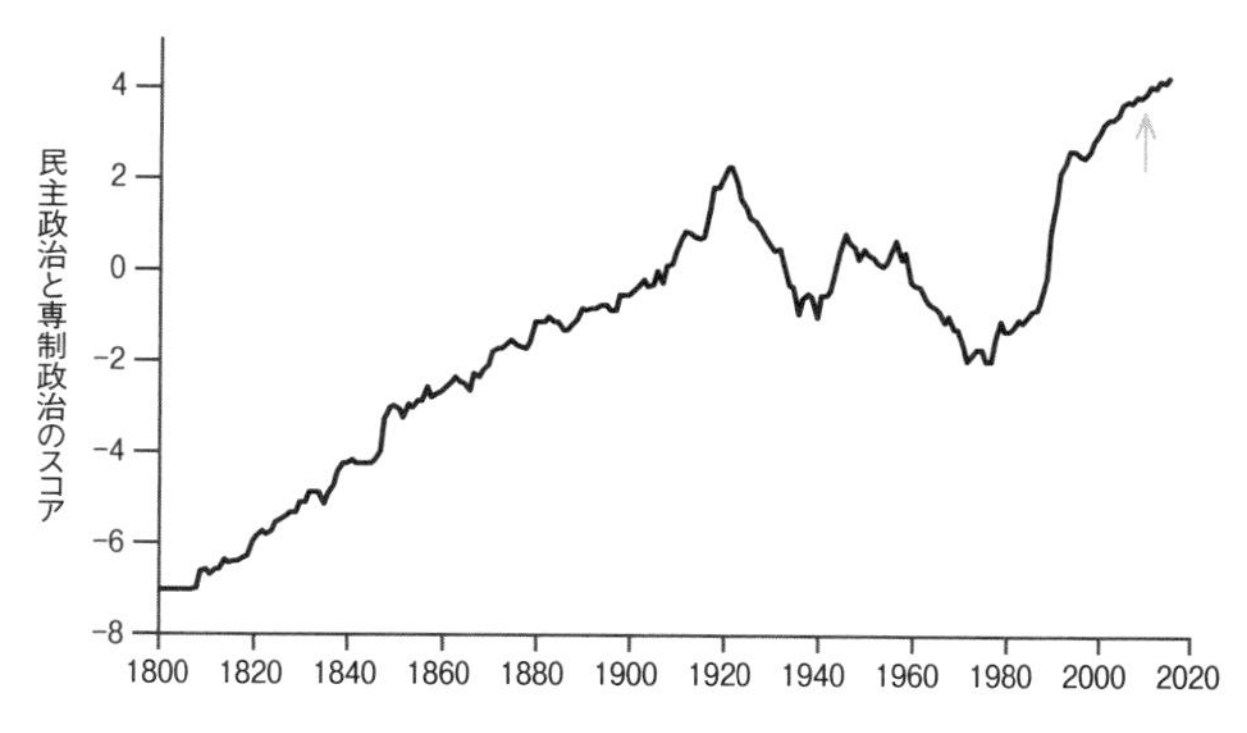

［図14-1］ 民主的か専制的か（1800-2015）

情報源：*HumanProgress*,〈http://humanprogress.org/f1/2560〉, *Polity IV Annual Time-Series*, 1800-2015, Marshall, Gurr, & Jaggers 2016に基づく。スコアは人口50万人以上の主権国家の合計で、完全な専制政治を−10ポイント、完全な民主政治を＋10ポイントとする。矢印は Pinker 2011の［図5-23］で最新だった2008年を示している。

限されているか」「国民の自由は保障されているか」といった部分に絞られ、その国がどの程度専制的かないしは民主的かを示している。[13]［図14-1］は一八〇〇年からの世界全体のスコアの推移を示したもので、民主化の三つの波もこの期間に起きた。

グラフを見ると、民主化の第三の波は終焉とはほど遠いことがわかるだろう。ましてや引き潮などではない。さすがに一九八九年のベルリンの壁が崩壊したころの大きな伸びはないとはいえ、上昇は続いている。ベルリンの壁崩壊後、世界の民主国家は一九七一年の三一カ国から五二カ国に増大した（〈ポリティ・プロジェクト〉の定義「スコアが六以上の国」に準拠)。第三の波は一九九〇年代に高まりを見せたあと、そのまま二一世紀へと突入し、オレンジ革命など、色とりどりの名前がついた民主化運動を巻き起こした。クロアチア(二〇〇〇年)、セルビア(二〇〇〇年)、ジョージア(二〇〇三年)、ウクライナ(二〇〇四年)、キルギス(二〇〇五年)などで起きたいわゆる〝カラー革命〟である。オバマ政権が誕生した二〇〇九年には、民主国家は八七カ国に達している。[14] その後、オバマ政権のあいだには、民主化は「逆戻り」したり「一巻の終わり」だというイメージが広まったが、実際には民主制をとる国の数は増えていった。

二〇一五年の時点で、民主国家は合計一〇三カ国に達している(入手できた最新のデータ)。二〇一五年はまた、〈チュニジア国民対話カルテット〉が民主主義への移行を推し進めた功績を称えられ、ノーベル平和賞に選ばれた年でもあった。これは二〇一一年のアラブの春の成功譚になるだろう。このほかミャンマーやブルキナファソでも民主化が進み、ナイジェリアやスリランカなど五カ国でも民主化に向けた動きが見られた。

二〇一五年の時点で一〇三カ国ある民主国家には、世界人口の五六パーセントが暮らしている。これに専制主義よりは民主主義に近い一七カ国も加えると、世界人口の三分の二は自由な社会、または比較的自由な社会で暮らしていることになる。その割合が一九五〇年には五分の二以下、一九〇〇年には五分の一、一八五〇年には七パーセント、一八一六年には一パーセントだったことと比べてほしい。今日、非民主国家は六〇カ国だが（完全な専制国家が二〇、民主国家よりも専制国家に近い国が四〇）、そこに住む人々のうち五分の四はたった一つの国、すなわち中国で暮らしている。[15]「歴史は終わった」わけではないが、フクヤマの説には一理あった。というのも、民主主義の推進者がいう以上に、民主主義には人を惹きつけるものがあると証明されたからである。[16]かつて民主化の第一の波が砕けたあと、「なぜ民主主義はカトリック教国や非西洋諸国、アジアやイスラム教国、貧しい国々、多民族国家に根づかないのか」を説明する理論が出てきたものだが、それらは次々と間違いだと立証された。確かに、質が高く安定した民主主義は、豊かで教育程度の高い国々に多く見られやすい。[17]だがどちらかというと民主的だという政府なら、幅広い地域に存在する。たとえばラテンアメリカのほとんどの国々、多民族国家のインド、イスラム教国のマレーシアやインドネシア、ニジェール、コソボ、それからアフリカのサハラ以南の一四カ国（ナミビア、セネガル、ベナンなど）、さらにネパールや東ティモール、カリブ海地域の多くの国といった貧しい国々でも民主主義は確立している。[18]

専制国家のロシアや中国では、自由化のしるしはほとんど見られないが、それでもスターリンやブレジネフや毛沢東の時代に比べれば、抑圧はずっと小さくなっている。[19]

これに関して、経済歴史学者のヨハン・ノルベリ〔第五章参照〕は最近の中国の生活をこうまとめる。

「今日の中国人はほぼ好きなように移動ができる。家を買い、教育を選び、仕事を選び、起業することもできる。宗教も認められ（仏教、道教、イスラム教、カトリック、プロテスタントに限られるが）、好きな服を着て、好きな相手と結婚することもできる。同性愛者だと公表しても強制労働所に連行されることはなく、自由に外国旅行ができ、共産党の政策のいろいろな側面について批判することさえできる（ただし一党独裁を批判することはできない）。つまり〝自由のない状態〟でさえ、かつてのあり方とは違うということである」[20]

選挙こそ民主主義の本質、というわけでもない

しかし、民主化の波はどうして期待を上回る高まりを繰り返し見せているのだろうか。これまで民主化への動きは何度もあと戻りしたり、暗い穴に落ちこんだりしてきた。そのせいで民主主義が定着するには面倒な前提条件や産みの苦しみが必要なのだという説まで唱えられたりもした（ちなみに、これは独裁者が「わが国はまだ民主化への準備ができていない」と主張するときの都合のいい言い訳になっている。映画『ウディ・

アレンのバナナ』に出てくる革命指導者も、権力を握ったとたんにこんなセリフをいった。「この人たちは学がないんだ。ものを知らないんだから投票なんてできるわけがない」)。市民階級が理想化されると――つまり「知識のある民衆が公共の利益について熱心に考え、自分が良いと思う政策を実現する指導者を慎重に選ぶ」のが民主主義だとされると――民主主義への畏れは一段と強まってしまう。

しかし基準をそこに置くと、民主国家は過去にも現在にも世界に一つも存在していないことになる。将来的にもきっとゼロだろう。というのも、政治学者たちが幾度となく驚いているように、人々の政治的信念というのは浅薄で一貫性がなく、どういう人に投票したいかの好みと、議員にどう振る舞ってほしいかの好みのあいだには、ほとんど関係がないからだ[21]。

たいていの有権者はどんな政策を選べるかということ以前に、「国の三権とは何か」「第二次世界大戦でアメリカはどこと戦ったのか」「核兵器を使用したことのある国はどこか」といった基本的な事実さえ知らない。そして質問のときの言葉遣いしだいで意見がころりと変わり、「政府は福祉に金を使いすぎだ」といいつつ「貧困層への援助が少なすぎる」といったり、「軍事力を行使すべきだ」といいつつ「戦争を始めてはいけない」といったりする。いよいよ票を投じるとなると、自分とは正反対の意見をもつ政治家に投票することも多い。とはいえ、それは別にたいしたことではない。

なぜなら政治家はひとたび当選すれば、有権者の意見などどうでもよく、党の方針に従って法案に賛成したり反対したりするだけだからだ。

さらにいうと、投票とは必ずしも政府の業績に対する評価でもない。有権者は直近の出来事への不満を表すため、現職議員を罰するつもりで投票するだけである。票を投じることで、マクロ経済の動向やテロ攻撃など、あまりうまくコントロールできていない問題への不満を表明し、干魃（かんばつ）や洪水、さらにはサメが人を襲う事件など、コントロールしようのない問題への不満を表明する。多くの政治学者によると、国民の大半は自分の一票がまったくといっていいほど選挙結果に影響しないことをよくわかっている。だからそれよりも仕事や家族や余暇を優先するようになり、政治を学んで投票先について考えようとはしなくなるという。また、選挙権は一種の自己表現の手段としても行使され、有権者は自分とよく似ていて、自分のような人間を代表していると思う候補者に投票する。

つまり、選挙は民主主義の本質であると広く信じられているが、実際には統治する国民に対して、政府が責任を負っていることを示すメカニズムの一つでしかない。しかも常によい結果をもたらすともかぎらない。たとえば、独裁者になろうという者同士が選挙で争うとき、どちらの陣営も相手方が勝利すれば最悪の事態になることを恐れ、お互いに脅しあって投票を妨害しようとする。また、独裁者は選挙を自分に都合よく利用する術にたけている。

最新流行の独裁制は、競争もあるし選挙もあるが、泥棒政治〔国の富を私物化する政治〕で、国家主義、もしくはパトロン・クライアント関係〔親分・子分関係。中心となる政治家とその取り巻きが実権を握る〕に縛られた権威主義体制だといわれている[22]（プーチンが支配するロシアはその典型だろう）。そうした体制では、現職議員たちは国の金を大量に使って反対勢力を執拗に攻撃したり、見せかけだけの野党をつくったり、国のお抱えメディアを使って耳に心地よい話を広めたりする。そして選挙規則を都合よくいじり、有権者登録を操作して、結局は選挙そのものを不正に操作してしまう（とはいえ、パトロンとして振る舞う権威主義者も無敵なわけではない。カラー革命ではいくつもの政権が倒された）。

民主主義とは国民が非暴力的に政権を替えられること

それにしても、有権者も当選した議員も民主主義の理想を支える担い手として当てにならないのなら、なぜ民主主義という政治形態はそれほど悪くない形で機能しているのだろうか。チャーチルの有名な言葉にあるように、「民主主義は最悪の政治形態だが、それはこれまでに試された民主主義以外のあらゆる政治形態を除いての話である」というのがその理由だろうか。これについて、哲学者のカール・ポパーは、一九四五年に発表した『開かれた社会とその敵』(内田詔夫・小河原誠訳、未來社)でこう主張する。すなわち、民主主義とは「誰が支配するか」という問いへの答えとして理解されるべきではない(むろん答えは「国民」だが)。むしろ「どうすれば血を流すことなく、ひどい指導者を追い払えるか」という問題を解決するものとして理解されるべきものである。[23]

政治学者のジョン・ミューラーはこの考えをさらに深め、民主主義とは「審判の日」に指導者へイエスかノーかを突きつけるものというよりは、中間的な意見も含め国民が恒常的に政府へフィードバックすることに重きを置くものだとした。ミューラーによると、民主主義の基本は国民に不平不満をいう自由を与えることにある。「民主主義とは、暴力を用いずに政権を交代することに国民が実質的に同意し、国民が暴力以外の手段で政権を替えようとする場合には、政権はこれを妨げないときに生じるものである」[24]。これがどう機能するのか、ミューラーは次のように説明する。

国民にさまざまな権利が認められている場合——たとえば不平不満をいう、請願する、団体をつくる、抗議する、デモを行う、ストライキをする、自国を出て他国に移住すると脅す、要求を叫ぶ、出版物を出す、財産を海外に移す、不信感を表明する、陳情する——などの権利が認められている場合、政府は国民が叫ぶ要求や、何度も繰り返される陳情に応える方向に傾いていく。いいかえれば、選挙があろうがなかろうが、政府は国民の声に敏感になり、注意を払わざるをえなくなる。[25]

女性の参政権が認められたことは、この好例だろう。いうまでもなく、女性たちは選挙で参政権を獲得することはできなかったが、別の手段によってその権利を手にした。

確かに、民主主義のごちゃごちゃとした現実は理想的な市民像にはほど遠く、何度も幻滅を感じるかもしれない。かつて経済学者のジョン・ケネス・ガルブレイスはこんな言葉を放ったほどだ。「金になる出版契約を結びたいなら、『アメリカ民主主義の危機』という本を書くと提案するだけでいい」。しかしミューラーは歴史を振り返ってこう述べる。「民主主義のなかに、不平等や意見の不一致、無知や無関心が見られるのはごく当たり前のことで、特に異常なことではなさそうである。民主主義の良い点は、そうした特性があってもなおきちんと機能するところにある。いや、ある重要な局面ではそれらの特性のおかげで機能しているともいえる[26]」

このミニマリズム的概念からすると、民主主義はそれほど難しい政治形態ではなく、たくさんの条件が必要なわけでもない。政府に十分な力があること。民主主義の主な前提条件はこれだけである。そうして国民を無政府状態の暴力から守り、人々が独裁者の犠牲にならないように、あるいは独裁者を歓迎してしまわないようにしなければならない。というのも国が混乱しているときに、うまく治めてやろうと請け負う人間が出てくると、それがたとえ独裁者だろうと、国民は喜んで飛びつくことがあるからだ（マシュー・ホワイトがいったように「無政府状態は専制政治以上に悲惨」なので）。

このことは、極端に貧しくて政府の力が弱い国（サハラ以南のアフリカなど）や、政府が排除された国（アメリカ主導の軍事介入後のアフガニスタンやイラクなど）で、民主主義への足がかりがなかなかつかめない一因になっている。政治学者のスティーブン・レヴィツキーとルカン・ウェイが指摘するように、「国が機能しなくなると暴力が発生し、政情が不安定になる。そうなると民主化がもたらされることはまずない」[27]のである。

また、考え方も重要である。民主主義が根づくかどうかは、その国で影響力をもつ人々（特に銃をもつ人々）の考え方によるからだ。つまり、まず国を導く人々がそのほかの政治形態よりも民主主義がいいと考えなければ、民主化は進みようがない。世界には、神権政治、王権神授説に基づく統治、植民地における父権主義的政治、プロレタリア独裁（実際には革命指導者による独裁）、国民の意志を直接取り入れるカリスマ的指導者による権威主義体制など、多様な政治形態があるが、こうしたもの以上に民主主義が優れていると考えなければ何も始まらないのである。

民主化の歴史にはうまくいかなかった例も見られるが、それにもおそらく考え方が関係していたのだろう。たとえば、教育程度の低い国や西洋の影響から遠い国（中央アジアなど）、暴力によって――イデオロギー色の強い革命によって――政府が誕生した国（中国、キューバ、イラン、北朝鮮、ベトナムなど）で、民主主義が根づきにくいのはなぜか、という問題も影響力をもつ人々の考え方のせいだといえるだろう[28]。逆にいうと、民主国家で暮らすのはなかなかいいものだという認識を人々がもてば、民主的な考え方も人から人へ広がっていき、民主国家の数も徐々に増えることだろう。

国家による人権侵害は徐々に減っている

不満を表明する自由が成り立つには、国民が不満を表明しても、政府はその国民を罰したり黙らせたりしないという保証が必要である。すなわち民主化のためには、国の独占的な権力の乱用を制限し、政府の方針に異を唱える国民がいても、政府が非人道的な扱いをしないことを保障しなければならない。

それはつまり国民の人権を守るということだが、世界では一九四八年に世界人権宣言が採択されたことをきっかけに、人権に関する一連の国際条約が採択され、発効した。そして、政府の暴力行為を線引きし、越えてはならない一線が定められた。とりわけ拷問や裁判なしの死刑、反体制派の投獄、それから国民をひそかに拉致して殺害するといった行為は固く禁止されている（ちなみに、軍事政権下のアルゼンチン〔一九七六〜一九八三年〕では国民の拉致・殺害が横行していた。「消える」という自動詞の disappear に「人を消す」という他動詞の意味ができたのはこのころだった）。

ただし、政府がそうした残虐行為に手を染めていることと、民主的な選挙で国民の代表が選ばれていることは切り離して考えたい。なぜなら大多数の有権者は自分に矛先が向いてこないかぎり、政府の残虐行為には無関心だろうからだ。確かに民主制をとる国々では、そうでない国々に比べて人権が尊重されているが、[29]世界にはシンガポールのように独裁制なのに慈悲深い国もあれば、パキスタンのように民主制をとりながら抑圧的な国もある。そうなると、ここで重大な疑問が湧いてくる。民主化の波の高まりは本当に進歩を表しているのだろうか。はたして、民主主義の拡大は人権の拡大をもたらしているのだろうか。それとも独裁者たちはたんに選挙などの民主的なアイテムを飾りとして利用し、いわばニコニコマークで自分たちの悪さを覆い隠しているだけなのだろうか。

人権侵害に関しては、米国務省やアムネスティ・インターナショナル、その他の団体が数十年にわたって監視してきた。もしも一九七〇年代からその数を見続けている人がいるなら、きっと世界の国々はずっと抑圧的なままに見えるだろう。どんなに民主主義や人権規範が広まろうが、国際刑事裁判所が設立されようが、監視団体が活動しようが、人権は侵害されつづけていると思うだろう。実際、人権侵害の数の多さに、人権擁護活動家は警鐘を鳴らしながら、また文化悲観論者は例によって大喜びで、「わたしたちは〝人権の終末〟や〝人権法の黄昏(たそがれ)〟まで来てしまった」と告げている。もちろん、「〝人権後（ポスト人権）の世界〟にたどり着いた」ともいっている。[30]

しかし、進歩というのはその足跡が見えにくい。なぜ人権侵害が増えているように感じるかというと、それは時代を経て道徳基準が高まるにつれ、過去には見過ごしていたはずの行為にも敏感になったからである。加えて、人権団体は世間の熱を煽るため、常に「危機」を叫ばねばならないと感じている（ただしこの戦略は逆効果になる可能性もある。彼らの長期にわたる活動が時間の無駄だったと暗に示すことになるからだ）。政治学者のキャスリン・シッキンクはこの状態を〝情報のパラドックス〟と呼んでいる。つまり立派な人権団体が熱心に人権侵害を調査し、多くの場所で人権侵害の事例を探して、多くの行為を人権侵害に分類すればするほど、人権侵害を発見する機会も増えるというわけだ。激しさを増す彼らの熱意を差し引かないと、世の中には突き止めるべき人権侵害がもっとたくさんあるという誤った認識に陥ってしまう。[31]

この問題について、政治学者のクリストファー・ファリスは数学モデルを用いることで解決した。彼のモデルでは、しだいに熱を増す報告は割り引いて考えられ、世界

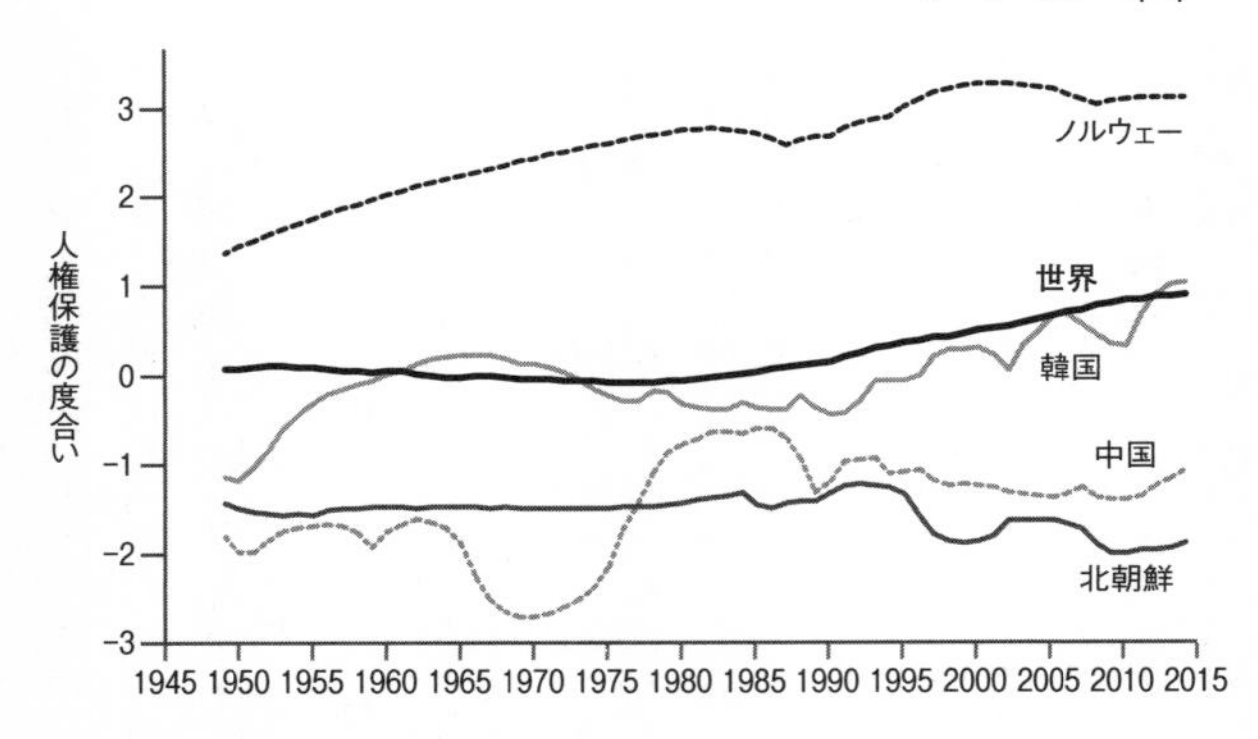

［図14-２］ 人権保護（1949-2014）

情報源：*Our World in Data*, Roser 2016i. Fariss 2014で考案された指数をグラフ化したもの。拷問、超法規的殺害、政治犯の投獄、強制失踪から、どの程度保護されているかを評価している。「０」はすべての国と年の平均値。単位は標準偏差。

で人権侵害が起きた実際量を推計する。［図14―2］では、一九四九年から二〇一四年まで、四つの国と世界全体について、彼のつけた点数を示した。グラフが示す数字は数学モデルによって出されたものなので、あまり厳密な値として捉えるべきではないが、それでも国ごとの違いや傾向が見てとれるだろう。

まずグラフの一番上の線は、人権保護の模範となる国のものになる。北欧諸国は人類の繁栄に関するほとんどの指標が高いが、これも北欧の国のもの――ここではノルウェーのものである。ノルウェーは高い水準から始まり、その後もさらに成長を見せている。韓国と北朝鮮については、どちらの曲線も似たような位置から始まり、分岐した。北朝鮮は当初の低い水準からさらに低くなったのに対し、韓国は冷戦中は右翼の独裁政治で低調だったが、その後上昇し、今日ではプラスの領域に入っている。中国の人権保護は文化大革命中は最悪だったが、毛沢東の死後〔一九七六年に死亡〕急上昇し、一九八〇年代の民主化運動のさいに絶頂を迎えた。一九八九年の天安門事件後は政府の取り締まりが厳しくなったが、それでも毛沢東時代の低さは十分上回っている。しかしここで何より意義深いのは世界全体の曲線だろう。一時は下降したものの、曲線は上昇傾向にあり、世界的に人権保護が進んでいることがわかる。

国家による究極の暴力行使、死刑の減少

では、国家権力は今現在どのように縮小されているのだろうか。これはつまり人類の進歩の構造を知るということでもあるが、それを知るための絶好の方法は、国による究極の暴力行使——故意に国民を殺害すること、すなわち死刑——がどういう運命をたどっているかを見ることである。

死刑はかつてどの国にもあった。何百もの軽犯罪に適用され、おぞましい公開の見せ物として苦痛と屈辱を与えながら執行された(32)（このことは、イエスが二人の強盗とと

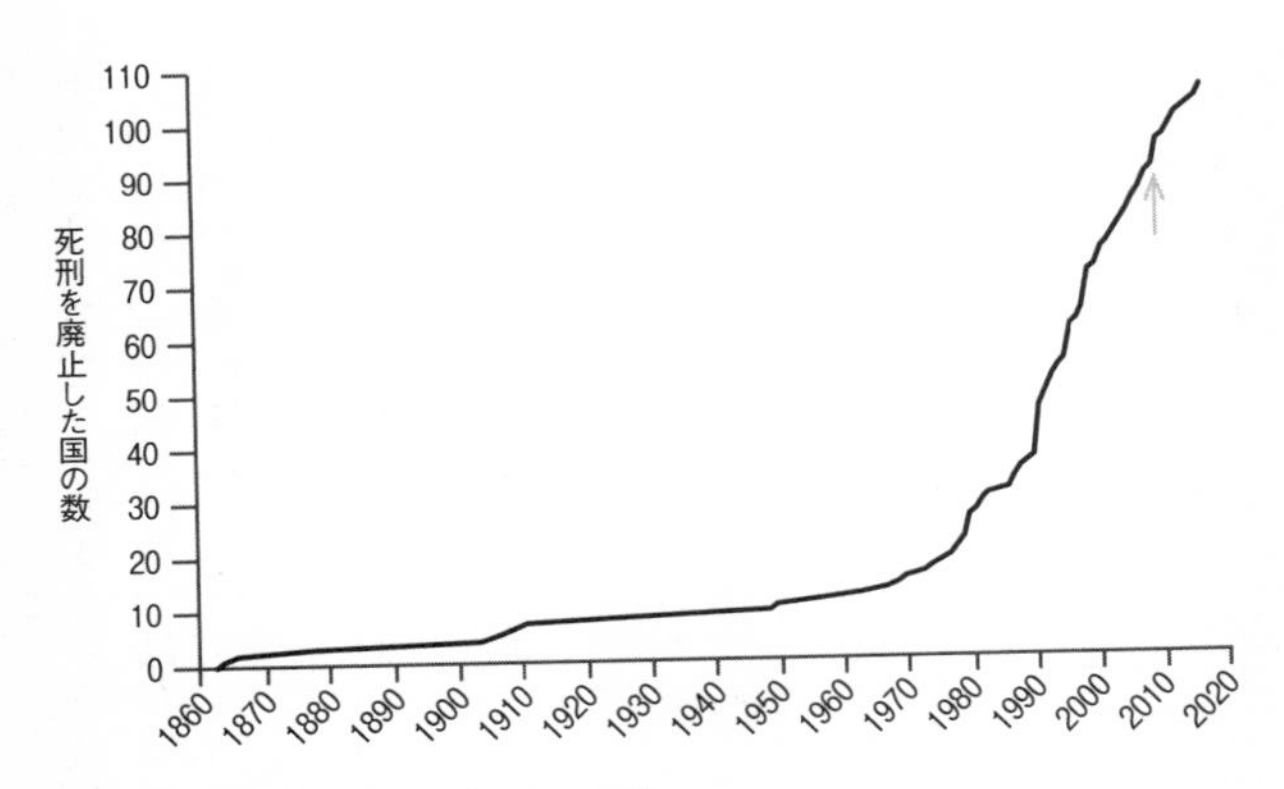

［図14－3］ 死刑の廃止 （1863-2016）
情報源："Capital Punishment by Country: Abolition Chronology," *Wikipedia* (2016年8月15日検索)。グラフは海外領土を含めた全領土で死刑が廃止された年の記録になる。ヨーロッパの一部の国では、ここで示したより前に本土ではすでに死刑が廃止されていた。矢印は、Pinker 2011の［図4－3］で最新だった2008年を示している。

もに十字架に磔にされたことを思い出せばよくわかる)。しかし啓蒙主義を経て、ヨーロッパの国々は凶悪な犯罪を除き、国民を処刑することをやめた。一九世紀半ば、イギリスでは死刑に相当する罪の数を二二二から四に減少させた。ヨーロッパ各国は処刑するにしても、この恐ろしい習慣をできるだけ人道的に見せかけられる、絞首刑のような処刑法を模索した。やがて第二次世界大戦後、世界人権宣言の採択によって再び人道主義革命の機運が高まると、死刑は各国で次々と廃止された。ヨーロッパで現在も死刑制度が残っているのは、ベラルーシだけである。

　世界的にも死刑廃止の動きは広が

っていて（図14―3）、今や死刑制度そのもののほうが、死刑を待っているような状態である[33]。この三〇年間で、毎年二、三の国が死刑を廃止し、今では世界の五分の一以下の国々でしか死刑は執行されていない（法律上は九〇カ国で死刑制度が残っているが、ほとんどの国で少なくともこの一〇年間は執行されていない）。死刑問題に関する国連特別報告者、クリストフ・ヘインズは、もし現在のペースで死刑の廃止が続けば、死刑は二〇二六年には地球上からなくなるだろうと述べている[34]（ヘインズはそうなると予言しているわけではないが）。

ここで今も相当数の死刑を執行している上位五カ国を挙げてみよう。それは思いがけない集合になる。まず中国とイラン（それぞれ年間一〇〇〇人以上を処刑）、それからパキスタンとサウジアラビア、そしてアメリカである。アメリカは死刑に関しても、人類の繁栄を示す他の領域と同様（犯罪、戦争、健康、寿命、事故、教育など）、豊かな民主国家のなかで遅れをとっている。このアメリカ例外主義からわかるのは、道徳的進歩とは哲学的な議論から実地の行動へ進むという、くねくねした道をたどるということだ。同時に、このアメリカの状態は、これまで考察してきた民主主義の二つの概念のあいだにある緊張をよく表すものでもある。すなわち、国家権力が国民に暴力を振るうことを厳しく制限するという政治形態と、国は国民の大多数の意思を実行するという政治形態のあいだにある緊張である。そこからすると、アメリカで多くの死刑が執行されるのは、ある意味、あまりに民主的だからともいえる。

法学者のアンドリュー・ハメルは、ヨーロッパにおける死刑廃止の歴史を語るなかで、ほとんどの時代と場所で死刑は至極当然のものとみなされていたと指摘する。人の命を奪ったら、自分の命が奪われるのは当たり前というわけである。[35] やがて啓蒙時代の到来とともに、ようやく死刑に反対する説得力ある議論が現れはじめた。[36] 議論の一つは、暴力を行使する国の権限は人命という聖域に踏み込むべきではないというもの。もう一つは、死刑のもつ抑止効果は、もっと確実で残虐性の小さい刑罰によって達成しうるというものである。

こうした考え方は、初めのうち哲学者や知識人からなる一部の層で広がり、それから教養のある上流階級へと徐々に伝わった。とりわけリベラルな主張をもつ医師や弁護士、作家やジャーナリストなどの専門職の人々に受け入れられた。それからまもなく、死刑の廃止は義務教育や普通選挙、労働者の権利などとともに、進歩的な理念を構成するもののなかに入れられた。それと同時に、死刑の廃止は〝人権〟の後光の下で神聖化され、「暮らしたい社会としてわたしたちが選ぶもの、そうありたい人間としてわたしたちが選ぶもの」の象徴とされた。

こうして死刑廃止を唱えるヨーロッパのエリートたちは、民衆の懸念をよそに、自分たちの信じるとおり死刑廃止へと動きだした。それができたのは、ヨーロッパの民主主義は一般国民の意見を政策に反映していなかったからである。ヨーロッパの各国で、著名な学者で構成された委員会が刑法案を起草し、自分を生まれながらの貴族だと考える議員たちがそれを法律として成立させ、生涯を公務に捧げる裁判官がその法律を適用した。やがて死刑の廃止から数十年が経ち、死刑制度がなくても国が混乱しなかったことを知って、ようやくヨーロッパの一般国民も死刑は必要ないという考えに同意した（もし国が混乱していたら、一致協力して死刑を再導入していただろう）。

しかし、アメリカはヨーロッパに比べ、良くも悪くも〝人民による人民のための〟政治形態に近い。アメリカでは、死刑はテロや反逆罪などいくつかの連邦犯罪に対して科されるが、それ以外に各州でもそれぞれ死刑制度の存置・廃止を決定している。その場合、議員は有権者に近いので死刑に賛成票を投じ、多くの州で検察官や裁判官も死刑は必要だとし是認している。というのも、検察官と裁判官もやはり次の選挙で再選してもらわなければならないという事情があるからだ。

ただしアメリカでの死刑執行は、南部の一握りの州――主にテキサス州、ジョージア州、ミズーリ州――に集中する（実は、それらの州のなかでも一握りの郡に集中する）。南部の州には伝統的に名誉を重んじる文化があり、報復して当然という気風があるので、これはもっともといえるだろう。(37)

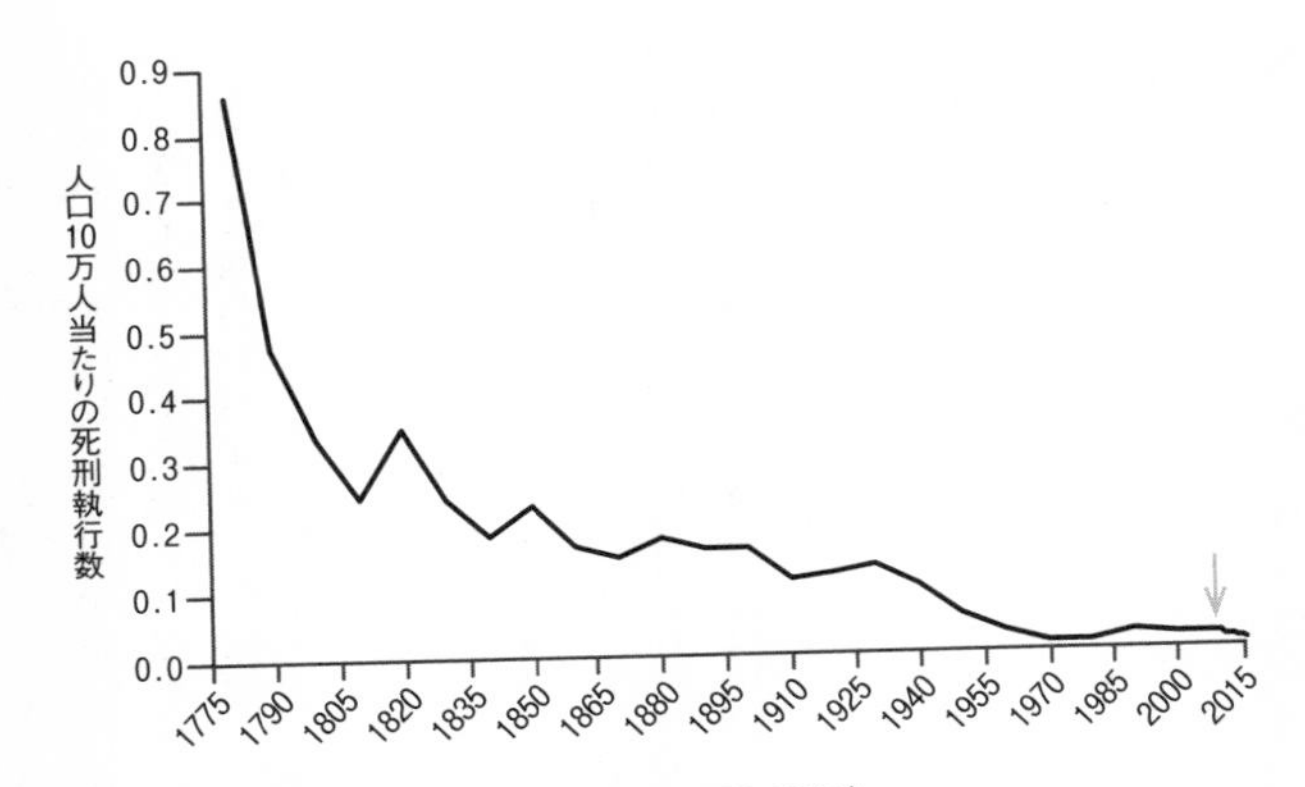

［図14－4］死刑の執行（アメリカ、1780–2016）
情報源：Death Penalty Information Center 2017. 人口はUS Census Bureau 2017から推計。矢印は、Pinker 2011の［図4－4］で最新だった2010年を示している。

アメリカにおいても死刑は消滅前夜にある

とはいえ、アメリカもまた歴史の流れに押されつつあり、相変わらず死刑に賛成の国民は多いものの（二〇一五年は六一パーセントが賛成）、死刑はなくなる方向へと動いている。[38] この一〇年間で七州が死刑を廃止し、一六州が死刑判決を停止し、この五年間では三〇州が死刑を執行していない。テキサス州でさえ死刑の執行は減っていて、二〇〇〇年が四〇人だったのに対し、二〇一六年は七人だった。［図14－4］では、アメリカでの死刑執行が着実に減少していることが示され、最終的にゼロまで下がる可能性も右端の部分では見てとれる。ヨーロッパがそうだったように、死刑の慣習が廃れかかってくると、アメリカでも世論が割れはじめ、二〇一六年には死刑の支持率は過去五〇年で初めて五割を切った[39]。

それにしても、なぜアメリカは自身の意に反して死刑廃止へと動いているのだろうか。この現象から見えるのは、道徳的な進歩はヨーロッパ諸国とは別の道からも起こりうるということである。アメリカの政治制度はヨーロッパよりも大衆寄りだが、それでも古代アテネのような直接民主制ほどではない（ソクラテスは明らかに直接民主制の弊害から死に追いやられた〔民衆裁判による多数決で死刑が決まった〕）。そのため、共感と良識が歴史的な広がりを見せるにつれ、断固として死刑を支持する人々でさえ、集団リンチや過酷な判決や公開処刑のお祭り騒ぎには気持ちが向かなくなり、死刑は多少の尊厳と配慮をもって執行されるべきだと主張するようになった。これを実現するには複雑な死刑執行装置と、それを操作、修理する機械工の一団が必要だったが、そのうちに装置が摩耗し、機械工たちがメンテナンスを拒否すると、やがて装置は使用できなくなり、廃棄されるようになった[40]。こうして見ると、アメリカの死刑制度は廃止されつつあるというよりは、むしろ少しずつ崩れていくというべきだろう。

では、ほかにどんな面からアメリカの死刑制度は崩れているのだろうか。第一に、科学捜査の進歩に伴い――特にＤＮＡ鑑定法の発達によって――無実の人々がほぼ確実に死刑になっていることが判明したことが挙げられる。これには、熱心な死刑支持者もさすがにおじけづいた。第二に、人の命を奪うという忌まわしい仕事に関わる人々の心の変化がある。死刑方法は、まず磔刑や腹裂きの刑といった血なまぐさい残酷なやり方から始まり、次に縄や弾丸や剣を使うという迅速だがまだ生々しい方法へと移り、やがてガスや電気という見えない手段へと変わった。それから薬物注射という医学処置を模したものを使用するようになったが、今日、医師は死刑囚に注射を打つことを拒否し、製薬会社は薬物の提供を拒否している。また死刑執行に失敗すると、立会人は死刑囚の断末魔の苦しみを見ることになり、苦痛を感じている。第三に、終身刑は死刑に代わる第一の選択肢だが、脱走ができず、暴動も起こせない刑務所ができているので、終身刑の信頼性が高くなった。第四に、暴力犯罪の発生率が低下しているので（第一二章）、人々は過酷な刑罰を科す必要を感じなくなった。第五に、死刑は非常に重大な刑だと考えられているので、かつてのような即決処刑はなくなったが、その代わり、こんどはいつまでも長引く合法の苦痛体験になってしまった。陪審員の有罪評決後に裁判官が量刑を宣告する段階は第二の裁判に等しく、死刑判決は再審理や上訴の長いプロセスの始まりでもある。あまりに長いせいで、大半の死刑囚は寿命が来て死んでしまう。一方で、弁護士が費用を請求できる執務時間も長くなるため、州は終身刑の八倍の費用を負担しなければならない。第六に、貧困層や黒人の被告人が死刑に処されることが不自然に多いという、死刑宣告における社会的不平等（「金のない者が罰を受ける」）が、アメリカの良心にのしかかってきた。

そして最後に、連邦最高裁判所はこの複雑に入り組んだ問題に矛盾のない説明を与える役割をたびたび担い、死刑執行を正当化しようと努めてきたが、少しずつ死刑制度を崩しはじめている。最近では、各州に向け、未成年者や知的障害者、殺人犯以外の犯罪者に死刑を科してはならないとした。また、失敗して苦しみが長引くことのある薬殺刑を禁止する直前まで行った。裁判の動向を追っている人々は、最高裁判所の裁判官たちが真正面から死刑制度の変更に取り組まなければならなくなるときは突然来る、と見ている。「良識の基準の発達」を理由とし、「残虐で異常な刑罰」を禁止するアメリカ合衆国憲法修正第八条に違反するようになったとして、きっぱりと死刑を廃止しなければならなくなるのは時間の問題だという。

現在、科学的、組織的、法律的、社会的な勢力が集合して力を合わせ、国から国民を殺害する権力を取り上げようと努めている。それはまるで本当に、目に見えない神秘的な弧（アーク）が正義に向かっているかのようだ〔第九章参照〕。もっと散文的にいえば、わたしたちは今、「命は尊いので、人を殺すとただでは済まされない」という道徳原則が、関係者や関係機関に広く浸透している様子、彼らが死刑を執行できるように協力しあわなければならなくなっている様子を目撃しているところである。そうした関係者や関係機関がその道徳原則を徹底して着実に実行すればするほど、逆に「命は命で償わせる」という衝動をアメリカからなくす方向に否応なく進むことになるだろう。道はいくつもあるうえに曲がりくねっているが、成果はまずゆっくりと、それから突然現れる。機が熟せば、啓蒙思想から得た考え方は世界を変えることだろう。

第一五章　偏見・差別の減少と平等の権利

平等の権利獲得の輝かしい歴史は忘れられがち

人は自分と異なる部類の人間をすべて、目的を達するための手段か、排斥すべき邪魔者とみなしがちだ。人種や宗教によって結びついた集団は対抗集団を支配しようとし、男は女の労働や自由、性を支配しようとする。(1) 性的マイノリティに不快感を覚えれば、それを道徳的な非難へと変えてしまう。(2) こうした現象を、わたしたちは人種差別、性差別、同性愛嫌悪(ホモフォビア)と呼ぶ。程度の差こそあれ、歴史を通じてほとんどの文化にはびこっている現象である。そして、公民権または平等の権利と呼ぶものの大部分は、そうした邪心を否定する。平等の権利を求める動きは各地で展開された。セルマ〔公民権運動で有名なアラバマ州の都市〕、セネカ・フォールズ〔女性解放運動のさきがけとなったニューヨーク州の町〕、ストーンウォール〔同性愛運動のきっかけとなったニューヨークのゲイバー〕。こうした動きが歴史的に広がりを見せるさまは、人類の進歩の物語のなかでも胸を打たれる章である。(3)

人種的マイノリティ、女性、同性愛者の権利獲得は前進を続けている。近年、それぞれの動きに、輝かしい記念碑的事象が打ち立てられた。まず二〇一七年は、初めてのアフリカ系アメリカ人の大統領、バラク・オバマが二期を務めおえた記念すべき年だった。ファーストレディのミシェル・オバマはその功績をこんな感動的な言葉で表現した。「わたしは毎朝、黒人奴隷によって建てられた家、ホワイトハウスで目を覚まします。そして、美しくて聡明な黒人の娘たち二人が、ホワイトハウスの芝生で飼い犬と遊ぶ姿を見るのです」〔二〇一六年の民主党全国大会〕

オバマの後任を選ぶ大統領選では、アメリカ人女性が参政権を認められて一世紀にもならないうちに、主要政党から初めて女性候補者が指名された。彼女は一般投票の得票数では勝っていた。もし選挙人制度の特殊性とその選挙年に起きた数々の気まぐれな出来事がなければ、大統領になっていただろう。もしもパラレルワールドが存在し、二〇一六年一一月八日〔大統領選挙の投票日〕までこの世界ととてもよく似た道をたどっていたなら、きっとそちらでは今〔二〇一八年〕、三人の女性が世界で最も影響力のある三つの国（アメリカ、イギリス、ドイツ）を率いているにちがいない[4]〔ヒラリー・クリントンとイギリスのメイ元首相とドイツのメルケル元首相〕。二〇一五年には、連邦最高裁判所によって同性同士で結婚する権利が認められた。同性愛行為は処罰の対象に当たらない〔二〇〇三年の連邦最高裁判決〕とされてからほんの十数年後のことである。

しかし、進歩には自らのたどってきた足跡を消してしまうという性質がある。そのため、自称進歩支持者たちは今なお残る不公平な部分にばかり目を注ぎ、わたしたちがどんな状態から今に至ったのかを忘れてしまう。特に大学ではそうだが、いわゆる進歩的意見の定番は、「わたしたちの暮らす社会には、人種差別や性差別や同性愛嫌悪が根強く残っている」というものである。これは暗に、進歩主義など時間の無駄で、何十年も闘ってきたくせに何も成果を出していない、といっているに等しい。

その他の面での進歩恐怖症と同じく、平等の権利における進歩の否定もまた、新聞のセンセーショナルな見出しが助長している。アメリカでは、警官が丸腰のアフリカ系アメリカ人容疑者を射殺する事件が次々と大きく報道され、なかにはスマートフォンで現場が撮影されたものもあるが、それがアメリカには警官による黒人への人種差別的攻撃が蔓延しているという認識へとつながっている。また、メディアが妻や恋人に暴力を振るったアスリートの事件や大学構内のレイプ事件を取り上げると、多くの人は女性への暴力が急増していると思ってしまう。加えて二〇一六年には、フロリダ州オーランドのゲイの集まるナイトクラブで、オマル・マティーンが銃を乱射し、四九人が死亡〔犠牲者の数。射殺された犯人も含めると五〇人〕、五三人が負傷するという、アメリカ史上最悪の銃乱射事件も起きてしまった。

進歩などしていないと思い込む気持ちは、今まさにわたしたちが生きているこの世界の、ここ最近の歩みを見ていっそう強まっている。二〇一六年、アメリカの選挙制度はヒラリー・クリントンではなくドナルド・トランプに微笑んだ。しかしこの選挙運動中、トランプは女性を蔑視する発言やヒスパニック系とイスラム教徒を侮辱する発言を繰り返し、アメリカの政治演説の規範から大きく外れていた。そして選挙集会でトランプに鼓舞された血気にはやる支持者たちは、トランプ本人以上に攻撃的になった。これを受け、評論家のなかには「トランプの勝利によって、平等と権利の拡大へと進歩していたアメリカは転機を迎えた」とか「そもそも進歩などしていなかったという醜い事実が暴かれた」と憂う者もいた。

本章の目的は、平等の権利という潮流がどれくらい深いのかを測ることである。平等の権利の拡大など幻想にすぎず、いわばよどんだ池の水面がたまたま渦巻いただけなのだろうか？　その向きは簡単に変わったり、逆流したりするのだろうか？　それとも正義は川のように脈々と流れ、[5]力強く前進しているのだろうか？　章の最後では、最も権利を侵害されやすい存在、すなわち子どもの人権の進歩についても論じたい。

ネット検索の履歴データに表れた偏見減少の趨勢

さて、本書をここまで読んだあなたは、そろそろニュースの見出しから歴史を読みとることに疑いを抱いているだろう。それは平等の権利をめぐる最近の事件についても当てはまる。データによると、この数十年間、警官に射殺された人の数は減っていて、決して増えてはいない（射殺事件は確かに起きていて、動画にも撮られているが）。また三つの別個の分析からは、黒人容疑者だろうが白人容疑者だろうが警官に射殺される確率は変わらないことが判明している[6]（確かにアメリカの警官は多くの人を射殺しすぎているが、その主な原因は人種問題ではないということだ）。レイプ事件を伝える一連のニュースも、それだけでは現在女性に対する暴力が増加しているのか（悪いこと）、それとも女性に対する暴力への関心が高まっているのか（良いこと）、判別できない。オーランドで起きたナイトクラブでの銃乱射事件は、今もなお原因は同性愛嫌悪だったのか、ISISへの共感だったのか、あるいは銃乱射事件の大半の犯人の動機である死後の名声を求めたものだったのか、判然としていない。

結局、歴史を知るには信頼のおけるデータと人口動態統計から情報を集め、そこからまず大まかな見取り図をつくるのが良い方法だろう。ピュー研究所は四半世紀にわたり、人種、ジェンダー、性的指向についてアメリカ人の意見を調べているが、その意見は「根本的に変化」していると報告する。人々は徐々に寛容になり、権利を尊重する方向へと向かっていて、かつて広まっていた偏見は忘却の底に沈みつつあるという[7]。その変化は［図15—1］を見ると明らかである。これは三つの調査項目に対する

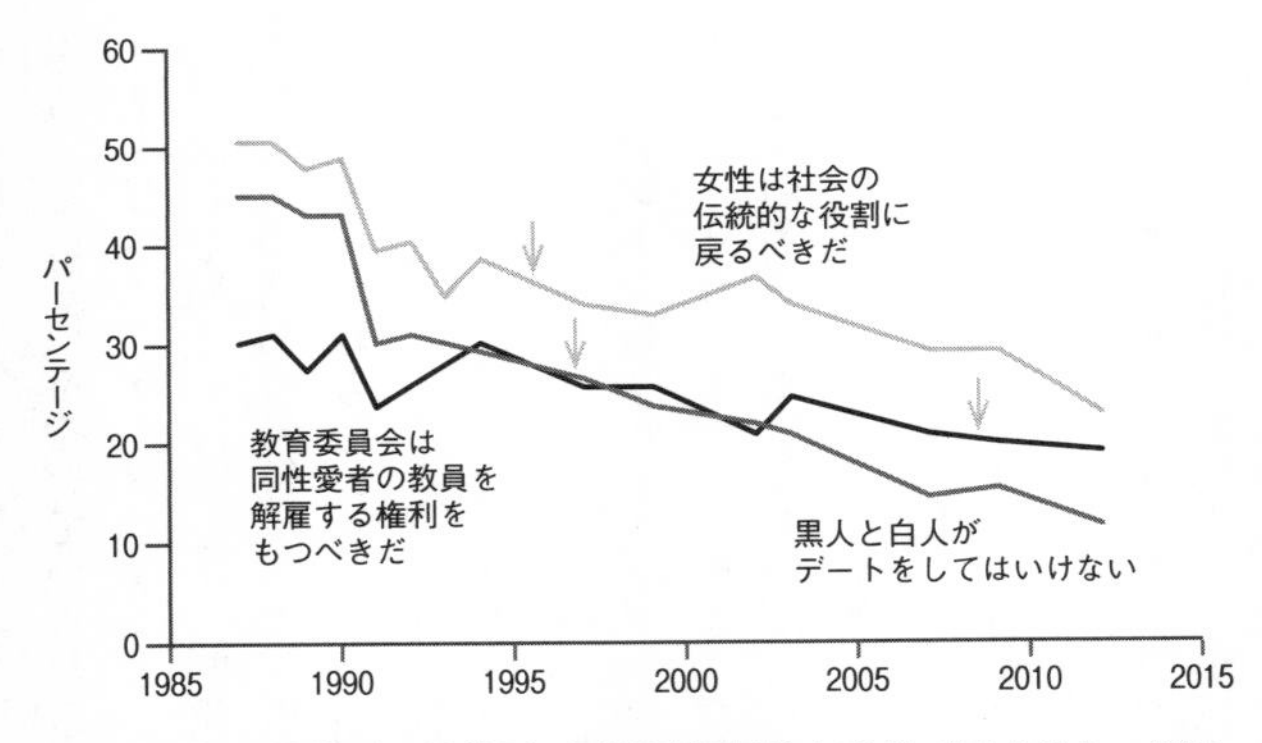

［図15-1］人種差別・性差別・同性愛嫌悪的な意見（アメリカ、1987-2012）

情報源：Pew Research Center 2012b. 矢印は同様の項目について、Pinker 2011で最新だった年をそれぞれ示している（黒人差別：1997年、［図7-7］。女性差別：1995年、［図7-11］。同性愛差別：2009年、［図7-24］）。

人々の反応を示したものだが、その他の多くの項目もこれと似た線を描いている。

同様の変化はその他の調査でも示されていて[8]、アメリカ人全体がリベラルになっているだけでなく、それぞれの世代が前の世代よりも自由な考えをもつようになっている[9]。後述するように、人は年をとっても若いころと同じ価値観をもちつづける傾向がある。したがってアメリカの未来の姿を知るには、年齢が上の世代ではなく、ミレニアル世代（一九八〇年代以降に生まれた世代）に注目するといいだろう。この世代は全国平均よりさらに偏見が少ない[10]。

もちろん、［図15―1］が厳密には何を示しているのか、疑問に思うのは当然である。偏見自体が小さくなりつつあるのか、それとも偏見が社会的に許容されなくなってきたので、調査でわざわざ恥ずべき態度を告白する人が減っただけなのか。この問題は長いこと社会科学者を悩ませてきた。

しかし最近になって、エコノミストのセス・スティーヴンズ＝ダヴィドウィッツは、人々の偏見の度合いを測る指標を発見した。検索履歴を分析するその手法は、いわば〝デジタル版自白剤〟に限りなく近づいたものともいえるかもしれない。[11]人は想像しうるかぎりすべての——そして想像を絶する多くの——好奇心や不安、罪深い喜びをもって、キーボードとスクリーンの向こうからこっそりと、グーグルに問いかけるのだ（よく検索されるのは「ペニスを大きくする方法」や「膣が魚くさい」など）。そうした検索文字列のビッグデータを、グーグルは月別・地域別に蓄積し（ただし検索者の個人情報は集めていない）、それを分析するツールも提供する。スティーヴンズ＝ダヴィドウィッツは、〈nigger〉〔「黒人」の差別語〕という単語の検索が（ほとんどが人種差別的なジョークを探していた）、地域ごとのその他の人種差別的な指標と関連することを見つけ出した。[12]たとえば、二〇〇八年の大統領選挙では、アフリカ系アメリカ人のバラク・オバマに投票しなかった民主党員がいたせいで、彼の得票総数が予想より少なかった地域があったが、そうした地域と〈nigger〉の検索履歴は相関関係にあるという。スティーヴンズ＝ダヴィドウィッツは、検索履歴の分析によって個人の人種差別意識をひ

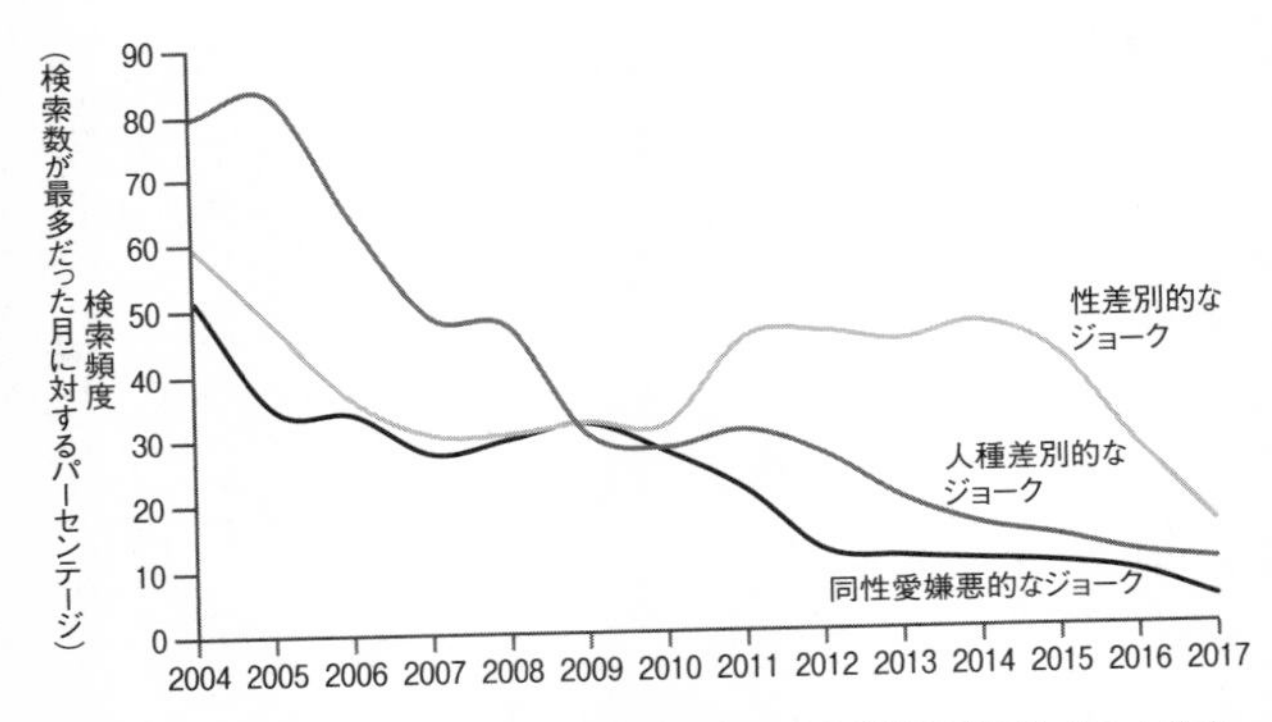

［図15-2］**人種差別・性差別・同性愛嫌悪的な単語の検索（アメリカ、2004-2017）**
情報源：Google Trends〈www.google.com/trends〉、2004年から2017年のアメリカにおける「nigger jokes」「bitch jokes」「fag jokes」〔それぞれ黒人、女性、ゲイの差別的ジョーク〕という語の、総検索ボリュームに対する検索数の割合。データ（2017年1月22日にアクセス）は月ごとで、各検索語とも検索数が最多だった月に対するパーセンテージとして表され、各年の各月で平均化され、平滑化されている。

そかに知ることができるだろうとしている。

ではこの手法を使って、人種差別だけでなく、せっかくなので性差別や同性愛嫌悪についても最近の傾向を追ってみよう。わたしがティーンエイジャーになったころは、まだテレビ放送や新聞の連載漫画で、「間抜けなポーランド人」や「おつむの弱い女性」や「舌足らずな話し方をする、なよなよしたホモセクシャル」を戯画化するジョークがよく見られた。今日、主要メディアでそんなジョークはタブーである。しかし、そうしたジョークは個人の会話では今もまだ飛び交っているのだろうか？　それとも個人レベルでも偏見に対する態度は大きく変化していて、人々はこの種のジョークに対して気分を害したり、不快感を抱いたり、つまらないと感じたりするのだろうか？

その答えは［図15―2］にある。グラフの曲線は、かつてに比べ、アメリカ人が偏見をあらわにするのを恥ずかしいと思うようになっただけでなく、個人としても偏見がらみのジョークを面白く感じなくなったことを示している[13]。また、トランプ旋風のせいで世の中は偏見だらけになるのではないかと恐れられていたが、案に相違し、曲線はトランプが悪名をとどろかせた二〇一五年から一六年にかけての時期も、大統領に就任した二〇一七年の初めも下降を続けている。

スティーヴンズ＝ダヴィドウィッツはわたしに「これらの曲線は、『誰が検索をしているか』の変化を考慮していないので、おそらく偏見の減少度合いを少なく見積もっている」とも教えてくれた。というのも、わたしには疑問があったからだ。データの収集が始まった二〇〇四年、グーグルで検索をするのは主に都会に住む若い人々だった。一方で、地方に住む年配の人々は遅れてテクノロジーを利用する傾向がある。そのため、もしあとからデータに加わった彼らのほうが偏見的な言葉を検索する頻度が高いなら、それは後年の割合を膨らませ、偏見の減少度合いを見えにくくさせることになるのではないか。グーグルは検索者の年齢や教育水準は記録していないが、検索がなされた場所は記録している。

そこで、スティーヴンズ＝ダヴィドウィッツはわたしの疑問に答え、偏見的な言葉は、教育水準が低めの年配層が多く暮らす地域から検索される傾向があることも確認してくれた。国全体と比べ、退職者の多いコミュニティでは、黒人に関するジョークは七倍、ゲイに関するジョークは三〇倍多く検索されている（これを教えてくれるとき、彼は「グーグル広告〔グーグルの広告出稿サービス。広告主向けに検索語句に関するデータの提供もする〕では、ビッチ系のジョークのデータは提供していないんだ」とすまなさそうにいった）。

また、スティーヴンズ＝ダヴィドウィッツはＡＯＬからも多くの検索データを入手していた。こちらはグーグルと違い、個人の検索履歴を追跡している（もちろん個人情報は集めていない）。そのデータを見ると、人種差別主義者という種族は徐々に減っていきそうである。というのも、〈nigger〉という差別語を検索した人は「社会保障」や「フランク・シナトラ」といった年配者が好む言葉を検索する傾向にあり、どうやら年配層に多い様子だからだ。その主な例外はごく少数のティーンエイジャーで、彼らも獣姦、首を切り落とす動画、児童ポルノといった、およそ一般には検索しようと思わないことを検索している。しかし、こうした反社会的な若者を除けば（反社会的な若者はいつの時代にもいる）、個人の偏見は時代が進むにつれ、そして若者が年をとるにつれ、小さくなっている。つまり、偏見の多い年配層が偏見の少ない若年層に舞台を譲るにつれ、さらに個人の偏見が少なくなることが期待できるということである。ただし、後進に場所を譲るまで、偏見の多い年配の人々（主に白人男性）は偏見をもちつづけるだろう。今や多くの人にとって、人種差別や性差別や同性愛嫌悪がタブーなのは第二の天性になっているが、そんなタブーなどものともせず、逆に「ポリティカル・コレクトネス」だとして退けさえするかもしれない。今日、彼らはインターネットでお互いを見つけ合うことができ、政治家の扇動のもと、一致団結している。第二〇章で述べるように、トランプの成功は、他の西洋諸国で右派ポピュリズムが成功しているのと同じく、政治状況が二極化するなかで、人口としては減少しつつある憤慨する人々の層が結集したためと理解すべきである。平等の権利拡大への一世紀にわたる動きが突然後退したとは考えないほうがいい。

アメリカのヘイトクライムは減少傾向にある

平等の権利における進歩は、政治的な記念碑的出来事やオピニオンリーダーに見ることができるだけでなく、人々の生活に関するデータからも読みとることができる。アフリカ系アメリカ人の場合、貧困率は一九六〇年の五五パーセントから二〇一一年には二七・六パーセントにまで下がり[14]、平均寿命は一九〇〇年の三三歳（白人との差は一七・六年）から、二〇一五年には七五・六歳へと延びた（白人との差は三年以下）[15]。また、六五歳に達したアフリカ系アメリカ人は、同年齢の白人よりも余命が長い。また、アフリカ系アメリカ人の非識字率は一九〇〇年には四五パーセントだったが、今日では実質ゼロパーセントである[16]。さらに次章で述べるように、子どもの就学準備に関しても人種間の差は縮まりつつあり、第一八章で説明するように、幸福度についても人種間の差はなくなりつつある[17]。

かつてはアフリカ系アメリカ人に対して夜間の襲撃やリンチ殺人が頻繁に起こっていたが（一九世紀から二〇世紀にかけての時期には週に三回ほど発生していた）、そうした人種差別的暴力は二〇世紀になって急速に減少した。［図15―3］にあるように、FBIがヘイトクライムに関する報告書を一本化した一九九六年以降は、さらに減っている（なかでも殺人はわずかで、ほとんどは年に一件または〇件[18]）。二〇一五年に（入手可能だった最新データ）グラフがわずかに上昇しているのは、トランプのせいではなく、この年の暴力犯罪の増加に比例したせいである（［図12―2］を参照）。ヘイトクライムは政治家の発言よりも、全体の犯罪率と密接に連動するということだ[19]。

［図15―3］を見ると、アジア人、ユダヤ人、白人を標的にしたヘイトクライムも減少しつつあることがわかる。また、アメリカにイスラム嫌悪が広がっているという主張もあるが、イスラム教徒が標的のヘイトクライムは実際にはほとんど変化していな

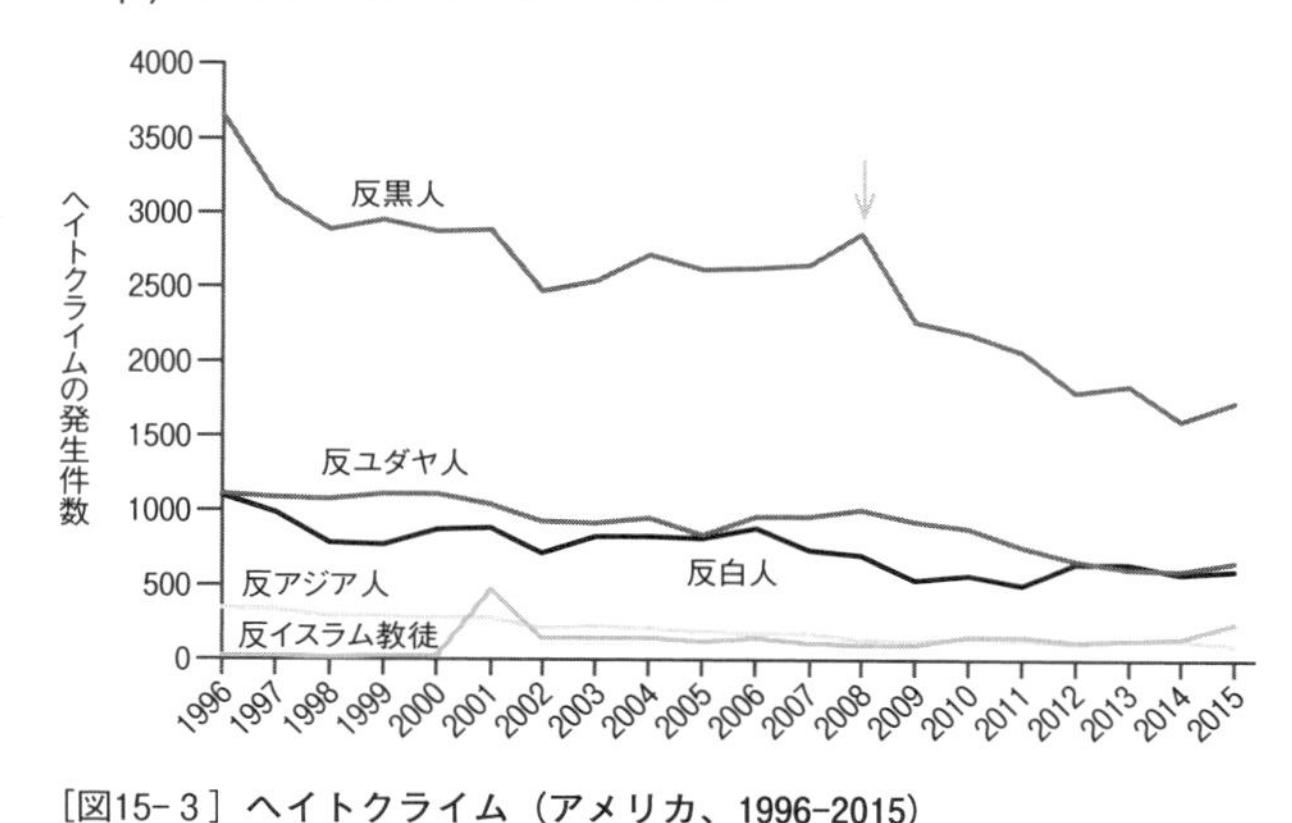

［図15-３］ヘイトクライム（アメリカ、1996-2015）
情報源：Federal Bureau of Investigation 2016b. 矢印はPinker 2011の［図７-４］で最新だった2008年を示している。

い。例外は、9・11後に一時的に上昇したことと、その他のイスラム教徒によるテロ攻撃後——たとえば二〇一五年のパリやサンバーナーディーノのテロ〔カリフォルニア州の都市。障害者施設で銃が乱射された〕のあと——に微増したことである。(20)

二〇一六年のヘイトクライムは、トランプ支持者によるものが急増したという意見も広がった。だが、わたしが本書を執筆している時点では、二〇一六年以降のFBIのデータを入手できないため、それが本当かどうかを判断するのは時期尚早だろう。そうした主張は人権擁護団体から出ているが、彼らは資金調達がどれだけ恐怖を煽れるかにかかっているので、公平な記録者とはいいがたい。そもそも彼らのいうヘイトクライムには、実際の犯罪行為というよりも、皮肉の利いたいたずら程度のものもあり、その多くはただぶっきらぼうに怒りを爆発させているだけのものである[21]。ヘイトクライムはテロ攻撃後の上昇と犯罪率に相関した上昇を除くと、全体に減少傾向にある〔原書刊行後に明らかになったFBIのデータでは、人種・民族・祖先への偏見によるヘイトクライム件数は、二〇一六年に約五パーセント増加、二〇一七年には約一八パーセント増加〕。

女性の地位も向上している。わたしが子どもだったほんの最近まで、アメリカのほとんどの州で女性は自分名義でローンを借りることも、クレジットカードを所持することもできなかった。仕事を探すときは求人広告の女性欄を見なければならず、夫からレイプ被害を受けても告発できなかった[22]。しかし今日では、労働力の四七パーセントは女性が占め、大学生のほぼ半数は女性になっている[23]。また、女性に対する暴力の実態は、犯罪被害調査〔無作為に選んだ人々への犯罪被害に関するアンケート調査〕によって最もよく把握されているが（警察に届け出る被害者が少ないという問題が回避されるため）、その調査によると、妻や恋人に対して性的暴力または暴力が振るわれる率はこの数十年間で低下した。現在は過去最も多かったときの四分の一以下になっている[24]（［図15―4］を参照）。

確かにこの種の犯罪はまだ多すぎるほど発生している。しかし女性への暴力に関心が高まっていることは、道徳心の虚しい発露などではない。それによって確実に進歩がもたらされている事実は、わたしたちを勇気づけてくれる。このまま人々が関心をもちつづけていけば、さらなる進歩がもたらされることだろう。

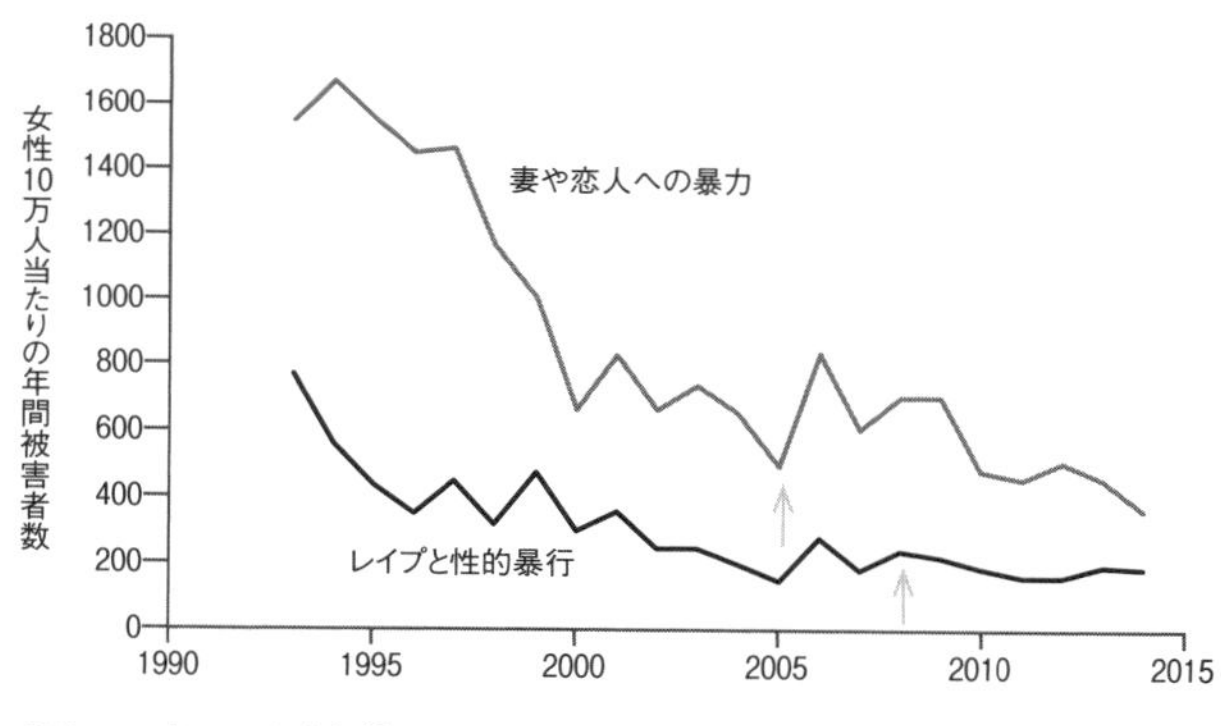

［図15-4］レイプ事件と配偶者暴力（アメリカ、1993-2014）
情報源：US Bureau of Justice Statistics, *National Crime Victimization Survey*, Victimization Analysis Tool, 〈http://www.bjs.gov/index.cfm?ty=nvat〉（BJSのJennifer Trumanによる追加データを含む）。グレーの線は「近親者間暴力」の被害女性者数を表している。矢印はPinker 2011の［図7-13］と［図7-10］でそれぞれ最新だった2005年と2008年を示している。

どんな進歩でも何もせずに自然に起きるというものではないが、人種差別や性差別、同性愛嫌悪の減少も一時的な流行による変化ではない。後述するように、差別意識の低下は現代化の波にあと押しされたと思われる。現代のような国際社会では、人々は自分とは種類の異なる人々ともつきあい、ともに仕事をし、同じ境遇にいたりするので、お互いに共感しやすくなっている(25)。また今の時代、本能的、宗教的、歴史的な惰性によって他人を支配することは許されず、少しでも他人に対しておかしいと思われる接し方をすると、それが正当である理由を説明しなくてはならない。そのため、差別的な扱いを正当化しようとしても、厳しい監視のもとで糾弾されることになる。[26]人種差別や男性のみへの参政権の付与、同性愛の違法化には文字どおり弁護の余地はない。かつて抗弁しようとした人々もいたが、結局論争で負けた。

進歩をあと押しするこうした力は、長期的には流れを押し戻そうとするポピュリストの反発にさえも打ち勝つことができる。たとえば死刑は常に大衆を引きつけるにもかかわらず、世界ではその廃止が進んでいるが（第一四章）、その事実から「進歩は面倒な道を通って進む」という教訓も見えてくる。つまり、擁護しようのない思想やうまく実行できない思想がだんだん廃れてくると、人々は「考えられる選択肢」の貯蔵庫からそれらを取り除くが、この現象は「自分たちは世間が『考えられない』とするものについて考えている」と思っているつもりの人々にも起きるので、政治的に過激な人々も意に反して進歩の方向へと引っ張られるということだ。だからこそ、近年のアメリカ史のなかで最大の後退と思われる政治運動においてさえ、「ジム・クロウ法を復活させろ」とか「女性から参政権を取り上げろ」とか「同性愛を再び違法化しろ」などという要求は出てこなかった。

西洋以外の国々でも偏見と差別は減っている

人種や民族に対する偏見は、西洋だけでなく世界中で少なくなっている。一九五〇年には、世界のほぼ半数の国に民族的マイノリティや人種的マイノリティを差別する法律があった（もちろんアメリカも含む）。しかし、その数は二〇〇三年までに五分の一以下になり、不利な立場のマイノリティを優遇する差別是正政策をとる国のほうが多くなった[27]。二〇〇八年には〈ワールド・パブリック・オピニオン〉によって、先進国・発展途上国合わせて二一カ国を対象に大規模な調査が実施されたが、どの国でも大多数の回答者（平均で約九割）が「異なる人種、民族、宗教の人々が平等に扱われるのは大切なことだ」と答えている[28]。西洋の知識人たちは西洋における人種差別について自虐的態度をとるのが習慣になっているが、最も差別が多いのは非西洋諸国である。とはいえ、調査国中最低のインドでさえも、回答者の五九パーセントが人種間の平等に賛成し、七六パーセントが宗教的平等に賛成している[29]。

女性の権利についても、世界的に進歩している。一九〇〇年、女性に参政権が認められていたのは、世界でたった一カ国、ニュージーランドだけだった。だが今日では、バチカン市国一カ国を除き、男性に参政権のある国はすべて女性にも参政権を認めている。女性は世界の労働力の約四〇パーセントを占め、国会議員の二〇パーセント以上を占めている。〈ワールド・パブリック・オピニオン〉と〈ピュー・グローバル・アティチューズ・プロジェクト〉がそれぞれ国際世論を調査した結果、回答者の八五パーセント以上が完全な男女平等を肯定していた。国別では、インドで六〇パーセント、イスラム教徒が大多数の六カ国で八八パーセント、メキシコとイギリスで九八パーセントだった。[30]

一九九三年には、国連総会で「女性に対する暴力の撤廃に関する宣言」が採択された。以来、ほとんどの国で、レイプ、強制結婚、児童婚、女性器切除、名誉殺人〔婚前交渉などで一族の名誉に泥を塗ったとされる女性を男性親族が殺害すること〕、配偶者暴力、戦時の残虐行為などを減らすために法律が制定され、啓蒙活動も実施されている。なかには骨抜きにされたものもあるが、長期的には良い結果をもたらす基盤となるだろう。また名前を公表するという世界的な運動〔国際的な人権調査報告書などに国名や指導者名を掲載して恥をかかせる〕は、たとえ最初は純粋な情熱だけで始まったとしても、効果をあげている。

そのおかげでこれまでに奴隷制度、決闘、捕鯨、纏足、海賊行為、私掠行為、化学兵器、アパルトヘイト、大気圏内核実験などが劇的に減少してきた。[31] 女性器切除もその一例で、アフリカの二九カ国ではいまだにこの慣習が続いているが（インドネシア、イラク、インド、パキスタン、イエメンもそうである）、それらの国々でも男女とも大多

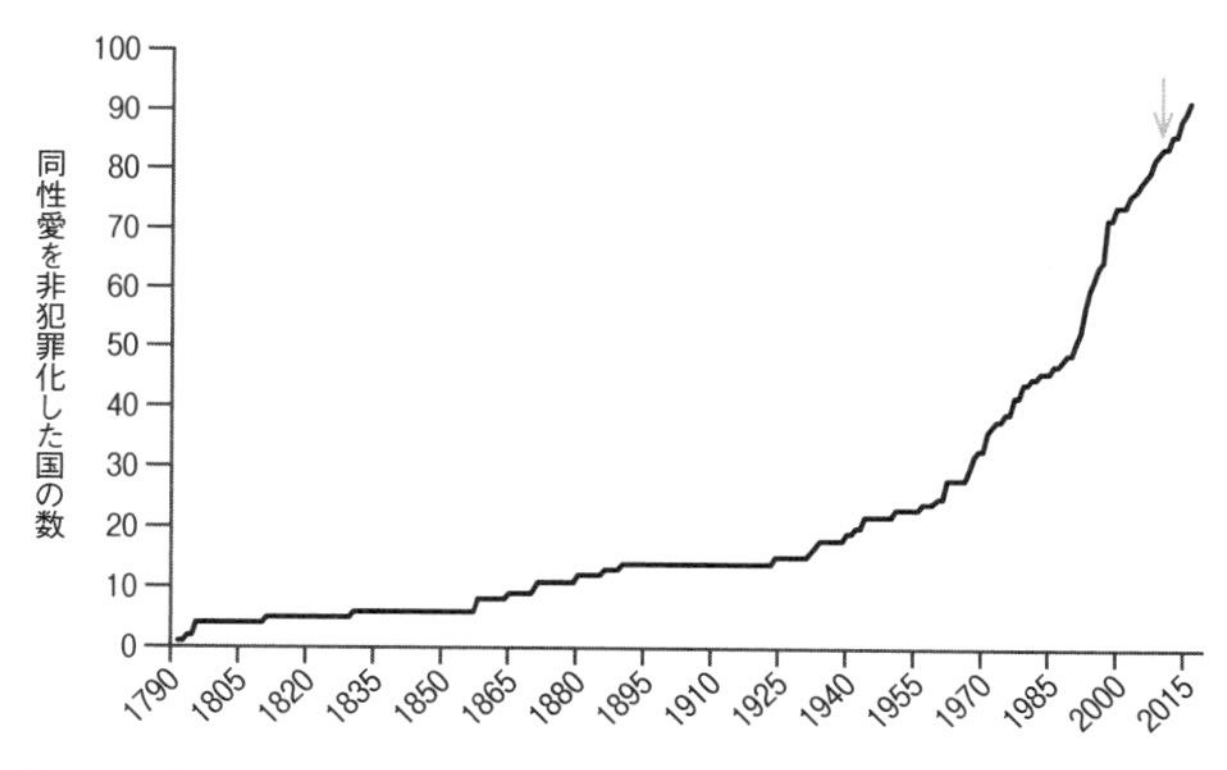

［図15-5］同性愛の非犯罪化（1791-2016）
情報源：Ottosson 2006, 2009. 追加の16カ国の年代は英語版 *Wikipedia*「国・地域別の LGBT の権利」から入手（2016年7月31日に検索）。新たに同性愛が認められるようになった追加の36カ国については年代がいずれの資料にも載っていない。矢印は Pinker 2011の［図7-23］で最新だった2009年を示している。

数がこの慣習をやめるべきだと考えている。この三〇年間で女性器切除の率は三分の一減少した。[32] 二〇一六年には、全アフリカ議会が国際連合人口基金と連携し、女性器切除と児童婚の禁止を支持した。[33]

それから同性愛者の権利も認められる時代になった。かつて同性愛行為は世界のほとんどの国で犯罪とされていた。[34]「成人同士の合意による行為に、誰もとやかくいう権利はない」という最初の議論が提起されたのは、啓蒙時代に入ってからである。これはモンテスキューやヴォルテール、ベッカリーア、ベンサムによって主張された。その後まもなく、同性愛はごく少数の国で非犯罪化され、やがて一九七〇年代に数々のゲイの権利革命が起きると、非犯罪化する国は急速に増えた。同性愛は今も七〇以上の国で違法とされ（一一のイスラム教国家では死刑）、ロシアや一部のアフリカの国々では時代に逆行する動きも見られる。しかし、国連やあらゆる人権団体のあと押しを受け、世界的には自由を認める方向へと進みつづけている。[35]その権利拡大の推移は［図15―5］で示した。この六年間では、新たに八カ国が同性愛を刑法の規定から削除している。

現代化が進むと「解放的な価値観」が根づく

人種差別や性差別、同性愛嫌悪をなくそうとする世界的な進歩は、時に停滞したり失敗したりしながらも、あまねく行き渡るもののように思える。その昔、奴隷制度廃止論者のセオドア・パーカーは、演説でこれを「正義へと向かう道徳の弧（アーク）」と呼び（のちに、マーティン・ルーサー・キング・ジュニアもかの有名な演説でこれを引用した）、その弧を最後まで見届けることはできないが、「良心によって見ることはできる」といった。それもすばらしいことではあるが、しかし歴史の弧は本当に正義へと向かっているのか、もし向かっているなら、何がそうさせているのかを、もっと客観的に確かめる方法はないだろうか。

その一つの方法は、〈世界価値観調査〉を活用することだろう。これは世界人口の約九〇パーセントが暮らす世界九五カ国以上で、一五万人を対象に数十年にわたって実施された価値観に関する調査である。政治学者のクリスチャン・ヴェルツェルはその世界価値観調査の中心メンバーだが、著書『自由の高まり（Freedom Rising）』のなかで、現代化が進むと「解放的な価値観」も高まっていくと説明する[36]（著書はロナルド・イングルハートやピッパ・ノリスらの協力を得て執筆された）。それによると、社会の中心が土地を耕すことから工業、そして情報へと移るにつれ、人々は敵やその他の現実的な脅威を追い払わねばという不安を感じることが少なくなり、そのぶん自分の理念を表明したり、人生が与えてくれるさまざまな機会を追求しようと思うようになる。そして、これに合わせて価値観も自分や他人の自由を望むものへと変わっていく。

こうした変化は心理学者のアブラハム・マズローのいう「欲求の五段階説」とも合致する。すなわち、人の欲求はまず生存に必要なものと安全を求めることから始まり、それから社会への所属、承認、自己実現へと変化するということだ（劇作家ベルトルト・ブレヒトの「まずは食うこと、それから道徳」〔『三文オペラ』の台詞〕とも合致する）。この変化によって、人々は安全より自由、画一性より多様性、権威よりも自治、規律よりも独創性、協調よりも個性を優先しはじめる。ちなみに「解放的な価値観（emancipative values)」とは、古典的な意味での「自由（リバティ）」や「解放（リベレーション）」につながるものであり、「リベラルな価値観」といいかえてもよいものだが、ここでは政治的左派の意味合いではない。

ヴェルツェルは世界価値観調査の結果から、共通の歴史と文化をもつ人々や国、地域のなかでは、一連の調査項目への回答がよく似た傾向を示すことを発見した。そして、それに基づき「解放的な価値観」の浸透の度合いを一つの数値でとらえる方法を考案した。価値観調査の項目には、ジェンダーの平等（女性は職業や政治的リーダーシップ、大学教育において平等の権利をもつべきだと思うか）、個人の選択（離婚、同性愛、妊娠中絶は許容されると思うか）、政治的発言権（言論の自由および政府、地域社会、職場に対して自由に意見を述べる権利は保障されるべきだと思うか）、育児観（子どもは従順であるべきか、それとも自主性に富み、想像力豊かであるべきか）がある。これらの質問に対する回答に完全な相関関係があるとはいいがたいが（特に中絶に関しては、他の多くの質問に賛成する人々のなかでも意見が分かれた）、しかし全体としては回答は相関する傾向にあり、総合すると各国の状況について多くのことが予測できる。

「先進国の価値観は保守化している」の嘘

ところで、世界の価値観の変化を見る前に、時間とはただカレンダーをめくって過ぎていくだけではないということは忘れずにいたい。人は時とともに年をとってやがて死に、次の世代と交代する。つまり、時代ごとの人間の行動の変化（歴史的または長期的な意味での変化）はどれも、次の三つの理由のいずれかから起きるということだ。[37]

その一つめは「時代効果」。これは時代や時代精神、国の風潮の影響による変化で、社会という船全体をもち上げたり、引き下げたりする変化である。二つめは「年齢効果（またはライフサイクル効果）」。これは人は成長とともに――泣き虫の赤ん坊から駄々をこねる子どもになり、ため息の出るような恋をして、太鼓腹の裁判官になるなど年を重ねるにつれて――変化することを指す。ただし国の出生率には増減があるので、たとえある年齢に達するとほとんどの人がある特定の考えをもつようになると仮定しても、母集団の平均は、若者、中年、高齢者の割合の変化に応じて自動的に変化する。最後に「コホート効果（または世代効果）」。これは世代交代による変化になる。同時期に生まれた人々の集団（コホート）は生涯を通して共通の特徴をもつと考えら

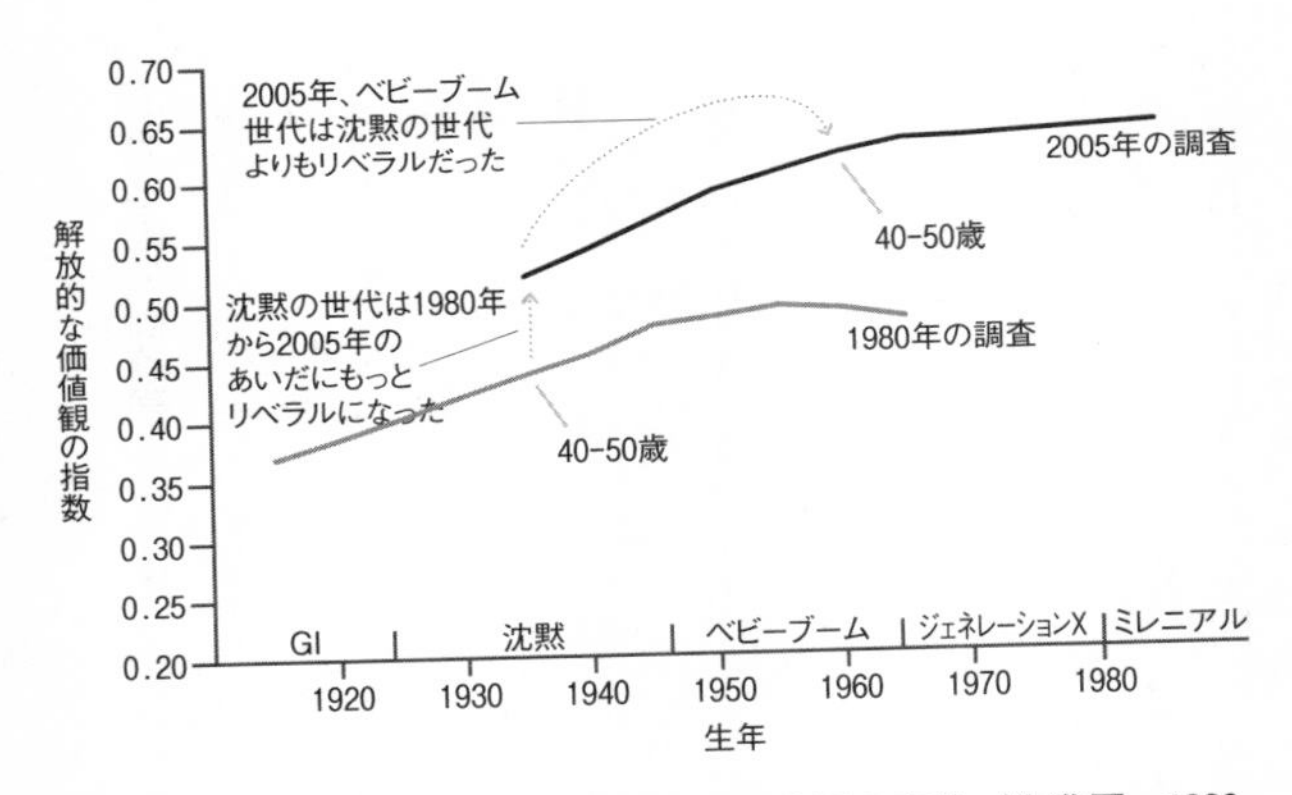

[図15-6] 時代と世代による解放的な価値観の変化（先進国、1980-2005）

情報源：Welzel 2013, fig. 4.1. オーストラリア、カナダ、フランス、西ドイツ、イタリア、日本、オランダ、ノルウェー、スウェーデン、イギリス、アメリカの世界価値観調査のデータ（各国の比重は均等にした）。

れるため、ある世代がステージを去り、次の世代が登場すると、母集団の平均もコホートの構成の変化を反映して変化するということだ。

これらの「時代」「年齢」「コホート」による影響は完全に分離することはできない。ある時代が次の時代に移るとき、各コホートも年をとっているからだ。しかしある母集団の特徴を複数の時代で測定し、それぞれの時代でそのデータから異なるコホートを取り出せば、三つの変化それぞれについて合理的な推論ができる。

では、まず北アメリカ、西ヨーロッパ、日本など最も先進的な国の価値観の変化を見てみよう。［図15―

6」は、一世紀にわたる解放的な価値観の軌跡を示している。調査データは二つの時期（一九八〇年と二〇〇五年）に、成人（一八歳から八五歳まで）から集められたもので、一八九五年から一九八〇年のあいだに生まれた各世代を表している（アメリカの場合、一般に各世代は次のように分けられる。一九〇〇年から一九二四年に生まれたGI世代。一九二五年から一九四五年の沈黙の世代。一九四六年から一九六四年のベビーブーム世代。一九六五年から一九七九年のジェネレーションX。一九八〇年から二〇〇〇年のミレニアル世代）。グラフでは、各世代を横軸に、左から生年順に並べ、二つの調査年はそれぞれ一本の線で表した（ちなみに、二〇一一年から二〇一四年のデータは、一九九六年までに生まれたミレニアル世代後半までのデータが入るものの、二〇〇五年のものとよく似ている）。

グラフからは、侃侃諤諤の政治論争でほとんど評価されてこなかった歴史的な傾向が見てとれる。それは右派の反発や怒れる白人男性といった議論をよそに、西洋の国々の価値観は着実にリベラルなものになっているということだ（後述するように、これも右派や怒れる白人男性が立腹する理由の一つである）[38]。二〇〇五年の線は一九八〇年の線よりも上にあり（つまり時とともに全員がリベラルになった）、どちらの線も右肩上がりになっている（つまりどちらの年も若い世代は上の世代よりもリベラルだった）。この上昇はなかなかのもので、二五年間で全体についても各世代についても、それぞれ標準偏差の約四分の三に当たる分、上昇している（ちなみに、こうした上昇もきちんと評価されていない。二〇一六年のイプソスの調査によると、ほとんどすべての先進国で、人々は自国民のことを実際よりも社会的に保守的だと考えていた[39]。

それから、グラフには重要な発見も示されている。リベラルな若者が年をとるにしたがって保守的になるとすると、このリベラル化は説明できない。もし「高齢になると保守的になる」というのが本当なら、二つの線は上下に離れるのではなく横並びになるはずである。また各世代の二〇〇五年の数値は、年齢が上がると保守的になったことを反映して、一九八〇年よりも低くなるはずだろう。しかし実際にはグラフにあるように、各世代の価値観は以前より自由になった時代精神を反映し、よりリベラルになったことが示されている。つまり、若者は年をとっても「解放的な価値観」をもちつづけるということだ。この発見については、第二〇章で進歩の未来を考えるときにまた触れたい[40]。

先進国以外の国々も価値観は解放的になった

［図15―6］に見られる価値観のリベラル化は、脱工業化した西洋諸国で暮らす人々――プリウスに乗り、チャイティーをたしなみ、ケールを食すような人々――の価値観を反映したものである。しかし、そのほかの国々ではどうなのだろうか？　これに

ついても見てみよう。ヴェルツェルは世界価値観調査の対象国だった九五カ国を、似たような歴史と文化をもつ一〇の地域圏に分類した。また年齢効果がないことを利用して、過去の「解放的な価値観」の値を推定した。すなわち、その国全体の価値観が四〇年間でリベラル化した程度に応じて、二〇〇〇年に六〇歳を迎えた世代の価値観に調節を加えることで、彼らが一九六〇年に二〇歳だったころの価値観を推定するという手法である。

次ページの［図15—7］は、世界の各地域圏の「解放的な価値観」がおよそ五〇年のあいだにどう推移したかを示している。この図では、各国における時代の変化による影響（［図15—6］でいうと二本の線の落差に当たる）と、コホートの変化による影響（各線がそれぞれ上昇）は一つの線にまとめてある。

驚くことではないが、グラフからは世界の各文化圏のあいだに大きな差があることがわかる。世界で最もリベラルなのはオランダ、北欧、イギリスなど西ヨーロッパのプロテスタントの国々で、その次がアメリカなど裕福な英語圏の国々、それからカトリックの国々と南ヨーロッパ、中央ヨーロッパの旧共産主義諸国があとを追う。ラテンアメリカ、東アジアの先進工業国、旧ソ連と旧ユーゴスラビアはそれよりもう少し保守的で、そのあとに南アジアと東南アジア、サハラ以南のアフリカが続く。世界で最も非リベラルな地域は中東のイスラム教国家と北アフリカである。

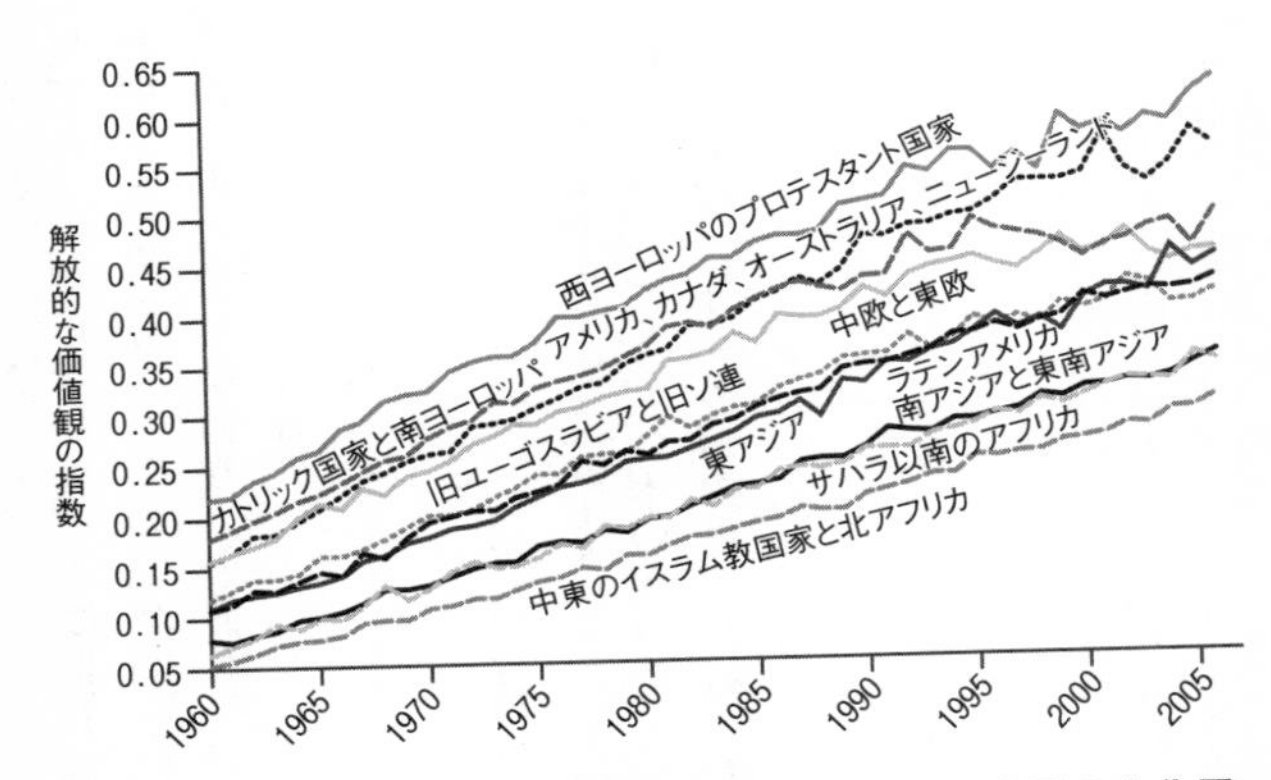

[図15-7] 時代による解放的価値観の変化（推定、世界の文化圏、1960-2006）

情報源：世界価値観調査（ヴェルツェルから提供されたデータで更新した。分析結果は Welzel 2013, fig. 4.4を参照)。各国の年ごとの解放的な価値観の推定値は、各回答者の出生コホート、調査年、その国特有の時代効果に基づき、ある年齢の仮想サンプルについて計算された。ラベルはそれぞれヴェルツェルの「文化圏」を地理的にイメージしやすくしたものであり、各文化圏のすべての国に当てはまるわけではない。本書では次の文化圏の名称を変更した。ヴェルツェルの「プロテスタントの西洋」は「西ヨーロッパのプロテスタント国家」、「ニュー・ウエスト」は「アメリカ、カナダ、オーストラリア、ニュージーランド」、「オールド・ウエスト」は「カトリック国家と南ヨーロッパ」、「復帰した西洋」は「中欧と東欧」、「中国文化の東洋」は「東アジア」、「正教の東洋」は「旧ユーゴスラビアと旧ソ連」、「インド文化の東洋」は「南アジアと東南アジア」。各文化圏の国々の比重は均等にした。

しかし、驚くべきは世界のすべての地域で人々が以前よりリベラルになっていることだ。それもずいぶんとリベラルになっている。中東は世界で最も保守的な文化圏だが、今日イスラムの若者は、世界で最も自由な文化圏である西ヨーロッパの一九六〇年代の若者と同水準の価値観を有している。すべての文化圏で、時代精神も各世代も以前よりリベラルになったが、いくつかの文化圏での価値観のリベラル化は、中東のイスラム教国のように、主に世代交代によって進んだ。そして、それが「アラブの春」で目に見える役割を果たすことになった[41]。

では、文化圏によって差がある原因や、どの文化圏も時代とともにリベラル化している原因を特定することはできるのだろうか？　社会全体の特徴の多くは、解放的な価値観の度合いと関連がある。一方で、これは繰り返しぶつかる問題だが、社会的特徴同士も互いに関連し合っているため、因果関係と相関関係とを区別したい社会学者にとっては厄介なことになる[42]。そのなかで、まず繁栄の度合い（一人当たりのＧＤＰが指標になる）は、解放的な価値観との関連が考えられる。というのも、おそらく人は健康的な生活と安全が保障されるにつれて、社会のリベラル化を試してみようとするからだ。データによると、概してリベラルな国は教育が行きとどき、都市化が進み、子どもをあまり多くもたず、近親婚が少なく（いとこ同士の結婚が少ない）[43]、平和で、民主的で、不正が少なく、犯罪やクーデターも少ないことがわかっている。またそうした国々は、今も昔も経済基盤は広大なプランテーションや原油・鉱物の採掘ではなく、商業ネットワークのほうにある。

しかし、解放的な価値観を最もよく予測できるものは、世界銀行の「知識指数(Knowledge Index)」だろう。これは、教育程度(大人の識字能力、高校・大学への進学)、情報アクセス(電話、パソコン、インターネットの使用)、科学的・技術的な生産性(研究者、特許、新聞記事)、制度の整備(法の支配、規制の質、開かれた経済)について一人当たりの値を総合したものである。[44] ヴェルツェルは、国によって解放的な価値観に差がある原因の七〇パーセントは、この知識指数から説明されることを発見し、GDPよりはるかに優れた指標だとした。[45] この統計結果は啓蒙思想の鍵となる見識の正しさを証明している。知識と健全な制度はやはり道徳的な進歩をもたらすのである。

アメリカでは子どもの虐待やいじめは減少

人権の進歩について語るなら、人類のなかで最も弱い存在、子どものことも忘れてはならない。子どもは自分の利益のために闘うことができず、他人の同情心に頼るしかない。しかしこれまでに説明したように、その子どもを取り巻く状況も世界中で改善されている。かつてに比べると、母親を知らない子になったり、五歳の誕生日の前

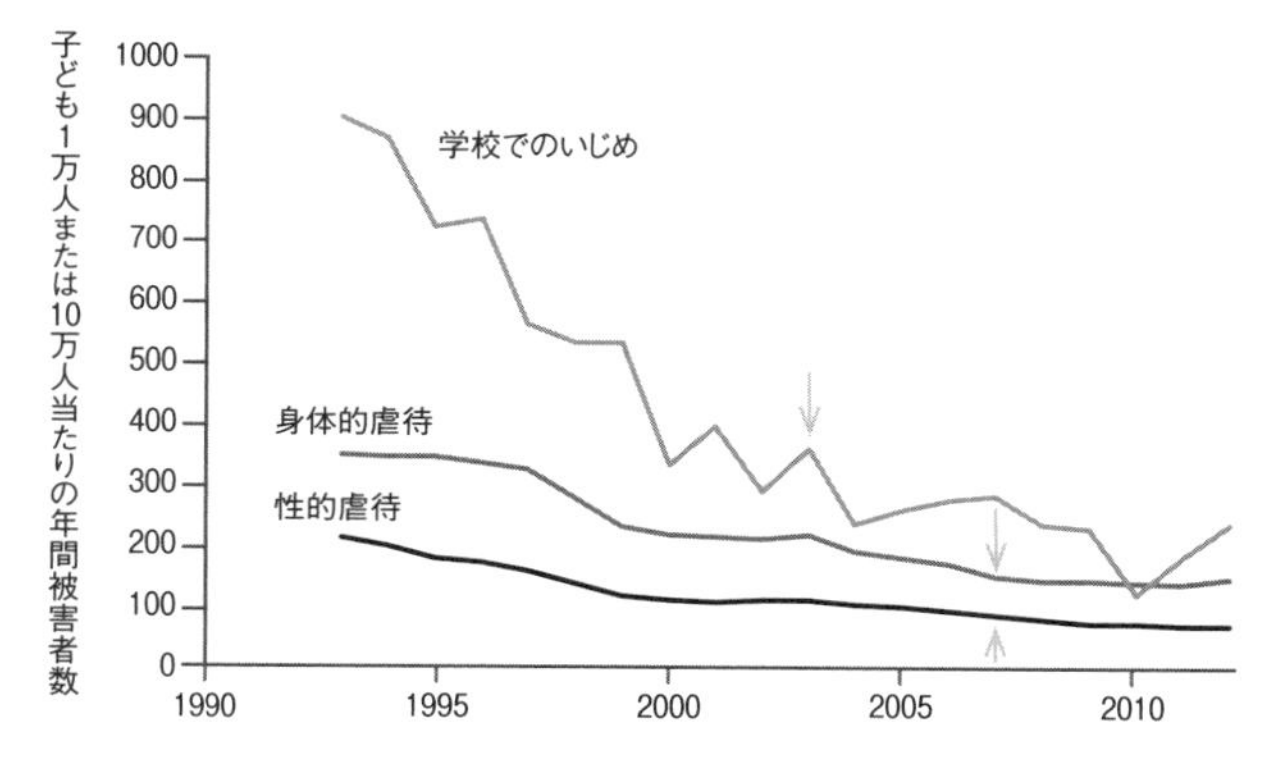

［図15-8］子どもの虐待（アメリカ、1993-2012）

情報源：【身体的虐待と性的虐待（主に保護者によるもの）】National Child Abuse and Neglect Data System, 〈http://www.ndacan.cornell.edu/〉（Finkelhor 2014; Finkelhor et al. 2014で分析されている）。【学校でのいじめ】US Bureau of Justice Statistics, *National Crime Victimization Survey*, Victimization Analysis Tool, 〈http://www.bjs.gov/index.cfm?ty=nvat〉. 身体的虐待と性的虐待の被害者数は、18歳以下の子ども10万人当たりのもの。学校でのいじめによる被害者数は、12歳から17歳までの子ども1万人当たりのもの。矢印はそれぞれ Pinker 2011の最新年だった2003年［図7-22］と2007年［図7-20］を示している。

に死んだり、食糧不足で発育不全になることは少なくなった。ここからは、こうした非人為的な打撃だけでなく、子どもが人為的な打撃も受けずにすむようになってきたことを見ていこう。子どもたちは以前より安全に暮らせるようになり、本当の意味での子ども時代を楽しめるようになっている。

まず子どもの福祉も、センセーショナルな見出しのせいで、誤解されているケースの一つだろう。本当はそんなに怯えなくてもいいのだが、ニュースを読む人々は恐ろしいことになっていると思ってしまう。学校での発砲事件や誘拐、いじめ、ネットいじめ、セクスティング〔性的な画像などをスマートフォンで送受信すること〕、デートレイプ、性的虐待、身体的虐待。そうしたニュースをメディアが報道するのを見ていると、まるで時代は子どもにとってどんどん危険な方向に向かっているように思えてくる。

しかし、実はデータはそれと反対のことを教えてくれている。第一二章で述べたように、今のティーンエイジャーが危険ドラッグに手を出さなくなっているのはその一例だろう。また、社会学者のデイヴィッド・フィンケラーらは、アメリカにおける子どもへの暴力についての二〇一四年の文献でこう報告する。「二〇〇三年から二〇一一年のあいだに、調査した五〇の項目のうち二七の項目が大きく減少し、目立った増加は特になかった。特に大きく減少したのは身体的虐待、性的虐待、いじめだった」(46)。[図15―8]はその三つの項目の傾向を示している。

子どもへの暴力のうち、もう一つ減少しているのは体罰である。お尻を叩く、平手打ちにする、殴る、棒で叩く、鞭で打つ、ぶつ。少なくとも紀元前七世紀から、親や教師は「鞭を惜しむと、子どもをだめにする」と称して、無力な子どもに対し、そうした乱暴なやり方で行動を矯正しようとしてきた。しかし体罰は国連決議で非難され、今では世界の半数以上の国で禁止されている。ただしアメリカはここでも民主主義の進んだ国々からのはぐれ者で、学校での体罰が許容されている。とはいえ、さすがに体罰が全面的に許容される度合いはゆっくりとだが確実に減少している。[47]

世界の児童労働の比率は減少、教育機会は拡大

児童労働についても見てみよう。ディケンズの『オリヴァー・ツイスト』（加賀山卓朗訳、新潮文庫）では、九歳のオリヴァーがイギリスの救貧院で古いロープからオーカム〔中古のロープをほぐした繊維で、船の接合部などに詰める〕をつくる作業をしている。これはフィクションを通して、世界で最も蔓延している児童虐待、つまり児童労働を垣間見せるものである。この作品のほかにも、一九世紀にはエリザベス・バレット・ブラウニングの一八四三年の詩『子どもたちの叫び（The Cry of the Children）』や新聞の暴露記事によって、子どもが劣悪な条件で働かされている事実が人々に知られるようになった。当時は製粉

所や鉱山、缶詰め工場で、まだ幼い子どもたちが綿塵や炭塵でいっぱいの空気を吸いながら、箱の上に立って危険な機械の番をしていた。顔に冷水を浴びせられながら起きつづけ、ようやく仕事が終わるとくたくたで、食べ物を口に入れたまま崩れるように眠っていた。

しかし、こうした残酷な児童労働は、ヴィクトリア時代の工場に始まったことではない。[48] いつの時代も、子どもは農場労働者や召使いとして働かされてきた。よその家に使用人として雇われたり、家内工業の労働者として雇われたりすることもよくあったし、よちよち歩きのころから働かされることもよくあった。たとえば一七世紀、厨房で働く子どもたちは、濡らした干し草で火を囲っただけの危ない状態で、肉を焼く串を回さなければならなかった。[49] ところが当時は誰もこれを搾取と思っておらず、子どもを怠け者にしないための道徳教育の一環だと思われていた。

だがやがて、ジョン・ロックの一六九三年の著作〔『子どもの教育』〕やジャン＝ジャック・ルソーの一七六二年の著作〔『エミール』〕が世に出ると、その影響で子ども時代の在り方も捉え直された。[50] 屈託のない子ども時代を過ごすことは、人間が生まれながらにもつ権利とみなされるようになったのである。そこでは遊びは学びに必要なものであり、子ども時代の日々によって大人という人間がつくられ、ひいては社会の未来が決まってくるとされている。社会学者のヴィヴィアナ・ゼリザーがいうように、二〇世紀前後の数十年間で子ども時代は「神聖化」され、子どもたちは「経済的な価値はないが、感情的にはお金では買えない価値をもつ」という現在の立場を獲得した。[51]

こうして西洋社会は徐々に児童労働を禁止したが、そこに至るまでには子どもの人権団体の圧力や、経済力の高まり、一家族当たりの子どもの数の減少、同情の輪の広がり、教育への関心の高まりといった力が働いた。こうした力が一つになって児童労働の禁止をあと押しした様子は、ある広告からも見てとれる。それは一九二一年発行の農業誌『サクセスフル・ファーミング』に掲載されたトラクターの広告で、タイトルは「少年は学校へ」となっている。

春の農作業は忙しく、そのせいでお子さんを何カ月も学校に行かせられないという話をよく聞きます。必要に迫られてのことでしょうが、でもはたしてお子さんにとって、それはいいことなのでしょうか。子どもから教育の機会を奪うということは、子どもの人生の足を引っ張っているということにほかなりません。今の時代、教育はますます重要になっています。どんな職業だろうと、成功し名声を得るには教育が必要です。農業も例外ではありません。

もしあなたが自分はちゃんとした教育を受けられなかった（あなたに落ち度はなかったのに）と悔やんでいるなら、きっとご自分のお子さんには本物の教育を受けさせたいと願っていることでしょう。そう、あなたができなかったことをやらせてあげたいと願うのは当然です。

そんなあなたの願いは、ケース社のケロシン・トラクターが叶えてくれます。ケース社のケロシン・トラクターを使えば、あなた一人だけで、男手と子どもの手伝いと馬たちの働きを合わせた以上の仕事ができるのです。今、ケース社のトラクターと耕耘機(こううんき)に投資しておけば、春の農作業はお子さんの手を借りなくてもどんどん進むことでしょう。これでお子さんは何の気兼ねもなく学校に行くことができるというものです。

子どもは学校に行かせましょう。そのかわり、ケース社のケロシン・トラクターを畑に一台置きましょう。あなたはどちらの投資にも後悔しないはずです。[52]

多くの国で決定打になったのは、義務教育が法律で定められたことであり、こうして児童労働は明らかに違法になった。［図15―9］を見ると、イングランドの労働力における子どもの割合は、一八五〇年から一九一〇年のあいだに半減したことがわかる。その後、イングランドでは一九一八年に児童労働が完全に禁止された。アメリカもイングランドに続き、似たような曲線を描いている。

またグラフからは、児童労働はイタリアで急激に減少し、世界的にも近年の二つの

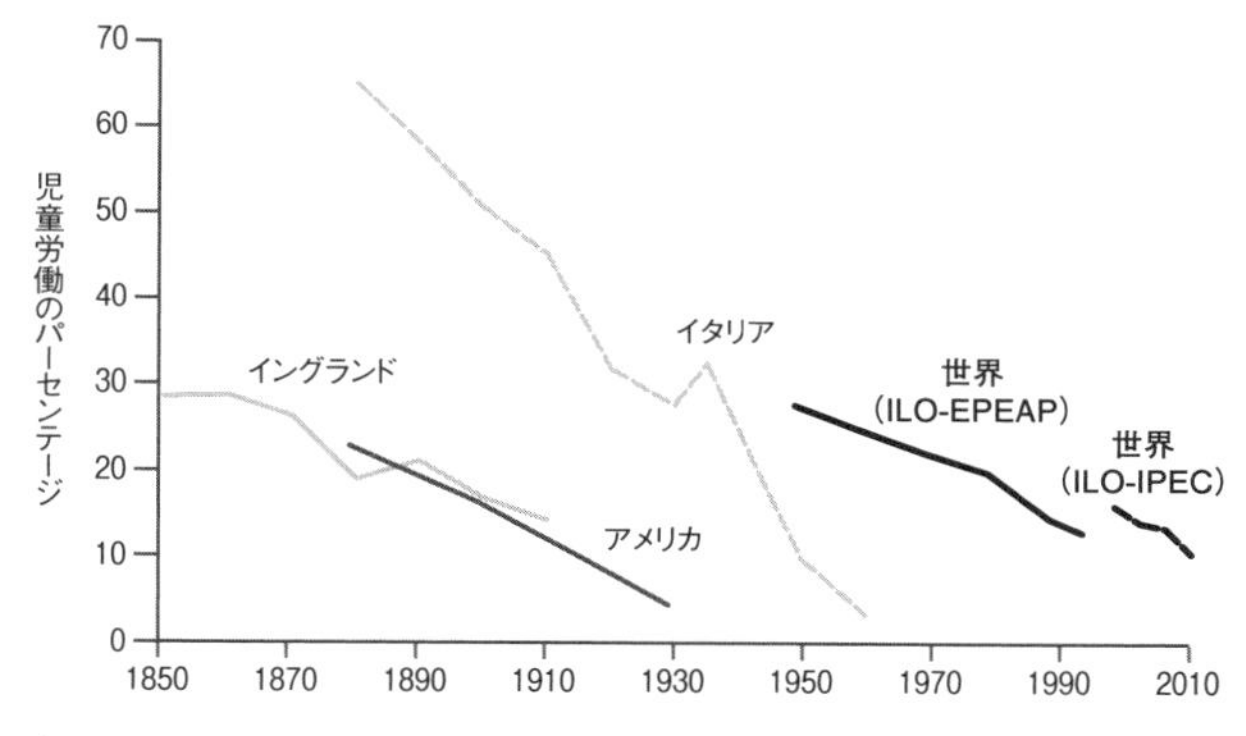

［図15-９］**児童労働（1850-2012）**
情報源：*Our World in Data*, Ortiz-Ospina & Roser 2016a および以下の各資料。【イングランド】労働者として記録されている10歳から14歳の子どもの割合、Cunningham 1996。【アメリカ】Whaples 2005.【イタリア】10歳から14歳の児童労働の発生率、Toniolo & Vecchi 2007。【世界（ILO-EPEAP：国際労働機関の経済活動人口の概算と予測計画）】10歳から14歳の児童労働、Basu 1999。【世界（ILO-IPEC：国際労働機関の児童労働撤廃国際計画）】５歳から17歳の児童労働、International Labour Organization 2013。

時期の両方で減少していることもわかる。年齢層と「児童労働」の定義が異なるため、世界の二つの線を単純に比較することはできないが、どちらも下降しているという点では共通している。二〇一二年には世界の子どものうち、一六・七パーセントが週に一時間以上働かされ、一〇・六パーセントが望ましからざる児童労働（長時間労働、幼い子どもの労働）をさせられ、五・四パーセントが危険な仕事をさせられていた。どれもまだ大きすぎる数字だが、それでもほんの十数年前の半分以下である。

また児童労働は、今も昔も製造業ではなく農業や林業や漁業に集中し、国の貧しさとも関連する。これはつまり国が貧しいから児童労働があり、児童労働があるせいで国は貧しくなるということで、貧しい国ほど働かされる子どもの割合は大きい[53]。反対に賃金が上がっていくと、あるいは親が子どもを学校に通わせる費用を政府が出すようになると、児童労働は急速に減少する。そこからわかるのは、貧しい家庭が子どもを働かせるのはお金に貪欲だからではなく、生きるためにどうしようもなくてそうしているということである[54]。

人間のありようを脅かすその他の犯罪や悲劇と同様、児童労働をなくそうとする動きも、世界が豊かになり、人道的な道徳運動が広がることから力を得て進展している。一九九九年には一八〇カ国が「最悪の形態の児童労働に関する条約」を批准した。ここで禁止された「最悪の形態」には、危険な労働、奴隷制における子どもの搾取、人身売買、債務労働、売春、ポルノ製造、麻薬取引、武力紛争への徴集などがある。残念ながら、二〇一六年までに「最悪の形態」の児童労働をなくすという、国際労働機関の目標はまだ達成されていないが、児童労働根絶の機運は間違いなく高まっている。

その象徴的な出来事は、二〇一四年、児童労働に反対する活動家のカイラシュ・サティヤルティがノーベル平和賞を受賞したことだろう。サティヤルティは「最悪の形態の児童労働に関する条約」の採択にも一役買った人物である。また、この年のノーベル平和賞には、女子教育の必要性を果敢に訴えつづけるマララ・ユスフザイも同時に選ばれた。こうした動きは人類の繁栄のさらなる前進、すなわち、知識にアクセスできる層の拡大をもたらすものである。

（下巻に続く）

原　注

序文

（1）「母親たちと子どもたちは」は2017年１月20日のドナルド・トランプ就任演説より〈https://www.whitehouse.gov/inaugural-address〉。「全面戦争」と「精神的、道徳的基盤」はトランプの首席戦略官を務めたスティーヴン・バノンの2014年夏のバチカン会議に向けた演説を記事にした J. L. Feder, “This Is How Steve Bannon Sees the Entire World,” *BuzzFeed*, Nov. 16, 2016より〈https://www.buzzfeed.com/lesterfeder/this-is-how-steve-bannon-sees-the-entire-world〉。「グローバルな権力構造」は2016年11月の最後のテレビ広告キャンペーン “Donald Trump's Argument for America” より〈http://blog.4president.org/2016/2016-tv-ad/〉。この三つの演説はいずれもバノンが原稿を執筆ないし共同執筆したものといわれている。

（2）CUDOS: Merton 1942/1973. このなかでマートンは第一の徳を “communism” と呼んでいるが、引用するさいはマルクス主義と区別するために “communalism” とされることが多い。

第１部

（1）S. Maher, “Inside the Mind of an Extremist” 2015年５月26日のオスロ自由フォーラムでのプレゼンテーションより〈https://oslofreedomforum.com/talks/inside-the-mind-of-an-extremist〉。

（2）Hayek 1960/2011, p. 47より。Wilkinson 2016a も参照。

第１章

（1）『啓蒙とは何か』: Kant 1784/1991.

（2）Kant 1784/1991. この引用は H. B. Nisbet 訳と Mary C. Smith 訳〈http://www.columbia.edu/acis/ets/CCREAD/etscc/kant.html〉を取り混ぜて短くまとめている。

（3）『無限の始まり』: Deutsch 2011, pp. 221–22.

（4）18世紀の啓蒙主義運動：Goldstein 2006; Gottlieb 2016; Grayling 2007; Hunt 2007; Israel 2001; Makari 2015; Montgomery & Chirot 2015; Pagden 2013; Porter 2000.

（5）理性が交渉や駆け引きとは無縁であること：Nagel 1997；第21章も参照。

（6）多くの啓蒙思想家は神を信じていなかった：Pagden 2013, p. 98.

（7）Wootton 2015, pp. 6–7.

（8）Scott 2010, pp. 20–21.

（9）人間の本性を探求する科学者としての啓蒙思想家：Kitcher 1990;

Macnamara 1999; Makari 2015; Montgomery & Chirot 2015; Pagden 2013; Stevenson & Haberman 1998.
(10) 共感の輪の広がり：Nagel 1970; Pinker 2011; Shermer 2015; Singer 1981/2011.
(11) コスモポリタニズム：Appiah 2006; Pagden 2013; Pinker 2011.
(12) 人道主義革命：Hunt 2007; Pinker 2011.
(13) 神秘的な力としての進歩：Berlin 1979; Nisbet 1980/2009.
(14) 権威主義的ハイモダニズム：Scott 1998.
(15) 権威主義的ハイモダニズムとブランク・スレート（空白の石板）説：Pinker 2002/2016, pp. 170-71, 409-11.
(16) Scott 1998, pp. 114-15にあるル・コルビュジエの言葉から。
(17) 刑罰権の再検討：Hunt 2007.
(18) 富の創造：Montgomery & Chirot 2015; Ridley 2010; Smith 1776/2009.
(19) 温和な商業：Mueller 1999, 2010b; Pagden 2013; Pinker 2011; Schneider & Gleditsch 2010.
(20)『永遠平和のために』：Kant 1795/1983. その現代の解釈：Russett & Oneal 2001.

第2章

(1) 熱力学の第二法則：Atkins 2007; Carroll 2016; Hidalgo 2015; Lane 2015.
(2) Eddington 1928/2015.
(3)『二つの文化と科学革命』：Snow 1959/1998, pp. 14-15.
(4)「熱力学の第二法則＝心理学の第一法則」：Tooby, Cosmides, & Barrett 2003.
(5) 自己組織化：England 2015; Gell-Mann 1994; Hidalgo 2015; Lane 2015.
(6) 進化vs.エントロピー：Dawkins 1983, 1986; Lane 2015; Tooby, Cosmides, & Barrett 2003.
(7) スピノザ：Goldstein 2006.
(8) 情報：Adriaans 2013; Dretske 1981; Gleick 2011; Hidalgo 2015.
(9) 情報はエントロピーそのものではなくエントロピー減少の一つである：〈https://schneider.ncifcrf.gov/information.is.not.uncertainty.html〉
(10) 知識としての伝達情報：Adriaans 2013; Dretske 1981; Fodor 1987, 1994.
(11)「宇宙は物質とエネルギーと情報でできている」：Hidalgo 2015, p. ix; Lloyd 2006も参照。
(12) ニューロコンピューティング：Anderson 2007; Pinker 1997/2009, chap. 2.
(13) 知識と情報と推論役割：Block 1986; Fodor 1987, 1994.
(14) 認知的ニッチ：Marlowe 2010; Pinker 1997/2009; Tooby & DeVore 1987; Wrangham 2009.
(15) 言語：Pinker 1994/2007.
(16) ハッザ族の食事：Marlowe 2010.

(17) 枢軸時代：Goldstein 2013.
(18) 枢軸時代の説明：Baumard et al. 2015.
(19) ブレヒトの『三文オペラ』第２幕第１場より。
(20) 時計仕掛けの宇宙：Carroll 2016; Wootton 2015.
(21) 自然のままでは読み書きも計算もできない：Carey 2009; Wolf 2007.
(22) 呪術思考、霊的存在、呪文：Oesterdiekhoff 2015; Pinker 1997/2009, chaps. 5 and 6; Pinker 2007a, chap. 7.
(23) 統計的推論力のバグ：Ariely 2010; Gigerenzer 2015; Kahneman 2011; Pinker 1997/2009, chap. 5; Sutherland 1992.
(24) 直観的法律家・政治家：Kahan, Jenkins-Smith, & Braman 2011; Kahan, Peters, et al. 2013; Kahan, Wittlin, et al. 2011; Mercier & Sperber 2011; Tetlock 2002.
(25) 自信過剰：Johnson 2004. 自分の理解の過大評価：Sloman & Fernbach 2017.
(26) 道徳感覚のバグ：Greene 2013; Haidt 2012; Pinker 2008a.
(27) 糾弾手段としての道徳：DeScioli & Kurzban 2009; DeScioli 2016.
(28) 道徳にかなった暴力：Fiske & Rai 2015; Pinker 2011, chaps. 8 and 9.
(29) 抽象化と組み合わせによって認知力の限界を超える：Pinker 2007a, 2010.
(30) *Writings* 13: 333–35, Ridley 2010, p. 247. に引用されたアイザック・マクファーソンへの手紙。
(31) 集団の理性の働き：Haidt 2012; Mercier & Sperber 2011.
(32) 協力と視点の互換性：Nagel 1970; Pinker 2011; Singer 1981/2011.

第３章

(１) 諸制度への信頼の低下：Twenge, Campbell, & Carter 2014. Mueller 1999, pp. 167–68 によれば、諸制度への信頼が最も高まったのは1960年代で、後にも先にもそれ以上だったことはない。保守派に見られる科学への信頼の低下：Gauchat 2012. ポピュリズム：Inglehart & Norris 2016; J. Müller 2016; Norris & Inglehart 2016; 第20章、第23章も参照。
(２) 非西洋諸国における啓蒙主義運動：Conrad 2012; Kurlansky 2006; Pelham 2016; Sen 2005; Sikkink 2017.
(３) 反啓蒙主義：Berlin 1979; Garrard 2006; Herman 1997; Howard 2001; McMahon 2001; Sternhell 2010; Wolin 2004; 第23章も参照。
(４) ジョン・シンガー・サージェントの1922年の絵画 *Death and Victory*（Widener Library, Harvard University 所蔵）の題辞。
(５) 信仰をもたない宗教擁護者：Coyne 2015; 第23章も参照。
(６) エコモダニズム：Asafu-Adjaye et al. 2015; Ausubel 1996, 2015; Brand 2009; DeFries 2014; Nordhaus & Shellenberger 2007; 第10章も参照。
(７) イデオロギーの諸問題：Duarte et al. 2015; Haidt 2012; Kahan, Jenkins-Smith, & Braman 2011; Mercier & Sperber 2011; Tetlock & Gardner 2015; 詳しくは第21章を参照。

（8） Herman 1997の裏表紙にあるマイケル・リンドによる引用を脚色。Nisbet 1980/2009も参照。
（9） 環境悲観論：Bailey 2015; Brand 2009; Herman 1997; Ridley 2010; 第10章も参照。
（10） T・S・エリオットとウィリアム・バロウズとサミュエル・ベケットからのパスティーシュで、文学史家のホクシー・ニール・フェアチャイルドの *Religious Trends in English Poetry* から Nisbet 1980/2009, p. 328 に引用されたもの。
（11） 何もかもを血に染める英雄たち：Nietzsche 1887/2014.
（12） スノー自身は「二つの文化」に第一、第二と順序をつけたわけではないが、その後このような形で引用されるようになった。たとえば Brockman 2003を参照。
（13） Snow 1959/1998, p. 14.
（14） リーヴィスの反論：Leavis 1962/2013; Collini 1998, 2013も参照。
（15） Leavis 1962/2013, p. 71.

第4章

（1） Herman 1997, p. 7. ほかに挙げられているのは、ジョゼフ・キャンベル、ノーム・チョムスキー、ジョーン・ディディオン、E・L・ドクトロウ、ポール・グッドマン、マイケル・ハリントン、ロバート・ハイルブローナー、ジョナサン・コゾル、クリストファー・ラッシュ、ノーマン・メイラー、トマス・ピンチョン、カークパトリック・セール、ジョナサン・シェル、リチャード・セネット、スーザン・ソンタグ、ゴア・ヴィダル、そしてゲリー・ウィルズ。
（2） Nisbet 1980/2009, p. 317.
（3） 楽観主義バイアス：McNaughton-Cassill & Smith 2002; Nagdy & Roser 2016b; Veenhoven 2010; Whitman 1998.
（4） Nagdy & Roser 2016b に取り上げられている EU のユーロバロメーター（世論調査分析）の結果。
（5） イプソス社の調査結果 "Perils of Perception (Topline Results)," 2013, 〈https://www.ipsos.com/sites/default/files/migrations/en-uk/files/Assets/Docs/Polls/ipsos-mori-rss-kings-perils-of-perception-topline.pdf〉, Nagdy & Roser 2016b にグラフで紹介されている。
（6） Dunlap, Gallup, & Gallup 1993, Nagdy & Roser 2016b にグラフで紹介されている。
（7） J. McCarthy, "More Americans Say Crime Is Rising in U.S.," *Gallup.com*, Oct. 22, 2015, 〈http://www.gallup.com/poll/186308/americans-say-crime-rising.aspx〉
（8） 世界は悪くなっている：そう考えている人が多かった先進11カ国はオーストラリア、デンマーク、フィンランド、フランス、ドイツ、イギリス、香港、ノルウェー、シンガポール、スウェーデン、アメリカ。ほかにもマ

レーシア、タイ、UAE で大多数がそう考えていた。「世界はよくなっている」と答えた人のほうが多かったのは中国のみ。YouGov poll, Jan. 5, 2016, 〈https://yougov.co.uk/news/2016/01/05/chinese-people-are-most-optimistic-world/〉. アメリカは間違った方向に進んでいる：Dean Obeidallah, "We've Been on the Wrong Track Since 1972," *Daily Beast*, Nov. 7, 2014, 〈http://www.pollingreport.com/right.htm〉

（9）歴史の最初の草稿：B. Popik, "First Draft of History (Journalism)," *BarryPopik*.com, 〈http://www.barrypopik.com/index.php/new_york_city/entry/first_draft_of_history_journalism/〉

(10) ニュースの頻度と特性：Galtung & Ruge 1965.

(11) 利用可能性バイアス：Kahneman 2011; Slovic 1987; Slovic, Fischhoff, & Lichtenstein 1982; Tversky & Kahneman 1973.

(12) リスクを取り違える：Ropeik & Gray 2002; Slovic 1987.『ジョーズ』を観たあとは泳がない：Sutherland 1992, p. 11.

(13) 血が流れたらトップ記事（逆もまた然り）：Bohle 1986; Combs & Slovic 1979; Galtung & Ruge 1965; Miller & Albert 2015.

(14) ISIS は「深刻な脅威」：*Investor's Business Daily* と TIPP の世論調査、March 28–April 2, 2016, 〈http://www.investors.com/politics/ibdtipp-poll-distrust-on-what-obama-does-and-says-on-isis-terror/〉

(15) ニュースの影響：Jackson 2016. Johnston & Davey 1997; McNaughton-Cassill 2001; Otieno, Spada, & Renkl 2013; Ridout, Grosse, & Appleton 2008; Unz, Schwab, & Winterhoff-Spurk 2008. も参照。

(16) J. Singal, "What All This Bad News Is Doing to Us," *New York*, Aug. 8, 2014から引用。

(17) 暴力の減少：Eisner 2003; Goldstein 2011; Gurr 1981; Human Security Centre 2005; Human Security Report Project 2009; Mueller 1989, 2004a; Payne 2004.

(18) 問題の解決が新たな問題を生む：Deutsch 2011, pp. 64, 76, 350; Berlin 1988/2013, p. 15.

(19) Deutsch 2011, p. 193.

(20) ファットテールをもつ統計分布：第19章参照。詳細は Pinker 2011, pp. 210–22.

(21) ネガティビティ・バイアス：Baumeister, Bratslavsky, et al. 2001; Rozin & Royzman 2001.

(22) 1982年の個人的なやりとりから。

(23) 否定的な単語が多い：Baumeister, Bratslavsky, et al. 2001; Schrauf & Sanchez 2004.

(24) 自分の過去を楽観視する傾向：Baumeister, Bratslavsky, et al. 2001.

(25) 古き良き時代という幻想：Eibach & Libby 2009.

(26) Connor 2014; Connor 2016も参照。

(27) 酷評する書評家のほうが有能とみなされる：Amabile 1983.

(28) M. Housel, "Why Does Pessimism Sound So Smart?" *Motley Fool*, Jan. 21, 2016.
(29) 経済学者のアルバート・ハーシュマン（Hirschman 1991）と、ジャーナリストのグレッグ・イースターブルック（Easterbrook 2003）も同じことをいっている。
(30) D. Bornstein & T. Rosenberg, "When Reportage Turns to Cynicism," *New York Times*, Nov. 14, 2016. 報道の変革を目指す「コンストラクティブ・ジャーナリズム」運動については Gyldensted 2015, Jackson 2016、そして the magazine *Positive News* 〈www.positive.news〉を参照。
(31) 国連のミレニアム開発目標：1. 極度の貧困と飢餓の撲滅　2. 初等教育の完全普及の達成　3. ジェンダー平等推進と女性の地位向上　4. 乳幼児死亡率の削減　5. 妊産婦の健康の改善　6. HIV/エイズ、マラリアその他の疾病の蔓延の防止　7. 環境の持続可能性確保　8. 開発のためのグローバルなパートナーシップの推進〔外務省 HP より〕
(32) 進歩を取り上げた著書（本文と同順）：Norberg 2016, Easterbrook 2003, Reese 2013, Naam 2013, Ridley 2010, Robinson 2009, Bregman 2016, Phelps 2013, Diamandis & Kotler 2012, Goklany 2007, Kenny 2011, Bailey 2015, Shermer 2015, DeFries 2014, Deaton 2013, Radelet 2015, Mahbubani 2013.

第5章

(1) World Health Organization 2016a.
(2) Hans and Ola Rosling, "The Ignorance Project," 〈https://www.gapminder.org/ignorance/〉
(3) Roser 2016n；イングランドについては1543年の推測値がある、R. Zijdeman, OECD Clio Infra.
(4) 狩猟採集民：Marlowe 2010, p. 160. この推測はタンザニアのハッザ族のものだが、彼らの乳幼児・小児死亡率（全体の平均寿命を左右する）はマーロウが調査した478の狩猟採集民族の中央値と一致した（p. 261）。最初の農耕民族から青銅器時代まで：Galor & Moav 2007. 数千年間変わらなかった：Deaton 2013, p. 80.
(5) Norberg 2016, pp. 46 and 40.
(6) インフルエンザの大流行による死亡率急増：Roser 2016n. アメリカの白人の死亡率：Case & Deaton 2015.
(7) Marlowe 2010, p. 261.
(8) Deaton 2013, p. 56.
(9) 保健活動レベルを下げろ：N. Kristof, "Birth Control for Others," *New York Times*, March 23, 2008.
(10) M. Housel, "50 Reasons We're Living Through the Greatest Period in World History," *Motley Fool*, Jan. 29, 2014.
(11) World Health Organization 2015c.

(12) Marlowe 2010, p. 160.
(13) Radelet 2015, p. 75.
(14) 1990年の世界の健康寿命：Mathers et al. 2001. 2010年の先進国の健康寿命：Murray et al. 2012; アメリカについてはChernew et al. 2016を参照（寿命だけでなく健康寿命も延びている）。
(15) G. Kolata, "U.S. Dementia Rates Are Dropping Even as Population Ages," *New York Times*, Nov. 21, 2016.
(16) ジョージ・W・ブッシュが設立した大統領生命倫理諮問委員会：Pinker 2008b.
(17) L. R. Kass, "L'Chaim and Its Limits: Why Not Immortality?" *First Things*, May 2001.
(18) 寿命の限界は塗り替えられてきた：Oeppen & Vaupel 2002.
(19) 寿命を延ばすリバース・エンジニアリング：M. Shermer, "Radical Life-Extension Is Not Around the Corner," *Scientific American*, Oct. 1, 2016; Shermer 2018.
(20) Siegel, Naishadham, & Jemal 2012.
(21) 不死への懐疑：Hayflick 2000; Shermer 2018.
(22) エントロピーに殺される：P. Hoffmann, "Physics Makes Aging Inevi-table, Not Biology," *Nautilus*, May 12, 2016.

第6章

(1) Deaton 2013, p. 149.
(2) Bettmann 1974, p. 136; 引用符を省略 。
(3) Bettmann 1974; Norberg 2016.
(4) Carter 1966, p. 3.
(5) Woodward, Shurkin, & Gordon 2009;ウェブサイト*ScienceHeroes* 〈www.scienceheroes.com〉 も参照。このチームの統計学者は April Ingram と Amy R. Pearce.
(6) 動詞の過去形についての本：Pinker 1999/2011.
(7) Kenny 2011, pp. 124–25.
(8) D. G. McNeil Jr., "A Milestone in Africa: No Polio Cases in a Year," *New York Times*, Aug. 11, 2015; "Polio This Week," *Global Polio Eradication Initiative*, 〈http://polioeradication.org/polio-today/polio-now/this-week/〉, May 17, 2017.
(9) "Guinea Worm Case Totals," *The Carter Center*, April 18, 2017, 〈https://www.cartercenter.org/health/guinea_worm/case-totals.html〉
(10) Bill & Melinda Gates Foundation, *Our Big Bet for the Future: 2015 Gates Annual Letter*, p. 7, 〈https://www.gatesnotes.com/2015-Annual-Letter〉
(11) World Health Organization 2015b.
(12) Bill & Melinda Gates Foundation, "Malaria: Strategy Overview," 〈http://

www.gatesfoundation.org/What-We-Do/Global-Health/Malaria〉
(13) WHO の Child Health Epidemiology Reference Group (CHERG)〔低・中所得国の14の出生コホート〕のデータ。Bill & Melinda Gates Foundation, *Our Big Bet for the Future: 2015 Gates Annual Letter*, p. 7, 〈https://www.gatesnotes.com/2015-Annual-Letter〉; UNAIDS 2016に掲載されたもの。
(14) N. Kristof, "Why 2017 May Be the Best Year Ever," *New York Times*, Jan. 21, 2017.
(15) Jamison et al. 2015.
(16) Deaton 2013, p. 41.
(17) Deaton 2013, pp. 122-23.

第7章

(1) Norberg 2016, pp. 7-8.
(2) Braudel 2002.
(3) Fogel 2004. Roser 2016d に引用されたもの。
(4) Braudel 2002, pp. 76-77. Norberg 2016に引用されたもの。
(5) "Dietary Guidelines for Americans 2015-2020, Estimated Calorie Needs per Day, by Age, Sex, and Physical Activity Level," 〈http://health.gov/dietaryguidelines/2015/guidelines/appendix-2/〉
(6) カロリー摂取量は Roser 2016d から。[図7-1] も参照。
(7) Food and Agriculture Organization of the United Nations, *The State of Food and Agriculture 1947*. Norberg 2016に引用されたもの。
(8) 経済学者のコーマック・Ó・グラダによる定義。Hasell & Roser 2017 に引用されたもの。
(9) Devereux 2000, p. 3.
(10) W. Greene, "Triage: Who Shall Be Fed? Who Shall Starve?" *New York Times Magazine*, Jan. 5, 1975.「救命ボートの倫理」は1974年に経済学者で環境保護活動家のギャレット・ハーディンが *Psychology Today* (Sept. 1974) に掲載した "Lifeboat Ethics: The Case Against Helping the Poor" という記事で紹介されたのが始まりである。
(11) "Service Groups in Dispute on World Food Problems," *New York Times*, July 15, 1976; G. Hardin, "Lifeboat Ethics," *Psychology Today*, Sept. 1974.
(12) マクナマラ、ヘルスケア、産児制限：N. Kristof, "Birth Control for Others," *New York Times*, March 23, 2008.
(13) 飢餓で人口増は止まらない：Devereux 2000.
(14) "Making Data Dance," *The Economist*, Dec. 9, 2010から引用。
(15) 産業革命と飢餓からの脱出：Deaton 2013; Norberg 2016; Ridley 2010.
(16) 農業革命：DeFries 2014.
(17) Norberg 2016.
(18) Woodward, Shurkin, & Gordon 2009; 〈http://www.scienceheroes.com/〉.

ハーバーは化学兵器の開発にも関与し、第一次世界大戦ではその兵器で9万人が死亡したが、それを差し引いてもまだ救った人数が桁外れに多いので、この名誉を保っている。

(19) Morton 2015, p. 204.
(20) Roser 2016e, 2016u.
(21) ボーローグ：Brand 2009; Norberg 2016; Ridley 2010; Woodward, Shurkin, & Gordon 2009; DeFries 2014.
(22) 緑の革命は続いている：Radelet 2015.
(23) Roser 2016m.
(24) Norberg 2016.
(25) Norberg 2016. UN FAO's *Global Forest Resources Assessment 2015*によれば「60以上の国や地域で純森林面積が増加しており、そのほとんどは温帯地域と寒冷地域である」。〈http://www.fao.org/resources/infographics/infographics-details/en/c/325836/〉
(26) Norberg 2016.
(27) Ausubel, Wernick, & Waggoner 2012.
(28) Alferov, Altman, & 108 other Nobel Laureates 2016; Brand 2009; Radelet 2015; Ridley 2010, pp. 170–73; J. Achenbach, "107 Nobel Laureates Sign Letter Blasting Greenpeace over GMOs," *Washington Post*, June 30, 2016; W. Saletan, "Unhealthy Fixation," *Slate*, July 15, 2015.
(29) W. Saletan, "Unhealthy Fixation," *Slate*, July 15, 2015.
(30) 遺伝子組み換え食品に関する無知：Sloman & Fernbach 2017.
(31) Brand 2009, p. 117.
(32) Sowell 2015.
(33) 食糧不足の原因は飢饉だけではない：Devereux 2000; Sen 1984, 1999.
(34) Devereux 2000. White 2011も参照。
(35) Devereux 2000にこうある。植民地時代の「飢饉に対するマクロ経済的・政治的脆弱性は、植民地政府が食糧危機をなんとかしなければ政治的合法性を確立できないと認識し」、インフラ改善や「飢饉の早期警戒システムの導入、救済の仕組みの確立を進めたことによって、徐々に減少した」(p. 13)
(36) デヴルーによれば20世紀の大規模な飢饉で7000万人が死亡したと考えられる。Devereux 2000, p. 29、飢饉ごとの推定死者数は［表1］。Rummel 1994; White 2011も参照。
(37) Deaton 2013; Radelet 2015.

第8章

(1) Rosenberg & Birdzell 1986, p. 3.
(2) Norberg 2016. Braudel 2002, pp. 75, 285その他の内容をまとめたもの。
(3) Cipolla 1994. 引用符を省略。
(4) 物理的誤謬：Sowell 1980.

(5)「富の創造」の発見：Montgomery & Chirot 2015; Ridley 2010.
(6) 成長の過小評価：Feldstein 2017.
(7) 消費者余剰とオスカー・ワイルド：T. Kane, “Piketty's Crumbs,” *Commentary*, April 14, 2016.
(8)『大脱出』Deaton 2013.「啓蒙された経済」: Mokyr 2012.
(9) 裏庭でイノベーション：Ridley 2010.
(10) 科学と技術は大脱出の要因：Mokyr 2012, 2014.
(11) 自然状態 vs. 開かれた経済：North, Wallis, & Weingast 2009. 関連論文：Acemoglu & Robinson 2012.
(12) ブルジョアの徳：McCloskey 1994, 1998.
(13) ヴォルテールの『哲学書簡』より。Porter 2000, p. 21に引用されたもの。
(14) Porter 2000, pp. 21-22.
(15) 1人当たりGDPのデータは、マリアン・トゥーピーの *HumanProgress* に紹介されているMaddison Project 2014より。〈http://www.humanprogress.org/f1/2785/1/2010/France/United%20Kingdom〉
(16) 大収斂（the Great Convergence）：Mahbubani 2013. マブバニはジャーナリストでコラムニストのマーティン・ウルフの言葉だといっている。Radelet 2015はこれをthe Great Surge（大上昇）と呼び、Deaton 2013はこれを彼の「大脱出（the Great Escape）」のなかに含めて考えている。
(17) 急速な経済成長を遂げつつある国々：Radelet 2015, pp. 47-51.
(18) 2015年の国連ミレニアム開発目標報告によると「労働中流階級――1日4ドル以上で暮らす、労働者のなかで中流階級に属する人々――の人数は1991年から2015年までにほぼ3倍になった。発展途上地域では、このグループが労働人口に占める割合が1991年の18%からほぼ半数にまで上がっている」(United Nations 2015a, p. 4)。もちろん国連の定義による「労働中流階級」の大半は、先進国では貧困層ということになるのだろうが、定義の仕切りをもっと上げたとしても、わたしたちが思っている以上に世界は中流化が進んでいることに変わりはない。ブルッキングス研究所は、2013年の世界の中流階級18億人が、2020年には32億人にまで増えると予測している。(L. Yueh, “The Rise of the Global Middle Class,” *BBC News online*, June 19, 2013, 〈http://www.bbc.com/news/business-22956470〉
(19) ヒトコブラクダとフタコブラクダ：Roser 2016g.
(20) camelと書いたが、正確にはbactrian camel〔フタコブラクダの話〕。ヒトコブラクダ（dromedary）も学術的にはcamelなのでややこしい〔日本語ではややこしくない〕。
(21) フタコブラクダからヒトコブラクダへ：この歴史的展開を別の方法で表すと［図9-1］、［図9-2］(Milanović 2016のデータに基づく）になる。
(22) 同様に1日1.25ドルという貧困ラインもよく使われるが、これは2005年の国際ドルによる：Ferreira, Jolliffe, & Prydz 2015.
(23) M. Roser, “No Matter What Extreme Poverty Line You Choose, the Share of People Below That Poverty Line Has Declined Globally,” Our

World in Data blog, 2017, 〈https://ourworldindata.org/no-matter-what-global-poverty-line〉
(24) 無知のヴェール：Rawls 1976.
(25) ミレニアム開発目標：United Nations 2015a.
(26) Deaton 2013, p. 37.
(27) Lucas 1988, p. 5.
(28) この目標は貧困ラインを1日1.25ドル——2005年の国際ドルでの世界銀行の貧困ライン——としている。Ferreira, Jolliffe, & Prydz 2015を参照。
(29) ゼロにすることの難しさ：Radelet 2015, p. 243; Roser & Ortiz-Ospina 2017, section IV.2.
(30)「危機的だ」と叫ぶことの危険性：Kenny 2011, p. 203.
(31) 発展の要因：Collier & Rohner 2008; Deaton 2013; Kenny 2011; Mahbubani 2013; Milanović 2016; Radelet 2015. M. Roser, "The Global Decline of Extreme Poverty – Was It Only China?" *Our World in Data* blog, March 7, 2017, 〈https://ourworldindata.org/the-global-decline-of-extreme-poverty-was-it-only-china/〉 も参照。
(32) Radelet 2015, p. 35.
(33) 情報としての価格：Hayek 1945; Hidalgo 2015; Sowell 1980.
(34) チリ対ベネズエラ、ボツワナ対ジンバブエ：M. L. Tupy, "The Power of Bad Ideas: Why Voters Keep Choosing Failed Statism," *CapX*, Jan. 7, 2016.
(35) Kenny 2011, p. 203; Radelet 2015, p. 38.
(36) 毛沢東によるジェノサイド：Rummel 1994; White 2011.
(37) フランクリン・ルーズベルトがニカラグアのアナスタシオ・ソモサのことをこういったとされているが、真偽のほどは不明。〈http://message.snopes.com/showthread.php?t=8204/〉
(38) 地域の指導者たち：Radelet 2015, p. 184.
(39) 戦争は開発を後戻りさせる：Collier 2007.
(40) Deaton 2017.
(41) ロマン主義者と文系知識人に見られる産業革命嫌い：Collini 1998, 2013.
(42) Snow 1959/1998, pp. 25–26. リーヴィスの怒りの反論：Leavis 1962/2013, pp. 69–72.
(43) Radelet 2015, pp. 58–59.
(44) "Factory Girls," by A Factory Girl, *The Lowell Offering*, no. 2, Dec. 1840, 〈https://www2.cs.arizona.edu/patterns/weaving/periodicals/lo_40_12.pdf〉. C. Follett, "The Feminist Side of Sweatshops," *The Hill*, April 18, 2017, 〈http://thehill.com/blogs/pundits-blog/labor/329332-the-feminist-side-of-sweatshops〉 に引用されたもの。
(45) Brand 2009, p. 26に引用されている。この本の第2章と第3章には、都市化によって人々が数々の束縛から解放されたことが詳しく述べられている。

（46） Brand 2009, chaps. 2 and 3, and Radelet 2015, p. 59に考察がある。今日の中国についても Chang 2009に類似の考察が載っている。
（47） スラム街から住宅街へ：Brand 2009; Perlman 1976.
（48） 労働条件の改善：Radelet 2015.
（49） 科学と技術の効用：Brand 2009; Deaton 2013; Kenny 2011; Radelet 2015; Ridley 2010.
（50） 携帯電話と商業：Radelet 2015.
（51） Jensen 2007.
（52） 国際電気通信連合による推計。Pentland 2007に記載がある。
（53） 対外援助への反対論：Deaton 2013; Easterly 2006.
（54） （ある特定の）対外援助への賛成論：Collier 2007; Kenny 2011; Radelet 2015; Singer 2010; S. Radelet, "Angus Deaton, His Nobel Prize, and Foreign Aid," *Future Development* blog, Brookings Institution, Oct. 20, 2015, 〈http://www.brookings.edu/blogs/future-development/posts/2015/10/20-angus-deaton-nobel-prize-foreign-aid-radelet〉
（55） プレストン・カーブの上昇：Roser 2016n.
（56） 平均寿命の数値は〈www.gapminder.org〉による。
（57） 寿命や健康と GDP との相関関係：van Zanden et al. 2014, p. 252; Kenny 2011, pp. 96–97; Land, Michalos, & Sirgy 2012; Prados de la Escosura 2015; 第11章、第12章、第14–18章も参照。
（58） 平和、安定、自由といった価値観と GDP との相関関係：Brunnschweiler & Lujala 2015; Hegre et al. 2011; Prados de la Escosura 2015; van Zanden et al. 2014; Welzel 2013; 第12章、第14–18章も参照。
（59） 幸福感と GDP との相関関係：Helliwell, Layard, & Sachs 2016; Stevenson & Wolfers 2008a; Veenhoven 2010; 第18章も参照。IQ の伸びと GDP との相関関係：Pietschnig & Voracek 2015; 第16章も参照。
（60） 国民全体の幸福の総合指標：Land, Michalos, & Sirgy 2012; Prados de la Escosura 2015; van Zanden et al. 2014; Veenhoven 2010; Porter, Stern, & Green 2016; 第16章も参照。
（61） 平和、安定、自由といった価値観の要因としての GDP：Brunnschweiler & Lujala 2015; Hegre et al. 2011; Prados de la Escosura 2015; van Zanden et al. 2014; Welzel 2013; 第11章、第14章、第15章も参照。

第９章

（１） ニューヨーク・タイムズの CHRONICLE という検索ツール〈http://nytlabs.com/projects/chronicle.html〉〔ある言葉が NYT の記事にいつどれくらい使われたかをグラフ化できるツール〕を使って2016年９月に検索した結果。このツールは現在は使えなくなっている。
（２） "Bernie Quotes for a Better World," 〈http://www.betterworld.net/quotes/bernie8.htm〉
（３） アングロスフィア〔英米加豪新など〕とその他の先進国の不平等：Roser

2016k.

（4） ジニ係数は Roser 2016k による（元データは OECD 2016）。ただし同じジニ係数でも出所によって数字そのものは少し異なる。たとえば世界銀行の PovcalNet では1986年の0.38から2013年の0.41へと、緩やかな上昇にとどまっている（World Bank 2016d）。所得分布のほうは World Wealth and Income Database〈http://www.wid.world/〉による。包括的なデータセットは *The Chartbook of Economic Inequality*, Atkinson et al. 2017 を参照。

（5） 不平等の厄介な点：Frankfurt 2015. 不平等に関するその他の懐疑論：Mankiw 2013; McCloskey 2014; Parfit 1997; Sowell 2015; Starmans, Sheskin, & Bloom 2017; Watson 2015; Winship 2013; S. Winship, "Inequality Is a Distraction. The Real Issue Is Growth," *Washington Post*, Aug. 16, 2016.

（6） Frankfurt 2015, p. 7.

（7） World Bank 2016c によると、1人当たりの世界 GDP は、2009年を例外として、1961年から2015年まで毎年増加している。

（8） Piketty 2013, p. 261. ピケティの問題点：Kane 2016; McCloskey 2014; Summers 2014a.

（9） 所得分布に関するノージックの論述：Nozick 1974. ノージックは伝説のバスケットボール選手、ウィルト・チェンバレンの例で説明した。

（10） J. B. Stewart, "In the Chamber of Secrets: J. K. Rowling's Net Worth," *New York Times*, Nov. 24, 2016.

（11）「社会的比較理論」はレオン・フェスティンガー、「準拠集団」はロバート・マートンとサミュエル・スタウファーを参照した。文献レビューと引用文献については Kelley & Evans 2017を参照。

（12） アマルティア・センも同様の意見を述べている（Sen 1987）。

（13） 富と幸福：Stevenson & Wolfers 2008a; Veenhoven 2010; 第18章も参照。

（14） Wilkinson & Pickett 2009.

（15）『平等社会』の問題点：Saunders 2010; Snowdon 2010, 2016; Winship 2013.

（16） 不平等と主観的な幸福感：Kelley & Evans 2017. 幸福感をどう測るかについては第18章を参照。

（17） Starmans, Sheskin, & Bloom 2017.

（18） エスニック・マイノリティは悪者にされやすい：Sowell 1980, 1994, 1996, 2015.

（19） 不平等が経済的・政治的機能不全を招くとの主張に対する懐疑論：Mankiw 2013; McCloskey 2014; Winship 2013; S. Winship, "Inequality Is a Distraction. The Real Issue Is Growth," *Washington Post*, Aug. 16, 2016.

（20） 利益誘導 vs. 不平等：Watson 2015.

（21） 肉は分けるが植物性食物は分けない：Cosmides & Tooby 1992.

（22） 不平等と不平等意識は常に存在する：Brown 1991.

（23） 狩猟採集民の不平等：Smith et al. 2010. この平均値は、明確に「富」とはとらえられない個人差（繁殖成功率、握力、体重、シェアリング・パートナーなど）は除外して計算している〔シェアリングは贈与でも交換でもない物のやりとり〕。
（24） Kuznets 1955.
（25） Deaton 2013, p. 89.
（26） 1820年から1970年までは世界の国の数が増えつづけていたので、それも国家間ジニ係数上昇の理由の一つではある。Branko Milanović, personal communication, April 16, 2017.
（27） 所得平準化要因としての戦争：Piketty 2013; Scheidel 2017.
（28） Scheidel 2017, p. 444.
（29） 社会的支出の歴史：Lindert 2004; van Bavel & Rijpma 2016.
（30） 平等主義革命：Moatsos et al. 2014, p. 207.
（31） 社会的支出がGDPに占める割合：OECD 2014.
（32） 政府の役割の変化（特にヨーロッパの）：Sheehan 2008.
（33） なかでも環境保護（第10章）、安全性向上（第12章）、死刑の廃止（第14章）、解放的な価値観の高まり（第15章）、そして総合的な人間開発（第16章）に見られる。
（34） 雇用主による社会的支出：OECD 2014.
（35） 共和党のボブ・イングリス下院議員（保守議連RSC）の報告による。P. Rucker, "Sen. DeMint of S.C. Is Voice of Opposition to Health-Care Reform," *Washington Post*, July 28, 2009.
（36） ワーグナーの法則：Wilkinson 2016b.
（37） 発展途上国の社会的支出：OECD 2014.
（38） Prados de la Escosura 2015.
（39） リバタリアンの理想郷はなくなった：M. Lind, "The Question Libertarians Just Can't Answer," *Salon*, June 4, 2013; Friedman 1997. 第21章の「原注40」も参照。
（40） 社会保障制度を望むかどうか：Alesina, Glaeser, & Sacerdote 2001; Peterson 2015.
（41） 1980年代以降の格差拡大の説明：Autor 2014; Deaton 2013; Goldin & Katz 2010; Graham 2016; Milanović 2016; Moatsos et al. 2014; Piketty 2013; Scheidel 2017.
（42） 鼻先が下がって背中が高くなった象：Milanović 2016, fig. 1.3. その他のエレファントカーブの分析：Corlett 2016.
（43） 匿名化されたデータvs.縦断的データ：Corlett 2016; Lakner & Milanović 2016.
（44） 少し縦断的データに近づけた場合のエレファントカーブ：Lakner & Milanović 2016.
（45） Coontz 1992/2016, pp. 30–31.
（46） Rose 2016; Horwitz 2015にも同じ発見が報告されている。

(47) 上位10分の1や100分の1への個人の移動：Hirschl & Rank 2015. Horwitz 2015 にも同様の結果が紹介されている。Sowell 2015; Watson 2015も参照。
(48) 楽観主義バイアス：Whitman 1998. Economic Optimism Gap: Bernanke 2016; Meyer & Sullivan 2011.
(49) Roser 2016k.
(50) アメリカはなぜヨーロッパ式の社会福祉制度をもたないか：Alesina, Glaeser, & Sacerdote 2001; Peterson 2015.
(51) 下位5分の4の可処分所得の上昇：Burtless 2014.
(52) 2014年から2015年にかけての所得増加：Proctor, Semega, & Kollar 2016. Continuation in 2016: E. Levitz, "The Working Poor Got Richer in 2016," *New York*, March 9, 2017.
(53) C. Jencks, "The War on Poverty: Was It Lost?" *New York Review of Books*, April 2, 2015. 類似の分析：Furman 2014; Meyer & Sullivan 2011, 2012, 2017a, b; Sacerdote 2017.
(54) 2015年と2016年の貧困率の低下：Proctor, Semega, & Kollar 2016; Semega, Fontenot, & Kollar 2017.
(55) Henry et al. 2015.
(56) 経済成長の過小評価：Feldstein 2017.
(57) Furman 2005.
(58) 貧困層と電気・ガス・水道：Greenwood, Seshadri, & Yorukoglu 2005. 貧困層と家電：US Census Bureau, "Extended Measures of Well-Being: Living Conditions in the United States, 2011," table 1, 〈http://www.census.gov/hhes/well-being/publications/extended-11.html〉. See also figure 17-3.
(59) 消費格差：Hassett & Mathur 2012; Horwitz 2015; Meyer & Sullivan 2012.
(60) 幸福感の格差の縮小：Stevenson & Wolfers 2008b.
(61) 生活の質のジニ係数の低下：Deaton 2013; Rijpma 2014, p. 264; Roser 2016a, 2016n; Roser & Ortiz-Ospina 2016a; Veenhoven 2010.
(62) 不平等と慢性的停滞：Summers 2016.
(63) 経済学者のダグラス・アーウィンによれば（Irwin 2016）、アメリカでは4500万人が貧困ラインを下回る暮らしをしていて、13万5000人がアパレル産業で働き、通常ベースでも月に170万人が一時解雇されている。
(64) 自動化、職、そして不平等：Brynjolfsson & McAfee 2016.
(65) 経済の課題と解決策：Dobbs et al. 2016; Summers & Balls 2015.
(66) S. Winship, "Inequality Is a Distraction. The Real Issue Is Growth," *Washington Post*, Aug. 16, 2016.
(67) 社会福祉の提供者は政府と雇用主のどちらであるべきか：M. Lind, "Can You Have a Good Life If You Don't Have a Good Job?" *New York Times*, Sept. 16, 2016.

(68) ユニバーサル・ベーシック・インカム（UBI）: Bregman 2016; S. Hammond, "When the Welfare State Met the Flat Tax," *Foreign Policy*, June 16, 2016; R. Skidelsky, "Basic Income Revisited," *Project Syndicate*, June 23, 2016; C. Murray, "A Guaranteed Income for Every American," *Wall Street Journal*, June 3, 2016.
(69) UBIの効果に関する調査：Bregman 2016. ハイテク・ボランティア：Diamandis & Kotler 2012. Effective altruism: MacAskill 2015.

第10章

(1) アル・ゴアの1992年の *Earth in the Balance*（『地球の掟——文明と環境のバランスを求めて』小杉隆訳、ダイヤモンド社、1992／2007年）; テッド・カジンスキー（通称ユナボマー）の "Industrial Society and Its Future," 〈http://www.washingtonpost.com/wp-srv/national/longterm/unabomber/manifesto.text.htm〉; Francisci 2015を参照。カジンスキーはゴアの著書を読んでいた。ゴアの著書とカジンスキーの犯行声明の類似については、ケン・クロスマンのインターネット・クイズ（〈http://www.crm114.com/algore/quiz.html〉日付なし）に指摘がある。
(2) 引用はM. Ridley, "Apocalypse Not: Here's Why You Shouldn't Worry About End Times," *Wired*, Aug. 17, 2012から。ポール・エーリックも *The Population Bomb*（『人口爆弾』宮川毅訳、河出書房新社、1974年）で人類を癌にたとえた。Bailey 2015, p. 5を参照。人口激減の空想については、アラン・ワイズマンの2007年のベストセラー *The World Without Us*（『人類が消えた世界』鬼澤忍訳、早川書房、2009年）を参照。
(3) エコモダニズム：Asafu-Adjaye et al. 2015; Ausubel 1996, 2007, 2015; Ausubel, Wernick, & Waggoner 2012; Brand 2009; DeFries 2014; Nordhaus & Shellenberger 2007. 地球オプティミズム：Balmford & Knowlton 2017; 〈https://earthoptimism.si.edu/〉; 〈http://www.oceanoptimism.org/about/〉
(4) 先住民族による大型動物の絶滅と森林開拓：Asafu-Adjaye et al. 2015; Brand 2009; Burney & Flannery 2005; White 2011.
(5) 原生保護と先住民族の大量殺戮：Cronon 1995.
(6) *Plows, Plagues, and Petroleum*（2005）より（Brand 2009, p. 19で引用されていた）。Ruddiman et al. 2016も参照。
(7) Brand 2009, p. 133.
(8) 工業化の恩恵：第5–8章; A. Epstein 2014; Norberg 2016; Radelet 2015; Ridley 2010.
(9) 環境クズネッツ曲線：Ausubel 2015; Dinda 2004; Levinson 2008; Stern 2014. ただし環境クズネッツ曲線はすべての汚染物質やすべての国に適用されるものではない。またおそらくこの現象は自動的に起こるというより政策によって起こる。
(10) Inglehart & Welzel 2005; Welzel 2013, chap. 12.

(11) 人口転換：Ortiz-Ospina & Roser 2016d.
(12) イスラム社会の出生率低下：Eberstadt & Shah 2011.
(13) M. Tupy, "Humans Innovate Their Way Out of Scarcity," *Reason*, Jan. 12, 2016; Stuermer & Schwerhoff 2016も参照。
(14) ユウロピウム大危機：Deutsch 2011.
(15) "China's Rare-Earths Bust," *Wall Street Journal*, July 18, 2016.
(16) なぜ資源は枯渇しないのか：Nordhaus 1974; Romer & Nelson 1996; Simon 1981; Stuermer & Schwerhoff 2016.
(17) 人に必要なのは資源ではない：Deutsch 2011; Pinker 2002/2016, pp. 236–39; Ridley 2010; Romer & Nelson 1996.
(18) 人間の問題に対する解決と確率：Deutsch 2011.
(19) 石器時代の比喩はサウジアラビアの石油相アハマド・ザキ・ヤマニの言葉（1973年）とされる。"The End of the Oil Age," *The Economist*, Oct. 23, 2003を参照。エネルギー資源の推移：Ausubel 2007, p. 235.
(20) 農業の方向転換：DeFries 2014.
(21) 未来の農業：Brand 2009; Bryce 2014; Diamandis & Kotler 2012.
(22) 未来の水：Brand 2009; Diamandis & Kotler 2012.
(23) 環境の回復：Ausubel 1996, 2015; Ausubel, Wernick, & Waggoner 2012; Bailey 2015; Balmford 2012; Balmford & Knowlton 2017; Brand 2009; Ridley 2010.
(24) Roser 2016f, 国連食糧農業機関のデータに基づく。
(25) Roser 2016f, ブラジル科学技術省のブラジル国立宇宙研究所のデータに基づく。
(26) 環境パフォーマンス指標、〈http://epi.yale.edu/country-rankings〉
(27) 汚染水と調理時の煙：United Nations Development Programme 2011.
(28) 2015年の国連ミレニアム開発目標報告によると、世界人口のうち、汚染された飲料水を口にする人々の割合は1990年の24％から2015年には９％に低下した（United Nations 2015a, p. 52）。また Roser 2016l からの引用データによると、1980年には世界人口の62％が固形燃料を使った室内調理をしていたが、2010年には41％に低下した。
(29) Norberg 2016から引用。
(30) 史上３番目の規模の原油流出事故：Roser 2016r; 米内務省、"Interior Department Releases Final Well Control Regulations to Ensure Safe and Responsible Offshore Oil and Gas Development," April 14, 2016, 〈https://www.doi.gov/pressreleases/interior-department-releases-final-well-control-regulations-ensure-safe-and〉
(31) トラ、コンドル、サイ、パンダなどの頭数の復活：世界自然保護基金と世界トラ・フォーラム（Global Tiger Forum）、"Nature's Comebacks," *Time*, April 17, 2016から引用。自然保護の成功：Balmford 2012; Hoffmann et al. 2010; Suckling et al. 2016; United Nations 2015a, p. 57; R. McKie, "Saved: The Endangered Species Back from the Brink of

Extinction," *The Guardian*, April 8, 2017。鳥類の絶滅を減らす保護努力についてのピムの言葉：D. T. Max, "Green Is Good," *New Yorker*, May 12, 2014で引用されていた。2018年、ピムとの個人的なやりとりで確認した。

(32) 古生物学者のダグラス・アーウィンは「大量絶滅とは、ジャーナリストの注意を引く魅力的な鳥や哺乳類ではなく、目立たないが広く分布する軟体動物や節足動物、その他の無脊椎動物を全滅させるものである」と指摘する（Erwin 2015)。また生物地理学者のジョン・ブリッグスはこう述べる。ほとんどの絶滅は人間が外来生物を持ち込んだあとの「大洋の島々か淡水が入手しにくい場所で発生する」。在来動物に逃げ場がないからだ。絶滅は大陸や大洋ではほとんど起こらず、この50年間に絶滅した海洋生物はいない（Briggs 2015, 2016)。ブランドも「最悪の予想をする人々は、絶滅危惧種はすべて絶滅すると考え、その率は何百年、何千年も続くと仮定している」という（S. Brand, "Rethinking Extinction," *Aeon*, April 21, 2015)。このほか Bailey 2015; Costello, May, & Stork 2013; Stork 2010; Thomas 2017; M. Ridley, "A History of Failed Predictions of Doom," 〈http://www.rationaloptimist.com/blog/apocalypse-not/〉 も参照。

(33) 環境に関する国際合意：〈http://www.enviropedia.org.uk/Acid_Rain/International_Agreements.php〉

(34) オゾン層の回復：United Nations 2015a, p. 7.

(35) 環境運動や法整備が環境クズネッツ曲線に影響した可能性は指摘しておきたい。本章の「原注９と40」も参照。

(36) 密度を重視：Asafu-Adjaye et al. 2015; Brand 2009; Bryce 2013.

(37) 消費活動の脱物質化：Sutherland 2016.

(38) 自動車文化の終わり：M. Fisher, "Cruising Toward Oblivion," *Washington Post*, Sept. 2, 2015.

(39) 物質ピーク：Ausubel 2015; Office for National Statistics 2016. 米トン〔約907キログラム〕換算では16.6トンと11.4トンに相当する。

(40) たとえば、J. Salzman, "Why Rivers No Longer Burn," *Slate*, Dec. 10, 2012; S. Cardoni, "Top 5 Pieces of Environmental Legislation," *ABC News*, July 2, 2010, 〈http://abcnews.go.com/Technology/top-pieces-environmental-legislation/story?id=11067662〉; Young 2011を参照。本章の「原注35」も参照。

(41) 気候変動に関する近年の評論：Intergovernmental Panel on Climate Change 2014 ; Kingetal. 2015; W. Nordhaus 2013; Plumer 2015; World Bank 2012a. このほか J. Gillis, "Short Answers to Hard Questions About Climate Change," *New York Times*, Nov. 28, 2015; "The State of the Climate in 2016," *The Economist*, Nov. 17, 2016も参照。

(42) ４度の上昇は断じて起こしてはならない：World Bank 2012a.

(43) 気温の上昇度合いによってシナリオは異なる：Intergovernmental Panel on Climate Change 2014; King et al. 2015; W. Nordhaus 2013; Plumer 2015; World Bank 2012a. 気温上昇が２度の場合の予測は、国連の気候変

動に関する政府間パネル（IPCC）のRCP2.6シナリオに基づく。IPCCの第5次評価報告書（2014年）の［図6.7］参照。

(44) 化石燃料由来のエネルギー：British Petroleum 2016, "Primary Energy: Consumption by Fuel," p. 41, "Total World" から2015年の数字を計算した。

(45) 人為起源の気候変動に関する科学的コンセンサス：NASA, "Scientific Consensus: Earth's Climate Is Warming," ⟨http://climate.nasa.gov/scientific-consensus/⟩; *Skeptical Science*, ⟨http://www.skepticalscience.com/⟩; Intergovernmental Panel on Climate Change 2014; Plumer 2015; W. Nordhaus 2013; W. Nordhaus, "Why the Global Warming Skeptics Are Wrong," *New York Review of Books*, March 22, 2012. 懐疑的だったが納得した人々には、リバタリアンのサイエンスライターであるマイケル・シャーマー、マット・リドレー、ロナルド・ベイリーがいる。

(46) 気候学者の意見の一致：Powell 2015; G. Stern, "Fifty Years After U.S. Climate Warning, Scientists Confront Communication Barriers," *Science*, Nov. 27, 2015. 本章の「原注45」も参照。

(47) 地球温暖化否定論：Morton 2015; Oreskes & Conway 2010; Powell 2015.

(48) ポリティカル・コレクトネスの監視人：わたしは「教育における個人の権利財団」⟨https://www.thefire.org/about-us/board-of-directors-page/⟩、「ヘテロドックス・アカデミー」⟨http://heterodoxacademy.org/about-us/advisory-board/⟩、「アカデミック・エンゲージメント・ネットワーク」⟨http://www.academicengagement.org/en/about-us/leadership⟩の勧告委員会のメンバーである。Pinker 2002/2016, 2006も参照。温暖化の証拠：本章の「原注41・45・46」の参考文献を参照。

(49) 微温派の人々：M. Ridley, "A History of Failed Predictions of Doom," ⟨http://www.rationaloptimist.com/blog/apocalypse-not/⟩; J. Curry, "Lukewarming," *Climate Etc.*, Nov. 5, 2015, ⟨https://judithcurry.com/2015/11/05/lukewarming/⟩

(50) 気候カジノ：W. Nordhaus 2013; W. Nordhaus, "Why the Global Warming Skeptics Are Wrong," *New York Review of Books*, March 22, 2012; R. W. Cohen et al., "In the Climate Casino: An Exchange," *New York Review of Books*, April 26, 2012.

(51) 気候正義：Foreman 2013.

(52) クラインと炭素税：C. Komanoff, "Naomi Klein Is Wrong on the Policy That Could Change Everything," *Carbon Tax Center* blog, ⟨https://www.carbontax.org/blog/2016/11/07/naomi-klein-is-wrong-on-the-policy-that-could-change-everything/⟩；コーク兄弟と炭素税：C. Komanoff, "To the Left-Green Opponents of I-732: How Does It Feel?" *Carbon Tax Center* blog, ⟨https://www.carbontax.org/blog/2016/11/04/to-the-left-green-opponents-of-i-732-how-does-it-feel/⟩. Economists' statement on climate change: Arrow et al. 1997. 炭素税に関する最近の議論："FAQs," *Carbon Tax Center* blog, ⟨https://www.carbontax.org/faqs/⟩

(53) "Naomi Klein on Why Low Oil Prices Could Be a Great Thing," *Grist*, Feb. 9, 2015.
(54)「気候正義」および「すべてを変えること」の問題：Foreman 2013; Shellenberger & Nordhaus 2013.
(55) 現実的な解決法の提示は脅すよりも効果が高い：Braman et al. 2007; Feinberg & Willer 2011; Kahan, Jenkins-Smith, et al. 2012; O'Neill & Nicholson-Cole 2009; L. Sorantino, "Annenberg Study: Pope Francis' Climate Change Encyclical Backfired Among Conservative Catholics," *Daily Pennsylvanian*, Nov. 1, 2016, 〈https://goo.gl/zUWXyk〉; T. Nordhaus & M. Shellenberger, "Global Warming Scare Tactics," *New York Times*, April 8, 2014. 核兵器との類似点については Boyer 1986 and Sandman & Valenti 1986を参照。
(56) "World Greenhouse Gas Emissions Flow Chart 2010," *Ecofys*, 〈http://www.ecofys.com/files/files/asn-ecofys-2013-world-ghg-emissions-flow-chart-2010.pdf〉
(57) 規模に無頓着：Desvousges et al. 1992.
(58) 浪費と禁欲の道徳化：Haidt 2012; Pinker 2008a.
(59) 道徳的称賛の源としての犠牲と福利：Nemirow 2016.
(60) 〈http://scholar.harvard.edu/files/pinker/files/ten_ways_to_green_your_scence_2.jpg〉 と 〈http://scholar.harvard.edu/files/pinker/files/ten_ways_to_green_your_scence_1.jpg〉 を参照。
(61) Shellenberger & Nordhaus 2013.
(62) M. Tupy, "Earth Day's Anti-Humanism in One Graph and Two Tables," *Cato at Liberty*, April 22, 2015, 〈https://www.cato.org/blog/earth-days-anti-humanism-one-graph-two-tables〉
(63) Shellenberger & Nordhaus 2013.
(64) 経済発展と温暖化の天秤：W. Nordhaus 2013.
(65) L. Sorantino, "Annenberg Study : Pope Francis' Climate Change Encyclical Backfired Among Conservative Catholics," *Daily Pennsylvanian*, Nov. 1, 2016, 〈https://goo.gl/zUWXyk〉
(66) 実際には木の主成分のセルロースとリグニンに含まれる炭素・水素比はこれより低いが、ほとんどの水素はすでに酸素と結合しているので、それらは酸化せず燃焼中に熱も放出しない。Ausubel & Marchetti 1998を参照。
(67) 歴青炭は主として〈$C_{137}H_{97}O_9NS$〉で、炭素・水素比は1.4対１。無煙炭は主として〈$C_{240}H_{90}O_4NS$〉で、炭素・水素比は2.67対１。
(68) 炭素・水素比：Ausubel 2007.
(69) 脱炭素化：Ausubel 2007.
(70) "Global Carbon Budget," *Global Carbon Project*, Nov. 14, 2016, 〈http://www.globalcarbonproject.org/carbonbudget/〉
(71) Ausubel 2007, p. 230.
(72) GDP が上昇しても二酸化炭素は横ばい：Le Quéré et al. 2016.

(73) 大規模な脱炭素化：Deep Decarbonization Pathways Project 2015; Pacala & Socolow 2004; Williams et al. 2014; 〈http://deepdecarbonization.org/〉

(74) 炭素税のコンセンサス：Arrow et al. 1997; "FAQs," *Carbon Tax Center* blog, 〈https://www.carbontax.org/faqs/〉 も参照。

(75) 炭素税の実施法："FAQs," Carbon Tax Center blog, 〈https://www.carbontax.org/faqs/〉; Romer 2016.

(76) 環境に優しいエネルギーとしての原子力：Asafu-Adjayeetal. 2015; Ausubel 2007; Brand 2009; Bryce 2014; Cravens 2007; Freed 2014; K. Caldeira et al., "Top Climate Change Scientists' Letter to Policy Influencers," *CNN*, Nov. 3, 2013, 〈http://www.cnn.com/2013/11/03/world/nuclear-energy-climate-change-scientists-letter/index.html〉; M. Shellenberger, "How the Environmental Movement Changed Its Mind on Nuclear Power," *Public Utilities Fortnightly*, May 2016; Nordhaus & Shellenberger 2011; Breakthrough Institute, "Energy and Climate FAQs," 〈http://thebreakthrough.org/index.php/programs/energy-and-climate/nuclear-faqs〉. 現在、多くの環境保護活動家が原子力発電の拡大を支持しているが（スチュアート・ブランド、ジャレド・ダイアモンド、ポール・エーリック、ティム・フラネリー、ジョン・ホルドレン、ジェームズ・クンスラー、ジェームズ・ラブロック、ビル・マッキベン、ヒュー・モンテフィオーリ、パトリック・ムーアを含む）、一方で、グリーンピース、世界自然保護基金（WWF）、シエラクラブ、自然資源保護協議会（NRDC）、地球の友（FoE）、アル・ゴア（曖昧な言い方だが）は今なお反対している。Brand 2009, pp. 86–89を参照。

(77) 太陽光と風力が世界のエネルギーの1.5％を供給：British Petroleum 2016. 〈https://www.carbonbrief.org/factcheck-how-much-energy-does-the-world-get-from-renewables〉 にグラフがある。

(78) 風力発電に必要な土地：Bryce 2014.

(79) 風力発電と太陽光発電に必要な土地：Swain et al. 2015, based on data from Jacobson & Delucchi 2011.

(80) M. Shellenberger, "How the Environmental Movement Changed Its Mind on Nuclear Power," *Public Utilities Fortnightly*, May 2016; R. Bryce, "Solar's Great and So Is Wind, but We Still Need Nuclear Power," *Los Angeles Times*, June 16, 2016.

(81) チェルノブイリでの癌による死者：Ridley 2010, pp. 308, 416.

(82) 原子力と化石燃料による相対的死亡率：Kharecha & Hansen 2013; Swain et al. 2015. 石炭火力発電で年間100万人が死亡：Morton 2015, p. 16.

(83) Nordhaus & Shellenberger 2011. 本章の「原注76」も参照。

(84) Deep Decarbonization Pathways Project 2015. アメリカの大規模な脱炭素化：Williams et al. 2014. このほか B. Plumer, "Here's What It Would Really Take to Avoid 2℃ of Global Warming," *Vox*, July 9, 2014も参照。

(85) 世界の大規模な脱炭素化：Deep Decarbonization Pathways Project 2015; 前の「原注84」も参照。
(86) 原発に対する恐れと不安の心理：Gardner 2008; Gigerenzer 2016; Ropeik & Gray 2002; Slovic 1987; Slovic, Fischhoff, & Lichtenstein 1982.
(87) ジョン・ホールとジョアンナ・ホールの『パワー』より。
(88) 原因はさまざまである。Brand 2009, p. 75での引用。
(89) 標準化の必要性：Shellenberger 2017. セリンの言葉の引用：*Washington Post*, May 29, 1995.
(90) 第四世代の原発：Bailey 2015; Blees 2008; Freed 2014; Hargraves 2012; Naam 2013.
(91) 核融合エネルギー：E. Roston, "Peter Thiel's Other Hobby Is Nuclear Fusion," *Bloomberg News*, Nov. 22, 2016; L. Grossman, "Inside the Quest for Fusion, Clean Energy's Holy Grail," *Time*, Oct. 22, 2015.
(92) 温暖化を技術により解決する利点：Bailey 2015; Koningstein & Fork 2014; Nordhaus 2016; このあとの「原注103」も参照。
(93) リスクのある研究の必要性：Koningstein & Fork 2014.
(94) Brand 2009, p. 84.
(95) アメリカは神経質でテクノロジー恐怖症：Freed 2014.
(96) CO_2の回収：Brand 2009; B. Plumer, "Can We Build Power Plants That Actually Take Carbon Dioxide Out of the Air?" Vox, March 11, 2015; B. Plumer, "It's Time to Look Seriously at Sucking CO_2 Out of the Atmosphere," *Vox*, July 13, 2015. このほか CarbonBrief 2016 と the Center for Carbon Removal のウェブサイト〈http://www.centerforcarbonremoval.org/〉も参照。
(97) 気候工学：Keith 2013, 2015; Morton 2015. CO_2を人工的に回収：前の「原注96」を参照。
(98) 低炭素の液体燃料：Schrag 2009.
(99) BECCS：King et al. 2015; Sanchez et al. 2015; Schrag 2009; 前の「原注96」も参照。
(100) タイムの見出し：それぞれSept. 25, Oct. 19, Oct. 14のもの。ニューヨーク・タイムズの見出し：Nov. 5, 2015、ピュー研究所の世論調査に基づく。地球温暖化対策に対するアメリカ人の支持を示すその他の調査については、〈https://www.carbontax.org/polls/〉を参照。
(101) パリ協定：〈http://unfccc.int/parisagreement/items/9485.php〉
(102) パリ協定のもとでの気温上昇の可能性：Fawcett et al. 2015.
(103) 技術と経済によって進む脱炭素化：Nordhaus & Lovering 2016. 州・都市・世界とトランプの気候変動をめぐる対立：Bloomberg & Pope 2017; "States and Cities Compensate for Mr. Trump's Climate Stupidity," *New York Times*, June 7, 2017; "Trump Is Dropping Out of the Paris Agreement, but the Rest of Us Don't Have To," *Los Angeles Times*, June 16, 2017; W. Hmaidan, "How Should World Leaders Punish Trump for Pulling Out of

Paris Accord?" *The Guardian*, June 15, 2017; "Apple Issues $1 Billion Green Bond After Trump's Paris Climate Exit," *Reuters*, June 13, 2017, 〈https://www.reuters.com/article/us-apple-climate-greenbond/apple-issues-1-billion-green-bond-after-trumps-paris-climate-exit-idUSKBN1941ZE〉; H. Tabuchi & H. Fountain, "Bill Gates Leads New Fund as Fears of U.S. Retreat on Climate Grow," *New York Times*, Dec. 12, 2016.

(104) 大気の下層や地表に届く太陽放射の減少によって大気と地表を冷やす：Brand 2009; Keith 2013, 2015; Morton 2015.

(105) カルサイト（石灰石）は太陽光を反射し、硫酸を中和〔オゾン層を修復〕する：Keith et al. 2016.

(106)「適度・素早い反応・一時的」：Keith 2015. 2075年までに年間5ギガトンのCO_2を回収：Q&A from Keith 2015.

(107) 気候工学が気候変動への関心を高める：Kahan, Jenkins-Smith, et al. 2012.

(108) のんきな楽観主義と条件付き楽観主義：Romer 2016.

第11章

（1）『暴力の人類史』でも本書でも、グラフにはデータの入手できた最新年を含めている。ただし、ほとんどのデータセットは即時更新するのではなく、最新年を含めたあと、不備のないよう正確を期して再確認して公表している（そのため少なくとも1年のラグはあるが、その差は縮まりつつある）。またデータセットのなかには、更新されていなかったり、基準が変更されたりして、年ごとの比較ができないものもある。こうした理由に加え、原稿を出してから出版までの時間差もあるので、『暴力の人類史』のグラフの最新年は2011年以前になり、本書のグラフは2016年までになっている。

（2）戦争の常態化：Pinker 2011, pp. 228–49の議論を参照。

（3）この議論での「大国」と「大国間の戦争」はLevyの分類を使用した。Goldstein 2011; Pinker 2011, pp. 222–28も参照。

（4）大国間の戦争における相反する流れ：Pinker 2011, pp. 225–28（Levy 1983のデータに基づく）。

（5）大国間の戦争の減少：Goertz, Diehl, & Balas 2016; Hathaway & Shapiro 2017; Mueller 1989, 2009; Pinker 2011, chap. 5も参照。

（6）政治学者の「戦争」の一般的な定義は「国が主体の武力衝突で、年間1000人以上の戦死者を出すもの」。数字はUCDP/PRIO Armed Conflict Datasetを参照した。Gleditsch et al. 2002; Human Security Report Project 2011; Pettersson & Wallensteen 2015; 〈http://ucdp.uu.se/downloads/〉

（7）Pinker & J. Santos, "Colombia's Milestone in World Peace," *New York Times*, Aug. 26, 2016. この記事内にある多くの事実に、わたしの注意を向けさせてくれたジョシュア・ゴールドスティンに感謝する。本書でもこの

段落で取り上げた。

(8) 米シンクタンクCSP（Center for Systemic Peace）、Marshall 2016、〈http://www.systemicpeace.org/warlist/warlist.htm〉によると、1945年以降に南北アメリカ大陸で起きた政治的暴力は、9.11とメキシコ麻薬戦争を除いて32件である。

(9) 数字はUCDP/PRIO Armed Conflict Datasetからとった：Pettersson & Wallensteen 2015、テルエス・ペッテションとサム・トーブが更新（個人的なやりとり）。2016年の内戦は次のとおり：アフガニスタン政府とタリバン、アフガニスタン政府とISIS、イラク政府とISIS、リビア政府とISIS、ナイジェリア政府とISIS、ソマリア政府とアル・シャバブ、スーダン政府とスーダン革命戦線（SRF）、シリア政府とISIS、シリア政府と反体制派、トルコ政府とISIS、トルコ政府とクルド労働者党（PKK）、イエメン政府とハーディ派の軍。

(10) シリア内戦での戦死者数の見積もり：ウプサラ紛争データプログラム（UCDP、〈http://ucdp.uu.se/#country/652〉2017年6月閲覧）によると、2016年の戦死者数は25万6624人。Center for Systemic Peace（〈http://www.systemicpeace.org/warlist/warlist.htm〉2016年5月25日最終更新）によると2015年は25万人だった。

(11) 2009年以降に終結した内戦（厳密には「国が主体の武力衝突」のうち戦死者が年間25人以上のもの。必ずしも1000人以上とはかぎらない）：テルエス・ペッテションとの個人的なやりとり（2016年3月17日）。Uppsala Conflict Data Program Armed Conflict dataset, Pettersson & Wallensteen 2015, 〈http://ucdp.uu.se/〉に基づく。多数の死者を出した過去の内戦：Center for Systemic Peace, Marshall 2016.

(12) Goldstein 2015. 先に挙げた「難民」の数字は国境を越えた人々の数である。「国内で移動を余儀なくされた人々の数」については、1989年からしか追跡していないため、シリア内戦と過去の内戦の「国内移動を余儀なくされた人数」を比較することはできない。

(13) ジェノサイドは古くから行われてきた：Chalk & Jonassohn 1990, p. xvii.

(14) ジェノサイドによる最高死亡率：Rummel 1997の「デモサイド」の定義を使用。そのなかには、UCDPの「一方的暴力」、意図的な食糧不足、収容所での殺害、民間人を狙った爆撃も含む。より厳密に「ジェノサイド」を定義した場合でも、1940年代のジェノサイドによる死者数は数千万人に上る。White 2011; Pinker 2011, pp. 336-42を参照。

(15) 死者数の算出方法は、Pinker 2011, p. 716, note 165で説明した。

(16) 数字は2014年と2015年のもので、分析が可能だった最新の年である。ただし、UCDP One-Sided Violence Dataset version 1.4-2015〈http://ucdp.uu.se/downloads/〉では「多く見積もった」としているが、これらの数字は正式に確認できた死者数しかカウントしていないため、低く抑えた控えめな数字とみなすべきだろう。

(17) リスクを見定める難しさ：Pinker 2011, pp. 210-22; Spagat 2015, 2017; M.

Spagat, "World War III — What Are the Chances," *Significance*, Dec. 2015; M. Spagat & S. Pinker, "Warfare" (letter), *Significance*, June 2016, and "World War III: The Final Exchange," *Significance*, Dec. 2016.

(18) Nagdy & Roser 2016a. アメリカを除くすべての国で、軍事費は冷戦時代のピーク時から減少した（インフレ調整後のドル換算）。アメリカでも軍事費の対 GDP 比は、冷戦時代のピーク時と比べて低くなった。徴兵制：Pinker 2011, pp. 255-57; M. Tupy, "Fewer People Exposed to Horrors of War," *HumanProgress*, May 30, 2017, 〈http://humanprogress.org/blog/fewer-people-exposed-to-horrors-of-war〉

(19) 啓蒙時代の戦争批判：Pinker 2011, pp. 164-68.

(20) 戦争の減少と休戦：Pinker 2011, pp. 237-38.

(21) 温和な商業の正当性：Pinker 2011, pp. 284-88; Russett & Oneal 2001.

(22) 民主主義と平和：Pinker 2011. pp. 278-94: Russett & Oneal 2001.

(23) 核兵器が抑止力ではなかった可能性：Mueller 1989, 2004a; Pinker 2011, pp. 268-78. 新しいデータについては Sechser & Fuhrmann 2017を参照。

(24)「長い平和」をもたらした規範とタブー：Goertz, Diehl, & Balas 2016; Goldstein 2011; Hathaway & Shapiro 2017; Mueller 1989; Nadelmann 1990.

(25) 国家間の戦争よりも内戦のほうが死者数は少ない：Pinker 2011, pp. 303-5.

(26) 平和維持軍による治安維持：Fortna 2008; Goldstein 2011; Hultman, Kathman, & Shannon 2013.

(27) 豊かな国ほど内戦は起こりにくい：Fearon & Laitin 2003; Hegre et al. 2011; Human Security Centre 2005; Human Security Report Project 2011. 武装勢力とマフィアとゲリラ：Mueller 2004a.

(28) 戦争の伝染：Human Security Report Project 2011.

(29) ロマン主義的軍国主義：Howard 2001; Mueller 1989, 2004a; Pinker 2011, pp. 242-44; Sheehan 2008.

(30) Mueller 1989, pp. 38-51から引用。

(31) ロマン主義的ナショナリズム：Howard 2001; Luard 1986; Mueller 1989; Pinker 2011, pp. 238-42.

(32) Mueller 1989から引用。ヘーゲルの弁証法的闘争：Luard 1986, p. 355; Nisbet 1980/2009.

(33) マルクス主義の弁証法的闘争：Montgomery & Chirot 2015.

(34) 衰退主義と文化悲観論：Herman 1997; Wolin 2004.

(35) Herman 1997, p. 231.

第12章

(1) 2005年、42万1000人から180万人が毒ヘビに咬まれ、うち2万人から9万4000人が死亡した（Kasturiratne et al. 2008）。

(2) 怪我による相対的死者数：World Health Organization 2014.

（3）事故と死因：Kochanek et al. 2016. 事故と世界の疾病負担研究：Murray et al. 2012.

（4）殺人の死者数は戦争の死者数を上回る：Pinker 2011, p. 221および本書の［表13-1］。殺人発生率に関する最新のデータと視覚資料についてはIgarapé Instituteの *Homicide Monitor*, 〈https://homicide.igarape.org.br/〉を参照。

（5）中世の暴力：Pinker 2011, pp. 17-18, 60-75; Eisner 2001, 2003.

（6）文明化の過程：Eisner 2001, 2003; Elias 1939/2000; Fletcher 1997.

（7）アイズナーとエリアス：Eisner 2001, 2014a.

（8）1960年代の犯罪ブーム：Latzer 2016; Pinker 2011, pp. 106-16.

（9）根本原因論：Sowell 1995.

（10）1960年代の人種差別意識の低下：Pinker 2011, pp. 382-94.

（11）アメリカの殺人発生率の大幅な低下：Latzer 2016; Pinker 2011, pp. 116-27; Zimring 2007. 2015年の殺人発生率の上昇は、2014年に起きた警官による黒人射殺事件への抗議運動が全国的に広まったことを受け、警察の取り締まりが緩んだことが一因と見られる。L. Beckett, "Is the 'Ferguson Effect' Real? Researcher Has Second Thoughts," *The Guardian*, May 13, 2016; H. Macdonald, "Police Shootings and Race," *Washington Post*, July 18, 2016を参照。この2015年の上昇がそれまでの進歩の流れに逆行するものではない理由は B. Latzer, "Will the Crime Spike Become a Crime Boom?" *City Journal*, Aug. 31, 2016, 〈https://www.city-journal.org/html/will-crime-spike-become-crime-boom-14710.html〉を参照。

（12）2000年から2013年のあいだに、ベネズエラのジニ係数は0.47から0.41に下がったが（国連の *World Income Inequality Database*, 〈https://www.wider.unu.edu/〉）、殺人発生率は10万人当たり32.9件から53.0件に上昇した（Igarapé Instituteの *Homicide Monitor*, 〈https://homicide.igarape.org.br〉）。

（13）国連の資料の出典は［図12-2］の「情報源」に記した。これと異なる手法を使った「世界の疾病負担研究プロジェクト」（Murray et al. 2012）も、世界の殺人発生率は1995年の10万人当たり7.4件から2015年には6.1件に減少したと推計する。

（14）世界の殺人発生率：United Nations Office on Drugs and Crime 2014; 〈https://www.unodc.org/gsh/en/data.html〉

（15）30年間で世界の殺人発生率を半減：Eisner 2014b, 2015; Krisch et al. 2015. 2015年に採択された国連の持続可能な開発目標では、もう少し曖昧な表現で「あらゆる場所において、すべての形態の暴力及び暴力に関連する死亡率を大幅に減少させる」〔外務省HPより〕との目標が掲げられている（Target 16.1.1, 〈https://sustainabledevelopment.un.org/sdg16〉）。

（16）世界の殺人発生率：United Nations Office on Drugs and Crime 2014, 〈https://www.unodc.org/gsh/en/data.html〉と Homicide Monitor, 〈https://homicide.igarape.org.br/〉

(17) どのレベルでも殺人の分布には偏りがある：Eisner 2015; Muggah & Szabo de Carvalho 2016.
(18) ボストンの殺人事件：Abt & Winship 2016.
(19) ニューヨーク市の殺人発生率の低下：Zimring 2007.
(20) コロンビアや南アフリカなどの国々の殺人発生率の低下：Eisner 2014b, p. 23. Russia: United Nations Office on Drugs and Crime 2014, p. 28.
(21) 多くの国で殺人発生率は低下：United Nations Office on Drugs and Crime 2013, 2014, 〈https://www.unodc.org/gsh/en/data.html〉
(22) ラテンアメリカにおける犯罪取り締まりの成功例：Guerrero Velasco 2015; Muggah & Szabo de Carvalho 2016.
(23) 2007年から2011年のあいだ、組織犯罪が原因でメキシコの殺人発生率が増加：Botello 2016. シウダー・フアレスの殺人減少：P. Corcoran, "Declining Violence in Juárez a Major Win for Calderon: Report," *Insight Crime*, March 26, 2013, 〈http://www.insightcrime.org/news-analysis/declining-violence-in-juarez-a-major-win-for-calderon-report〉
(24) ボゴタとメデジンでの殺人発生率の低下：T. Rosenberg, "Colombia's Data-Driven Fight Against Crime," *New York Times*, Nov. 20, 2014. サンパウロ：Risso 2014. リオデジャネイロ：R. Muggah & I. Szabó de Carvalho, "Fear and Backsliding in Rio," *New York Times*, April 15, 2014.
(25) サン・ペドロ・スーラでの殺人発生率の低下：S. Nazario, "How the Most Dangerous Place on Earth Got a Little Bit Safer," *New York Times*, Aug. 11, 2016.
(26) 10年以内にラテンアメリカの殺人件数を半減させる努力については、Muggah & Szabo de Carvalho 2016と〈https://www.instintodevida.org/〉を参照。
(27) 殺人発生率を短期間で低下させる方法：Eisner 2014b, 2015; Krisch et al. 2015; Muggah & Szabo de Carvalho 2016. このほかAbt & Winship 2016; Gash 2016; Kennedy 2011; Latzer 2016も参照。
(28) ホッブズと暴力と無政府状態：Pinker 2011, pp. 31–36, 680–82.
(29) 警察のストライキ：Gash 2016, pp. 184–86.
(30) 法の執行が不十分だと犯罪は増加する：Latzer 2016; Eisner 2015, p. 14.
(31) アメリカで犯罪が大幅に減少した理由：Kennedy 2011; Latzer 2016; Levitt 2004; Pinker 2011, pp. 116–27; Zimring 2007.
(32) アイズナーがまとめた要点：Eisner 2015.
(33) 政府の正当性と犯罪：Eisner 2003, 2015; Roth 2009.
(34) 犯罪防止に効果のあるもの：Abt & Winship 2016. このほかEisner 2014b, 2015; Gash 2016; Kennedy 2011; Krisch et al. 2015; Latzer 2016; Muggah 2015, 2016も参照。
(35) 犯罪と自制：Pinker 2011, pp. 72–73, 105, 110–11, 126–27, 501–6, 592–611.
(36) 犯罪と自己愛と社会病質（または精神病質）：Pinker 2011, pp. 510–11, 519–21.

(37) 犯罪対象物の強化と犯罪現象：Gash 2016.
(38) 薬物裁判と薬物治療の有効性：Abt & Winship 2016, p. 26.
(39) 銃関連立法の効果は不明：Abt & Winship 2016, p. 26; Hahn et al. 2005; N. Kristof, "Some Inconvenient Gun Facts for Liberals," *New York Times*, Jan. 16, 2016.
(40) 自動車事故の死者数のグラフ：Barry, "Safety in Numbers," *Car and Driver*, May 2011, p. 17.
(41) 走行距離当たりの死者数ではなく、人口当たりの死者数をもとにした。
(42) ブルース・スプリングスティーン『Pink Cadillac』から引用。
(43) Insurance Institute for Highway Safety 2016を参照。2015年、死亡率はわずかに上昇し10.9人になった。
(44) 世界保健機関によると、2015年の自動車事故の10万人当たりの年間死亡率は、豊かな国では9.2人、貧しい国では24.1人。〈http://www.who.int/violence_injury_prevention/road_safety_status/2015/magnitude_A4_web.pdf〉
(45) Bettmann 1974, pp. 22-23.
(46) Scott 2010, pp. 18-19.
(47) Rawcliffe 1998, p. 4、Scott 2010, pp. 18-19で引用。
(48) Tebeau 2016.
(49) テューダー朝版のダーウィン賞：〈http://tudoraccidents.history.ox.ac.uk/〉
(50) [図12-6] の完全なデータセットでは、転倒・転落の死亡率が1992年から不可解な上昇を見せている。しかし、同時期の転倒・転落が原因の緊急治療数や入院数に上昇は見られない（Hu & Baker 2012)。また、確かに高齢者の死亡原因には転倒・転落が多いが、データは年齢調整がされているので、この上昇はアメリカ人の高齢化からも説明できない（Sheu, Chen, & Hedegaard 2015)。実は、これは報告方法が変化したことの影響だった（Hu & Mamady 2014; Kharrazi, Nash, & Mielenz 2015; Stevens & Rudd 2014)。転倒して腰の骨や肋骨や頭蓋骨を折った高齢者は、その後肺炎やその他の合併症を起こし、数週間あるいは数カ月後に死亡することが多い。こうしたケースの場合、検死官や監察医は以前は最終的な疾患を死因とすることが多かったが、最近はその引き金となった事故のほうを死因とする。つまり転倒・転落で死亡する人の数は変わっていないが、転倒・転落が死因に分類されるケースが増えているということである。
(51) 国の調査委員会の報告書："National Conference on Fire Prevention"（プレスリリース), Jan. 3, 1947, 〈http://foundation.sfpe.org/wp-content/uploads/2014/06/presidentsconference1947.pdf〉; *America Burning*（国家防火管理委員会の報告書), 1973; *American Burning Revisited*, U.S. Fire Administration/FEMA, 1987.
(52) 救急救命士としての消防士：P. Keisling, "Why We Need to Take the 'Fire' out of 'Fire Department,'" *Governing*, July 1, 2015.

(53) 中毒死の原因は大半が薬物とアルコール：National Safety Council 2016, pp. 160–61.
(54) オピオイドの蔓延：National Safety Council, "Prescription Drug Abuse Epidemic; Painkillers Driving Addiction," 2016, 〈http://www.nsc.org/learn/NSC-Initiatives/Pages/prescription-painkiller-epidemic.aspx〉
(55) オピオイドの蔓延と対策：Satel 2017.
(56) オピオイドの過剰摂取はピークを越えたかもしれない：Hedegaard, Chen, & Warner 2015.
(57) 薬物の過剰摂取の世代別影響：National Safety Council 2016; グラフについてはKolosh 2014を参照。
(58) ティーンエイジャーの薬物使用の減少：National Institute on Drug Abuse 2016. ティーンエイジャーの薬物使用は2016年後半も減少しつづけた。National Institute on Drug Abuse, "Teen Substance Use Shows Promising Decline," Dec. 13, 2016, 〈https://www.drugabuse.gov/news-events/news-releases/2016/12/teen-substance-use-shows-promising-decline〉を参照。
(59) Bettmann 1974, pp. 69–71.
(60) Bettmann 1974, p. 71より引用。
(61) 職場の安全性の歴史：Aldrich 2001.
(62) 進歩的運動と労働者の安全：Aldrich 2001.
(63) [図12-7] で、1970年代から80年代にかけてグラフに急激な低下が見られるのは、おそらく複数の情報源を総合したことによる影響だろう。National Safety Council（全米安全評議会、NSC）2016, pp. 46–47にある一連のデータでは、これほどの低下は見られない。NSCのデータセット全体の傾向は、[図12-7] とよく似ているが、本書ではNSCのデータは取り上げなかった。労働者数ではなく人口全体をもとに死亡率を算出していること、1992年に「労働災害による死亡者センサス」が導入されたとき、集計法の変化による数字の低下が見られることがその理由である。
(64) United Nations Development Programme 2011, table 2.3, p. 37.
(65) この問いはMueller 1989の付録 "War, Death, and the Automobile" から取った。もとは1984年のウォール・ストリート・ジャーナル紙で発表されたもの。

第13章

(1) テロへの恐怖：Jones et al. 2016a; 第4章の「原注14」も参照。
(2) 西ヨーロッパ社会は暴力闘争の地：J. Gray, "Steven Pinker Is Wrong About Violence and War," *The Guardian*, March 13, 2015; このほかS. Pinker, "Guess What? More People Are Living in Peace Now. Just Look at the Numbers," *The Guardian*, March 20, 2015も参照。
(3) テロよりも危険なもの：National Safety Council 2011.
(4) 西ヨーロッパとアメリカの殺人発生率の比較：United Nations Office on

Drugs and Crime 2013. グローバル・テロリズム・データベースでの西ヨーロッパ24カ国の平均殺人発生率は年間10万人当たり1.1件。対して、2014年のアメリカは4.5件だった。2013年の交通事故による死亡率は、西ヨーロッパの平均が年間10万人当たり4.8人に対し、アメリカは10.7人だった。

(5)「暴動」や「ゲリラ戦」での死亡は「テロリズム」に分類される：Human Security Report Project 2007; Mueller & Stewart 2016b; Muggah 2016.

(6) John Mueller との個人的なやりとり（2016年）。

(7) 類似事件の誘発：B. Carey, "Mass Killings May Have Created Contagion, Feeding on Itself," *New York Times*, July 27, 2016; Lankford & Madfis 2018.

(8) 銃乱射事件：Blair & Schweit 2014; Combs & Slovic 1979. 大量殺人：James Alan Fox による1976から2011年の Analysis of FBI Uniform Crime Report Data 〈http://www.ucrdatatool.gov/〉、Latzer 2016, p. 263 にグラフがある。

(9) 対数目盛を使って傾向を示したグラフについては、Pinker 2011, fig. 6-9, p. 350を参照。

(10) K. Eichenwald, "Right-Wing Extremists Are a Bigger Threat to America Than ISIS," *Newsweek*, Feb. 4, 2016. 安全保障の専門家 Robert Muggah は、極右勢力の暴力を追跡した United States Extremist Crime Database（Freilich et al. 2014）を用い、9・11とオクラホマシティの事件を除くと、1990年から2017年5月のあいだに、極右勢力により272人が、イスラム原理主義者のテロにより136人が殺害されたと推計している（個人的なやりとり）。

(11) テロはメディア普及の副産物：Payne 2004.

(12) 殺人から受ける衝撃は大きい：Slovic 1987; Slovic, Fischhoff, & Lichtenstein 1982.

(13) 殺人犯に恐怖を感じるもっともな理由：Duntley & Buss 2011.

(14) 自爆テロと大量殺人犯の動機：Lankford 2013.

(15)「ISIS はアメリカの存在と存続への脅威」は思い込みにすぎない：本書第4章の「原注14」と Mueller & M. Stewart, "ISIS Isn't an Existential Threat to America," *Reason*, May 27, 2016を参照。

(16) Y. N. Harari, "The Theatre of Terror," *The Guardian*, Jan. 31, 2015.

(17) テロでは目的を達成できない：Abrahms 2006; Branwen 2016; Cronin 2009; Fortna 2015.

(18) Jervis 2011.

(19) Y. N. Harari, "The Theatre of Terror," *The Guardian*, Jan. 31, 2015.

(20) 名前は出さず、顔も出さない：Lankford & Madfis 2018. このほか No Notoriety 〈https://nonotoriety.com/〉 と Don't Name Them 〈http://www.dontnamethem.org/〉 と呼ばれるプロジェクトも参照。

(21) テロはどう消えるか：Abrahms 2006; Cronin 2009; Fortna 2015.

第14章

(1) 無政府状態の社会では暴力の発生率が高い：Pinker 2011, chap. 2. 非国家社会と国家社会の暴力の発生率の違いに関する最新データは Gat 2015; Gómez et al. 2016; Wrangham & Glowacki 2012を参照。

(2) 初期の専制政治：Betzig 1986; Otterbein 2004. 聖書中の専制政治：Pinker 2011, chap. 1.

(3) White 2011, p. xvii.

(4) 民主国家は経済成長率が高い：Radelet 2015, pp. 125–29. ただし、貧しい国はあまり民主的ではない傾向にある一方、豊かな国よりも経済成長率が高いことが多いので、この事実はわかりづらくなっている。民主国家では戦争が少ない：Hegre 2014; Russett 2010; Russett & Oneal 2001. 民主国家では深刻な内戦が少ない（数が少ないとはかぎらない）：Gleditsch 2008; Lacina 2006. ジェノサイドが少ない：Rummel 1994, pp. 2, 15; Rummel 1997, pp. 6–10, 367; Harff 2003, 2005. 飢饉が起こらない：Sen 1984. ごく小さな留保については Devereux 2000も参照。国民は健康を享受：Besley 2006. 国民は教育を受ける機会に恵まれている：Roser 2016b.

(5) 民主化の三つの波：Huntington 1991.

(6) 民主主義の後退：Mueller 1999, p. 214.

(7) 民主主義の未来は暗い：Mueller 1999, p. 214から引用。

(8)『歴史の終わり』：Fukuyama 1989.

(9) これらの引用は Levitsky & Way 2015を参照。

(10) 民主主義の概念を理解していない：Welzel 2013, p. 66, n. 11.

(11) これは民主主義を調査する国際NGO団体、フリーダムハウスの年次報告の問題である。Levitsky & Way 2015; Munck & Verkuilen 2002; Roser 2016b も参照。

(12) これもフリーダムハウスのデータの問題である。

(13) ポリティⅣプロジェクト：Center for Systemic Peace 2015; Marshall & Gurr 2014; Marshall, Gurr, & Jaggers 2016.

(14) カラー革命：Bunce 2017.

(15) 民主国家：Marshall, Gurr, & Jaggers 2016; Roser 2016b.「民主国家」はポリティⅣプロジェクトの民主制スコアが6ポイント以上の国、「専制国家」は同じく専制スコアが6ポイント以上の国である。民主的でも専制的でもない国は「アノクラシー」と呼ばれ、「民主国家と専制国家の特徴と慣行が混在した国」と定義される。「開放的アノクラシー」の場合、指導者は上流階級とはかぎらない。Roser は2015年の世界人口を次のように分類した。55.8%が民主国家、10.8%が開放的アノクラシー、6%が閉鎖的アノクラシー、23.2%が専制国家で暮らし、4%は過渡期もしくはデータのない国に暮らしている。

(16) フクヤマの主張に対する最近の擁護については Mueller 2014を参照。「民

主主義の後退」への反論：Levitsky & Way 2015.

(17) 繁栄と民主主義：Norberg 2016; Roser 2016b; Porter, Stern, & Green 2016, p. 19. 繁栄と人権：Fariss 2014; Land, Michalos, & Sirgy 2012. 教育と民主主義：Rindermann 2008や Roser 2016i.

(18) 民主主義の多様性：Mueller 1999; Norberg 2016; Radelet 2015. データについては *Polity IV Annual Time-Series*, 〈http://www.systemicpeace.org/polityproject.html〉; Center for Systemic Peace 2015; Marshall, Gurr, & Jaggers 2016を参照。

(19) ロシアにおける民主主義の展望：Bunce 2017.

(20) Norberg 2016, p. 158.

(21) 民主主義における大衆：Achen & Bartels 2016; Caplan 2007; Somin 2016.

(22) 最新流行の独裁制：Bunce 2017.

(23) Popper 1945/2013.

(24) 民主主義とは不平不満をいう自由：Mueller 1999, 2014. 引用は Mueller 1999, p. 247から。

(25) Mueller 1999, p. 140.

(26) Mueller 1999, p. 171.

(27) Levitsky & Way 2015, p. 50.

(28) 民主主義と教育：Rindermann 2008; Roser 2016b; Thyne 2006. 民主主義と西洋の影響と暴力的革命：Levitsky & Way 2015, p. 54.

(29) 民主主義と人権：Mulligan, Gil, & Sala-i-Martin 2004; Roser 2016b, section II. 3.

(30) Sikkink 2017から引用。

(31) 人権をめぐる情報のパラドックス：Clark & Sikkink 2013; Sikkink 2017.

(32) 死刑の歴史：Hunt 2007; Payne 2004; Pinker 2011, pp. 149-53.

(33) 死刑制度そのものが死刑を待っている：C. Ireland, "Death Penalty in Decline," *Harvard Gazette*, June 28, 2012; C. Walsh, "Death Penalty, in Retreat," *Harvard Gazette*, Feb. 3, 2015. 最新の情報については "International Death Penalty," *Amnesty International*, 〈http://www.amnestyusa.org/our-work/issues/death-penalty/international-death-penalty〉 と "Capital Punishment by Country," *Wikipedia*, 〈https://en.wikipedia.org/wiki/Capital_punishment_by_country〉 を参照。

(34) C. Ireland, "Death Penalty in Decline," *Harvard Gazette*, June 28, 2012.

(35) 死刑廃止の歴史：Hammel 2010.

(36) 死刑反対の啓蒙主義的議論：Hammel 2010; Hunt 2007; Pinker 2011, pp. 146-53.

(37) 名誉を重んじる南部州の文化：Pinker 2011, pp. 99-102. 死刑は南部の一握りの郡に集中：法学者キャロル・スタイカーへのインタビュー、C. Walsh, "Death Penalty, in Retreat," *Harvard Gazette*, Feb. 3, 2015.

(38) 死刑に関するギャラップ世論調査：Gallup 2016. 最近のデータについては *Death Penalty Information Center*, 〈http://www.deathpenaltyinfo.

org/〉を参照。

(39) ピュー研究所の世論調査。M. Berman, "For the First Time in Almost 50 Years, Less Than Half of Americans Support the Death Penalty," *Washington Post*, Sept. 30, 2016で報じられている。

(40) 崩れつつあるアメリカの死刑制度：D. Von Drehle, "The Death of the Death Penalty," *Time*, June 8, 2015; *Death Penalty Information Center*, 〈http://www.deathpenaltyinfo.org/〉

第15章

（1）人種差別や性差別の進化論的根拠：Pinker 2011; Pratto, Sidanius, & Levin 2006; Wilson & Daly 1992.

（2）同性愛嫌悪の進化論的根拠：Pinker 2011, chap. 7, pp. 448–49.

（3）平等の権利の歴史：Pinker 2011, chap. 7; Shermer 2015. セネカ・フォールズと女性の権利の歴史：Stansell 2010. セルマとアフリカ系アメリカ人の権利：Branch 1988. ストーンウォールとゲイの権利の歴史：Faderman 2015.

（4）US ニューズ&ワールド・レポートによる影響力のある国のランキング（2016年）は〈http://www.independent.co.uk/news/world/politics/the-10-most-influential-countries-in-the-world-have-been-revealed-a6834956.html〉を参照。アメリカ、イギリス、ドイツは最も裕福な国でもある。

（5）アモス書、5章24節

（6）警官による射殺件数は増えていない：直接のデータはわずかだが、警官による射殺件数は暴力犯罪の発生率に比例し（Fyfe 1988）、第12章で述べたように暴力犯罪の発生率は大きく減少している。人種による差はない：Fryer 2016; Miller et al. 2016; S. Mullainathan, "Police Killings of Blacks: Here Is What the Data Say," *New York Times*, Oct. 16, 2015.

（7）Pew Research Center 2012b, p. 17.

（8）アメリカ人の価値観に関するその他の調査：Pew Research Center 2010; Teixeira et al. 2013; Pinker 2011, chap. 7, and Roser 2016s. このほか、総合的社会調査（The General Social Survey, 〈http://gss.norc.org/〉）は毎年、アフリカ系アメリカ人に対する白人のアメリカ人の意識を調査している。その結果を見ると、1996年から2016年のあいだに、アフリカ系アメリカ人を「近い存在」と感じる割合は35%から51%に上昇し、「近くない存在」と感じる割合は18%から12%に低下した。

（9）世代が進むごとにリベラルになる：Gallup 2002, 2010; Pew Research Center 2012b; Teixeira et al. 2013. Globally: Welzel 2013.

(10) 年をとっても同じ価値観をもちつづける：Teixeira et al. 2013; Welzel 2013.

(11) グーグル検索とその他のデジタル版自白剤：Stephens-Davidowitz 2017.

(12) 人種差別の指標としての nigger 検索：Stephens-Davidowitz 2014.

(13) 「funny jokes〔面白いジョーク〕」という語を検索するなど、一般的なジョークの検索に体系的減少はなさそうである。スティーヴンズ＝ダヴィドウィッツによると、ヒップホップの歌詞などで「nigger」を検索するときは、ほとんどすべて「nigga」というスペルが使用される。
(14) アフリカ系アメリカ人の貧困：Deaton 2013, p. 180.
(15) アフリカ系アメリカ人の平均余命：Cunningham et al. 2017; Deaton 2013, p. 61.
(16) 米国勢調査局が最後に非識字率を調査したのは1979年で、このときの黒人の非識字率は1.6％だった。Snyder 1993, chap. 1、National Assessment of Adult Literacy で複製されている（作成日は不明）。
(17) 第16章の「原注24」と第18章の「原注35」を参照。
(18) リンチ殺人の消滅：Pinker 2011, chap. 7. Payne 2004で紹介された US Census のデータに基づき、Pinker 2011の［図7-2］, p. 384で示した。ヘイトクライムによるアフリカ系アメリカ人の殺害者数については Pinker 2011［図7-3］で示したが、それによると1996年に年間５人だった殺害者数は2006年から2008年には年間１人に減少した。それ以降も2014年まで平均で年間１人が続き、2015年には10人に上昇したが、このうち９人はサウスカロライナ州チャールストンの教会で発生した銃乱射事件の被害者だった（Federal Bureau of Investigation 2016b)。
(19) 1996年から2015年まで、FBI で記録されたヘイトクライム事件の件数は、アメリカの殺人発生率と0.9の係数（段階は－１から１）で相関する。
(20) 反イスラムのヘイトクライムはイスラム教徒によるテロ攻撃後に増加：Stephens-Davidowitz 2017.
(21) ヘイトクライムの誇張：E. N. Brown, “Hate Crimes, Hoaxes, and Hyperbole,” Reason, Nov. 18, 2016; Alexander 2016.
(22) かつての女性の地位：S. Coontz, “The Not-So Good Old Days,” *New York Times*, June 15, 2013.
(23) 労働力に占める女性の割合：United States Department of Labor 2016.
(24) 実際には、女性への暴力は1979年というもっと早い時期から減少しはじめている。これについての根拠は Pinker 2011, fig. 7-10, p. 402を参照（データは National Crime Victimization Survey のデータに基づく）。ただし定義とコード化の基準が変わったため、それらのデータと本書の［図15-4］で示したデータを直接比較することはできない。
(25) 協力によって共感が育まれる：Pinker 2011, chaps. 4, 7, 9, 10.
(26) 道徳的進歩をあと押しする力としての正当性の説明：Pinker 2011, chap. 4; Appiah 2010; Hunt 2007; Mueller 2010b; Nadelmann 1990; Payne 2004; Shermer 2015.
(27) 偏見の減少と差別是正措置の高まり：Asal & Pate 2005.
(28) ワールド・パブリック・オピニオン：Council on Foreign Relations 2011で紹介されている。
(29) Council on Foreign Relations 2011.

(30) Council on Foreign Relations 2011.
(31) 名前を公表する運動の効果：Pinker 2011, pp. 272-76, 414; Appiah 2010; Mueller 1989, 2004a, 2010b; Nadelmann 1990; Payne 2004; Ray 1989.
(32) United Nations Children's Fund 2014; M. Tupy, "Attitudes on FGM Are Shifting," *HumanProgress*, 〈http://humanprogress.org/blog/attitudes-on-fgm-are-shifting〉 も参照。
(33) D. Latham, "Pan African Parliament Endorses Ban on FGM," *Inter Press Service*, Aug. 6, 2016, 〈http://www.ipsnews.net/2016/08/pan-african-parliament-endorses-ban-on-fgm/〉
(34) 同性愛の犯罪化とゲイの権利革命：Pinker 2011, pp. 447-54; Faderman 2015.
(35) 世界全体のゲイの権利に関する現在のデータについては *Equaldex*, 〈www.equaldex.com〉 と "LGBT Rights by Country or Territory," *Wikipedia*, 〈https://en.wikipedia.org/wiki/LGBT_rights_by_country_or_territory〉 を参照。
(36) 世界価値観調査：〈http://www.worldvaluessurvey.org/wvs.jsp〉 解放的な価値観：Welzel 2013.
(37) 年齢、時代、コホートの区別：Costa & McCrae 1982; Smith 2008.
(38) F. Newport, "Americans Continue to Shift Left on Key Moral Issues," *Gallup*, May 26, 2015, 〈http://www.gallup.com/poll/183413/americans-continue-shift-left-key-moral-issues.aspx〉 も参照。
(39) Ipsos 2016.
(40) 各世代は若い頃と同じ価値観を維持し、加齢では変わらない：Ghitza & Gelman 2014; Inglehart 1997; Welzel 2013.
(41) 解放的な価値観とアラブの春の複雑な関係：Inglehart 2017.
(42) 解放的な価値観の相関関係：Welzel 2013, especially table 2.7, p. 83, and table 3.2, p. 122.
(43) いとこ同士の結婚と部族主義：S. Pinker, "Strangled by Roots," *New Republic*, Aug. 6, 2007.
(44) 知識指数：Chen & Dahlman 2006, table 2.
(45) 解放的な価値観の指標としての知識指数：Welzel 2013, p. 122. この文献内では「技術の進歩」を測る指数と呼ばれている。ヴェルツェルは個人的なやりとりで、知識指数は、1人当たりのGDP（またはそのログ）が一定の値をとる国の解放的な価値観と非常に大きな部分相関があるが (0.62)、その逆は成り立たない (0.20) と述べている。
(46) Finkelhor et al. 2014.
(47) 体罰の減少：Pinker 2011, pp. 428-39.
(48) 児童労働の歴史：Cunningham 1996; Norberg 2016; Ortiz-Ospina & Roser 2016a.
(49) M. Wirth, "When Dogs Were Used as Kitchen Gadgets," *HumanProgress*, Jan. 25, 2017, 〈http://humanprogress.org/blog/when-dogs-were-used-as-

kitchen-gadgets〉
(50) 子どもの扱いの歴史：Pinker 2011, chap. 7.
(51)「経済的な価値はないが、感情的にはお金では買えない価値をもつ」：Zelizer 1985.
(52) トラクターの広告：〈https://goo.gl/Lyb1W8〉
(53) 貧困と児童労働の関連性：Ortiz-Ospina & Roser 2016a.
(54) お金に貪欲なのではなく生きるため：Norberg 2016; Ortiz-Ospina & Roser 2016a.

＊本書は、二〇一九年に当社より刊行された著作を文庫化したものです。

草思社文庫

21世紀の啓蒙 上巻
理性、科学、ヒューマニズム、進歩

2023年2月8日　第1刷発行

著　者　スティーブン・ピンカー

訳　者　橘 明美、坂田雪子

発行者　藤田 博

発行所　株式会社 草思社

〒160-0022　東京都新宿区新宿 1-10-1
電話　03(4580)7680(編集)
　　　03(4580)7676(営業)
　　　http://www.soshisha.com/

本文組版　株式会社 キャップス

本文印刷　株式会社 三陽社

付物印刷　中央精版印刷 株式会社

製本所　大口製本印刷 株式会社

本体表紙デザイン　間村俊一

ISBN978-4-7942-2630-3　Printed in Japan

草思社文庫既刊

銃・病原菌・鉄（上・下）

ジャレド・ダイアモンド　倉骨 彰＝訳

なぜ、アメリカ先住民は旧大陸を征服できなかったのか。現在の世界に広がる〝格差〟を生み出したのは何だったのか。人類の歴史に隠された壮大な謎を、最新科学による研究成果をもとに解き明かす。

文明崩壊（上・下）

ジャレド・ダイアモンド　楡井浩一＝訳

繁栄を極めた文明はなぜ消滅したのか。古代マヤ文明やイースター島、北米アナサジ文明などのケースを解析、社会発展と環境負荷との相関関係から「崩壊の法則」を導き出す。現代世界への警告の書。

人間の性はなぜ奇妙に進化したのか

ジャレド・ダイアモンド　長谷川寿一＝訳

まわりから隠れてセックスそのものを楽しむ――これって人間だけだった⁉　ヒトの性は動物と比べて実に奇妙である。動物の性と対比しながら、人間の奇妙なセクシャリティの進化を解き明かす、性の謎解き本。

草思社文庫既刊

ジャレド・ダイアモンド　R・ステフォフ＝編著
秋山　勝＝訳
若い読者のための 第三のチンパンジー
人間という動物の進化と未来

『銃・病原菌・鉄』の著者の最初の著作を読みやすく凝縮。チンパンジーとわずかな遺伝子の差しかない「人間」について様々な角度から考察する。ダイアモンド博士の思想のエッセンスがこの一冊に！

パブロ・セルヴィーニュ、ラファエル・スティーヴンス
鳥取絹子＝訳
崩壊学
人類が直面している脅威の実態

近年の世界的な異常気象で注目を浴び、フランスでベストセラーとなった警世の書。自然環境、エネルギー、農業、金融など多くの分野で、現行の枠組が持続不可能になっている現状をデータで示す。

デヴィッド・スタックラー、サンジェイ・バス
橘　明美、臼井美子＝訳
経済政策で人は死ぬか？
公衆衛生学から見た不況対策

緊縮財政は国の死者数を増加させてしまう！　二十世紀初頭の世界大恐慌からソヴィエト連邦崩壊後の不況、サブプライム危機後の大不況まで、世界各国の統計を公衆衛生学者が比較分析した最新研究。

草思社文庫既刊

外来種は本当に悪者か？
新しい野生 THE NEW WILD
フレッド・ピアス　藤井留美＝訳

「外来種＝排除すべきもの」というイメージを根底から覆した、知的興奮にみちたノンフィクション。著名科学ジャーナリストが調査報道の成果を駆使し、悪者扱いの生物の知られざる役割に光をあてる。

「自然」という幻想
多自然ガーデニングによる新しい自然保護
エマ・マリス　岸　由二・小宮　繁＝訳

人間の影響や外来種の排除に固執する旧来の自然保護は、カルトであり科学的・費用対効果的に不可能な幻想にすぎない。幅広い自然のあり方を認める新しい保護の形「多自然ガーデニング」を提案する。

最悪の事故が起こるまで人は何をしていたのか
ジェームズ・R・チャイルズ　高橋健次＝訳

巨大飛行船の墜落事故や原子力発電所の事故、毒ガスの漏出など、五十あまりの巨大事故を取り上げる。誰がどのように引き起こしたのか、どのようにして食い止めたか、人的要因とメカニズムを描く。

矢野和男

データの見えざる手

ウエアラブルセンサが明かす人間・組織・社会の法則

AI、センサ、ビッグデータを駆使した最先端の研究から仕事におけるコミュニケーションが果たす役割、幸福と生産性の関係などを解き明かす。「データの見えざる手」によって導き出される社会の豊かさとは？

アレックス・ペントランド　小林啓倫＝訳

ソーシャル物理学

「良いアイデアはいかに広がるか」の新しい科学

SNSで投資家の利益が変わる、会議で全員が発言すると生産性が向上する、風邪のひきはじめは普段より活動的になる――人間行動のビッグデータから、組織や社会の改革を試みる〝新しい科学〟を解き明かす。

エレツ・エイデン、ジャン＝バティースト・ミシェル　阪本芳久＝訳

カルチャロミクス

文化をビッグデータで計測する

数百万冊、数世紀分の本に登場する任意の言葉の出現頻度を年ごとにプロットするシステム「グーグルＮグラムビューワー」。この技術が歴史学や語学、文学などの人文科学にデータサイエンス革命をもたらす！

草思社文庫既刊

異端の統計学 ベイズ

シャロン・バーチュ・マグレイン　冨永 星＝訳

先端理論として現在、注目を集めているベイズ統計。じつは百年以上にわたって学界で異端とされてきたのだ。それはなぜなのか。逆境を跳ね返した理由とは何か。その数奇な遍歴が初めて語られる。

思考する機械 コンピュータ

ダニエル・ヒリス　倉骨 彰＝訳

コンピュータは思考プロセスを加速・拡大し、われわれの想像力を飛躍的に高め、未知の世界にまで思考を広げてくれる。もっとも複雑な機械でありながら、その本質は驚くほど単純なコンピュータの可能性を解く。

学校では教えてくれなかった算数

ローレンス・ポッター　谷川 漣＝訳

算数がなかった昔の人は、日々の計算をどうしてた？ 教育なしでは4までしか数えられない人間に、筆算や比例、方程式までできるようにする「算数」の裏にある秘密とその歴史を語る。

草思社文庫既刊

毛沢東の大飢饉
史上最も悲惨で破壊的な人災1958―1962

フランク・ディケーター　中川治子＝訳

毛沢東のユートピア構想は未曾有の大飢饉を発生させ4500万もの死者を出していた。中国共産党最大のタブー、「大躍進」運動の全体像を、党の資料をもとに明らかにした衝撃の書。サミュエル・ジョンソン賞受賞。

わが魂を聖地に埋めよ（上・下）

ディー・ブラウン　鈴木主税＝訳

フロンティア開拓の美名の下で繰り広げられたのは、アメリカ先住民の各部族の虐殺だった。燦然たるアメリカ史の裏面に追いやられていた真実の歴史を、史料に残された酋長たちの肉声から描く衝撃的名著。

文化大革命とモンゴル人ジェノサイド（上・下）

楊　海英

一九六六年からの中国文化大革命のさなか、内モンゴル自治区で実行されていた恐るべきモンゴル人粛正。六千頁にのぼる膨大な資料をもとに、封印された殺戮の全貌を検証した決定版。